FOLIO POLICIER

Ian Rankin

La mort dans l'âme

Une enquête de l'inspecteur Rebus

Traduit de l'anglais (Écosse)
par Édith Ochs

Gallimard

Titre original :

DEAD SOULS

Première édition : Orion Books Ltd, Londres, 1999.

Ian Rankin, né en 1960 en Écosse, est devenu en quelques années, depuis la création de l'inspecteur John Rebus en 1987, l'un des auteurs majeurs du polar international avec à son actif une quinzaine de romans dont la plupart sont désormais disponibles en français. Docteur en philosophie, journaliste, ancien chanteur dans un groupe rock et un temps secrétaire du Centre national du conte populaire, Ian Rankin a su profiter de chacune des enquêtes toujours remarquablement denses de John Rebus pour faire connaître la ville d'Édimbourg et plus largement les faces cachées de la Grande-Bretagne. Profondément intuitif et humain, sans aucune certitude quant aux vérités qui l'entourent, son héros, comme dans les romans de Henning Mankell ou Graham Hurley, est à l'image d'une société qui se cherche.

À mon éditrice, Caroline Oakley,
d'une patience à toute épreuve.

« Le monde est plein de disparus, dont le nombre croît sans cesse. L'espace qu'ils occupent tient entre ce que nous savons de la vie et ce qu'on nous dit de la mort. Esseulés et inconnaissables, ils errent entre les deux, telle l'ombre de ce qu'ils furent. »

ANDREW O'HAGAN,
The Missing.

« Un jour, j'ai pris par erreur un train pour Cardenden… Arrivés à Cardenden, nous sommes descendus et avons attendu le prochain rapide pour Édimbourg. J'étais très fatiguée et si Cardenden avait paru plus engageant, j'y serais sûrement restée. Mais si vous avez déjà mis les pieds à Cardenden, vous savez sûrement à quel point l'aventure a été déplaisante. »

KATE ATKINSON,
Dans les coulisses du musée.

Prologue

D'en haut, la cité endormie a l'air d'un jeu de construction pour enfants, un modèle réduit qui refuse les contraintes de l'imagination. Le cratère volcanique pourrait être une boule de pâte à modeler noire, le château juché au sommet une reconstitution en cubes crénelés posés de guingois. Les lampadaires orange ne seraient que du papier cristal froissé, collé sur des bâtonnets à sucettes.

Et sur le Forth, les ampoules faiblardes des lampes de poche illuminent des bateaux posés, tels des jouets, sur du papier crépon noir. Dans cet univers, les flèches déchiquetées de Old Town seraient des allumettes plantées de biais et Princes Street Gardens une plaque de feutre pelucheux. Des boîtes en carton pour les immeubles, avec portes et fenêtres soigneusement dessinées aux crayons de couleur. Des pailles en plastique — de ces pailles qui servent pour boire — formeraient gouttières et descentes, et d'un coup d'une fine lame — un cutter, par exemple — ces portes pourraient s'ouvrir. Mais si on regarde à l'intérieur… si on regarde à l'intérieur, le charme est rompu.

Car si on regarde à l'intérieur, ça casse *tout*.

Il fourre les mains dans ses poches. Le vent lui

affûte les oreilles. Même s'il veut croire que c'est un souffle d'enfant, la réalité le rappelle à l'ordre.

Je suis le dernier vent froid que tu sentiras.

Il fait un pas en avant, cherche à percer l'obscurité, il scrute le vide. Arthur's Seat est tapi derrière lui, tassé et silencieux, comme offusqué par sa présence, ramassé sur lui-même et prêt à bondir. Il se dit : *C'est du papier mâché*. Il passe les doigts sur des colonnes imprimées sans lire les articles, puis se rend compte qu'il caresse l'air et retire les mains en riant, gêné. Derrière lui, il entend une voix.

Dans le passé, il est maintes fois venu ici en plein jour. Il y a bien longtemps, avec une de ses petites amies, ils grimpaient, main dans la main, pour voir la ville étendue à leurs pieds telle une promesse. Puis, plus tard, avec sa femme et son enfant, il s'arrêtait au sommet pour prendre des photos en veillant à ce que personne ne s'approche trop près du bord. Père et mari, le menton rentré dans son col, il voyait Édimbourg dans une symphonie de gris et sous un autre éclairage, puisqu'il s'était hissé au-dessus avec sa famille. Englobant toute la cité d'un lent mouvement circulaire de la tête, il avait l'impression que tous les problèmes étaient maîtrisables.

À présent, dans le noir, il en est revenu.

Il sait que la vie est un piège, que les mâchoires se referment un jour ou l'autre sur quiconque a la folie de croire qu'on peut s'en tirer en pipant les dés. Une sirène de police retentit au loin, mais elle ne vient pas pour lui. Un coche noir l'attend au pied de Salisbury Crags. Le cocher sans tête s'impatiente. Les chevaux hennissent et s'ébrouent. Leurs flancs seront couverts d'écume en arrivant au port.

Le nom des falaises, Salisbury Crags, est passé dans l'argot local. À Édimbourg, on dit la *skag* pour parler de la schnouffe, l'héroïne. La « Morningside

Speed », c'est la fée blanche, la poudre, la cocaïne. Sniffer une ligne maintenant lui aurait fait un bien fou, mais ça n'aurait pas suffi. En fait, Arthur's Seat eût-il été bourré de came, étant donné les circonstances, ça n'aurait rien changé.

Il y a une silhouette derrière lui dans le noir, une silhouette qui s'approche. Il pivote à demi pour lui faire face, puis détourne promptement les yeux, soudain effrayé de voir son visage. Il articule quelques mots hésitants.

— Tu auras du mal à le croire, mais j'ai...

La phrase reste inachevée. Car à présent il flotte sur la ville, sa veste en étendard au-dessus de la tête, et il étouffe un dernier cri venu du fond de son être. Comme son estomac remonte et se vide, il se demande s'il y a vraiment un cocher qui l'attend.

Et il sent son cœur exploser quand il réalise que jamais, jamais, il ne reverra sa fille, dans ce monde ni dans l'autre.

PREMIÈRE PARTIE

PERDU

Nous commettons sans le vouloir toutes sortes d'injustices à chaque pas. À chaque minute, nous sommes cause d'un chagrin…

1

John Rebus faisait semblant d'observer les mangoustes quand il l'aperçut ; aussitôt, il sut que ce n'était pas lui.

Depuis près d'une heure, Rebus clignait des yeux pour faire passer sa gueule de bois, ce qui était l'effort physique maximal dont il était capable. Il s'était laissé choir sur les bancs et contre les murs en s'épongeant le front, alors que le début du printemps à Édimbourg ressemblait comme un frère au cœur de l'hiver. Sa chemise moite lui collait au dos et le serrait désagréablement chaque fois qu'il se relevait. Le cochon d'eau lui avait jeté un regard presque de commisération, tandis qu'il avait cru voir une lueur de compassion et de solidarité sous les longs cils du rhinocéros blanc trapu, d'une immobilité telle qu'il aurait pu servir d'élément publicitaire pour un centre commercial. Encore que son isolement lui conférât une certaine dignité.

Rebus se sentait isolé, mais avec à peu près autant de dignité qu'un chimpanzé. Cela faisait des lustres qu'il n'avait pas remis les pieds au zoo. La dernière fois, ce devait être pour emmener sa fille voir Palango le gorille. Sammy était si petite qu'il l'avait portée sur ses épaules sans en ressentir de fatigue.

Aujourd'hui, il ne portait rien à part un micro et des menottes. Il se demanda s'il n'attirait pas l'attention à faire les cent pas sur un parcours aussi réduit sans s'intéresser aux attractions situées plus haut et plus bas sur la pente, avec de temps à autre une pause au kiosque pour acheter une canette d'Irn-Bru[1]. La parade des manchots était venue et repartie sans qu'il quitte son perchoir. Curieusement, c'est quand les visiteurs s'en allèrent en quête d'un spectacle plus animé que la première mangouste pointa le nez, se dressa sur ses pattes postérieures, le corps étroit et ondulant, pour explorer son territoire. Deux autres sortirent alors de leur terrier et tournèrent en rond, la truffe au ras du sol. Sans manifester le moindre intérêt pour la silhouette silencieuse juchée sur le muret de leur enclos, elles passèrent et repassèrent devant lui tandis qu'elles exploraient la même aire de terre battue, ne s'écartant d'un bond que quand il porta un mouchoir à son visage. Il sentait le poison picoter dans ses veines, pas l'alcool mais un double espresso matinal provenant d'une des antennes de police aménagée près des Meadows. Il faisait route vers le boulot quand il apprit que c'était jour de battue au zoo. Et la glace dans les toilettes du commissariat avait carrément manqué de diplomatie.

Greenslade, *Sunkissed You're Not*[2]. Enchaînant avec Jefferson Airplane, *If You Feel Like China Breaking*[3].

Mais il y a toujours pis, s'était rappelé Rebus, qui préféra s'intéresser à la question clé du jour : qui

1. Limonade très appréciée en Écosse. *(Toutes les notes sont de la traductrice.)*
2. « Ton bronzage laisse à désirer. »
3. « Si tu as envie de casser de la porcelaine. »

était l'empoisonneur du zoo d'Édimbourg ? Le fond de l'affaire, c'est qu'il y avait bien un responsable de ces méfaits, un être cruel, calculateur et qui, jusque-là, avait échappé à la vigilance des caméras et des gardiens. La police disposait d'un vague signalement et on procédait à des contrôles surprise des sacs et des poches de veste. En fin de compte, pourvu qu'on mette le grappin sur quelqu'un et qu'on le colle en garde à vue, avec si possible des friandises empoisonnées dans les poches, tout le monde se fichait du reste. Sauf peut-être les médias.

Ironie du sort — comme l'avaient souligné les responsables des lieux —, l'empoisonneur avait eu un effet dopant sur la fréquentation du zoo. Cependant, si ces actes n'avaient pas encore fait école, cela risquait de ne pas durer et d'inspirer bientôt quelques émules.

Le haut-parleur annonça la distribution de nourriture aux otaries. Rebus, qui avait flâné devant leur bassin un peu plus tôt, ne l'avait pas trouvé particulièrement grand pour une famille de trois membres. L'antre des mangoustes étant à présent cerné d'enfants, les petits mammifères avaient battu en retraite, laissant Rebus singulièrement content d'avoir eu droit en privé à leur compagnie.

Il s'éloigna, mais pas trop, et se mit à dénouer et renouer un lacet, ce qui était sa façon de marquer les quarts d'heure. Les zoos et leurs semblables ne l'avaient jamais fasciné. Enfant, son répertoire d'animaux familiers avait eu plus que son content de « portés disparus » et de « tombés au champ d'honneur ». Sa tortue avait joué la fille de l'air, malgré le nom de son propriétaire peint sur la carapace, plusieurs perruches n'avaient jamais atteint l'âge de la maturité et la maladie avait frappé son unique poisson rouge (gagné à la foire de Kirkcaldy). Habitant en appartement, la compagnie d'un chat ou d'un chien ne l'avait guère tenté. Il avait essayé de monter à cheval une fois exactement, ce qui lui avait mis la peau des cuisses à vif au point qu'il s'était promis que désormais, ses seuls contacts avec la plus noble conquête de l'homme se limiteraient à l'achat d'un ticket de PMU.

Mais il avait aimé les mangoustes pour un ensemble de raisons : leur nom chantant, le comique de leurs rituels et leur instinct de conservation. Maintenant les gosses se balançaient sur le muret, les jambes battant l'air. Rebus imagina un renversement des rôles, avec les cages remplies de gamins que zieutaient des animaux en promenade, et qui gambadaient et piaillaient, ravis d'attirer l'attention. Sauf que les animaux ne partageaient pas la curiosité des hommes. Toute manifestation d'agilité ou de tendresse les laisserait indifférents, ils ne remarqueraient pas qu'ici on jouait et que, là, quelqu'un s'était égratigné le genou. Les animaux ne construiraient pas de zoos, car ils n'en auraient pas l'usage. Rebus se demanda pourquoi les humains en avaient besoin.

L'endroit lui parut brusquement absurde, un morceau du meilleur terrain immobilier d'Édimbourg consacré à un monde irréel... Et c'est alors qu'il remarqua l'appareil photo.

Il le vit parce qu'il occultait le visage qui aurait dû se trouver à sa place. L'homme se tenait à une vingtaine de mètres sur la pelouse en pente et faisait le point avec un téléobjectif de bonne taille. La bouche sous le corps de l'appareil était un trait mince, signe de concentration, ondulant légèrement pendant que le pouce et l'index réglaient avec précision le mécanisme. Il portait un blouson en denim noir, un pantalon froissé, et des tennis. Il avait retiré une casquette de base-ball bleu décolorée, qui pendait à un doigt pendant qu'il prenait les photos. Cheveux châtains, tempes dégarnies, front ridé. Dès qu'il eut baissé l'appareil, Rebus le reconnut. Il détourna les yeux pour regarder dans la direction de l'objectif : les enfants. Les enfants penchés sur l'enceinte des mangoustes. On ne voyait que des semelles et des jambes, des jupes de fillettes et le creux des reins là où les tee-shirts et les chandails s'étaient relevés.

Rebus connaissait ce type et le contexte aidait à lui rafraîchir la mémoire. Il ne l'avait pas revu sans doute depuis quatre ans, mais des yeux pareils ne s'oublient pas, de même que la faim qui brillait sur les joues dont la rougeur accentuait les vieilles cicatrices d'acné. Quatre ans plus tôt, les cheveux étaient plus longs et frisottaient au-dessus des oreilles en feuilles de chou. Rebus chercha son nom tout en plongeant la main dans sa poche pour prendre sa radio. Le photographe repéra le geste, ses yeux se levèrent et croisèrent le regard de Rebus, qui déjà se portait ailleurs. Lui aussi le reconnut. D'un geste preste, il démonta le téléobjectif qu'il fourra dans un sac en bandoulière et fixa le bouchon sur l'ouverture. Et puis l'homme leva le camp, descendant la pente d'un pas vif. Rebus sortit sa radio d'un coup sec.

— Il descend la colline de l'autre côté, à l'ouest de la maison des Membres. Blouson en jean noir, pantalon clair...

Rebus lui emboîta le pas sans arrêter de donner son signalement. En se retournant, le photographe l'aperçut et se mit à courir, gêné par le poids de son sac-reporter.

La radio s'anima brusquement, comme les policiers arrivaient dans le secteur après avoir dépassé un restaurant et une cafétéria, avec des couples qui se tenaient par la main et des enfants qui attaquaient des cornets de glace. Puis les pécaris, les loutres, les pélicans. Le chemin descendait, heureusement pour Rebus, et la démarche inhabituelle du gus — une patte un peu plus courte que l'autre — aida à réduire l'écart. Le sentier se rétrécit juste là où la foule était le plus dense. Rebus ne savait pas comment expliquer le bouchon, puis il entendit un plouf, suivi de cris de joie et d'applaudissements.

— L'enclos de l'otarie ! beugla-t-il dans sa radio.

L'homme se retourna à demi et aperçut le micro près des lèvres de Rebus. Puis il regarda devant lui et vit des têtes et des corps qui lui dissimulaient l'approche des autres policiers. À présent, la peur remplaçait dans ses yeux l'air calculateur qu'on y lisait plus tôt. Visiblement, la situation lui échappait. Rebus étant presque à portée de main, l'homme obliqua, repoussa deux spectateurs et enjamba le muret en pierre. Penchée sur deux seaux en plastique noir, la gardienne se tenait sur un affleurement rocheux de l'autre côté du bassin. Il n'y avait pratiquement pas de spectateurs derrière elle, car les rochers bouchaient la vue des otaries. En esquivant la foule, l'homme pourrait escalader la clôture sur l'autre rive et se trouver à proximité de la sortie. Rebus jura entre ses dents, posa un pied sur le muret et se hissa péniblement par-dessus.

Les spectateurs sifflèrent, quelques-uns applaudirent même tandis qu'on levait les caméras vidéo pour enregistrer les cabrioles des deux hommes qui se frayaient prudemment un chemin sur la pente abrupte. Lançant un regard vers l'eau, Rebus aperçut un mouvement vif et entendit les cris de la gardienne tandis qu'une otarie se hissait en ondulant sur les rochers à côté d'elle. Son corps noir et luisant ne s'immobilisa que le temps qu'un poisson lui tombe exactement entre les mâchoires avant de se retourner et de glisser à nouveau dans l'eau. Elle n'avait l'air ni très grosse ni très féroce, mais son apparition démonta l'homme qui se retourna à nouveau. La lanière du sac glissa sur son épaule et il le déplaça pour se l'accrocher autour du cou. Il avait l'air prêt à battre en retraite, mais quand il aperçut son poursuivant, il changea d'idée. La gardienne avait sorti sa propre radio pour alerter le service de sécurité. Mais les occupants de la fosse commençaient à s'impatienter. L'eau à côté de Rebus sembla tanguer et rouler, puis une vague écuma sous son nez tandis que quelque chose d'énorme et d'un noir d'encre s'élevait des profondeurs et obscurcissait le soleil pour s'abattre sur les rochers. La foule hurla quand le mâle, facilement quatre ou cinq fois plus gros que sa progéniture, sortit de l'eau et regarda alentour en quête de nourriture, éructant des grognements sonores par les naseaux. Comme il ouvrait la bouche pour pousser une plainte féroce, le photographe glapit en perdant l'équilibre et plongea dans le bassin, emportant avec lui armes et bagages.

Deux formes dans le bassin — la mère et l'enfant — voguèrent vers lui. La gardienne s'époumonait dans le sifflet pendu à son cou, exactement comme l'arbitre d'une rencontre du dimanche se trouvant brusquement face à une échauffourée. Le mâle considéra Rebus une dernière fois avant de replonger dans le bassin pour rejoindre l'endroit où sa compagne tâtait le cuir du nouvel arrivant.

— Nom de Dieu, gueula Rebus. Balancez-leur du poisson !

La gardienne saisit le message et envoya le seau dans l'eau d'un coup de pied. Aussitôt, les trois lions de mer se ruèrent sur les lieux. Rebus en profita pour entrer en pataugeant dans la vase, ferma les yeux, plongea et empoigna l'homme qu'il hala jusqu'aux rochers. Deux ou trois spectateurs vinrent à la rescousse, suivis de deux inspecteurs en civil. Les yeux de Rebus le piquaient. L'air empestait l'odeur du poisson cru.

— On va vous sortir de là, dit quelqu'un en tendant une main secourable.

Rebus se laissa faire. Puis il arracha l'appareil photo au cou du rescapé.

— Je vous tiens, dit-il.

Puis, agenouillé sur les rochers, il fut agité de frissons et vomit dans l'eau.

2

Le lendemain matin, Rebus fut assailli de souvenirs. Pas les siens, mais ceux du Grand Chef. Des photographies encadrées qui encombraient l'espace réduit du bureau. Or les souvenirs, ça ne représente rien pour les autres. Rebus aurait pu se tenir devant une vitrine de musée. Des gosses, une flopée de gosses. Les enfants du Grand Chef, dont le visage vieillissait avec le temps, puis les petits-enfants. Rebus avait l'impression que les photographies n'avaient pas été prises par son patron. C'étaient des cadeaux qu'on lui avait donnés, et il lui avait paru nécessaire de les exposer ici.

Les indices se trouvaient dans leur arrangement : les clichés sur la table étaient dirigés vers la porte, de sorte que quiconque pénétrant dans le bureau pouvait les voir à l'exception de l'utilisateur quotidien des lieux. D'autres étaient posés sur le rebord de la fenêtre derrière le bureau — même résultat — et d'autres encore en haut d'un classeur dans le coin. Rebus s'était assis dans le fauteuil du surintendant Watson pour confirmer sa théorie : les tirages n'étaient pas destinés à Watson, ils étaient là à l'intention des visiteurs. Et ce qu'ils disaient aux visiteurs, c'était que Watson était un bon père de famille, un homme droit et intègre, un homme qui avait accompli quelque chose dans sa vie. Au lieu d'humaniser le morne bureau, ils s'y étalaient avec la froideur guindée d'une exposition.

Une nouvelle photographie était venue s'ajouter à la collection. Elle était vieille, légèrement floue comme si l'appareil avait tremblé. Les bords ondulés, une bordure blanche et la signature illisible du photographe dans un coin. C'était une photo de famille : le père debout, une main de propriétaire sur l'épaule de sa femme assise, qui tenait un bambin sur ses genoux. L'autre main du père tenait agrippée l'épaule du blazer d'un jeune garçon, les cheveux en brosse et le regard furieux. Une tension préalable à la séance de pose sautait aux yeux : le garçon essayait d'échapper à la poigne du père. Rebus rapprocha la photo de la fenêtre et s'étonna d'une solennité aussi empesée. D'ailleurs il se sentait empesé lui aussi, dans son costume de laine noire avec chemise blanche et cravate noire. Chaussettes et chaussures noires, ces dernières bien astiquées le matin même. Dehors, le ciel était couvert, la pluie menaçait. Un temps parfait pour des funérailles.

Le surintendant Watson entra dans la pièce, d'une démarche nonchalante qui démentait son tempérament. Dans son dos, on l'appelait le « Péquenot » parce qu'il venait du nord et accusait un air de ressemblance avec l'Aberdeen Angus, le bœuf noir écossais. Il arborait son plus bel uniforme, casquette à la main. Dans l'autre, une enveloppe A4 blanche. Il posa les deux sur le bureau tandis que Rebus remettait le cadre à sa place en l'orientant face au fauteuil du Péquenot.

— C'est vous, monsieur ? demanda-t-il en tapotant du doigt l'enfant renfrogné.

— Tout à fait.

— J'avoue qu'il faut du courage pour se montrer en culottes courtes.

Mais le Péquenot ne laisserait pas détourner la conversation. Rebus trouvait trois explications possibles aux veines rouges qui saillaient sur le visage de Watson : l'effort physique, l'alcool ou la colère. Aucun signe d'essoufflement, donc on élimine le premier. Et quand le Péquenot picolait du whisky, ça n'atteignait pas seulement les joues. Tout son visage se nimbait de rose et semblait se contracter de l'intérieur au point de lui donner un petit air malicieux.

Restait la colère.

— J'irai droit au but, lança Watson avec un coup d'œil à sa montre.

Aucun des deux n'avait de temps à perdre. Le Péquenot décacheta l'enveloppe, fit tomber une pochette de photographies sur le bureau dont il ouvrit la languette et balança les clichés en direction de Rebus.

— Allez-y, regardez vous-même.

Rebus regarda. C'étaient les clichés pris par l'appareil de Darren Rough. Le Péquenot plongea la main dans son tiroir pour en sortir un dossier. Rebus continua de regarder. Des animaux du zoo, en cage ou derrière des enceintes. Et sur certains clichés — pas tous, mais une bonne partie — des gosses. La mise au point était faite sur des gamins qui discutaient entre eux, suçaient des bonbons ou faisaient des grimaces aux animaux. Rebus éprouva aussitôt un sentiment de soulagement. Il attendit du Péquenot une confirmation de ce qui se trouvait sous son nez.

— D'après M. Rough, disait le Péquenot en étudiant une feuille dans un dossier, les photos font partie d'un portfolio.

— Je n'aurais su dire mieux.
— « Un jour dans la vie du zoo d'Édimbourg. »
— Ben voyons.
Le Péquenot s'éclaircit la voix.
— Il suit un cours du soir sur la photographie. J'ai vérifié et c'est vrai. Il est également vrai qu'il a choisi pour sujet le zoo.
— Et il y a des gosses sur presque tous les clichés.
— En fait, dans moins de la moitié.
Rebus fit glisser les photos sur la table.
— Allons donc, monsieur.
— John, Darren Rough est sorti de prison depuis presque un an et n'a manifesté aucun signe de récidive.
— J'avais entendu dire qu'il était parti dans le Sud.
— Eh bien, il est revenu.
— Il a tenté de s'enfuir en me voyant.
Le Péquenot le fixa sans répondre.
— On n'a rien ici, John, zéro, dit-il.
— Un type comme Rough, ce n'est pas pour regarder les fleurs et les petits oiseaux qu'il va au zoo, croyez-moi, marmonna Rebus.
— Ce n'est même pas lui qui a choisi son sujet. C'est son professeur.
— Ça va de soi : Rough aurait sûrement préféré le bac à sable, fit Rebus en soupirant. Et que dit son avocat ? Rough a toujours réussi à embobiner ses avocats.
— M. Rough désire seulement qu'on le laisse tranquille.
— Comme il a laissé ces gosses tranquilles ?
Le Péquenot se renversa dans son fauteuil.
— Est-ce que le mot « expiation » a un sens pour vous, John ?
— Pas dans ce cas, grogna-t-il.

— Qu'est-ce que vous en savez ?
— Chassez le naturel, comme on dit...
De nouveau, le surintendant Watson jeta un coup d'œil à sa montre.
— Écoutez, je sais que vous avez une dent contre lui.
— Minute, ce n'est pas contre moi qu'il a porté plainte.
— Exact, admit son chef. C'était contre Jim Margolies.
Perdus dans leurs pensées, ils laissèrent ces derniers mots planer dans l'air.
— Alors on ne fait rien ? interrogea enfin Rebus. On laisse courir ?
Le mot « expiation » voltigeait sous son crâne. Son copain prêtre était de ceux qui s'en servaient pour parler de la réconciliation entre Dieu et l'homme par la vie et la mort de Jésus. On était loin de Darren Rough. Rebus se demanda ce que Jim Margolies voulait expier en se jetant de Salisbury Crags...
— Il est blanc comme neige. (Le Péquenot plongea la main dans le tiroir du bas dont il tira une bouteille et deux verres. Du malt.) Je ne sais pas pour vous, dit-il, mais moi, avant un enterrement, j'ai besoin de m'en jeter un.
Rebus approuva et regarda couler le liquide ambré. Le bruit cristallin d'un torrent de montagne... *Usquebaugh*, en gaélique. De *uisge*, l'eau, et *beatha*, la vie, autrement dit l'eau-de-vie. *Beatha* sonne comme le mot anglais *birth*, la naissance. Chaque verre était une autre naissance dans l'esprit de Rebus. Mais comme son médecin ne cessait de le lui redire, chaque goutte était aussi une petite mort. Il porta le verre à ses narines et opina pour signifier qu'il en appréciait l'arôme.

— Ce sont toujours les meilleurs qui partent, prononça le Péquenot.

Aussitôt, une nuée de fantômes se mit à tourbillonner dans la pièce, juste à la périphérie de son champ de vision avec, en vedette, Jack Morton. Jack, son vieux copain, son collègue, tombé en service trois mois plus tôt. The Byrds : *He Was a Friend of Mine*[1]. Un ami qui refusait de rester couché dans la tombe. Le Péquenot suivit le regard de Rebus, mais ne vit rien. Il éclusa son verre et rangea le flacon.

— Peu et souvent, décréta-t-il. (Puis, comme si le whisky avait donné le signal d'on ne sait quelles négociations :) Il y a d'autres façons de s'y prendre, John.

— Pour faire quoi, monsieur ?

Jack s'était évaporé derrière les vitres.

— Pour arriver à vos fins. (Déjà le whisky était à l'œuvre sur le visage du surintendant qui devenait triangulaire.) Depuis ce qui est arrivé à Jim Margolies… eh bien, ça a donné à réfléchir à certains d'entre nous sur le stress de ce métier. (Il s'interrompit.) Trop de conneries, John.

— Je suis dans une mauvaise passe, c'est tout.

— Une mauvaise passe a toujours ses raisons.

— À savoir… ?

Le Péquenot laissa la question en suspens, sachant peut-être que Rebus était déjà en train d'y répondre : la mort de Jack Morton et Sammy en fauteuil roulant[2].

Outre que le whisky était le seul psychanalyste qu'il était prêt à se payer.

1. « C'était un de mes amis. »

2. Voir du même auteur *Le jardin des pendus*, Folio Policier n° 346.

— Bah, je vais m'en sortir, marmonna-t-il enfin sans réussir à se convaincre lui-même.

— Tout seul ?

— C'est ce qu'il faut, non ?

Son patron fit un geste impuissant.

— Et d'ici là, on devra supporter vos bavures ?

Des bavures, comme diriger les hommes sur Darren Rough alors qu'il n'était pas le type qu'ils cherchaient. Ce qui avait permis à l'empoisonneur d'accéder sans entraves à l'enclos des mangoustes et de balancer une pomme par-dessus la clôture. Heureusement qu'un gardien passant par là l'avait ramassée avant les animaux. Et comme il était au courant du danger qui rôdait, il l'avait rapportée pour la faire analyser.

Résultat positif : présence de mort-aux-rats.

À cause de Rebus.

— Allez, décréta le Péquenot après un dernier coup d'œil à sa tocante. On se bouge.

De sorte qu'une fois de plus, il avait ravalé son speech, celui qui disait comment il avait perdu la vocation et même toute illusion concernant le rôle — voire carrément l'existence — de la police. Et combien ces pensées lui faisaient peur, lui donnaient des nuits blanches ou lui filaient les pires cauchemars. Sans oublier les fantômes qui venaient le hanter, le jour comme la nuit.

En bref, qu'il n'avait plus envie d'être flic.

Jim Margolies avait tout pour lui.

De dix ans plus jeune que Rebus, on lui avait pronostiqué une carrière fulgurante. On attendait qu'il ait achevé sa formation, après quoi il aurait quitté le rang d'inspecteur principal lors d'une ultime mue. Brillant, de la prestance, un fin stratège ayant le sens aigu de la politique de la maison. Bel homme par-dessus le marché, qui entretenait sa forme en défendant les couleurs de l'équipe de rugby de son ancienne école, Boroughmuir. Issu d'un bon milieu, il possédait des relations parmi les notables d'Édimbourg, une femme charmante et élégante, et une fillette d'une grande beauté. Il était aimé de ses collègues et présentait un taux de réussite enviable entre arrestations et condamnations. La famille habitait à The Grange, un quartier tranquille, fréquentait l'église locale et semblait parfaitement unie.

Le Péquenot poursuivait son éloge funèbre d'une voix à peine audible. Il avait commencé sur la route de l'église, avait poursuivi durant l'office et achevait par une péroraison au bord de la tombe.

— Il avait tout pour lui, John. Et voilà qu'il s'en va pour faire un truc pareil. Qu'est-ce qui conduit un homme à... Je veux dire, que lui est-il passé par la tête? C'était quelqu'un pour qui même des collègues plus chevronnés éprouvaient du respect... Je veux dire même des vieux tocards aigris et cyniques à deux doigts de la retraite. Des types revenus de tout avec le temps, mais ils n'avaient jamais vu quelqu'un comme Jim Margolies.

Rebus et le Péquenot, en tant que représentants de leur commissariat, s'étaient placés dans les derniers rangs de la foule — une foule fort respectable. Un tas de gens huppés, le gratin, à côté de joueurs de rugby, de fidèles et de voisins. Plus la famille élargie. Et debout au bord de la tombe béante, la veuve en noir qui réussissait à avoir l'air posé. Elle avait soulevé sa fille dans ses bras. Une fillette en robe de dentelle blanche et boucles blondes, le visage lumineux pendant qu'elle faisait au revoir de la main au cercueil en bois. Avec ses longs cheveux dorés et sa robe immaculée, elle avait l'air d'un ange. Peut-être était-ce voulu. Indiscutablement, elle se détachait de la foule.

Les parents de Margolies étaient là aussi. Le père, l'air d'un militaire à la retraite, raide comme une horloge comtoise mais les deux mains tremblantes agrippées au pommeau d'argent d'une canne. La mère, les yeux noyés de larmes, frêle, une voilette s'arrêtant à la bouche humide. Elle avait perdu ses deux enfants. D'après le Péquenot, la sœur de Jim s'était suicidée, elle aussi, des années auparavant. Souffrant d'instabilité, elle s'était tailladé les poignets. Rebus regarda de nouveau les parents, qui survivaient donc à leurs deux rejetons. Il vit aussitôt l'image de sa propre fille et se demanda jusqu'où elle était marquée, marquée en des endroits qui n'étaient pas visibles.

D'autres membres de la famille resserraient les rangs autour des parents, cherchant du réconfort ou prêts à apporter leur soutien. Rebus n'aurait pu dire lequel.

— Une famille bien sous tous rapports, chuchota le Péquenot. (Rebus crut percevoir une bouffée de jalousie.) Hannah a gagné des concours.

Hannah était la fillette. Elle avait huit ans, apprit Rebus. Les yeux bleus comme son père et un teint de rose. La veuve s'appelait Katherine.

— Mon Dieu, quel gâchis.

Rebus songea à la galerie de portraits du Péquenot, la façon dont les individus se rencontrent et s'entrecroisent, formant des schémas qui en engendrent d'autres, des couleurs qui se mélangent ou tranchent par des contrastes visibles. Vous vous faites des amis, entrez par mariage dans une nouvelle famille, avez des enfants qui jouent avec les enfants d'autres parents. Vous allez au boulot, rencontrez des collègues qui deviennent à leur tour des amis. Petit à petit, votre identité se trouve subsumée dans le groupe. Elle n'est plus celle d'un individu mais aussi, de ce fait, se renforce.

Sauf que cela ne marchait pas toujours ainsi. Des conflits pouvaient surgir, au travail, peut-être, ou par la lente prise de conscience que vous avez commis une erreur d'aiguillage à un moment donné. Rebus l'avait vu dans sa propre vie, il avait fait passer sa profession avant son mariage et négligé sa femme. Elle était partie en emmenant leur fille avec elle. Il avait maintenant l'impression d'avoir fait le bon choix pour de mauvaises raisons et qu'il aurait dû s'avouer ses failles dès le départ. Son boulot lui avait simplement donné une bonne excuse pour se défiler.

Il pensa à Jim. Margolies, qui s'était donné la mort en sautant dans le noir. Il se demanda ce qui l'avait conduit à prendre une décision aussi difficile. Personne ne semblait en mesure de donner un début de réponse. Rebus en avait croisé, des suicides, au cours des ans, allant de la simple tentative au suicide assisté en passant par toutes les étapes intermédiaires. Mais il y avait toujours une explication quelconque, un point de rupture quelque part, un sentiment fortement ancré de perte ou d'échec, ou un signe annonciateur. Leaf Hound : *Drowned My Life in Fear*[1].

Or, dans le cas de Jim Margolies, pas de déclic, rien, on ne pigeait pas, ça n'avait pas de sens. Incompréhensible. Sa veuve, ses parents, ses camarades... personne n'était capable d'avancer l'ombre d'une explication. Il avait été déclaré bon pour le service. Tout baignait sur le front du travail et chez lui. Il adorait sa femme et sa fille. Une situation financière confortable.

1. « Ma vie a sombré dans la peur. »

Et pourtant, il avait eu un problème, et de taille. *Mon Dieu, quel gâchis.*

Quant à la violence implacable d'un tel geste, qui laissait chacun non seulement dans la douleur mais aussi dans le doute, s'interrogeant, se demandant s'il avait des reproches à se faire... S'ôter la vie, quand la vie est si précieuse.

En levant les yeux vers un bosquet, Rebus aperçut Jack Morton, debout, l'air aussi jeune qu'au premier jour de leur rencontre.

On jetait de la terre sur le couvercle du cercueil, ultime et futile avertissement. Le Péquenot tourna les talons, les mains dans le dos.

— Tant que je vivrai, gronda-t-il, je ne comprendrai jamais.

— Vous ne connaissez pas votre chance, répliqua Rebus.

3

Il se trouvait en haut de Salisbury Crags. Un vent féroce soufflait et il releva le col de son manteau. Il était rentré chez lui pour retirer son costume d'enterrement et aurait dû retourner au poste — d'ici, il pouvait voir St Leonard. Mais quelque chose l'avait amené à faire ce détour.

Plus haut, derrière lui, quelques âmes intrépides avaient fait l'ascension d'Arthur's Seat. Avec en prime une vue panoramique et les oreilles qui vous cuisaient pendant des heures. Enclin au vertige, Rebus se garda de s'approcher trop près du bord. Le paysage était à vous couper le souffle. C'était comme si Dieu avait flanqué le poing sur Holyrood Park pour en écraser une partie, mais en laissant cette paroi rocheuse tombant à pic afin qu'elle porte témoignage des origines de la cité.

Jim Margolies avait sauté d'ici. À moins qu'une soudaine bourrasque l'ait emporté. C'était l'hypothèse la moins plausible, mais la plus facile à accepter. Sa veuve avait formulé sa conviction qu'« il marchait, il marchait simplement », et il avait perdu pied dans le noir. Mais cela soulevait des interrogations sans fin. Qu'est-ce qui l'avait tiré du lit au milieu de la nuit ? S'il avait des soucis, pourquoi aller réfléchir en haut de Salisbury Crags, à plusieurs kilomètres de chez lui ? Il habitait The Grange, dans la maison où avaient vécu ses beaux-parents. Il pleuvait cette nuit-là, mais il n'avait pas pris la voiture. Un désespéré se rendrait-il compte qu'il était trempé ?...

En contrebas, Rebus vit l'emplacement de l'ancienne brasserie, où on allait édifier le nouveau Parlement écossais. Le premier depuis trois siècles et il serait situé à proximité d'un parc d'attractions. Non loin de là se trouvait la cité de Greenfield, un dédale de barres d'immeubles et de logements sociaux. Il se demanda pourquoi les falaises étaient tellement plus impressionnantes que l'ingéniosité des tours construites par l'homme, puis plongea la main dans sa poche pour prendre un morceau de papier plié. Il vérifia une adresse, regarda de nouveau en direction de Greenfield et se dit qu'il avait un autre crochet à faire.

Les tours au toit en terrasse de Greenfield dataient du milieu des années soixante et elles accusaient leur âge. Des taches sombres fleurissaient sur le crépi décoloré, le trop-plein des gouttières ruisselait sur les pavés fendus et le bois pourri des encadrements de fenêtres s'écaillait. Sur le mur d'un logement du rez-de-chaussée, aux fenêtres condamnées, on avait peint « sale junkie » pour identifier un ancien locataire des lieux.

Aucun urbaniste attaché à la municipalité n'avait vécu ici. Aucun directeur du logement ni aucun architecte de l'habitat social. Le conseil municipal s'était contenté d'y expédier les locataires à problème en promettant à tout le monde que le chauffage central n'allait pas tarder. Le lotissement avait été bâti sur le fond plat d'une cuvette, de sorte que

Salisbury Crags dominait l'ensemble. Rebus vérifia à nouveau l'adresse sur le papier. Il avait déjà eu à faire à Greenfield. C'était loin d'être la pire cité de la ville, mais l'endroit n'était pas sans problème. C'était le début de l'après-midi et les rues étaient tranquilles. Quelqu'un avait laissé au milieu de la rue un vélo auquel il manquait la roue de devant. Plus loin traînaient deux Caddie de magasin, nez à nez comme s'ils papotaient. Au milieu des six immeubles de onze étages se trouvaient quatre rangées de pavillons attenants avec un jardin grand comme un mouchoir de poche et une petite clôture en bois. Des rideaux au crochet recouvraient la plupart des fenêtres et, au-dessus de chaque porte, un système d'alarme avait été fixé au mur.

Une partie du macadam entre les tours avait été transformée en espace de jeux. Un garçon en tirait un autre sur une luge en faisant comme s'il y avait de la neige tandis que les patins raclaient le sol. Rebus lança les mots « Cragside Court » et le gamin sur la luge fit un signe en direction d'un des bâtiments. Quand Rebus se fut rapproché, il vit qu'on avait barbouillé le panneau sur le mur portant le nom de l'immeuble pour transformer « Cragside » en « Cradingue ». Une fenêtre du deuxième étage s'ouvrit brusquement.

— Vous donnez pas la peine, gueula une voix de femme. L'est pas là.

Rebus recula et leva la tête.

— Je suis censé chercher qui ?

— Vous essayez de faire le malin ?

— Non, mais je ne savais pas qu'il y avait une voyante dans le secteur. C'est votre mari ou votre petit ami que je cherche ?

La femme le toisa et décida qu'elle avait parlé trop tôt.

— On s'en fout, dit-elle, rentrant la tête et refermant la fenêtre.

Il y avait un interphone, avec seulement les numéros des appartements, pas les noms. Il tira la porte — de toute façon, elle n'était pas fermée. Il attendit quelques minutes l'ascenseur, puis fut hissé lentement par l'engin vibrant jusqu'au cinquième étage. Un passage ouvert aux intempéries desservait une demi-douzaine d'appartements en enfilade avant de l'acheminer devant le 5/14 Cragside Court. Il y avait une fenêtre, qui était obturée par une espèce de couvre-lit bleu effiloché. La porte montrait des signes de mauvais traitements : tentatives d'effraction, peut-être, à moins qu'on ne l'ait simplement bourrée de coups de pied faute de sonnette ou de marteau. Pas de plaque non plus, mais qu'importe. Rebus savait qui habitait là.

Darren Rough.

L'adresse était nouvelle pour Rebus. Quand il avait aidé à boucler l'enquête quatre ans plus tôt, Rough vivait dans un appartement de Buccleuch Street. À présent il était de retour à Édimbourg et Rebus tenait à lui faire savoir sa façon de penser. En outre, il avait quelques questions à lui poser, des questions sur Jim Margolies...

Le problème, c'est qu'il avait l'impression que l'appartement était vide. Il essaya un coup de poing à demi convaincu dans la porte et la fenêtre. Quand il n'eut pas de réponse, il se pencha pour lorgner par la boîte aux lettres, mais se rendit compte qu'elle était obstruée de l'intérieur. Soit Rough ne voulait pas qu'on épie par la fente, soit il avait reçu des livraisons indésirables. Rebus se redressa et posa les bras sur la rampe du balcon. Il avait une vue plongeante sur le terrain de jeux : une cité telle que Greenfield devait être bourrée de gosses. Il se retourna vers la piaule de Rough. Pas de graffiti sur les murs ou la porte, rien qui identifie le locataire comme un « sale pédé ». Au rez-de-chaussée, le traîneau prit le tournant trop vite et renversa son occupant. Une fenêtre s'ouvrit bruyamment en dessous de Rebus.

— Je t'ai vu, Billy Horman ! Tu l'as fait exprès !

La même femme, ses paroles s'adressant au gosse qui tirait le traîneau.

— C'est pas vrai ! brailla-t-il.

— Tu parles, je t'emmerde ! Je vais te faire la peau !.... Ça va, Jamie ? demanda-t-elle, radoucie. Je t'ai déjà dit de pas jouer avec ce petit morveux. Allez, monte ici.

Le garçon blessé frotta une main sous son nez — ce qui se voulait un geste de défi — puis partit en direction de la tour, non sans jeter un dernier coup d'œil à son copain. Le regard qu'ils échangèrent ne dura qu'une ou deux secondes, mais il suffisait pour dire qu'ils étaient toujours copains, que le monde des adultes ne pourrait pas briser ce lien.

Rebus regarda Billy Horman, celui qui avait tiré le traîneau, s'éloigner d'un pas réticent, puis il descendit trois étages. L'appartement de la femme était facile à trouver, on l'entendait vociférer à trente mètres. Il se demanda si elle était une locataire à problème. Ceux qui osaient s'en plaindre en face devaient être rares...

La porte était solide, récemment repeinte en bleu foncé, et arborait un œilleton. Des voilages à la fenêtre. Ils bougèrent quand la femme vérifia qui frappait à la porte. Quand elle ouvrit, son fils sortit comme une flèche et fila dans le passage.

— Je vais au magasin, m'man !

— Reviens là, toi !

Mais il fit semblant de ne pas entendre et disparut au coin du bâtiment.

— Donnez-moi la force de lui tordre le cou, dit-elle.

— Je suis sûr que vous l'aimez beaucoup.

Elle le toisa d'un air dur.

— On se connaît ?

— Vous n'avez pas répondu à ma question : mari ou petit ami ?

Les bras croisés, elle semblait aussi massive et inattaquable que le roc.

— Mon fils aîné, si vous voulez savoir.

— Et vous avez cru que je venais pour le voir ?

— Vous êtes de la police, non ?

Elle grogna quand il ne répondit pas.

— Je suis censé le connaître alors ?

— Calumn Brady, dit-elle.

Rebus hocha la tête.

— Vous êtes la mère de Cal ?

Il connaissait Cal Brady de réputation, un escroc hors pair. Il avait aussi entendu parler de la mère de Cal.

Elle devait faire son mètre quatre-vingts dans ses chaussons en peau de mouton. Trapue, des bras et des poignets de boucher et un visage qui avait renoncé depuis longtemps aux secours du maquillage. Les cheveux, épais et teints en platine, foncés aux racines, étaient séparés par une raie médiane. Elle portait le survêtement de rigueur d'aspect satiné, bleu avec une rayure argent sur les bras et les jambes.

— Alors c'est pas pour Cal que vous êtes là ? dit-elle.

— Sauf si vous croyez qu'il a fait quelque chose, répondit Rebus en secouant le chef.

— Ben, qu'est-ce que vous fabriquez ici ?

— Vous n'avez jamais eu affaire à un de vos voisins, un jeune type nommé Darren Rough ?

— Où il crèche ? (Rebus ne répondit pas.) On a

beaucoup de va-et-vient. Les services sociaux les collent ici pour deux ou trois semaines. Dieu sait ce qu'ils deviennent, ils se tirent sans autorisation ou on les déplace. (Elle renifla.) Il est comment ?

— Peu importe.

Jamie était de retour sur le terrain de jeu, aucun signe de son ami. Il courait en rond en tirant le traîneau. Rebus eut l'impression qu'il pouvait courir comme ça toute la journée.

— Jamie n'a pas école aujourd'hui ? demanda-t-il en regagnant la porte.

— C'est pas vos oignons ! rétorqua Mme Brady en lui claquant la porte au nez.

4

De retour au poste de St Leonard, Rebus entra le nom de Calumn Brady dans son ordinateur. À dix-sept ans, Cal tenait déjà une forme impressionnante : agression, vol à l'étalage, état d'ivresse et trouble à l'ordre public. Rien n'indiquait pour le moment que Jamie suivrait son exemple, mais la mère, Vanessa Brady, surnommée « Van », avait eu des problèmes, elle aussi. Des disputes avec le voisinage se terminant en bagarres, et elle avait fourni un faux alibi à Cal lors d'une inculpation pour voies de fait. Aucune allusion à un éventuel mari. Sifflotant *We Are Family* [1], Rebus alla demander au planton s'il savait qui était l'îlotier de Greenfield.

— Tom Jackson, lui répondit-on. Je sais même où il est, parce que je l'ai vu il n'y a pas deux minutes.

Tom Jackson se trouvait justement sur le parking derrière le commissariat, où il finissait d'en griller une. Rebus le rejoignit, s'alluma une sèche et lui tendit le paquet. Jackson refusa d'un geste.

— Il faut que je me ménage, monsieur, dit-il.

Jackson avait dans les quarante-cinq ans, un torse puissant et les cheveux argentés, la moustache assor-

1. « C'est la famille », tube disco de Sister Sledge.

tie. Son regard noir lui donnait un air sombre, perpétuellement sceptique. Il s'en servait comme d'un atout supplémentaire, puisqu'il lui suffisait de rester peinard et les suspects finissaient par accoucher, histoire de ne pas l'énerver.

— Il paraît que vous bossez toujours à Greenfield, Tom.

— Je suis puni par où j'ai péché. (Jackson secoua la cendre d'une chiquenaude, puis tapota quelques flocons sur son uniforme.) J'aurais dû être muté en janvier.

— Que s'est-il passé ?

— Les gens du quartier avaient besoin d'un père Noël pour leur fête. Ils en ont un chaque année à l'église. Des gosses défavorisés. C'est à bibi qu'on a demandé.

— Et alors ?

— Je l'ai fait. Certains de ces gamins... de pauvres gosses. J'en aurais presque pleuré. (Le souvenir l'interrompit un moment.) Des gens du quartier sont venus me trouver après, ils parlaient tout bas. (Il sourit.) Comme à confesse. Vous comprenez, ils ne savaient pas comment me remercier, alors ils m'ont filé quelques tuyaux.

— Et ils ont donné leurs voisins, souligna Rebus.

— Du coup, mon taux de réussite a grimpé en flèche. La couille, c'est qu'on a décidé de me maintenir là-bas en voyant que, tout à coup, je cartonnais.

— La rançon du succès, Tom. (Rebus tira sur sa cigarette en retenant la fumée pendant qu'il en examinait le bout incandescent. En soufflant, il secoua la tête.) Bon Dieu, que j'aime ça.

— Pas moi. Interroger un gosse, lui faire un laïus contre la drogue et, pendant tout ce temps-là, je crève d'envie d'en griller une. (Il haussa les épaules.) J'aimerais pouvoir laisser tomber.

— Vous avez essayé les timbres ?
— Rien à faire, je n'arrivais jamais à les coller.
Ils rigolèrent de bon cœur.
— J'imagine que vous allez finir par y venir, remarqua Jackson.
— À quoi ? Essayer le timbre ?
— Non, me dire ce que vous voulez.
— Je cache si mal mon jeu ?
— C'est peut-être mon incroyable flair.
Rebus fit tomber sa cendre par la fenêtre.
— Je reviens de Greenfield. Vous connaissez un certain Darren Rough ?
— Pas que je sache.
— Je l'ai embarqué aujourd'hui au zoo.
Jackson écrasa son mégot.
— Oui, j'en ai eu vent. Un pédophile, non ?
— Qui crèche à Cragside Court.
Jackson regarda fixement Rebus.
— Ça, je l'ignorais.
— Les voisins n'ont pas l'air de le savoir non plus.
— Ils le tueraient s'ils l'apprenaient.
— Peut-être que quelqu'un pourrait leur faire passer le mot...
— Bon Dieu, je ne sais pas, grogna Jackson, le sourcil froncé. Ils le pendraient.
— N'exagérons rien, Tom. Disons qu'ils le chasseraient de la ville, peut-être ?
Jackson se redressa et se cala contre son siège.
— Et c'est ce que vous voulez ?
— Vous voulez vraiment d'un pédophile dans votre secteur ?
Jackson pesa ses paroles. Il sortit son paquet de cigarettes et s'apprêtait à en sortir une quand il vérifia l'heure à sa montre : fin de la pause cigarette.
— Laissez-moi réfléchir.

— C'est la moindre des choses, Tom. (Rebus balança à son tour sa clope sur le macadam.) Je suis tombé sur une des voisines de Rough, Van Brady.

Jackson fit la grimace.

— Évitez de la prendre du mauvais côté.

— Parce qu'elle en a un bon, d'après vous ?

— On le voit surtout quand elle s'en va.

De retour à son bureau, Rebus appela les services sociaux et on lui passa l'éducateur de réinsertion de Darren Rough, un certain Andy Davies.

— Je me demande si vous avez pour deux sous de jugeote, l'apostropha Rebus tout de go.

— Ça vous ennuierait de me dire de quoi il est question ?

— Un pédophile déclaré dans un logement social à Greenfield, avec vue sur le terrain de jeux des gamins.

— Qu'est-ce qu'il a fait ? dit-il d'une voix brusquement lasse.

— Rien qui me permette de l'épingler. (Rebus fit une pause.) Pas encore. J'appelle tant qu'il est encore temps.

— Temps de quoi ?

— De le déménager.

— Pour l'envoyer où exactement ?

— Que diriez-vous de Bass Rock[1] ?

— Ou d'une cage au zoo, peut-être.

Rebus se renversa sur sa chaise.

— Ah ! il vous a raconté.

— Évidemment. Je suis son éducateur de probation.

— Il prenait des gamins en photo.

— Tout cela a été expliqué au surintendant Watson.

1. Îlot rocheux de l'estuaire du Forth.

Le regard de Rebus fit le tour du bureau.

— Une explication qui ne me satisfait pas, monsieur Davies.

— Alors je vous suggère de voir ça avec votre supérieur, inspecteur. Il ne cherchait même pas à dissimuler son irritation.

— Donc, vous ne comptez rien faire ?

— Mais c'est votre maison qui a voulu qu'on le mette là au départ !

Silence sur la ligne.

— Qu'est-ce que vous venez de dire ? articula Rebus entre ses dents.

— Je n'ai rien à ajouter. Voyez la question avec votre chef, d'accord ?

Et il raccrocha. Rebus essaya d'appeler le bureau de Watson, mais sa secrétaire lui annonça qu'il était sorti. Il mâchouilla son stylo en regrettant que le plastique n'ait pas de nicotine dans sa composition.

C'est votre maison qui a voulu qu'on le mette là.

L'inspecteur Siobhan Clarke était à son bureau, pendue au téléphone. Il remarqua, derrière elle, une carte postale représentant une otarie punaisée au mur. En s'approchant, il s'aperçut que quelqu'un avait ajouté une bulle qui sortait de la bouche de l'animal : « Pour moi, ce sera un Rebus au bleu, s'il vous plaît. »

— C'est quoi, ça ? fit-il en arrachant la carte.

Clarke avait raccroché.

— Ne me regardez pas, je n'y suis pour rien, dit-elle.

Il fit le tour de la salle. L'inspecteur Grant Hood lisait un journal à scandale, l'inspecteur George Silvers plissait le front devant l'écran de son ordinateur. Mais quand l'inspecteur Bill Pryde entra dans le bureau, Rebus sut qu'il tenait le coupable. Les cheveux blonds frisés, la moustache rousse, la tête de l'emploi. Rebus agita la carte dans sa direction et Pryde prit un air d'innocence outragée. Comme Rebus venait vers lui, un téléphone se mit à sonner.

— C'est le tien, l'avertit Pryde en battant en retraite.

En route vers son téléphone, Rebus balança la carte dans une corbeille.

— Inspecteur principal Rebus à l'appareil.

— Bonjour. Tu ne te souviens sûrement pas de moi. (Un rire bref sur la ligne.) C'était une blague qu'on faisait à l'école.

Blindé contre les loufoques de tout poil, Rebus posa une fesse sur le bord du bureau.

— Et pourquoi ça ? répondit-il en se demandant quelle repartie allait suivre.

— Parce que c'est mon nom : Mee[1]. (Son interlocuteur le lui épela.) Brian Mee.

Sous le crâne de Rebus, une photographie floue commença à se préciser : un râtelier proéminent, le nez et les joues criblés de son, la tignasse coupée au bol.

— Barney[2] Mee ? dit-il.

Un autre éclat de rire.

— Je n'ai jamais su pourquoi tout le monde m'appelait comme ça.

Rebus aurait pu le lui dire, c'était à cause de Barney dans *Les Pierrafeux*. Il aurait pu ajouter : parce que tu étais plutôt lourdingue. Il préféra lui demander ce qu'il pouvait faire pour lui.

— Eh bien, Janice et moi, on s'est dit… bon, en fait, c'était l'idée de maman. Elle connaissait ton père. Mes parents le connaissaient tous les deux,

1. En anglais, se prononce comme *me*, « moi ».
2. En anglais, *to barney*, « se disputer ».

mais papa est décédé. Ils trinquaient ensemble au *Goth*.

— Tu es toujours à Bowhill ?

— Je ne l'ai jamais quitté tout à fait. Mais je bosse à Glenrothes.

Les contours de la photo se firent plus nets : bon au foot, un côté terrier, costaud et court sur pattes, le poil brun-roux. Traînant son cartable par terre jusqu'à faire péter les coutures. Un énorme bonbon dans la bouche, qu'il essayait de croquer, la morve au nez.

— Qu'est-ce que je peux faire pour toi, Brian ?

— C'était l'idée de maman. Elle s'est rappelée que tu étais dans la police à Édimbourg et elle a pensé que peut-être tu pourrais nous aider.

— À quel sujet ?

— C'est pour notre fils. Celui de Janice et moi, il s'appelle Damon.

— Qu'est-ce qu'il a fait ?

— Il a disparu.

— Une fugue ?

— Plutôt envolé. Il était en boîte avec ses copains, tu comprends...

— Tu as prévenu la police ? (Il se reprit.) Je veux dire la police du comté de Fife.

— Le problème, c'est que ce club est à Édimbourg. Les policiers sont allés voir, ils ont posé quelques questions. Tu comprends, Damon a dix-neuf ans. Ils nous disent qu'il a le droit de se tirer s'il en a envie.

— Ils ont raison, Brian. Les gens se sauvent tout le temps pour toutes sortes de raisons. Un problème de fille, peut-être.

— Il est fiancé.

— Il a peut-être flippé.

— Helen est une fille charmante. Ils n'ont jamais eu un mot plus haut que l'autre.

— Il a laissé un message ?

— J'ai déjà passé tout ça en revue avec la police. Pas de message et il n'a pas emporté de vêtements ni rien.

— Tu crois qu'il a pu lui arriver quelque chose ?

— Nous voulons juste être sûrs qu'il n'a pas d'ennuis... (La voix faiblit.) Maman dit toujours du bien de ton père. Il a laissé un bon souvenir dans le pays.

Et sa tombe aussi, se dit Rebus. Il prit son stylo.

— Donne-moi des détails, Brian, et je verrai ce que je peux faire.

Un peu plus tard, Rebus alla voir le bureau de Grant Hood et récupéra le journal dans la corbeille. En tournant les pages, il trouva ce qu'il cherchait : une phrase imprimée en gras. « Vous avez une histoire pour nous ? Appelez la rédaction jour et nuit. » Et on précisait le numéro de téléphone. Rebus le griffonna sur son calepin.

5

La danse silencieuse reprit. Les couples se contorsionnaient en traînant les pieds, certains rejetaient la tête en arrière ou se passaient les mains dans les cheveux, les yeux en quête de futurs partenaires ou d'anciennes amours pour titiller leur jalousie. L'écran vidéo semblait imprégné d'une couche huileuse.

Aucun son, juste les images, la bande passant de la piste de danse au bar principal, puis au deuxième bar et au couloir des toilettes. Ensuite le hall d'entrée, l'extérieur côté rue et côté sortie de secours, par-derrière. À l'arrière se trouvait une ruelle pleine de flaques avec des poubelles et une Mercedes appartenant au propriétaire du club. La boîte s'appelait le *Gaitano,* sans que personne sache pourquoi. Une partie de la clientèle avait surnommé les lieux le « Guiser », et c'était sous ce nom que Rebus le connaissait.

Située sur Rose Street, la discothèque commençait à s'animer vers 22 h 30 tous les soirs. Il y avait eu des coups de couteau dans la ruelle l'été précédent et le proprio s'était plaint du sang sur sa bagnole.

Rebus était juché sur une petite chaise inconfortable dans un réduit mal éclairé. Sur l'autre chaise, la main sur la télécommande du magnétoscope, était assise l'inspecteur Phyllida Hawes.

— Nous y revoilà, dit-elle. (Rebus se pencha un peu en avant. La vue repassa de la ruelle à la piste de danse.) On y arrive.

Une autre séquence : le bar principal avec la clientèle faisant la queue sur trois rangs. Elle mit sur pause. Le film n'était pas tant blanc et noir que sépia, la couleur des photos des années mortes. C'était la lumière intérieure, avait-elle expliqué plus tôt. Elle avança en faisant un arrêt sur image à chaque plan tandis que Rebus se penchait sur l'écran au point qu'il avait un genou carrément par terre. Son doigt effleura un visage.

— C'est lui, convint-elle.

Sur le bureau se trouvait un mince dossier. Rebus y avait pris un tirage, qu'il rapprochait à présent de l'écran.

— Très bien. Avancez au ralenti.

La caméra de sécurité s'attarda sur le bar principal encore dix secondes, puis passa au deuxième bar et au reste de la tournée. Quand elle revint au bar principal, la cohue des buveurs semblait ne pas avoir bougé. Elle immobilisa de nouveau la bande.

— Il n'est plus là, remarqua Rebus.

— Aucun risque qu'on l'ait servi. Les deux devant lui attendent toujours.

— Exact, fit Rebus en secouant la tête. (Il toucha de nouveau l'écran.) Il devrait être là, mais il n'y est plus.

— À côté de la blonde, précisa Hawes.

Justement, la blonde, cheveux d'argent filé, yeux et lèvres charbonneux. Alors que ceux autour d'elle s'efforçaient d'attirer le regard des barmen, elle regardait sur le côté. Elle portait une robe sans manches.

Une séquence de vingt secondes dans le hall d'entrée montrait un flot régulier d'arrivants, mais aucun départ.

— J'ai visionné l'intégralité de la bande, dit Hawes. Croyez-moi, il n'est pas dessus.

— Alors que lui est-il arrivé ?

— Facile, il s'est tiré, mais entre deux prises de la caméra.

— Et il a laissé ses potes en carafe ?

De nouveau, Rebus examina le dossier. Damon Mee était sorti avec deux amis faire une virée en ville. Damon avait payé la tournée, deux blondes et un Coca, ce dernier pour le chauffeur de la soirée. Ses copains l'avaient attendu, puis étaient partis à sa recherche. Leur première réaction : il avait levé une poule et s'était éclipsé sans prévenir. C'était peut-être un vrai boudin, pas de quoi se vanter. Mais ensuite il ne s'était pas repointé chez lui et ses parents avaient commencé à poser des questions — questions auxquelles personne ne pouvait répondre.

Pour s'en tenir aux faits : comme l'indiquait l'horloge sur la séquence vidéo, Damon Mee s'était évaporé entre 23 h 44 et 23 h 45 le vendredi précédent.

Hawes éteignit l'appareil. Elle était grande, mince et très professionnelle. Voir Rebus se pointer, mine de rien, au poste de Gayfield ne lui avait pas plu, et ce que ça impliquait non plus.

— Rien ne permet de penser qu'il s'est passé quelque chose de louche, dit-elle sur la défensive. Deux cent cinquante mille personnes disparaissent chaque année et la plupart réapparaissent quand bon leur semble.

— Écoutez, expliqua Rebus, apaisant, je fais ça pour un vieux copain, c'est tout. Il veut juste savoir qu'on a fait tout ce qu'on pouvait.

— Qu'est-ce qu'il faut faire alors ?

Bonne question, à laquelle Rebus était incapable

de répondre dans la minute. Il se contenta d'épousseter les jambes de son pantalon et demanda s'il pouvait regarder la vidéo une dernière fois.

— Autre chose, ajouta-t-il. Vous croyez qu'on pourrait avoir une sortie papier ?

— Une sortie papier ?

— Une photo de la foule au bar.

— Je n'en suis pas sûre. De toute façon, ça servira à quoi, hein ? Nous avons déjà de bonnes photos de Damon.

— Ce n'est pas lui qui m'intéresse, expliqua-t-il pendant que la bande se mettait en marche. C'est la blonde qui le regarde partir.

Ce soir-là, il quitta Édimbourg par le nord, paya le péage du pont qui enjambe l'estuaire du Forth et passa dans le Fife, le « royaume », comme l'appelaient encore les habitants de la péninsule. Et, pour certains, c'était effectivement un autre monde, un endroit qui possédait sa propre monnaie d'échange linguistique et culturelle. Dans un espace aussi restreint, cela paraissait presque d'une complexité infinie, et c'était déjà le cas quand Rebus était petit. Pour les visiteurs, l'endroit se limitait à un panorama côtier époustouflant et à St Andrews, voire à une portion de route entre Édimbourg et Dundee. Mais le centre-ouest du Fife où Rebus avait passé son enfance n'avait rien à voir avec cette vision de carte postale. Entre les mines de charbon et les fabriques de linoléum, le chantier naval et l'usine chimique, c'était un paysage industriel façonné par les nécessités premières et qui produisait des gens méfiants, taciturnes et dotés de l'humour le plus noir qu'on puisse trouver.

On avait construit de nouvelles routes depuis sa dernière visite et supprimé d'autres points de repère, mais l'endroit n'avait guère changé en trente et quelques années. Cela ne faisait pas si longtemps, en fin de compte, sauf à l'échelle humaine, et encore. En arrivant à Cardenden — Bowhill avait disparu des panneaux indicateurs dans les années soixante, même si les gens du pays distinguaient toujours cette localité de sa voisine —, Rebus ralentit pour voir si les souvenirs seraient doux ou amers. Puis son regard tomba sur un traiteur chinois et il se dit : les deux, bien sûr.

Il dénicha sans trop de mal la maison de Brian et Janice Mee. Ils le guettaient, debout près de la grille. Rebus était né dans un préfabriqué, mais il avait grandi dans un pavillon semblable. Brian Mee ouvrit pratiquement la portière à sa place et essayait déjà de lui serrer la main avant même que Rebus ait détaché sa ceinture de sécurité.

— Laisse-le souffler, l'apostropha sa femme. (Elle était restée près du portail, bras croisés.) Salut, Johnny, comment va ?

C'est alors que Rebus se rendit compte que Brian avait épousé Janice Playfair, la seule fille qui, au cours de sa longue vie pleine d'embrouilles, avait réussi à le faire tourner de l'œil.

L'étroite pièce à plafond bas était pleine à craquer, avec non seulement Rebus, Brian et Janice, mais aussi la mère de Brian et M. et Mme Playfair, plus un volumineux mobilier de salon au complet, avec tables basses et autres éléments. On avait procédé aux présentations et attribué à Rebus la meilleure place, celle au coin du feu. La pièce était surchauffée. Une théière surgit et, sur la table près du fauteuil de Rebus, il y avait assez de tranches de cake pour nourrir le public d'un match de foot.

— C'est un garçon intelligent, assura la mère de

Janice en tendant à Rebus une photo encadrée de Damon Mee. Il a décroché un tas de diplômes à l'école. Un bosseur. Il faisait des économies pour se marier.

La photo montrait un gamin au sourire espiègle, frais émoulu du collège.

— Nous avons donné les photos les plus récentes à la police, expliqua Janice.

Rebus acquiesça : il les avait vues dans le dossier. Malgré tout, quand on lui tendit un paquet de clichés de vacances, il les passa lentement en revue : ça lui évitait de regarder ces visages qui le dévoraient des yeux. Il avait l'impression d'être un médecin dont on attendait à la fois un diagnostic instantané et un remède. Les photos représentaient un visage plus soucieux que le tirage sous verre. Le sourire espiègle restait mais, quelques années plus tard, il semblait forcé. Il y avait quelque chose derrière les yeux, un désenchantement peut-être. Les parents de Damon figuraient sur certains clichés.

— Nous étions tous ensemble, expliqua Brian. Des vacances en famille.

La plage, un grand hôtel blanc, la piscine et ses jeux.

— Où c'était ?

— Lanzarote, répondit Janice en lui tendant son thé. Tu prends toujours du sucre ?

— Plus depuis des lustres.

Sur deux ou trois images, elle était en bikini. Bien roulée pour son âge ; bien roulée tout court, en fait. Il essaya de ne pas trop y penser.

— Je peux garder deux ou trois gros plans ? demanda-t-il. (Janice leva un sourcil interrogateur.) De Damon.

Elle fit oui et il remit le reste dans la pochette.

— Nous vous sommes extrêmement reconnaissants, dit quelqu'un.

Était-ce la mère de Janice, ou celle de Brian ? Il n'aurait su dire.

— Vous disiez que sa copine s'appelle Helen ?

Brian confirma d'un signe de tête. Le crâne s'était déplumé et il avait grossi, le visage s'était empâté. Il y avait une rangée de trophées minables sur la cheminée, gagnés aux fléchettes et au billard, les sports du pub. Il pensa que Brian devait s'entraîner presque tous les soirs. Et Janice... Janice était restée la même. Non, ce n'était pas tout à fait vrai. Elle avait des mèches grises dans les cheveux. Quand même, lui parler c'était comme faire une remontée dans le temps.

— Est-ce que Helen habite dans les parages ? demanda-t-il.

— Pratiquement au coin de la rue.

— J'aimerais lui parler.

— Pas de problème, je vais lui donner un coup de fil, déclara Brian en se levant pour quitter la pièce.

— Où travaille Damon ? s'enquit Rebus faute de mieux.

— Au même endroit que son papa, dit Janice en allumant une cigarette.

Rebus haussa le sourcil. À l'école, elle était antitabac. Elle remarqua son expression et sourit.

— Il est employé à la manutention, précisa le père de Janice. (Il paraissait frêle, le menton frémissant. Rebus se demanda s'il avait eu une attaque. Un côté du visage semblait flasque.) Il apprend les ficelles du métier, après il passera à l'administration.

Le népotisme de la classe ouvrière, avec des emplois transmis de père en fils. Rebus était surpris que ça existe encore.

— C'est une chance de trouver du travail dans le coin, ajouta Mme Playfair.

— Ça va si mal que ça ?

Elle émit un son — tss tss ! — pour écarter la question.

— Tu te rappelles le vieux puits, John ? intervint Janice.

Bien sûr qu'il s'en souvenait, avec le terril et la nature alentour. Les longues promenades des soirs d'été, en s'arrêtant pour des baisers qui semblaient durer des heures. De minces volutes de fumée de charbon s'élevant du terril, avec le poussier qui couvait toujours en dessous.

— On a tout aplani maintenant et on en a fait un espace vert. On parle de construire un musée de la mine.

Mme Playfair refit entendre un claquement de langue.

— À quoi bon, sinon pour nous rappeler ce que nous avons perdu ?

— Ça crée des emplois, répondit sa fille.

— Autrefois, on appelait Cowdenbeath le Chicago du Fife, intervint la mère de Brian Mee.

— Le Brésil bleu, aussi, renchérit M. Playfair avec un rire de crécelle.

Il faisait allusion au club de football de Cowdenbeath, le surnom étant un modèle d'autodérision. Ils s'étaient appelés le « Brésil bleu » parce qu'ils étaient nuls.

— Helen sera là dans une minute, annonça Brian en rentrant.

— Voyons, inspecteur, vous ne mangez pas de gâteau ? s'inquiéta Mme Playfair.

Sur le chemin du retour, Rebus repensa à sa conversation avec Helen Cousins. Elle n'avait pas été en mesure d'ajouter grand-chose au portrait de Damon et n'était pas là le soir où il avait disparu. Elle passait une soirée « entre filles ». C'était leur rituel du vendredi : Damon sortait avec « les copains », elle sortait avec « les copines ». Il avait discuté avec un des compagnons de Damon, l'autre s'était absenté. Il n'avait rien appris d'utile.

Comme il franchissait le Forth Road Bridge, il songea au symbole que le Fife s'était choisi pour orner ses panneaux de « Bienvenue dans le Fife » : le Forth Rail Bridge, le pont de chemin de fer sur l'estuaire. Pas tant une identité que l'aveu d'un échec, une façon de reconnaître que, pour beaucoup, le Fife n'était guère plus qu'une voie de passage ou un simple appendice d'Édimbourg.

Helen Cousins, eye-liner noir et rouge à lèvres cramoisi, ne serait jamais jolie. L'acné avait gravé des rides cruelles dans son visage au teint cireux. Ses cheveux étaient teints en noir et tombaient en une frange tartinée de gel. Quand il lui avait demandé ce qui, d'après elle, était arrivé à Damon, elle avait juste haussé les épaules, croisé les bras et passé une jambe sur l'autre pour bien marquer qu'il était hors de question qu'on lui reproche quoi que ce soit.

Joey, qui se trouvait au *Guiser* ce soir-là, se montra tout aussi réticent.

— Une virée entre copains, rien de spécial, quoi, avait-il répondu.

— Et rien à signaler à propos de Damon ?

— Comme quoi ?

— Je ne sais pas. Il était peut-être soucieux ? Il avait l'air nerveux ?

Un haussement d'épaules. L'inquiétude de Joey pour son copain ne semblait pas aller plus loin.

Rebus savait qu'il était attendu chez lui, ou plutôt chez Patience. Mais comme il se payait tous les feux sur Queensferry Road, il eut envie de faire un crochet par l'*Oxford Bar*. Pas pour prendre un verre, mais juste un Coca ou un café, et pour un peu de chaleur humaine. Il prendrait un truc sans alcool et écouterait les potins.

Il dépassa donc Oxford Terrace, s'arrêta au pied de Castle Street, puis remonta à pied la pente jusqu'à l'*Ox*. Le château d'Édimbourg était juste après la montée. La meilleure vue, on l'avait d'un fastfood sur Princes Street. Poussant la porte du pub, il sentit une bouffée de chaleur et l'odeur de la fumée lui sauter au visage. Les clopes étaient inutiles à l'*Ox* : respirer l'air ambiant revenait à griller un paquet entier. Coca ou café, il eut du mal à trancher. Harry était de service ce soir-là. Il leva une chope vide et l'agita en direction de Rebus.

— O.K., d'acc, fit Rebus comme si ça allait de soi.

Il rentra à minuit moins le quart. Patience regardait la télévision. Elle ne fit aucun commentaire sur sa consommation de bière ces derniers temps, mais c'était un silence qui valait tous les sermons. Comme elle plissa le nez en reniflant l'odeur de cigarette qui imprégnait ses vêtements, il les balança dans le panier à linge et se colla sous la douche. Elle était couchée quand il en sortit. Il y avait un verre d'eau fraîche de son côté du lit.

— Merci, dit-il en l'ingurgitant avec deux paracétamol.

— Comment s'est passée la journée ? demanda-t-elle.

À question toute faite, réponse toute faite.

— Pas mal... et toi ?

Un grognement ensommeillé en retour. Elle avait fermé les yeux. Il y avait des choses que Rebus voulait dire, des questions qu'il voulait poser. Qu'est-ce qu'on fait là ? Tu veux que je m'en aille ? Il se dit que Patience avait peut-être les mêmes questions en réserve ou à peu près. En fin de compte, personne ne les posait jamais, par peur de la réponse peut-être, et de ce que cette réponse voudrait dire. Qui se complaît dans l'échec ?

— Je suis allé à un enterrement, dit-il enfin. Un type que je connaissais.

— Je suis désolée.

— Je ne le connaissais pas si bien que ça.

— De quoi est-il mort ?

La tête toujours sur l'oreiller, les yeux clos.

— Une chute.

— Un accident ?

Elle s'éloignait de lui. Il parla quand même, il en avait besoin.

— Sa veuve, elle avait habillé leur fille pour qu'elle ait l'air d'un ange. Une façon de surmonter, je suppose. (Il s'interrompit, écouta le souffle de Patience devenir régulier et poursuivit.) Je suis retourné dans le Fife, ce soir, dans ma ville natale. Des amis que je n'avais pas revus depuis des années. (Il la regarda.) Une ancienne petite amie, avec qui j'ai bien failli me marier. (Il lui toucha les cheveux.) Tu vois, il n'y aurait pas eu d'Édimbourg, ni de docteur Patience Aitken.

Ses yeux se tournèrent vers la fenêtre. Pas de Sammy non plus... ni de boulot dans la police, peut-être.

Ni de fantômes.

Quand elle fut complètement endormie, il alla dans le séjour et brancha les écouteurs de la hi-fi. Il avait ajouté une platine au lecteur de CD de la jeune femme. Dans un sac sous l'étagère, il trouva sa dernière acquisition chez Backbeat Records : Light of

Darkness et Writing on the Wall, deux groupes écossais d'autrefois dont il se souvenait vaguement. Comme il s'asseyait pour écouter, il se demanda pourquoi il n'était jamais aussi heureux qu'en retournant en arrière. Il repensa au temps où il avait été heureux et se rendit compte que, sur le moment, il ne se sentait pas heureux : il ne commençait à entrevoir le bonheur que rétrospectivement. Pourquoi ? Il se renversa dans son fauteuil, paupières closes. Incredible String Band : *The Half-Remarkable Question*[1]. Suivi de Brian Eno : *Everything Merges with the Night*[2]. Il vit Janice Playfair telle qu'elle était le soir où elle l'avait mis groggy, le soir où tout avait basculé. Et il vit Alec Chisholm, qui avait quitté l'école un jour et qu'on n'avait jamais revu. Il ne se rappelait plus la tête d'Alec, juste un vague contour et une façon de se tenir, de garder son sang-froid. Alec était le type doué, celui qui irait loin.

Sauf que personne ne s'attendait à ce qu'il aille aussi loin, en un sens.

Sans ouvrir les yeux, Rebus sut que Jack Morton s'était assis dans le fauteuil en face de lui. Jack pouvait-il entendre la musique ? Comme il ne parlait pas, c'était difficile de savoir si les sons avaient un sens pour lui. Il attendait la chanson intitulée *Bogeyman*[3]. Il écoutait et il attendait...

C'était presque l'aube quand, revenant des toilettes, Patience retira les écouteurs de la forme endormie et jeta une couverture sur lui.

1. « La question à moitié remarquable. »
2. « Tout se confond dans la nuit. »
3. « Père Fouettard. »

6

Il y avait trois hommes dans la salle, tous en tenue, tous prêts à cogner sur Cary Oakes. Ça se voyait à leurs yeux, à leur façon de se tenir, les muscles tendus, les pommettes triturant des boules de chewing-gum. Il fit un mouvement brusque, mais en étirant seulement les jambes, en bougeant son poids sur la chaise, renversant la tête en arrière pour recevoir en pleine figure le soleil qui entrait à flots par la haute fenêtre. Sa mère lui disait toujours : « Tu as le visage qui brille quand tu souris, Cary. » Une vieille folle, déjà à l'époque. Elle avait un évier à deux bacs dans la cuisine, avec une essoreuse à rouleaux qu'on pouvait fixer entre les deux. On lavait le vêtement d'un côté, puis il passait entre les rouleaux pour aller dans l'autre. Il avait glissé le bout des doigts contre les rouleaux une fois et commencé à tourner la manivelle jusqu'à ce que ça fasse mal.

Trois gardiens de prison, c'était ce que valait Cary Oakes. Trois gardiens, plus les chaînes aux jambes et aux bras.

— Eh, les gars, dit-il, en pointant le menton vers eux. Tentez votre chance.

— Écrase, Oakes.

Cary Oakes se fendit la pêche. Il l'avait obligé à

réagir. À présent, ses journées se limitaient à des petites victoires de ce genre. Le gardien qui avait réagi, celui que son badge identifiait comme Saunders, était du genre irritable. Oakes plissa les paupières et imagina la face moustachue pressée contre l'essoreuse, imagina la force nécessaire pour obliger ce visage à passer entre les rouleaux. Il se frotta l'estomac. Pas une once de graisse, malgré la tambouille qu'on vous servait ici. Il s'en tenait aux légumes et aux fruits, à l'eau et aux jus de fruits. Il fallait faire travailler ses méninges. Beaucoup des autres détenus étaient au point mort, avec le moteur qui s'emballait en faisant du surplace. La taule pouvait avoir cet effet, vous faire croire des choses qui n'étaient pas vraies.

Oakes se tenait au courant : il s'était abonné à des revues et à des journaux, suivait l'actualité à la télévision et évitait tout le reste, sauf un peu de sport peut-être. Mais même le sport était une sorte de novocaïne. Au lieu de fixer l'écran, il observait les autres visages, voyait leurs paupières alourdies, aucun besoin de concentration, de vrais bébés qu'on gave à la cuiller, le ventre et la tête remplis à ras bord d'une bouillie infâme.

Il se mit à siffler la chanson des Beatles : *Good Day, Sunshine*[1]. Si l'un des gardiens la connaissait, elle pourrait déclencher une autre réaction. Mais la porte s'ouvrit alors et son avocat entra. Son cinquième en seize ans, pas mal comme moyenne, pour ne pas dire un joli score. Celui-là était jeune — dans les vingt-cinq ans — et il portait un blazer bleu avec un pantalon crème, une association qui lui donnait l'air d'un gosse portant les vêtements de papa. Le

1. « Bonjour, soleil. »

blazer avait des boutons imitant le cuivre et une broderie élaborée sur la poche de poitrine.

— Ohé, matelot ! l'apostropha Oakes, sans changer de position.

Le jeune homme s'assit en face de lui à la table. Oakes mit ses mains derrière la tête en faisant tinter ses chaînes.

— Aucun moyen de débarrasser mon client de ces engins-là ? demanda l'homme de loi.

— C'est pour votre propre sécurité, maître.

La réponse bateau. Oakes se servit de ses deux mains pour gratter son crâne rasé.

— Vous savez, les plongeurs et les cosmonautes, ils ont des bottes lestées, c'est le métier qui veut ça. Moi, j'ai mes bracelets. J'ai dans l'idée que quand je perdrai ces chaînes, je vais m'envoler jusqu'au plafond. Je pourrai me faire embaucher dans un cirque : la mouche humaine, regardez-la escalader les murs. Putain, imaginez les possibilités. Je pourrais voler jusqu'aux fenêtres du deuxième étage et regarder les femmes faire leur toilette du soir. (Il tourna la tête vers les gardiens.) Un de vous est marié ?

L'avocat n'écoutait pas. Il était à son travail, ouvrait sa serviette et en sortait des documents. Quand les avocats s'en allaient, les documents repartaient avec eux. Des tas de paperasses. Oakes s'efforça de prendre l'air indifférent.

— Monsieur Oakes, dit le juriste, ce n'est plus qu'une question de détails maintenant.

— Tant mieux, les détails, ça me connaît.

— Des papiers qui doivent être visés par diverses autorités.

— Vous voyez, les gars, s'exclama Oakes, triomphant, je vous avais dit qu'aucune prison ne pouvait garder Cary Oakes ! Entendu, ça m'a pris quinze piges, mais, hein ? personne n'est parfait ! (Il se tourna, rigolard, vers l'avocat.) Alors combien de temps ça va vous prendre, ces... détails ?

— Disons... c'est une question de jours plutôt que de semaines.

À l'intérieur, le cœur d'Oakes cognait comme un sourd. Les oreilles lui sifflaient tant le sang battait fort, tant il bouillait sous l'effet de l'appréhension et de l'impatience. Des *jours*...

— Mais je n'ai pas fini de repeindre ma cellule. Je veux qu'elle soit jolie pour le locataire suivant.

L'avocat finit par lâcher un sourire, et à ce sourire, Oakes sut à qui il avait affaire. Un jeunot qui voulait grimper les échelons dans le cabinet d'affaires de papa. Méprisé par ses aînés, tenu à l'écart par ses pairs. Les espionnait-il pour le compte de son vieux ? Comment allait-il faire ses preuves ? S'il les accompagnait au bar le vendredi soir, cravate dénouée et cheveux en bataille, ils n'étaient pas à l'aise. S'il tenait ses distances, c'était un bêcheur. Et le paternel, dans tout ça ? Comme il ne voulait pas être taxé de favoritisme, le fiston apprendrait à la dure. Qu'on lui file le bâton merdeux, les cas désespérés, ceux dont on sort avec l'envie de plonger sous la douche et de changer de chemise. Qu'il montre qu'il en veut. Des heures de labeur ingrat, un modèle pour chacun des membres de l'entreprise.

Tout cela dans un seul sourire, le sourire d'un faux bourdon timide, complexé, qui rêvait de devenir la reine des abeilles, et nourrissait peut-être des petits fantasmes de parricide et d'héritage.

— Vous serez expulsé du territoire, bien sûr, déclarait à présent le prince.

— Hein ?

— Vous êtes en situation irrégulière dans ce pays, monsieur Oakes.

— J'ai vécu presque la moitié de ma vie ici !

— Néanmoins…

Néanmoins… Le mot de sa mère. Chaque fois qu'il avait une excuse toute prête, une histoire pour expliquer la situation, elle écoutait en silence, puis prenait une profonde inspiration, et c'était comme s'il voyait le mot se former dans le souffle qui sortait de sa bouche. Pendant son procès, il avait préparé des petites conversations avec elle.

«*J'ai été un bon fils, n'est-ce pas, maman ?*

— *Néanmoins…*

— *Néanmoins, j'ai tué deux personnes.*

— *Oh, Cary, vraiment ? Tu es sûr qu'il n'y en avait que deux ?*»

Il se redressa sur sa chaise.

— Eh bien, qu'on m'expulse, je reviendrai *illico*.

— Ce ne sera pas si facile. Je ne vois pas comment vous pourriez obtenir un visa de touriste cette fois, monsieur Oakes.

— Je n'en ai pas besoin. Vous n'êtes pas dans le coup.

— Votre nom sera enregistré…

— J'entrerai à pied par le Canada ou le Mexique.

L'avocat se tortilla sur sa chaise. Ces propos n'avaient rien pour lui plaire.

— Je dois revenir voir mes copains, fit-il en pointant le menton vers les gardiens. Je vais leur manquer quand je serai dehors. Et à leurs femmes aussi.

— Je t'encule, ordure.

Encore et toujours Saunders. Oakes adressa un large sourire à l'avocat.

— N'est-ce pas charmant ? Nous avons des petits noms l'un pour l'autre.

— Je ne pense pas que tout cela soit bien utile, monsieur Oakes.

— Eh, je suis un prisonnier modèle. C'est comme ça que ça marche, non ? J'ai vite appris ma leçon :

utilise les mêmes armes qu'ils ont utilisées pour te coller au trou. Potasser la loi, repasser tout en revue, savoir quelles questions poser, les objections qui auraient dû être soulevées lors du premier procès. L'avocat qu'ils ont pris pour me représenter, je vais vous dire, il était loin de casser des briques, indépendamment de mon affaire. (Il sourit de nouveau.) Vous êtes meilleur que lui. Vous vous en tirez très bien. Souvenez-vous de ça la prochaine fois que votre paternel vous engueulera. Dites-vous seulement : je vaux mieux que ça, je suis bon, je vais y arriver. (Il lui adressa un clin d'œil.) Consultation gratuite, fiston.

Fiston. Comme s'il avait cinquante balais au lieu de trente-huit. Comme s'il avait la sagesse des ans à distribuer.

— Alors j'ai droit à un aller simple par avion pour Londres ?

— Je n'en suis pas sûr. (L'avocat parcourut ses notes.) Vous venez du Lothian, n'est-ce pas ? (Il prononçait *loathing*[1].)

— C'est en gros Édimbourg, en Écosse.

— Ma foi, c'est là que vous risquez d'être renvoyé.

Cary Oakes se frotta le menton. Édimbourg pourrait aller pour un temps. Il avait des affaires à régler à Édimbourg. Il attendrait que les choses se tassent, mais néanmoins... Il se pencha sur la table.

— Combien de meurtres on m'a collé sur le dos ?

L'avocat tiqua, les mains posées à plat sur la table.

— Deux, dit-il enfin.

— Avec combien ils ont commencé ?

— Je crois que c'était cinq.

— Six, en fait, corrigea Oakes en opinant du chef.

1. En anglais, « répugnant ».

Mais qui tient les comptes, hein ? (Un gloussement.) Ils ont chopé quelqu'un pour les autres ?

L'avocat fit signe que non. Des gouttes de sueur perlaient sur ses tempes. Il allait faire un détour par chez lui pour prendre une douche et changer de chemise.

Cary Oakes se renversa contre son dossier et leva le visage vers le soleil, en tournant la tête d'un côté et de l'autre pour sentir la chaleur partout.

— Deux, ce n'est pas tant que ça, tout compte fait. Tiens, toi, par exemple, si tu zigouilles ton vieux, ça ne t'en fait qu'un de moins.

Il se bidonnait encore quand on fit sortir l'avocat de la pièce.

7

Les jeunes fugueurs ont tendance à prendre tous le même chemin. En car, en train ou en auto-stop, ils vont à Londres, Glasgow ou Édimbourg. Il y avait des associations qui gardaient l'œil sur eux et, même si elles ne révélaient pas toujours leur lieu de séjour aux familles angoissées, au moins pouvaient-elles leur confirmer que leur enfant était sain et sauf.

Mais à dix-neuf ans, celui qui avait de l'argent pouvait se trouver... n'importe où. Aucune destination n'était trop éloignée, et on n'avait pas retrouvé son passeport. Il l'avait emporté en boîte pour prouver qu'il était majeur. Damon avait un compte courant à la banque, de même qu'une carte de crédit, et un plan d'épargne-logement dans une société de crédit immobilier à Kirkcaldy. Ça valait la peine d'appeler la banque. Rebus décrocha le téléphone.

Au début, le directeur de la banque s'obstina à réclamer une demande écrite, mais se laissa fléchir quand Rebus promit de la lui faxer plus tard. Rebus resta en ligne pendant que le directeur alla vérifier et il griffonna la moitié d'un village avec ruisseau, espaces verts et carreau de mine avant le retour du bonhomme.

— Le dernier retrait a été effectué dans une billetterie du West End d'Édimbourg. Cent livres le quinze du mois.

Le soir où Damon était allé au *Gaitano*. Cent livres, c'était une somme, même pour faire la java.

— Et rien depuis ?

— Non.

— De quand date la dernière mise à jour ?

— À l'heure de la clôture hier.

— Puis-je vous demander un service, monsieur ? J'aimerais que vous gardiez un œil sur ce compte. Tout nouveau retrait, je souhaiterais en être informé rapidement.

— J'ai besoin que vous me mettiez ça par écrit, inspecteur. Et j'aurais sans doute besoin aussi de l'accord de mon siège.

— J'apprécierais beaucoup, monsieur Brayne.

— C'est Bain, répliqua le directeur, glacial, en raccrochant.

Rebus appela la société de crédit immobilier et eut droit au même cinéma avant d'apprendre que Damon n'avait pas touché à son compte depuis plus d'une quinzaine. Il passa un dernier appel au poste de police de Gayfield et demanda à parler à l'inspecteur Hawes. Elle n'eut pas l'air particulièrement ravie de l'entendre.

— Quelle est la réputation du *Gaitano* ? demanda-t-il.

— Tout le monde l'appelle le *Guiser*. Un endroit plutôt sélect. Deux bagarres au couteau l'an dernier, une dans le club même, l'autre dehors, dans la ruelle de derrière. Ça a été plus calme cette année, ce qu'il faut sans doute attribuer à une politique d'entrée plus stricte.

— Vous voulez dire des videurs plus costauds.

— Des « gérants de façade », s'il vous plaît. Toutefois, le voisinage continue de se plaindre du bruit à l'heure de la fermeture.

— Qui est le proprio ?

— Charles Mackenzie, surnommé « Charmeur ». Deux policiers en tenue avaient parlé à Mackenzie de Damon Mee et il leur avait remis la vidéo de la sécurité qui se languissait depuis à Gayfield.

— Vous savez combien il y a de personnes disparues par an ? soupira Hawes.

— Vous me l'avez dit.

— Alors vous devriez savoir que si on ne soupçonne pas de coup tordu, ces cas-là ne sont pas des priorités brûlantes. Dieu sait qu'il m'est arrivé d'avoir envie, moi aussi, de jouer les filles de l'air.

Rebus pensa à ses équipées nocturnes en voiture, à rouler des heures, sans direction précise, juste pour remplir les espaces vides de sa vie.

— N'est-ce pas notre cas à tous ? demanda-t-il.

— Écoutez, je sais que c'est un service que vous rendez...

— Oui ?

— Mais nous avons fait tout ce qui était en notre pouvoir, non ?

— À peu près.

— Alors, à quoi bon ?

— Je n'en sais rien.

Rebus aurait pu lui dire que cela avait à voir avec le passé, une dette qu'il se sentait avoir envers Janice Playfair et Barney Mee, et à la mémoire d'un ami qu'il avait eu et qu'il appelait Mitch.

— Une dernière chose, se contenta-t-il de dire. Vous m'avez fait faire un tirage de cette femme ?

Le *Gaitano* n'était guère qu'une lourde porte noire surmontée d'un signe au néon, encadrée de pubs de part et d'autre avec un magasin de hi-fi sur le trottoir d'en face. En vitrine, des amplificateurs de tubes et une platine de taille démesurée. La platine avait aussi un prix démesuré. Un des pubs s'appelait *Le Cocher sans tête*. Il avait changé de nom deux ou trois ans plus tôt et racolait les touristes.

Rebus pressa la sonnette du *Gaitano* et une femme lui ouvrit. C'était la femme de ménage et Rebus n'aurait pas aimé être à sa place. Les verres avaient disparu des tables, mais la salle était dans un état pitoyable. Un aspirateur industriel attendait, abandonné sur la moquette qui entourait la piste de danse. Le sol était jonché de mégots, de morceaux de cellophane, de canettes vides. Elle avait fini le ménage dans l'entrée, mais n'était qu'à mi-chemin de la piste principale. Il y avait des glaces sur tous les murs et, sous un certain angle, l'espace était multiplié à l'infini. En pleine lumière, sans musique et sans clients, l'endroit paraissait déprimant. L'air empestait la sueur et la bière. Rebus vit une caméra de sécurité dans un coin et lui adressa un signe de la main.

— Inspecteur Rebus.

Un mètre soixante-cinq environ et sec comme un coup de trique, l'homme qui venait vers lui en traversant la piste devait avoir dans les cinquante-cinq ans. Il portait un costume bleu pastel avec une chemise blanche ouverte au col pour exhiber son bronzage et sa quincaillerie en or. Cheveux argentés et front dégarni, mais la coupe était aussi bonne que celle du costume. Ils se serrèrent la main.

— Vous voulez un verre ?

Il conduisit Rebus au bar. Le regard de Rebus survola la rangée de bouchons doseurs.

— Non, merci.

« Charmeur » Mackenzie passa derrière le bar et se versa un Coca.

— Vous êtes sûr ?

— Comme vous, alors, dit Rebus.

Il chassa la cendre sur l'un des tabourets du bar, puis se hissa dessus. Ils se trouvaient face à face de part et d'autre du comptoir.

— Ce n'est pas votre style de boisson, d'habitude, hein ? remarqua Mackenzie. Dans mon métier, on a le flair pour ces choses. (Il se tapota le nez pour plus d'effet.) Alors, le gosse n'a pas réapparu ?

— Non, monsieur.

— Quelquefois, ils se mettent des idées en tête...

Il fit une grimace d'incompréhension pour bien souligner le fossé des générations.

— J'ai une photographie, annonça Rebus en plongeant la main dans sa poche et il la lui tendit. La personne disparue est au deuxième rang.

Mackenzie opina sans manifester d'intérêt exagéré.

— Vous voyez, juste derrière lui ?

— C'est sa poule ?

— Vous la connaissez ?

Mackenzie grogna.

— J'aimerais bien.

— Vous ne l'avez jamais vue auparavant ?

— La photo n'est pas du grand art, mais je ne crois pas.

— À quelle heure pointe le personnel ?

— Pas avant ce soir.

Rebus rempocha la photo.

— Est-ce que j'ai une chance de récupérer ma vidéo ? interrogea Mackenzie.

— Pourquoi ?

— Ces machins coûtent cher. Les frais généraux, c'est ce qui peut tuer un petit commerce comme le mien, inspecteur.

Rebus se demanda comment il avait fait pour

décrocher le titre de Charmeur. Il avait le charme du papier de verre.

— Ben tiens, il ne manquerait plus que ça, n'est-ce pas, monsieur Mackenzie ? dit-il en se relevant.

De retour au bureau, il se repassa la bande vidéo en se concentrant sur la blonde. La façon dont sa tête était tournée, la mâchoire carrée, la bouche entrouverte. Disait-elle quelque chose à Damon ? Une minute plus tard, il disparaissait. Lui disait-elle qu'elle le retrouverait quelque part ? Après son départ, elle était restée au bar pour se commander un verre. À minuit tapant, un quart d'heure après que Damon se fut éclipsé, elle quittait la discothèque. La dernière image était prise par une caméra montée sur la façade du club. On la voyait tourner à gauche dans Rose Street, sous les yeux de quelques pochards qui tentaient de pénétrer au *Gaitano*.

Quelqu'un passa la tête par l'entrebâillement de la porte pour lui annoncer qu'il avait un appel. C'était Mairie Henderson.

— Merci de me rappeler, dit-il.

— Je suppose que tu as un service à me demander ?

— Exactement l'inverse.

— Dans ce cas, je te paie à déjeuner. Je suis à l'*Engine Shed*.

— Ça tombe bien, dit Rebus, ravi. (L'*Engine Shed* était situé juste derrière St Léonard.) J'arrive dans cinq minutes.

— Mettons deux, sinon j'aurai fini toutes les boulettes de viande.

Ce qui était une blague, puisqu'il n'y avait pas de viande dans les boulettes. Elles étaient savoureuses avec des champignons et des pois chiches baignant dans une sauce tomate. Bien que le restaurant fût situé à une minute à pied de son bureau, Rebus n'y avait jamais déjeuné. On y servait une nourriture trop saine, trop équilibrée. On proposait du jus de pomme bio comme boisson du jour et le tabac était strictement interdit. Il savait que c'était géré par une sorte d'association caritative et que le personnel était recruté parmi des chômeurs en fin de droits qui avaient un besoin désespéré de travailler. C'était bien de Mairie de lui fixer un rendez-vous dans un endroit pareil. Elle était assise près d'une fenêtre et Rebus vint la retrouver avec son plateau.

— Tu as l'air en forme, dit-il.

— C'est toute cette salade, fit-elle en indiquant son assiette.

— Toujours contente de ta nouvelle vie ?

Il voulait parler de sa décision de quitter le quotidien local pour travailler en free-lance. Ils s'étaient rendus mutuellement service à l'occasion, mais Rebus savait qu'il avait plus gagné qu'elle dans leurs transactions. Elle avait un profil pur et des traits fins, avec des yeux noirs au regard vif. Elle avait adopté une coiffure à la Jackie Kennedy dans les débuts. Sur la table à côté d'elle étaient posés son carnet et son portable.

— Mes reportages sortent de temps à autre dans les journaux de Londres. Après ça, mon ancien canard est bon pour sortir sa propre version le lendemain.

— Ça doit les faire grincer des dents.

Elle eut un large sourire.

— Il faut bien qu'ils sachent ce qu'ils ont raté.

— Justement, ils ont raté un papier qui se trouve juste sous leur nez.

Il enfourna une autre bouchée de crudités et dut reconnaître que ce n'était pas mauvais du tout. En regardant les autres tables, il se rendit compte que tous les clients étaient des clientes. Certaines donnaient à manger à des bambins sur des chaises hautes, d'autres bavardaient tranquillement. Le restaurant n'était pas grand et Rebus évitait de parler fort.

— C'est quoi, ton scoop ? s'enquit Mairie.

Rebus baissa encore le ton.

— Un pédophile qui habite à Greenfield.

— Déjà condamné ?

— Oui, confirma-t-il, il a fini de purger sa peine et, là, on l'a casé dans un appart avec vue sur un terrain de jeux pour les gosses.

— Qu'est-ce qu'il a fait ?

— Rien encore, rien qui me permette de le coincer. Le problème, c'est que ses voisins ne savent pas qui habite là.

Elle le toisait froidement.

— Qu'est-ce qu'il y a ? demanda-t-il.

— Rien. (Elle croqua une autre bouchée de salade et mastiqua lentement.) Alors c'est quoi, l'histoire ?

— Enfin, Mairie...

— Je sais ce que tu attends de moi. (Elle pointa sa fourchette sur lui.) Et je sais pourquoi.

— Et alors ?

— Et qu'est-ce qu'il a fait ?

— Nom de nom, Mairie, tu connais le taux de récidive ? Ce n'est pas une chose qu'on soigne en vous collant au trou pendant quelques années.

— Nous devons lui laisser une chance.

— *Nous ?* Tu rigoles, ce n'est pas à nous qu'il s'en prend.

— Nous tous, nous devons jouer le jeu, leur donner une chance.

— Écoute, Mairie, c'est un bon papier, je t'assure.

— Non, c'est un moyen pour toi de l'atteindre. Est-ce que ça a un rapport avec Shiellion ?

— Ça n'a que dalle à voir avec Shiellion.

— J'ai appris que tu es appelé à témoigner. (Elle le regarda de nouveau, mais il se contenta de hausser les épaules.) Seulement, c'est déjà la guerre ouverte, poursuivit-elle. Si je sors un papier sur un pédophile qui habite justement Greenfield... c'est un appel au meurtre.

— Allons donc, Mairie...

— Tu sais ce que je pense, John ? (Elle reposa son couteau et sa fourchette.) Je pense qu'il y a quelque chose qui déconne chez toi. T'as un problème, tu sais.

— Mairie, tout ce que je veux...

Mais elle était déjà debout, décrochait son manteau pendu au dossier de sa chaise et ramassait d'un geste son téléphone, son carnet et son sac.

— Tiens, je vais te dire, ça m'a coupé l'appétit, dit-elle avec une colère froide.

— Il y a une époque où tu aurais bouffé cette histoire jusqu'à l'os.

Elle réfléchit un instant, son regard dans le sien.

— Tu as peut-être raison, concéda-t-elle. Je veux croire que tu te trompes, mais tu as peut-être raison.

Elle traversa tout le plancher du restaurant en faisant dûment claquer ses talons. Rebus baissa les yeux sur son déjeuner, sur son verre de jus intact. Laisse tomber... Il y avait un pub à trois minutes de là. Il repoussa son plateau. Mais Mairie avait tort, Shiellion n'avait rien à y voir. Ce qui était en cause, c'était Jim Margolies et le fait que Darren Rough ait porté plainte contre lui. Maintenant Jim était mort et Rebus voulait lui rendre la monnaie de sa pièce. Pouvait-il donner le repos au fantôme de Jim en tourmentant son tourmenteur ?

Il plongea la main dans sa poche, y trouva le bout de papier, le numéro de téléphone encore parfaitement lisible.

Je pense qu'il y a quelque chose qui déconne chez toi. T'as un problème.

Ce n'était pas lui qui dirait le contraire.

8

Quatre ans plus tôt, Jim Margolies était passé par St Leonard, il avait été détaché pour répondre à une insuffisance d'effectif. Trois inspecteurs étaient grippés et un autre hospitalisé pour une intervention mineure. Margolies, qui officiait d'ordinaire à Leith, était chaudement recommandé, ce qui rendait ses nouveaux collègues méfiants. Quelquefois une recommandation permettait à un poste de police de larguer du bois mort. Mais Margolies avait vite fait ses preuves en s'occupant avec tact et zèle d'une affaire de pédophilie. On avait abusé de deux petits garçons sur les Meadows au cours d'un festival pour la jeunesse. Un comble. Darren Rough était déjà fiché. À douze ans, il avait agressé le fils d'un voisin, âgé de six à l'époque. Il avait été suivi et avait séjourné dans un centre pour enfants. À quinze ans, on l'avait surpris en train de regarder par les fenêtres des résidences universitaires de Pollock Halls. Nouveau suivi psychopédagogique. Nouvelle mention dans son casier.

Le signalement de leur agresseur par les écoliers avait conduit la police à la maison que Rough partageait avec son père. À 9 heures du matin, le père était assis, beurré, à la table de la cuisine. La mère était morte l'été précédent et le ménage, apparemment, n'avait pas été fait depuis. Des vêtements sales et des plats moisis étaient disséminés partout. On aurait cru qu'on ne jetait jamais rien. Des sacs-poubelle éclatés et pourrissants s'accumulaient près de la porte de la cuisine. Le courrier, entassé dans un coin de l'entrée, formait une masse détrempée sous l'effet de l'humidité. Dans la chambre de Darren Rough, Jim Margolies trouva des catalogues de vêtements, avec des ajouts explicites effectués au stylo sur les modèles enfants. Des piles de revues pour adolescents s'entassaient sous le lit, des histoires de fillettes et de garçonnets — avec photographies à l'appui. Et, fourré sous un coin de moquette pourrissant, le pompon, du point de vue de la police : le « palmarès des fantasmes » de Darren avec le récapitulatif de ses goûts et, en prime, le récit de son exploit sur les Meadows, dûment daté et signé.

Ce pour quoi le procureur manifesta une reconnaissance active. Darren Rough, à présent âgé de vingt ans, fut déclaré coupable et envoyé à l'ombre. On ouvrit une caisse de bière à St Leonard et Jim. Margolies présida les festivités.

Rebus était là, lui aussi. Il avait fait partie de l'équipe de relève qui avait procédé aux interrogatoires. Il avait passé assez de temps avec le détenu pour savoir qu'on faisait bien de le boucler.

— Encore que ça n'aide jamais avec ces enfoirés, avait déclaré l'inspecteur principal Alistair Flower. Ils récidivent dès qu'ils sont dehors.

— Vous voulez dire que le traitement devrait remplacer l'incarcération ? avait demandé Margolies.

— Je veux dire qu'on jette la clé aux égouts et qu'on l'oublie !

Et il s'était fait acclamer. Siobhan Clarke était trop prudente pour donner son point de vue, mais

Rebus savait ce qu'elle en pensait. Personne n'avait évoqué la plainte que Rough avait déposée concernant des bleus sur le visage et le corps. Il avait dit à son avocat que Jim Margolies l'avait passé à tabac. Aucun témoin. Blessures volontaires, de l'avis général. Rebus avait bien eu envie de lui filer quelques claques, mais Margolies, lui, n'avait pas la réputation de malmener les suspects.

Il y avait eu une enquête interne. Margolies avait nié l'accusation. Un examen médical n'avait pu établir si les hématomes étaient un acte volontaire ou non et l'histoire en était restée là, avec à peine une tache sur le dossier de Margolies qui ferait planer un très léger doute sur le reste de sa carrière.

Rebus referma le dossier et retourna à la chambre forte pour le remettre en place.

Mairie: *Je pense qu'il y a quelque chose qui déconne chez toi.*

L'éducateur de Rough: *C'est votre maison qui a voulu qu'on le mette là.*

Rebus se rendit au bureau du Péquenot, frappa à la porte et entra quand il y fut invité.

— Que puis-je pour vous, John ?

— J'ai eu quelques mots avec l'éducateur de Darren Rough, monsieur.

Le Péquenot leva les yeux de ses paperasses.

— Une raison particulière ?

— Je voulais juste savoir pourquoi on avait octroyé à Rough un appartement avec vue sur un terrain de jeux pour les gamins.

— Je parie qu'il était aux anges.

Aucune nuance de reproche. Les travailleurs sociaux n'étaient guère qu'à un barreau ou deux au-dessus des pédophiles sur l'échelle morale du Péquenot.

— Il m'a répondu que c'était la maison qui l'avait voulu là au départ.

Le visage du Péquenot se hérissa et il le regarda par en dessous.

— Ce qui veut dire ?

— Il m'a conseillé de vous poser la question.

— Je n'en ai pas la moindre idée. (Le surintendant se renversa dans son fauteuil.) Il serait là à notre demande ?

— C'est ce qu'il m'a dit.

— Autrement dit, c'est la police qui l'aurait fait venir à Édimbourg ?

— Apparemment, confirma Rebus. Je viens de parcourir le dossier de Rough. Il a séjourné dans un foyer pour enfants pendant quelque temps.

— Pas à Shiellion ?

Le patron avait l'air intéressé.

— Non, à Callstone House, à l'autre bout de la ville. Juste pour une courte période. Les deux parents étaient alcooliques et le laissaient à l'abandon. Il n'avait aucun autre lieu d'accueil.

— Que s'est-il passé ?

— La mère est allée en désintox, le fils est rentré à la maison. Puis, plus tard, on a diagnostiqué chez la mère une cirrhose, mais personne n'a songé à s'occuper de l'enfant.

— Comment ça se fait ?

— Parce qu'à ce moment-là, il s'occupait du père.

Le Péquenot regarda en direction de sa collection de photographies.

— La vie, quelle galère, quelquefois...

— Oui, monsieur, approuva Rebus.

— Alors, ça nous conduit où ?

— À ça : Rough revient à Édimbourg, apparemment à notre demande. Sur quoi, le policier qui l'a mis à l'ombre fait le saut de l'ange du haut de Salisbury Crags.

— Vous n'insinuez pas qu'il y aurait un rapport ?

Rebus leva la main comme pour l'arrêter.

— Écoutez, Jim sort dîner avec femme et enfant chez des amis. Il rentre chez lui, se pieute. Le lendemain matin, il est passé de vie à trépas. Je cherche pour quelles raisons Jim Margolies aurait voulu se tuer et le fait est que, j'ai beau chercher, je n'en trouve pas. Et je me demande aussi qui veut voir Darren Rough revenir ici et pourquoi.

Le Péquenot était songeur.

— Vous voulez que je parle à cet éducateur ?

— Il refuse de me parler.

Le patron prit une feuille et un stylo.

— Donnez-moi son nom.

— Andy Davies, c'est l'éducateur de postprobation de Darren Rough.

— D'accord, John, je m'en occupe, fit-il en soulignant le patronyme.

— Merci, monsieur. Entre-temps, j'aimerais jeter un œil sur le dossier de Jim.

— Je peux vous demander pourquoi ?

— Pour voir si ça se recouperait avec Rough. (Et peut-être aurait-il pu ajouter : pour satisfaire ma curiosité personnelle.)

— O.K., approuva l'autre. En ce qui concerne Shiellion… quand devez-vous témoigner ?

— Demain, monsieur.

— Vous avez révisé votre baratin ?

Rebus hocha la tête.

— Et vous savez le secret de la réussite, quand on est appelé à témoigner, John ?

— La présentation, monsieur ?

— Pas exactement. Prévoyez des tonnes de lecture.

Ce soir-là, sur le chemin du retour, il fit un saut chez sa fille. Sammy avait quitté son appartement situé au premier étage d'un immeuble ancien pour un rez-de-chaussée dans un immeuble en brique sur Newhaven Road.

— Ça descend jusqu'à la côte, avait-elle dit à son père. Et tu devrais voir mon bolide quand on lâche les freins.

Une allusion à sa chaise roulante. Rebus avait voulu mettre la main au portefeuille pour un système motorisé, mais elle avait balayé d'un geste sa proposition.

— Je me fais les muscles, avait-elle décrété. Et puis je n'en ai pas pour très longtemps.

Peut-être, mais le chemin vers la mobilité complète se révélait difficile. Elle n'avait que deux séances de kinésithérapie par semaine et passait le reste du temps à faire de la gymnastique. L'accident avait apparemment atteint la colonne vertébrale et les jambes.

— Mon cerveau leur donne des ordres, mais elles n'obéissent pas.

Il y avait une petite rampe d'accès en bois devant la porte de son immeuble. Un ami d'un ami l'avait construite pour elle. Une des chambres à coucher de l'appartement avait été transformée en un gymnase de fortune, avec une grande glace placée contre un mur et des barres parallèles qui occupaient la majeure partie de l'espace restant. Les portes étaient étroites, mais Sammy était passée maître dans l'art de manœuvrer sa chaise roulante sans s'érafler les articulations des mains ni les coudes.

Quand Rebus arriva, Ned Farlowe ouvrit la porte. Il bossait comme correcteur pour des journaux gratuits locaux. Les journées de travail étaient courtes, de sorte qu'il pouvait aider Sammy dans ses séances d'entraînement. Les deux hommes se méfiaient encore l'un de l'autre — un père fait-il jamais confiance au type qui couche avec sa fille ? — mais Ned paraissait faire l'impossible pour Sammy.

— Salut, dit-il. Elle s'entraîne. Vous voulez un café ?

— Non, merci.

— Je prépare le dîner.

Ned réintégrait déjà le boyau de l'étroite cuisine. Rebus savait qu'il ne ferait que le déranger.

— Je vais y aller et…

— Très bien.

Les effluves provenant de la cuisine rappelaient celles de l'*Engine Shed* : aromatiques et végétariennes. Rebus prit le couloir en remarquant des traces d'éraflures là où la chaise avait frotté. De la musique sortait de la chambre d'amis, un rythme disco. Sammy était allongée par terre en maillot et collant noir et essayait d'amener ses jambes à lui obéir. Elle avait le visage empourpré par l'effort, les cheveux collés au front. Quand elle vit son père, elle reposa la tête sur le sol.

— Éteins ce bidule, tu veux ? dit-elle.

— Je peux juste regarder.

Mais elle fit non de la tête. Elle n'aimait pas qu'il la regarde travailler. C'était son combat à elle, sa lutte intime avec son propre corps. Rebus éteignit le magnétophone.

— Tu as reconnu ?

— Chic, *Le Freak*. Je suis suffisamment allé en boîte dans les années soixante-dix.

— J'ai du mal à t'imaginer en pattes d'éph'.

— N'insiste pas, il y a prescription.

Elle se hissa en position assise. Il fit un pas en avant pour l'aider, un seul, sachant que s'il s'approchait plus près, elle le chasserait.

— Comment ça se passe pour ta déclaration d'incapacité ?

Elle roula les yeux et tendit une main vers la serviette pour s'éponger le visage.

— Je croyais tout savoir sur la bureaucratie. Le problème, c'est que ça va aller mieux.

— Bien entendu.

— Eh bien, de ce fait, il y a toutes sortes de complications. En plus, mon poste à SWEEP m'attend toujours.

— Mais le bureau est perché au troisième étage sans ascenseur !

Il s'assit prudemment par terre à côté d'elle.

— Je peux rester chez moi pour travailler.

— Vraiment ?

— Mais ça ne me dit rien. Je ne veux pas rester confinée entre ces quatre murs.

— Enfin, si tu as besoin de quelque chose…

— Tu as des cassettes de disco ?

— J'étais plus le genre Rory Gallagher et John Martyn, répondit-il avec une grimace.

— Bon, personne n'est parfait, dit-elle en entourant la serviette autour de son cou. À propos, comment va Patience ?

— Elle va bien.

— Je l'ai eue au téléphone.

— Ah bon ?

— Elle dit que je parle plus avec elle que toi.

— Ce n'est pas tout à fait vrai.

— Ah non ?

Rebus considéra sa fille. Était-elle déjà aussi nerveuse ou cela avait-il un rapport avec l'accident ?

— Ça va, on s'entend bien.

— Ben voyons ! Qui fait les concessions ?

Il se releva.

— Bon, je crois que le dîner va être prêt. Tu veux que je t'aide à t'asseoir dans ta chaise ?

— Non, non, Ned aime le faire.

Il hocha lentement la tête.

— En attendant, tu n'as pas répondu à ma question, reprit-elle.

— Tu connais les flics. D'habitude, les questions, c'est moi qui les pose.

Elle enveloppa la serviette autour de sa tête.

— C'est à cause de moi ? interrogea-t-elle.

— Quoi ?

— Depuis que... (Elle baissa les yeux sur ses jambes.) On dirait que tu te fais des reproches.

— C'était un accident, bougonna-t-il en évitant son regard.

— C'est à partir de là que vous vous êtes remis ensemble. Tu vois où je veux en venir ?

— Tu veux dire que je n'arrête pas de me faire des reproches pour ton accident, comme toi tu n'arrêtes pas de te faire des reproches pour Patience et moi. (Il lui jeta un coup d'œil.) Est-ce que ça résume à peu près ta pensée ?

Elle sourit.

— Reste manger avec nous.

— Tu ne crois pas que je devrais rentrer retrouver Patience ?

Elle retira la serviette de ses yeux.

— Tu rentres chez elle ?

— Qu'est-ce que tu crois ? répliqua-t-il en prenant congé d'un signe de la main avant de quitter la pièce.

9

Au pied de Newhaven Road, il fit halte dans deux bars, une pinte dans l'un, un doigt de whisky dans l'autre. Plus un litre d'eau dans le whisky. Il faisait sombre, mais il voyait les réverbères dans le Fife, sur l'autre rive du Forth. Il pensait à Janice et Brian Mee, qui n'avaient jamais quitté leur ville natale. Il se demandait ce qu'il serait devenu s'il était resté. De nouveau, il songea à Alec Chisholm, le garçon qui avait disparu sans laisser de traces. On avait battu la campagne, fait descendre des hommes dans des puits de mine désaffectés, dragué la rivière. Un été chaud, interminable, les Beatles et les Stones au juke-box du bistrot, des bouteilles de Coca glacées au distributeur. Des tasses de café en verre couronnées d'une mousse de lait. Et des questions sur Alec, des questions qui montraient qu'aucun d'entre eux ne le connaissait vraiment, pas profondément, pas comme ils croyaient connaître leurs copains. Et les parents d'Alec, ses grands-parents, qui sillonnaient les rues la nuit et arrêtaient les étrangers pour leur poser la même question : Vous avez vu mon garçon ? Jusqu'à ce que les étrangers deviennent des connaissances et qu'ils soient à court de gens à interroger.

À présent, Damon Mee avait quitté le monde ou

en avait été éjecté par une force irrésistible. Rebus remonta en voiture et longea la côte, s'engagea sur le Forth Bridge et roula en direction du Fife. Il essayait de se dire qu'il ne fuyait pas. Loin des paroles de Sammy, loin de Patience, loin d'Édimbourg et de tous les fantômes. Loin des pédophiles et des sauts dans le vide.

Quand il parvint à Cardenden, il ralentit et finit par s'arrêter dans la grand-rue. Il semblait y avoir des affichettes dans chaque vitrine représentant la photo de Damon avec le mot DISPARU imprimé en gros caractères. Il y en avait d'autres collées sur les pieds des réverbères et les abris de bus. Rebus redémarra et se dirigea vers la maison de Janice. Mais il n'y avait personne. Un voisin le renseigna, et il put faire demi-tour pour regagner Édimbourg et Rose Street, où il trouva Janice et Brian en train de coller d'autres prospectus sur les réverbères et les murs, et d'en distribuer dans les boîtes aux lettres. Des photocopies en A4. C'était une photo de vacances avec un appel écrit à la main: DAMON MEE A DISPARU. L'AVEZ-VOUS VU? Suivaient une description physique, y compris les vêtements qu'il portait, et le numéro de téléphone des Mee.

— Nous avons fait systématiquement tous les pubs, expliqua Brian.

Il avait l'air épuisé, les yeux cernés, du chaume sur les joues. Le rouleau de ruban adhésif qu'il tenait à la main était presque fini. Janice était adossée contre un mur. Difficile, en les regardant, de prétendre retrouver la magie du passé. Ils étaient pétris d'angoisse.

— Le seul endroit où ils ne veulent rien savoir, c'est ce club, lui signala Janice.

— Le *Gaitano*?

— Oui. Les videurs nous ont interdit l'entrée. Ils

ont même refusé de nous prendre des tracts. J'en ai collé un sur la porte, mais ils l'ont arraché.

Elle était presque en larmes. Rebus se retourna pour regarder l'enseigne au néon au-dessus du *Gaitano*.

— Venez, dit-il. On va dire le mot magique cette fois-ci.

Parvenu à la porte, il présenta son insigne en annonçant « Police ». On les fit entrer tous les trois tandis que quelqu'un appelait Charmeur Mackenzie au téléphone. Rebus regarda Janice et lui adressa un clin d'œil.

— Sésame ouvre-toi, dit-il.

Elle le regardait comme s'il avait accompli un miracle.

— M. Mackenzie n'est pas là, dit un des videurs.

— Alors qui le remplace ?

— Archie Frost. Il est directeur adjoint.

— Conduisez-moi à lui.

Le videur n'eut pas l'air heureux.

— C'est que… Il prend un verre au bar.

— Aucun problème, annonça Rebus. On connaît le chemin.

Une musique de contrebasse vibrait, il faisait sombre et chaud à l'intérieur du club. Des couples gagnaient la piste, d'autres fumaient furieusement, les genoux battant la mesure tandis qu'ils scrutaient la pénombre avant d'entrer en action. Rebus se pencha vers Janice de sorte que sa bouche n'était qu'à deux centimètres de son oreille.

— Fais le tour des tables et pose tes questions.

Elle acquiesça et fit passer le message à Brian, qui avait l'air gêné par le bruit.

Rebus se dirigea vers le bar en franchissant des flots de lumière indigo. Des gens attendaient d'être servis, mais deux hommes seulement consommaient au comptoir. En fait, un seul buvait. L'autre — qui aurait eu besoin d'un verre — se faisait visiblement remonter les bretelles.

— Je regrette de vous déranger, dit Rebus.

Celui qui parlait se tourna à demi vers lui.

— Tu ne vas pas tarder à le regretter vraiment.

Vingt ans, vingt et un peut-être, les cheveux noirs retenus en queue-de-cheval. Trapu, vêtu d'un costume sans revers et d'un tee-shirt d'un blanc étincelant. Rebus lui colla son insigne sous le nez et se présenta.

— Vous avez besoin de leçons de charme avec votre patron ? s'enquit-il. (Pour toute réponse, Archie Frost se contenta d'écluser son verre.) Je veux vous dire un mot, monsieur Frost.

— Ils m'ont pas l'air d'être de la maison, remarqua-t-il avec un mouvement de tête en direction de Janice et Brian qui faisaient le tour des tables.

— C'est parce qu'ils n'en sont pas. Leur fils a disparu. Il a disparu d'ici, en fait.

— Je sais.

— Alors, vous savez pourquoi je viens. (Rebus sortit la photo de la blonde mystérieuse.) Ça ne vous dit rien, vous l'avez déjà vue ?

Frost secoua la tête automatiquement.

— Regardez mieux.

Frost prit la photo à contrecœur et l'orienta vers la lumière. Puis il fit non et voulut la lui rendre.

— Et votre copain ?

— Qu'est-ce que vous lui voulez ?

Le copain en question, le jeune homme privé de boisson, s'était à demi détourné de sorte qu'il regardait la piste.

— Vous savez, il n'est pas souvent ici, dit Frost.

— Quand même, insista Rebus. Faites ça pour moi.

Donc Frost colla la photo sous le nez de son acolyte. Qui fit aussitôt un signe de dénégation.

— Je vais faire le tour de vos clients avec ça pour voir s'ils ont une meilleure mémoire que vous, annonça Rebus en récupérant le cliché. (Il ne regardait pas Frost mais son camarade.) Est-ce que je ne t'ai pas déjà vu quelque part, fiston ? Ta tête me dit quelque chose.

Le jeune homme grogna en gardant les yeux scotchés sur les danseurs.

— Bon, je vais vous laisser retourner à vos affaires, enchaîna Rebus. Mais si ça vous revient, n'hésitez pas.

Il fit le tour de la salle en suivant les pas de Janice et Brian. Ils avaient laissé des tracts sur la plupart des tables. Deux ou trois étaient déjà froissés et Rebus toisa durement les coupables. Il n'eut guère plus de succès avec sa propre photographie, mais s'aperçut que Janice et Brian venaient de s'asseoir à une table, où ils étaient en pleine conversation avec deux jeunes filles. Il finit par les rattraper. Janice leva les yeux vers lui.

— Elles disent qu'elles ont vu Damon, hurla-t-elle pour se faire entendre malgré la musique.

— Oui, il montait en taxi, répéta une des filles à l'intention du nouveau venu.

— Où ça ? demanda Rebus.

— Attendez... Devant le *Dôme*.

— Juste en face, précisa sa copine.

Elles s'étaient tartinées de maquillage pour se donner un look « raffiné » tout en essayant de se vieillir. Dans peu de temps, elles chercheraient à faire le contraire. Elles portaient des jupes incroyablement mini. Rebus pouvait voir Brian essayer de regarder ailleurs.

— C'était à quelle heure, d'après vous ?

— Environ minuit un quart. On était en retard pour une soirée.

— Vous êtes sûres de la date ? insista Rebus sous le regard accusateur de Janice qui ne voulait pas voir éclater cette fragile bulle d'espoir.

Une des jeunes filles sortit un agenda de son sac et tapota une page.

— Voilà la soirée.

Rebus regarda : ça correspondait bien à la date de la disparition de Damon.

— Comment se fait-il que vous l'ayez remarqué ?

— On l'avait vu ici avant.

— Il était debout au bar, ajouta sa copine. Sans danser ni rien.

Deux jeunes gens, encore en costume de bureau, s'étaient détachés d'un groupe de collègues et s'approchaient pour les inviter à danser. Les filles prirent un air détaché, mais un regard mauvais de Rebus renvoya les prétendants d'où ils venaient.

— On cherchait un taxi, nous aussi, expliqua l'une des filles. On les a vus qui attendaient de l'autre côté de la rue. Sauf qu'eux, ils ont eu de la veine, nous avons dû faire la route à pied.

— Eux ?

— Lui et sa copine.

Rebus regarda Janice, puis sortit le cliché de sa poche.

— Ouais, ça lui ressemble.

— Blonde platine, renchérit l'autre.

Janice leur prit la photo pour regarder à son tour.

— Qui est-ce, John ?

Rebus dut reconnaître qu'il n'en savait rien. En regardant vers le bar, il remarqua deux choses. D'une part, Archie Frost l'observait intensément pardessus le bord d'un nouveau verre. De l'autre, son pote au régime sec s'était éclipsé.

— Peut-être qu'ils ont fugué ensemble, suggéra une des filles, pour essayer d'être utile. Ce serait terriblement romantique, non ?

Comme Janice et Brian n'avaient pas mangé, Rebus les emmena chez un Indien de Hanover Street, où il expliqua le peu qu'il savait concernant la femme sur la photographie. Janice la tint dans une main pendant qu'elle mangeait.

— C'est un début, non ? demanda Brian en découpant un *nan*.

Rebus opina du chef

— Enfin, poursuivit Brian, nous savons maintenant qu'il est parti avec quelqu'un. Il est sans doute toujours avec elle.

— Sauf qu'il n'est pas parti avec elle, dit Janice. John nous a déjà dit que Damon était parti seul.

En fait, Rebus n'était pas allé aussi loin. Ils n'avaient que le témoignage des jeunes filles pour dire que Damon avait quitté les lieux…

— Le fait est, intervint Brian d'une voix hésitante, qu'il ne tenait sûrement pas à ce que ses copains les voient ensemble, alors qu'il est censé être fiancé.

— Je ne peux pas croire ça de Damon ! s'exclama Janice en regardant Rebus. Il est amoureux d'Helen, j'en suis sûre.

— D'accord, fit Rebus avec une grimace. Mais ce sont des choses qui arrivent, non ?

Elle eut un sourire contrit. Brian les vit échanger un regard plein de sous-entendus, mais se garda de rien dire.

— Quelqu'un veut encore du riz ? proposa-t-il simplement en prenant le plateau sur le chauffe-plat.

— Nous devons rentrer chez nous, dit sa femme. Damon pourrait essayer d'appeler.

Elle s'apprêtait à se lever. Rebus indiqua la photo

et elle la lui rendit. Tachée, les coins cornés. Brian considérait, la mort dans l'âme, la nourriture dans son assiette.

— Brian ? dit Janice. (Il fit la grimace et se leva à son tour.) Demande la note, tu veux ?

— C'est moi qui invite, annonça Rebus. J'ai une ardoise ici.

— Merci encore, John.

Elle lui tendit la main et il la serra. Elle était longue et fine. Il se souvint de l'avoir tenue dans la sienne quand ils dansaient, il se souvint qu'elle était chaude et sèche, différente de la main des autres filles. Chaude et sèche, et son cœur cognait dans sa poitrine. Elle avait la taille si fine qu'il avait l'impression qu'il pourrait en faire le tour avec les mains.

— Oui, merci, Johnny, renchérit Brian Mee avec un éclat de rire. Ça ne te dérange pas que je t'appelle Johnny ?

— Pourquoi ça me dérangerait ? demanda Rebus, les yeux toujours plongés dans ceux de Janice. C'est mon nom, il me semble.

10

Pour commencer, Rebus parcourut les journaux mais il ne trouva rien qui l'intéressât.

Il partit en direction du commissariat de Leith, où Jim Margolies était en poste. Il avait dit à son chef qu'il cherchait un lien entre la réapparition de Rough et la mort de Jim, mais il n'était pas sûr d'en trouver. Cependant, il voulait vraiment savoir pourquoi Jim l'avait fait, cette chose à laquelle il avait songé maintes fois lui-même sans passer à l'acte : faire le grand saut... Il fut accueilli à Leith par l'inspecteur principal Bobby Hogan, visiblement éreinté.

— Je sais que je te dois un ou deux services, John, déclara Hogan. Mais ça ne t'ennuierait pas de me dire de quoi il retourne ? Margolies était un brave type, il nous manque terriblement.

Ils traversaient les locaux en direction de la salle de garde. Hogan avait deux ou trois ans de moins que Rebus, mais il était dans la police depuis plus longtemps. Il pourrait prendre sa retraite quand il voudrait, mais Rebus doutait qu'il en ait envie.

— Je le connaissais aussi, répondit Rebus. Je me pose sans doute la même question que vous tous.

— Tu veux dire : pourquoi ?

— C'est ça. Il volait vers les sommets, Bobby. Tout le monde le savait.

— Il a peut-être eu le vertige. (Hogan secoua la tête.) Le dossier ne t'apprendra pas grand-chose, John.

Ils s'étaient arrêtés devant une salle d'interrogatoire.

— J'ai tout simplement besoin de le voir, Bobby.

Hogan le regarda fixement, puis opina du chef.

— Alors on est quittes, mon vieux.

Rebus lui effleura l'épaule et entra dans la salle. L'enveloppe en papier kraft était posée sur le bureau vide. Il y avait deux chaises dans la pièce.

— J'ai pensé que tu aimerais être tranquille, dit Hogan. Écoute, si quelqu'un te pose des questions...

— Je suis une tombe, Bobby, assura Rebus en s'asseyant. (Il examina le dossier.) Ça va aller vite.

Hogan alla lui chercher une tasse de café, puis retourna à ses occupations. Rebus mit exactement vingt minutes à passer en revue le tout : le rapport initial et la copie, plus la biographie de Jim Margolies. Vingt minutes, ce n'était pas bien long pour un CV. Bien sûr, il y avait peu de chose sur sa vie privée. On en était réduit à imaginer les tournées au bar après le boulot, les pauses cigarettes et les rencontres au distributeur de café. Mais les faits bruts, inscrits noir sur blanc entre deux marges, ne livraient aucune piste. Un père médecin, à présent à la retraite. Une enfance confortable. La sœur qui s'était suicidée pendant son adolescence... Rebus se demanda si la mort de sa sœur avait hanté confusément Jim Margolies durant toutes ces années. Il n'y avait aucune mention de Darren Rough, rien sur le bref passage de Margolies à St Leonard. Sa dernière soirée ici-bas, Jim était sorti dîner chez des amis. Rien d'extraordinaire. Après quoi, au beau milieu de la nuit, il avait quitté son lit, s'était rhabillé et avait marché sous la pluie. À pied jusqu'à Holyrood Park...

— Alors ? demanda Bobby Hogan.

— Que dalle, reconnut Rebus en refermant le dossier.

À pied sous la pluie... Une longue marche de The Grange à Salisbury Crags. Personne n'avait déclaré l'avoir vu. On avait mené une enquête, interrogé des chauffeurs de taxi. En grande partie pour la forme, car on ne tenait pas trop à s'étendre sur un suicide. Parfois on tombait sur des choses qu'il valait mieux ne pas toucher.

Rebus retourna en ville, gara la voiture derrière St Leonard et entra au poste. Il frappa à la porte du surintendant Watson et attendit d'être convié à entrer. Watson semblait s'être levé du mauvais pied.

— Où vous étiez ?

— J'avais à faire du côté de la division D, j'ai consulté le dossier de Jim Margolies. (Il regarda le Péquenot faire les cent pas derrière son bureau. Il tenait une tasse de café entre les mains.) Vous avez parlé à Andy Davies, monsieur ?

— Hein, qui ça ?

— Andy Davies. L'éducateur de postprobation de Darren Rough.

Le patron acquiesça.

— Et alors, monsieur ?

— Et il m'a dit qu'il devait en parler à son chef.

— Qu'est-ce qu'il a dit, son chef ?

Le Péquenot fit volte-face.

— Nom d'un chien, John, laissez-moi le temps, vous voulez ? J'ai d'autres soucis plus importants que votre petit...

Laissant échapper un soupir, il eut l'air de s'effondrer. Puis il s'excusa en marmonnant.

— Aucun problème, monsieur. Je vais juste...

Déjà, Rebus fuyait vers la liberté.

— Asseyez-vous, tonna le boss, le coupant dans sa fuite. Maintenant que vous êtes là, voyons si vous êtes si malin que ça.

— C'est à quel sujet, monsieur? s'enquit Rebus en se laissant tomber sur la chaise.

Le Péquenot s'assit à son tour, puis remarqua que sa tasse était vide. Il se leva pour la remplir et en remplit une pour Rebus aussi. Celui-ci examina le jus d'un air méfiant. Au fil des ans, le café du Péquenot s'était acquis une réputation. Indiscutablement, il s'était amélioré, mais il y avait des jours...

— Au sujet de Cary Dennis Oakes.

— Qui ça? fit Rebus en plissant le front. Je suis censé le connaître?

— Si vous ne le connaissez pas, ça ne va pas tarder.

Il lança un journal dans sa direction, qui tomba par terre. Rebus le ramassa, vit qu'il était plié pour encadrer un article particulier, un article qu'il avait raté parce que ce n'était pas celui qu'il cherchait: UN TUEUR RENTRE «AU PAYS».

«Cary Oakes, lut Rebus, condamné pour deux meurtres dans l'État de Washington, aux États-Unis, va prendre aujourd'hui un vol pour la Grande-Bretagne après avoir purgé une peine de quinze ans au pénitencier de Walla Walla, à Washington. On croit savoir que Oakes compte retourner à Édimbourg, où il a vécu plusieurs années avant d'aller en Amérique.»

Il y en avait une tartine. Oakes s'était rendu aux États-Unis muni d'un sac à dos et d'un visa touristique. D'abord, il était resté peinard, effectuant une succession de petits boulots, puis il s'était embarqué dans une série d'agressions et de vols avec coups et blessures, qui s'était terminée par deux meurtres, dont les victimes avaient été matraquées et étranglées. Rebus reposa le journal.

— Vous le saviez ?

— Bien sûr que non ! rugit le Péquenot en abattant les poings sur le bureau.

— On aurait dû être prévenus ?

— Faites travailler vos méninges, John, Vous êtes flic à Wallumballa de mes deux. Vous renvoyez un assassin en *Écosse*. Qui vous prévenez ?

— Scotland Yard.

— Sans envisager une seconde que Scotland Yard se trouve somme toute de l'autre côté de la frontière.

— Et les têtes d'œuf de Londres ont préféré manger la commission.

— Leur version à eux, c'est qu'il y a eu un malentendu. Ils croyaient que Oakes allait rester sur leur territoire. En fait, son billet ne dépasse pas Londres.

— Alors c'est leur problème. (Mais le surintendant secouait la tête.) Ne me dites pas qu'ils ont fait une collecte pour lui offrir le supplément pour Édimbourg ?

— Bingo, vous y êtes.

— Bien joué. Alors, quand est-ce qu'il arrive ?

— Dans la journée.

— Et qu'est-ce qu'on fait ?

Le Péquenot regarda Rebus. Ce « on » était à son goût. Un problème partagé — fût-ce avec Rebus, sa bête noire — était un problème qu'on pouvait régler.

— Que suggérez-vous ?

— Une surveillance de première main. On le file, on lui colle au train sans le lâcher d'une semelle, qu'il sache qu'on l'a à l'œil. Avec un peu de veine, il en aura vite ras-le-bol et il ira voir ailleurs.

Le patron se frotta les yeux.

— Tenez, regardez ça, dit-il en faisant glisser le

dossier sur le bureau. (C'était une liasse d'environ une vingtaine de fax.) Londres a fini par avoir pitié de nous, ils nous ont envoyé ce qu'ils avaient reçu des Américains.

Rebus commença à lire.

— Comment se fait-il qu'on l'ait libéré ? Je croyais qu'en Amérique, la perpète, ça voulait dire jusqu'à ce que mort s'ensuive.

— Un point de procédure concernant le procès. Tellement complexe que même les Américains n'y comprennent rien.

— Mais ils le laissent sortir ?

— Un nouveau procès coûterait une fortune aux contribuables, sans compter qu'il faudrait retrouver les premiers témoins. Ils lui ont proposé un marché. S'il laissait tomber, renonçait à réclamer un nouveau procès ou une compensation financière, ils le laissaient rentrer au bercail.

— Dans l'article, « au pays » est entre guillemets.

— Oui. Il n'est pas resté très longtemps à Édimbourg.

— Alors pourquoi ici ?

— C'est ce qu'il a choisi, apparemment.

— D'accord, mais pourquoi ?

— Peut-être que le fax vous le dira.

Le contenu du fax était clair et net. Il disait que Cary Oakes recommencerait à tuer.

Le psychologue mettait en garde les autorités. Le psychologue disait que Cary Oakes avait une faible notion du bien et du mal. La psychologie disposait de multiples figures de style pour se faire comprendre. Le terme « psychopathe » n'était plus guère en cour auprès des hommes de l'art, mais, en lisant entre les lignes et le jargon, Rebus sut à quoi s'en tenir. Des tendances antisociales... un sentiment de trahison profondément ancré...

Oakes avait trente-huit ans. Un agrandissement flou figurait au dossier. Il y apparaissait la tête rasée. Le front était large et proéminent, le visage étroit et taillé à la serpe, les yeux en boules de billard et la bouche fendue en tirelire. Il était décrit d'une intelligence au-dessus de la moyenne (devenu autodidacte en prison), surveillant son régime et pratiquant la musculation. Il ne s'était pas fait d'amis pendant son incarcération, n'avait aucune photo sur les murs et sa seule correspondance, c'était avec son cabinet d'avocats (cinq différents au total).

Le surintendant, qui téléphonait pour savoir l'heure d'arrivée de Oakes, se concertait avec le directeur adjoint de la police à Fettes. Quand il eut fini, Rebus lui demanda ce qu'en pensait leur supérieur.

— Il pense qu'on devrait y aller mollo.

Rebus fit un sourire entendu. C'était une réaction typique.

— Il a raison en un sens, on marche sur des œufs, insista son chef. Les médias vont être à l'affût. On ne doit pas avoir l'air de le harceler.

— Avec un peu de veine, ce sont les journalistes qui vont le faire flipper.

— Peut-être, qui sait ?

— Il est indiqué ici qu'il a été interrogé au départ pour quatre autres meurtres.

Le Péquenot hocha la tête, mais d'un air distrait.

— Je n'avais vraiment pas besoin de ça, grommela-t-il enfin en fixant son bureau.

Toujours minutieusement rangé, le bureau donnait la mesure de l'homme, il était le reflet de la pièce. Pas de paperasses empilées, pas de fouillis ni de pagaille, pas même un trombone sur la moquette.

— Je fais ce boulot depuis trop longtemps, John,

dit-il enfin en se renversant dans son fauteuil. Vous savez quels sont les pires éléments dans la police ?

— C'est de types dans mon genre que vous voulez parler, monsieur ?

— Tout le contraire, fit le Péquenot avec un sourire. Je parle de ceux qui cherchent à se faire oublier en attendant l'heure de la retraite. Les planqués, les embusqués, les tire-au-flanc. Je commence à faire partie du nombre. Encore six mois, c'est ce que je me suis donné. Encore six mois à tirer avant la retraite. (Il eut un autre sourire désolé.) Et moi qui voulais qu'ils se tiennent tranquilles. J'ai prié pour qu'ils se tiennent tous tranquilles jusque-là.

— Après tout, nous ne savons pas si ce type va nous poser un problème. Vous savez, on en a vu d'autres, monsieur.

Certes, ça n'était pas nouveau. Des hommes qui avaient purgé leur peine en Australie ou au Canada, des durs du *Bar-L* à Glasgow, et qui revenaient pour s'établir à Édimbourg ou ne faisaient que passer. Ils portaient leur passé gravé sur leur visage. Même quand ils ne cherchaient pas d'histoires, ils posaient un problème. Ils pouvaient s'installer, vivre peinards, bourgeoisement même, il y avait toujours quelqu'un qui savait qui ils étaient, qui les connaissait de réputation, car leur passé leur collait à la peau. Pour finir, il suffirait d'une bière de trop au pub et, un soir, un jeune crétin déciderait que le moment était venu de relever le défi, parce qu'à ses yeux, un vrai dur, même rangé des voitures, c'était une vraie échelle de notation, une occasion en or. Exactement comme à Hollywood : le porte-flingue fatigué, à la retraite, mis au défi par un demi-sel, un jeunot. Mais pour la police, dans un sens comme dans l'autre, cela signifiait des problèmes en vue.

— La question qui se pose, John, est la suivante :

peut-on se contenter de rester à l'affût ? Le directeur adjoint dit qu'on peut avoir des fonds pour une surveillance partielle.

— Partielle comment ?

— Deux équipes de deux, peut-être pour quinze jours.

— C'est généreux de sa part.

— Il est très près de ses sous.

— Même quand ce type peut encore tuer ?

— Même le meurtre est budgétisé de nos jours, John.

— Je ne pige toujours pas, grommela Rebus en reprenant le fax. D'après les notes, Oakes n'est pas né ici, il n'a aucune famille dans la région. Il a vécu ici pendant, quoi, quatre ou cinq ans. Il est parti aux États-Unis à vingt ans, il a passé presque la moitié de sa vie là-bas. Qu'est-ce qui l'attire ici ?

— L'idée de prendre un nouveau départ ? suggéra le Péquenot sans y croire lui-même.

Prendre un nouveau départ ? Allons donc. Rebus pensa à Darren Rough.

— Il y a obligatoirement plus que ça, monsieur, dit Rebus en reprenant le dossier. Obligatoirement.

Le patron regarda sa montre.

— Vous ne devez pas aller au tribunal ?

— Oui, mais quelle perte de temps, monsieur. On ne va pas m'appeler.

— Qu'importe, inspecteur...

Rebus se leva.

— Ça ne vous ennuie pas si j'emporte ça ? (Il agita les feuilles du fax.) Vous m'avez dit que je devais prendre de quoi lire.

11

Rebus était assis avec d'autres témoins, convoqués pour d'autres affaires, qui attendaient d'être appelés à témoigner. Il y avait des agents en tenue, penchés sur leurs carnets, et des inspecteurs de la Brigade criminelle, bras croisés, qui essayaient de rester décontractés. Rebus, qui connaissait quelques têtes, échangea de menus propos. Les membres du public étaient assis, les mains jointes entre les genoux, ou la tête renversée vers le plafond, crevant d'ennui. Des journaux — tous lus, les mots croisés finis — étaient disséminés dans la pièce. Deux livres de poche cornés avaient retenu l'attention, mais pas très longtemps. Il y avait quelque chose dans l'air qui vous vidait de votre substance. L'éclairage vous donnait la migraine et vous n'arrêtiez pas de vous demander pourquoi vous restiez là.

Réponse : pour servir la justice.

Puis un huissier entrait. Un bloc-notes sous les yeux, il appelait votre nom et le sol grinçait sous vos pas jusque dans la salle d'audience, où votre cervelle engourdie était sondée et soupesée par des étrangers qui jouaient le rôle du juge, du jury et du public.

C'était la justice.

Il y avait un témoin, assis juste en face de Rebus, qui n'arrêtait pas d'éclater en sanglots. C'était un jeune homme, vingt-cinq ans peut-être, corpulent et avec de fines mèches de cheveux noirs plaquées sur le crâne. Il ne cessait de souffler bruyamment dans un mouchoir d'une propreté douteuse. Une fois, comme il levait les yeux, Rebus lui adressa un sourire encourageant, mais ses pleurs redoublèrent. Pour finir, Rebus dut sortir. Il dit à un des agents en tenue qu'il allait en griller une.

— Je vous accompagne, décida le fonctionnaire.

Dehors, ils fumèrent furieusement et en silence, l'œil suivant le flux et le reflux des gens sortant du bâtiment. Le palais de justice était niché derrière la cathédrale St Giles et il arrivait que des touristes s'égarent jusque-là en se demandant ce que c'était. Il y avait peu d'indications, hormis des chiffres romains au-dessus des lourdes portes en bois. Un gardien sur le parking les renvoyait vers High Street. Bien que le tribunal fût ouvert au public, les touristes étaient vivement découragés d'y pénétrer. La salle des pas perdus avait suffisamment l'air d'une foire sans eux. Mais Rebus l'aimait. Il aimait le plafond de bois sculpté, la statue de sir Walter Scott, l'énorme vitrail dans le hall. Il aimait regarder par la porte vitrée dans la bibliothèque où les avocats recherchaient des cas de jurisprudence dans de gros volumes poussiéreux.

Cependant, il retrouva avec plaisir l'air frais, le pavé sous ses pieds et le granit au-dessus, avec des bouffées de nicotine et l'illusion qu'il pouvait se tirer loin de tout ça s'il le voulait. Car en fait, derrière la splendeur de l'architecture, le poids de la tradition et les principes élevés de la justice et de la loi, c'était un lieu de souffrance humaine immense et continue, où le récit des pires sévices vous était arraché, où des images éprouvantes se rejouaient jour après jour. Ceux qui croyaient avoir tourné la page devaient fouiller dans leur mémoire à la recherche des moments les plus intimes et les plus tragiques de leur passé. Les victimes relataient ce qu'elles avaient vécu, les professionnels opposaient froidement les faits crus à l'émotion, et les accusés élaboraient leur propre version dans l'espoir de s'assurer les bonnes grâces du jury.

Et même s'il était facile d'y voir un jeu, une sorte de sport-spectacle cruel, on ne pouvait s'en passer. Car en dépit du mal que Rebus et les autres se donnaient pour ficeler l'enquête, c'était là que tout se jouait : ça passait ou ça cassait. Et c'est là aussi que les policiers apprenaient très vite que la vérité et la justice étaient loin de marcher main dans la main, et que les victimes étaient autre chose que des sacs scellés pour recueillir des indices, des enregistrements et des dépositions.

Il fut un temps où tout cela était sans doute moins compliqué. Le concept était encore relativement simple. Vous avez un accusé et une victime. Les avocats parlent au nom des deux parties et présentent des preuves. On prononce un jugement. Mais tout se jouait sur des mots et des interprétations, et Rebus savait combien les faits pouvaient être déformés, dénaturés, comment une preuve pouvait paraître plus éloquente qu'une autre, comment un juré pouvait décider dès le début de la manière dont il allait voter, seulement sur l'allure ou la coupe de cheveux de l'accusé. Donc la salle d'audience se transformait en une scène de théâtre et plus les avocats se prenaient pour des maîtres du barreau, plus ils usaient d'un charabia impénétrable et abscons. Rebus avait renoncé depuis longtemps à se battre sur leur terrain. Il apportait ses preuves, donnait des réponses concises et s'efforçait de ne pas se laisser avoir par leurs combines et leurs coups de bluff. Certains avocats le voyaient dans ses yeux, ils voyaient qu'il était un vieux cheval de retour. Ils le retenaient le moins longtemps possible, avant de passer à des proies plus dociles.

C'était pourquoi il ne pensait pas qu'on l'appellerait aujourd'hui. Et malgré ça, il devait rester là à poireauter, perdre son temps et son énergie au nom de cette sacro-sainte justice.

Un des gardiens sortit. Rebus le connaissait et lui offrit une cigarette. L'homme la prit avec un geste de remerciement et accepta la boîte d'allumettes.

— C'est à dégueuler, aujourd'hui, fit le gardien en hochant la tête.

Les trois hommes regardaient en direction du parking.

— Je ne suis pas censé le savoir, lui rappela Rebus avec un sourire entendu.

— Devant quel tribunal vous comparaissez ?

— Shiellion, dit Rebus.

— C'est celui dont je parle, remarqua le gardien. Il y a de ces dépositions...

Il branla le chef, l'air de celui qui a entendu plus que son lot d'horreurs. Brusquement, Rebus comprit pourquoi le type en face de lui n'arrêtait pas de chialer. Et s'il n'arrivait pas à se rappeler son nom, au moins il savait qui il était : un des rescapés de Shiellion.

Shiellion House se situait aux abords de la Glasgow Road à Ingliston Mains. Construite dans les années 1820 pour un des maires de la cité, la demeure était passée, après sa mort et diverses disputes familiales, sous l'autorité de l'Église d'Écosse. Jugée trop vaste et pleine de courants d'air, son isolement — de lointaines fermes pour tout voisinage — avait généralement chassé des lieux ses occupants. Transformée en foyer d'accueil dans les années trente, elle hébergeait les orphelins et les indigents, qui apprenaient à la dure les nobles principes du christianisme. Shiellion avait finalement fermé ses portes l'année précédente et on parlait de transformer la bâtisse en hôtel ou en country-club. Mais sur le tard, Shiellion s'était acquis une réputation spéciale. D'anciens résidents avaient porté des accusations, des récits identiques de différentes sources mettant en cause à chaque fois deux hommes précis.

Des histoires de maltraitance.

Des mauvais traitements physiques et psychiques, bien sûr, mais aussi en fin de compte des abus sexuels. Deux ou trois affaires avaient en leur temps retenu l'attention de la police, mais les accusations étaient unilatérales. C'était la parole d'enfants vindicatifs contre celle de leurs éducateurs, qui s'exprimaient avec calme. Les investigations avaient été menées sans conviction. L'Église avait procédé à sa propre enquête, qui avait montré que les enfants avaient raconté un tissu de mensonges simplement pour se venger.

Mais ces enquêtes, finit-on par apprendre, étaient truquées dès le départ dans le seul but d'étouffer le scandale. Il s'était bien passé quelque chose à Shiellion. Quelque chose de mal.

Les rescapés formèrent un groupe de pression, qui finit par attirer l'attention de la presse. Une nouvelle enquête fut mise en œuvre, laquelle aboutit au résultat présent : le procès de Shiellion. Deux hommes comparaissaient pour diverses inculpations allant de voies de fait à la sodomie. Vingt-huit chefs d'accusation pour chacun. Et pour faire bonne mesure, les victimes se préparaient à intenter un procès à l'Église.

Rebus n'était pas surpris que le gardien soit blême. Des bruits lui étaient parvenus sur les témoignages qu'on avait entendus dans la salle d'audience. Il avait lu une partie des rapports d'audience, le détail des dépositions recueillies dans les différents postes de police à travers le pays, là où on avait retrouvé et interrogé les enfants — devenus adultes à présent — qui avaient séjourné à Shiellion. Certains avaient refusé d'être impliqués. « C'est derrière, j'ai tourné la page » était le prétexte le plus souvent invoqué. Sauf que c'était plus qu'un prétexte : c'était la pure vérité. Ils s'étaient donné beaucoup de peine pour fuir les cauchemars de leur enfance. Pourquoi voudraient-ils les revivre ? Ils avaient trouvé un semblant de paix, pour autant qu'ils puissent en trouver un jour : pourquoi remettre ça en cause ?

Qui irait de son plein gré à la rencontre de ses terreurs d'enfant dans une salle d'audience ?

Qui et pourquoi ?

Le groupe des rescapés comprenait huit individus qui avaient choisi la voie la plus difficile. Ils allaient œuvrer pour que, en dépit des années, justice soit faite. Ils allaient envoyer à l'ombre les deux monstres qui avaient mis en pièces leur innocence, des monstres qui continuaient de mener une petite vie tranquille pendant qu'ils se réveillaient, eux, en proie à leurs cauchemars.

Petit, maigre et binoclard, Harold Ince avait cinquante-sept ans et des boucles grisonnantes. Il avait une femme et trois grands enfants. Il était grand-père. Il ne travaillait plus depuis sept ans. Il avait l'air hébété sur toutes les photographies que Rebus avait vues de lui.

Grand et costaud, Ramsay Marshall avait quarante-quatre ans, les cheveux courts et hérissés. Divorcé, sans enfants, il habitait à Aberdeen et y travaillait jusqu'à récemment comme chef de cuisine. Les photographies montraient un visage renfrogné, le menton saillant.

Les deux hommes s'étaient rencontrés à Shiellion au début des années quatre-vingt et avaient conclu une amitié, sinon un pacte, une alliance. Ils avaient découvert qu'ils avaient des goûts communs et pourraient passer à l'acte en toute impunité à Shiellion House.

Les auteurs de sévices sexuels rendaient Rebus malade. On ne pouvait les guérir ni les changer. Ils ne s'arrêtaient jamais. Et quand on les rendait à la société civile, le naturel revenait au galop. Ils voulaient tout contrôler, n'avaient aucune force de caractère, bref, ils étaient épouvantables. On aurait dit des camés résistant au sevrage. Il n'existait pas de drogue de substitution et la psychothérapie semblait sans effet. Ils voyaient la faiblesse et devaient l'exploiter ; ils voyaient l'innocence et devaient la souiller. Rebus en avait plein le dos de ces ordures.

Comme pour Darren Rough. Rebus savait qu'il avait craqué au zoo à cause de Shiellion, parce que ça n'en finissait pas. Le procès durait depuis deux semaines déjà, entrait dans la troisième, et on continuait d'entendre des horreurs ; il y avait encore des gens qui pleuraient dans la salle d'attente.

— La castration chimique, déclara le gardien en écrasant son mégot. C'est la seule solution.

Puis un cri leur parvint, provenant de la porte du prétoire. C'était un des huissiers, à vrai dire une huissière.

— Inspecteur Rebus ? clama-t-elle.

Il leva la main et, de l'autre, envoya sa cigarette sur le pavé.

— C'est à vous ! dit-elle.

Déjà il s'avançait vers elle.

Rebus ne savait pas ce qu'il fichait là. Sauf qu'il avait interrogé Harold Ince. Mais seulement un jour, un autre travail l'ayant réclamé ailleurs. Seulement un jour, au tout début de l'enquête. Il avait fonctionné en duo avec Bill Pryde, mais ce n'était pas Bill Pryde que la défense voulait entendre. C'était John Rebus.

La tribune réservée au publie était à moitié vide. Les quinze jurés avaient le regard vitreux à force de partager, jour après jour, le cauchemar de quelqu'un d'autre. La cour était présidée par le juge Petrie. Ince et Marshall étaient assis dans le box des accusés. Ince se pencha en avant pour mieux entendre son témoignage, les mains triturant la rampe de cuivre poli devant lui. Marshall, adossé contre son dossier, semblait s'embêter. Il examinait son plastron de chemise, puis tordait le cou d'un côté et de l'autre pour le faire craquer. Il se grattait la gorge, faisait claquer sa langue et recommençait à scruter sa liquette.

La défense était assurée par Richard Cordover, Richie pour les intimes. Rebus avait déjà été en relations avec lui dans le passé, mais il n'avait pas encore été invité à l'appeler par son petit nom. L'avocat avait la quarantaine et les cheveux déjà gris. De taille moyenne, un cou de taureau et le visage bronzé. Un habitué du gymnase, sans doute, se dit Rebus. La partie plaignante était représentée par un procureur adjoint qui avait presque la moitié de l'âge de Rebus. Il avait l'air sûr de lui mais prudent et parcourait son dossier en prenant des notes avec un gros stylo à plume noir.

Petrie se gratta la gorge pour rappeler à Cordover que l'heure tournait. Cordover s'inclina devant le juge et s'approcha de Rebus.

— Inspecteur principal Rebus... (Il s'interrompit aussitôt pour assurer ses effets.) Je crois que vous avez interrogé un des suspects.

— C'est exact, maître. J'étais présent lors de l'audition d'Harold Ince le 20 octobre de l'année dernière. Les autres personnes présentes étaient...

— C'était où exactement ?

— La salle d'audition B, au commissariat de St Leonard.

Cordover se détourna de Rebus et s'approcha du jury à pas comptés.

— Vous faisiez partie de l'équipe qui a mené l'enquête ?

— Oui.

— Pendant combien de temps ?

— Juste un peu plus d'une semaine.

— Combien de temps a duré l'enquête au total, inspecteur ? demanda Cordover en faisant volte-face.

— Plusieurs mois, je crois.

— Tiens, tiens. Plusieurs mois, hein...

L'avocat fit semblant de vérifier ses notes. Rebus remarqua une femme assise sur une chaise près de la porte. C'était Jane Barbour, une inspectrice de la police judiciaire. Bien qu'elle fût assise bras et jambes croisés, il la sentit aussi tendue que lui. Normalement, elle était en poste à Fettes, mais à mi-parcours de l'enquête de Shiellion, elle s'était vu confier les opérations. Après le passage de Rebus, de sorte qu'il n'avait pas eu affaire à elle.

— Huit mois et demi, exactement, proclamait Cordover. Une durée de gestation correcte.

Il sourit froidement à Rebus, qui resta de marbre. Il se demandait où il voulait en venir. Il savait à présent que la défense avait une sacrée bonne raison pour le convoquer. Sauf qu'il ne savait pas encore laquelle.

— Vous aurait-on écarté de l'enquête, inspecteur Rebus ?

La question était posée d'un ton désinvolte, presque suave, comme pour satisfaire une curiosité naturelle.

— Écarté ? Non. Il s'est passé quelque chose ailleurs et...

— Et le devoir vous appelait là-bas ?

— C'est exact.

— Pourquoi vous, à votre avis ?

— Je n'en ai aucune idée.

— Tiens, vraiment ? parut s'étonner Cordover. (Il se tourna vers le jury.) Vous n'avez aucune idée de la raison pour laquelle on vous a écarté de cette enquête après une seule...

L'avocat de l'accusation était debout, les bras écartés.

— L'inspecteur principal a déjà déclaré que le mot « écarté » était inexact, Votre Honneur.

— Très bien, enchaîna promptement Cordover. Disons que vous avez été muté. Est-ce plus exact, inspecteur ?

Rebus haussa les épaules, peu désireux de concéder un pouce de terrain. Cordover ne voulut pas lâcher prise.

— Oui ou non suffira.

— Oui, maître.

— Oui, vous avez été muté au bout d'une semaine sur une affaire prioritaire ?

— Tout à fait.

— Et vous ne savez pas pourquoi ?

— Parce que le devoir m'appelait ailleurs.

Rebus évitait de regarder en direction de l'avocat de l'accusation. Au moindre coup d'œil dans cette direction, Cordover y verrait un signe de faiblesse et lui sauterait à la gorge. Jane Barbour changea de position, les bras toujours croisés.

— Donc le devoir vous appelait ailleurs, répéta Cordover d'une voix monocorde en parcourant ses notes. À quoi ressemble votre dossier disciplinaire, inspecteur ?

L'avocat de l'accusation était debout.

— Ce procès n'est pas celui de l'inspecteur Rebus, Votre Honneur. Il est venu témoigner et jusqu'ici, je ne vois pas ce que...

— Je retire ma remarque, Votre Honneur, coupa Cordover avec désinvolture. (Il sourit à Rebus, se rapprocha de lui.) Vous avez effectué combien d'auditions de M. Ince ?

— Deux séances en un jour.

— Se sont-elles bien passées ? (Rebus eut un regard vide.) Mon client a-t-il coopéré ?

— Il faisait exprès de répondre à côté.

— Exprès ? Êtes-vous un expert en la matière, inspecteur ?

Rebus le considéra fixement.

— Je sais quand quelqu'un veut rester évasif.

— Vraiment ? (De nouveau, Cordover s'adressait au jury. Rebus se demanda combien de kilomètres de parquet il parcourait par jour.) Mon client estime que votre présence était « menaçante ». Ce sont ses mots, pas les miens.

— Les auditions sont enregistrées.

— Absolument, sur cassette et même sur bande vidéo. Je les ai visionnées plusieurs fois et je dois reconnaître que vous avez une méthode d'interrogatoire plutôt musclée, dirons-nous.

— Non, monsieur.

— Non ? (L'avocat haussa les sourcils.) Mon client était manifestement terrifié par vous.

— Les auditions ont été conformes aux règles de procédure.

— Certes, certes, concéda Cordover, très détaché, mais parlons franchement, inspecteur. (Il se tenait devant Rebus à présent, assez près pour qu'il lui flanque son poing dans la figure.) Il y a la manière de faire, non ? Le langage corporel, des gestes, des façons de formuler une question ou une affirmation. Que vous soyez ou non un spécialiste pour établir quand quelqu'un fait exprès de répondre « à côté », en tout cas, vous êtes une vraie brute quand il s'agit de mener un interrogatoire.

Le juge lorgna par-dessus ses lunettes.

— Où cela nous conduit-il, maître, à part à une diffamation publique ?

— Je vous demande encore une minute de patience, Votre Honneur.

Comédien consommé, Cordover s'inclina de nouveau. Une fois de plus, Rebus fut frappé par le ridicule achevé de toute l'affaire. Une partie d'échecs que se disputaient des avocats grassement payés, avec, pour pions, des vies humaines.

— Il y a quelques jours, inspecteur, poursuivit Cordover, vous faisiez partie d'une équipe de surveillance au zoo, n'est-ce pas ?

Putain de merde, nous y voilà. Rebus savait exactement où Cordover voulait en venir, cette fois, et tel un débutant face à un joueur chevronné, il était incapable de modifier le cours inéluctable de la partie.

— Oui, maître.

— Et vous vous êtes lancé à la poursuite d'un client du zoo ?

Le procureur adjoint était de nouveau debout, mais le juge l'écarta d'un geste.

— C'est exact.

— Vous faisiez partie d'une équipe de surveillance en civil qui tentait de mettre la main sur notre fameux empoisonneur ?

— Oui.

— Et l'homme que vous avez poursuivi... je crois que c'était dans l'enclos de l'otarie ? (Il leva les yeux pour avoir confirmation et Rebus branla du chef.) Cet homme était-il l'empoisonneur ?

— Non.

— L'avez-vous soupçonné de l'être ?

— Il avait été condamné pour pédophilie...

Il bouillait de rage et il savait qu'il était devenu rouge. Il s'interrompit, mais c'était trop tard. Il venait de servir à l'avocat de la défense son argument sur un plateau.

— Un homme qui a purgé sa peine et réintégré la société civile. Un homme qui n'a pas récidivé. Un homme qui s'offre le plaisir d'une innocente promenade au zoo jusqu'à ce que vous le reconnaissiez et que vous vous lanciez à sa poursuite.

— Il a pris la fuite.

— Il a pris la fuite ? Devant vous, inspecteur ? Pourquoi aurait-il fait une chose pareille ?

Entendu, sale petite vipère, finissons-en.

— Voilà où je veux en venir, poursuivit Cordover en s'approchant du jury avec un air de déférence. Il y a des préjugés à l'encontre de ceux qui sont ne serait-ce que soupçonnés d'un crime contre les enfants. L'inspecteur aperçoit un homme qui a purgé une unique privation de liberté et, aussitôt, il soupçonne le pire et il agit en fonction de ce soupçon. À tort, du reste. Aucune inculpation, l'empoisonneur a frappé de nouveau et je crois savoir que la personne innocente arrêtée ce jour-là envisage de porter plainte contre la police pour arrestation abusive. (Il hocha la tête.) Vos impôts, j'en ai peur. (Il reprit son souffle.) Certes, nous pouvons tous comprendre les sentiments de l'inspecteur. Notre sang ne fait qu'un tour quand des enfants sont concernés. Mais je vous le demande : cela est-il moral ? Et cela aurait-il dénaturé l'affaire contre mes clients en contaminant chacune des procédures de l'investigation, à commencer par les policiers mêmes qui ont mené l'enquête ? (Il montra Rebus, qui avait à présent l'impression d'être sur le banc des accusés plutôt qu'à la barre des témoins. Devant son embarras, les yeux de Ramsay Marshall brillaient de plaisir.) Plus tard, j'apporterai d'autres preuves que l'enquête préalable de la police était faussée dès le départ et que l'inspecteur principal Rebus ici présent n'est pas le seul coupable. (Il se tourna vers lui.) Je n'ai plus de questions, inspecteur.

Et Rebus fut congédié.

— C'était un coup bas.

Rebus leva les yeux sur la silhouette qui venait lentement vers lui. Il alluma une cigarette et prit le temps de savourer la première bouffée. Il lui en offrit une, mais elle refusa.

— Vous avez déjà eu l'occasion de tomber sur Cordover ?

— Nous avons eu quelques accrochages, reconnut Jane Barbour.

— Je regrette de n'avoir pas...

— Vous n'y pouviez pas grand-chose.

Elle poussa un profond soupir en serrant sa serviette contre sa poitrine. Ils étaient devant le tribunal. Rebus avait les nerfs à fleur de peau et il était éreinté. Elle avait l'air plutôt crevée, elle aussi.

— Un verre vous tente ?

— Non, fit-elle en secouant la tête. J'ai à faire.

— Bon, fit-il en haussant les épaules. Vous croyez qu'on va gagner ?

— Pas si Cordover peut l'éviter. (Elle racla le talon d'une des chaussures sur le sol.) On dirait que je perds plus que je ne gagne ces temps-ci.

— Vous êtes toujours à Fettes ?
— Oui, à la délinquance sexuelle.
— Toujours inspecteur principal ?
Elle acquiesça. Le bruit avait couru d'une promotion. Ainsi Gill Templer, une amie de Rebus, restait pour le moment la seule femme inspecteur en chef du Lothian. Rebus examina Jane Barbour derrière sa cigarette. C'était une grande fille, que sa mère aurait qualifiée de « bien charpentée ». Des cheveux châtains ondulés tombant aux épaules. Un deux-pièces couleur moutarde avec un corsage en soie claire. Elle avait un grain de beauté sur une joue et un autre sur le menton. Trente-cinq ans... ? Il était incapable de lui donner un âge.
— Bon, dit-elle, prête à partir mais cherchant une excuse pour gagner du temps.
— Alors, à bientôt !
La voix avait résonné derrière eux. Ils se retournèrent et regardèrent Richard Cordover filer vers sa voiture. C'était une TVR[1] rouge avec une plaque personnalisée. Avant même d'avoir ouvert la portière, il semblait avoir oublié jusqu'à leur existence.
— Quel pisse-froid, marmonna Barbour.
— Ça a dû lui faire économiser quelques shillings.
— Hein ? fit-elle. Comment ça ?
— Ça lui a permis de se passer de l'option climatisation de la TVR. Vous êtes sûre, pour ce verre ? Il y a une question que j'aimerais vous poser...

Ils évitèrent la *Deacon Brodie's Tavern* — trop de « clients » venaient y boire — et allèrent au *Jolly Judge*. Rebus y avait trinqué une fois avec un avocat qui avait pris un « advocaat » — le cocktail. Mainte-

1. Voiture anglaise fabriquée à la demande, genre Maserati ou Ferrari.

nant Rangers avait embauché un gérant hollandais qui s'appelait Advocaat et les blagues fusaient de plus belle... Il commanda un Virgin Mary pour Barbour et un demi-pression pour lui. Ils s'attablèrent sous l'escalier, en dehors du passage.

— À la vôtre, dit-elle.

Rebus leva son verre dans sa direction, puis le porta à ses lèvres.

— Alors, que puis-je pour vous ?

Il reposa son verre.

— C'est juste une question de contexte. Vous avez travaillé au service des personnes disparues, non ?

— Malheureusement pour moi.

— Vous y faisiez quoi, exactement ?

— Recueillir, confronter les données, les introduire dans des classeurs et dans la mémoire des ordinateurs. Un peu de travail de liaison du genre communiquer le nom de nos personnes disparues à d'autres services pour recevoir les leurs en échange. Un tas de réunions avec diverses associations... (Elle gonfla les joues.) Des tas de rendez-vous avec les familles aussi pour essayer de leur faire comprendre ce qui s'était passé.

— Un travail gratifiant ?

— Ras-le-bol de la paperasse. Pourquoi cet intérêt ?

— J'ai une personne disparue.

— Quel âge ?

— Dix-neuf ans. Il habite encore chez ses parents, qui se bouffent le foie.

Elle hocha la tête.

— Une aiguille dans une botte de foin.

— Je sais.

— Il a laissé un message ?

— Non, et d'après eux, il n'avait aucune raison de partir.

— Parfois il n'y a pas de raison, aucune qui

semble logique pour la famille. (Elle se redressa sur sa chaise.) Bon, voilà la routine. (Elle énuméra en comptant sur les doigts.) Numéros de compte en banque, compte d'épargne-logement, et tout ce qui y ressemble. Vérifiez les retraits.

— C'est fait.

— Voyez les hôtels. Ceux du coin, plus ceux des villes habituelles, tout ce qui se situe entre Aberdeen et Londres. Certaines ont des associations qui s'occupent des sans-abri et des fugueurs, comme Centrepoint à Londres, par exemple. Faites circuler son signalement. Puis il y a le Bureau national des personnes disparues à Londres. Faxez-leur les renseignements. Vous pouvez demander à l'Armée du Salut d'ouvrir l'œil. La soupe populaire, les abris de nuit... Vous ne pouvez pas savoir vers qui il va se tourner.

Rebus griffonnait sur son carnet. Il leva les yeux et la regarda hausser les épaules.

— C'est à peu près tout.

— C'est un gros problème ?

— À vrai dire, ce n'est pas *du tout* un problème, à moins d'être celui qui a perdu quelqu'un, dit-elle avec un sourire. Beaucoup réapparaissent spontanément, d'autres non. On estime à quelque deux cent cinquante mille le nombre de personnes disparues chaque année. Des gens qui ont simplement décidé de se faire la belle, de changer d'identité ou qui ont été largués par les prétendus services à « vocation sociale ».

— Aux bons soins de la société civile ?

Elle eut le même sourire amer, but une gorgée et jeta un œil sur sa montre.

— Je vois que Shiellion vous a permis de vous changer les idées, reprit Rebus.

Elle souffla bruyamment.

— Tout à fait, une vraie promenade de santé. Les sévices sexuels sont toujours une bouffée d'oxygène dans notre métier. (Elle devint songeuse.) J'ai eu un violeur récidiviste il y a quelques semaines, et le type est reparti libre comme l'air. L'accusation a fait une boulette en l'assignant devant un tribunal de simple police.

— Trois mois de peine maxi ?

— Exactement. Cette fois, il ne s'est pas fait prendre pour viol, seulement pour outrage public à la pudeur. Le juge était furieux. Le temps qu'on obtienne l'ajournement, le salaud en avait pris pour moins de deux semaines, donc le juge a dû le relâcher. (Elle regarda Rebus.) Le rapport psychiatrique dit qu'il va remettre ça. Il est en période de probation avec travaux d'intérêt général et un vague suivi psychopédagogique pour faire bonne mesure. Mais il va récidiver.

Il va récidiver. Rebus pensait à Darren Rough, mais aussi à Cary Oakes. À son tour, il regarda sa montre. Oakes n'allait pas tarder à atterrir à l'aéroport de Turnhouse International. Et il n'allait pas tarder à lui compliquer la vie...

— Je regrette de ne pas pouvoir vous être plus utile en ce qui concerne cette disparition, dit-elle en se levant. C'est quelqu'un que vous connaissez ?

— Le fils d'amis. (Elle hocha la tête.) Comment l'avez-vous su ?

— Sans vouloir vous offenser, John, je doute que vous vous en seriez soucié sinon. (Elle empoigna sa serviette.) Que voulez-vous ? Ils sont deux cent cinquante mille dans son cas. Où trouver le temps ?

12

Des journalistes attendaient à l'intérieur de l'aérogare. La plupart étaient équipés de portables qui leur permettaient de rester en contact avec leur rédaction. Les photographes discutaient objectif, vitesse de film et des conséquences des caméras numériques sur leur métier. Trois équipes de télévision étaient présentes : Scottish, BBC et Edinburgh Live. Tout le monde avait l'air de se connaître. Ils étaient plutôt détendus, peut-être même un peu lassés d'attendre.

Le vol avait vingt minutes de retard.

Rebus savait pourquoi. En effet, la police londonienne d'Heathrow avait pris son temps pour opérer le transfert de Cary Oakes. Il avait poireauté plus d'une heure à l'aéroport, visité les toilettes, pris un verre au bar, acheté un journal et deux ou trois revues, et reçu un appel téléphonique.

Le coup de fil avait intrigué Rebus.

— On l'a prévenu par haut-parleur, l'informa le Péquenot. On le demandait au téléphone.

— Qui ça peut être ?

Le surintendant Watson n'avait pas de réponse.

Maintenant Oakes était attendu à Édimbourg. Les inspecteurs l'avaient escorté jusqu'à l'embarquement, puis étaient repartis, sans quitter des yeux l'avion jusqu'à ce qu'il ait quitté l'espace londonien. Ensuite ils avaient appelé leurs collègues au siège de la police du Lothian & Borders.

« Il est à vous. » Tel était le message.

La Criminelle le remettait entre les mains du Péquenot. D'ordinaire celui-ci, ravi de déléguer, ne s'écartait guère de son bureau. Il faisait confiance à son équipe. Mais ce soir... ce soir c'était spécial. Donc il était assis à côté de Rebus dans la voiture de patrouille. L'inspectrice Siobhan Clarke avait pris place à l'arrière. C'était une voiture officielle, car ils tenaient à ne pas passer inaperçus. Rebus était allé en reconnaissance et leur avait signalé la présence des journalistes.

— Quelqu'un qu'on connaît ? s'enquit Clarke.

— Les tronches habituelles, dit Rebus en acceptant un autre chewing-gum.

C'était le marché qu'ils avaient passé : il ne fumait pas tant qu'elle l'approvisionnait en chewing-gums. Sa petite escapade lui avait servi de prétexte pour en griller une en douce.

L'horloge du tableau de bord indiquait que l'avion n'allait pas tarder à se poser. Ils l'entendirent avant de le voir, un mugissement monocorde, des lumières clignotantes dans le ciel sombre. Ils avaient baissé une vitre pour empêcher la formation de la buée.

— Ça pourrait être lui, dit le chef.

— Ça se pourrait.

Siobhan Clarke avait emporté la paperasse et potassé le dossier de Cary Dennis Oakes. Elle n'était pas sûre que leur présence avait un quelconque intérêt à part satisfaire leur curiosité. Quoi qu'il en soit, elle était curieuse.

— Il ne devrait plus tarder.

— Ne vous emballez pas, dit Rebus en ouvrant sa portière.

Il plongea la main dans sa poche pour une cigarette en approchant des portes du terminal. Il contourna le petit groupe de journalistes et se dirigea vers le panneau « Interdiction d'entrer ». Son insigne à la main, il se fraya un chemin vers le hall des arrivées. Il avait déjà pris langue avec le service des douanes et de l'immigration, qui attendait sa venue. Il savait comment cela se passait pour les passagers des vols internationaux en transit. Il n'y avait aucun contrôle à Heathrow et, souvent, il n'y en avait pas plus à Édimbourg : cela dépendait du tableau de service et les réductions budgétaires avaient opéré des coupes claires au sein du personnel. Mais, ce soir, on ne lui ferait grâce d'aucune vérification, il aurait droit au grand jeu. Rebus observait pendant que les passagers du vol en provenance de Londres arrivaient dans le terminal et commençaient à guetter leurs bagages. Une majorité d'hommes d'affaires, serviette et journaux à la main. La moitié du vol n'avait que des bagages à main et partit d'un pas vif en direction des douanes, d'une voiture qui les attendait au parking et d'une famille qui guettait leur retour.

Puis vint l'homme habillé avec décontraction, jeans et tennis, chemise à gros carreaux rouges et noirs, casquette de base-ball blanche. Il portait un sac de sport, qui n'avait pas l'air particulièrement bourré. Rebus adressa un signe de tête au douanier, qui fit un pas en avant et arrêta le bonhomme en le dirigeant vers le comptoir.

— Passeport, s'il vous plaît, demanda le fonctionnaire en uniforme.

L'homme plongea une main dans sa poche de poitrine et en sortit un passeport apparemment neuf. La demande en avait été faite un mois auparavant, quand les Américains avaient su qu'il allait être libéré. Le fonctionnaire le feuilleta et ne trouva que des pages vides.

— D'où venez-vous, monsieur ?

Les yeux de Cary Oakes ne quittaient pas celui qui attendait à l'arrière-plan, celui qui avait tout manigancé.

— Des États-Unis, dit-il avec un curieux cocktail d'inflexions d'outre-Atlantique.

— Et qu'y faisiez-vous, monsieur ?

Oakes affecta un petit sourire suffisant. Il avait le visage d'un écolier fané, du cancre de la classe.

— Je tuais le temps, dit-il.

Le douanier avait transvasé le contenu du sac sur le comptoir. Trousse de toilette, vêtements de rechange, deux magazines pour noctambules. Une enveloppe en papier kraft contenait des dessins et des photographies découpées dans des revues qui semblaient être restées longtemps punaisées au mur. Il y avait aussi une carte de vœux pour lui souhaiter « plein de succès ! » de la part des « copains de bord ». Un autre dossier contenait les notes du procès et des articles juridiques parus dans la presse. Il y avait deux livres en édition de poche : l'un était une bible, l'autre un dictionnaire. Les deux avaient beaucoup servi.

— Voyager léger, telle est ma devise, leur fit savoir Oakes.

Le douanier leva les yeux sur Rebus, qui acquiesça en gardant le regard fixé sur Oakes. L'ensemble retourna dans le sac.

— Bravo pour la discrétion, commenta Oakes. N'allez pas croire que je n'y suis pas sensible. Je serai content de rester peinard quelque temps, ajouta-t-il en soulignant ses propos d'un hochement de tête.

— Ne comptez pas trop faire de vieux os dans le coin, intervint Rebus avec calme.

— Je ne crois pas que nous ayons été présentés, monsieur l'inspecteur, déclara Oakes en lui tendant la main. (Le dos était couvert de tatouages à l'encre : des initiales, des croix, un cœur. Au bout d'un moment, Oakes retira sa main en rigolant.) Il faut mériter ses nouveaux amis, je suppose, minauda-t-il. J'ai oublié les règles élémentaires du savoir-vivre dans le vieux pays.

Le douanier referma la glissière du fourre-tout. Oakes l'empoigna par les anses.

— Eh bien, messieurs, si vous vous êtes assez amusés... ?

— Où allez-vous ? demanda le fonctionnaire du service de l'immigration.

— Un chouette petit hôtel en ville, voyez. Désormais je vis à l'hôtel. Ils voulaient me mettre dans un palace en rase campagne, mais j'ai dit non merci, très peu pour moi, je veux de la lumière et des flonflons. Je veux m'éclater ! gloussa-t-il, rigolard.

— « Ils », c'est qui ? s'enquit Rebus sans pouvoir s'en empêcher.

Oakes grimaça un large sourire qu'il ponctua d'un clin d'œil.

— Vous verrez bien, collègue. Vous n'aurez même pas besoin de vous creuser beaucoup les méninges.

Il souleva le sac, l'accrocha à son épaule et rejoignit en sifflotant la foule qui se dirigeait vers la sortie.

Rebus le suivit. Les journalistes dehors photographiaient et filmaient Cary Oakes, bien que celui-ci ait enfoncé la casquette sur ses yeux. Des questions fusaient de toutes parts. Puis, le mégot pendu au coin des lèvres, un type obèse se fraya un chemin. Rebus le reconnut : c'était Jim Stevens, qui travaillait pour une des feuilles à scandale de Glasgow. Il empoigna Oakes par le bras et lui dit quelques mots à l'oreille. Ils se serrèrent la main, puis, une poigne de propriétaire sur son épaule, Stevens prit la direction des opérations en pilotant le nouveau venu dans la bousculade.

— Oh ! Jim, au nom du ciel, cria un des journalistes.

— Sans commentaire, dit Stevens, la cigarette sautant à la commissure des lèvres. Mais vous pourrez nous lire en exclusivité à partir de demain.

Et avec un dernier geste de la main, il franchit les portes et disparut. Rebus passa par une autre sortie et remonta en voiture à côté du Péquenot.

— On dirait qu'il s'est fait un copain, remarqua Siobhan Clarke en regardant Stevens mettre le sac de Oakes dans la malle d'une Vauxhall Astra.

— Jim Stevens, lui répondit Rebus. Il bosse pour Glasgow.

— Et Oakes est sa chasse gardée ? demanda-t-elle.

— C'est à croire. Je pense qu'ils vont en ville.

Le patron frappa le tableau de bord avec agacement.

— On aurait dû se douter qu'un des journaux lui mettrait le grappin dessus.

— Ils ne vont pas s'accrocher à lui indéfiniment. Dès qu'ils auront leur papier...

— Mais d'ici là, ils ont leurs juristes. (Le Péquenot se tourna vers Rebus.) Alors pas question de quoi que ce soit qui puisse passer pour du harcèlement.

— Comme il vous plaira, monsieur, dit Rebus en allumant le contact avant de se tourner vers son chef. Alors on rentre à la maison, maintenant ?

— Ouais, grommela ce dernier. Mais d'abord on les file. Que Stevens sache où il met les pieds.

— Il y a une voiture de police qui nous file, remarqua Cary Oakes.

Jim Stevens prit l'allume-cigares.

— Je sais.

— J'ai eu droit aussi à un comité d'accueil à l'aéroport.

— C'était John Rebus.

— Et c'est qui, çui-là ?

— L'inspecteur principal Rebus. J'ai déjà eu maille à partir avec lui. Qu'est-ce qu'il vous a dit ?

— Bof ! fit Oakes avec un haussement d'épaules. Il est resté planté là en essayant de prendre un air méchant. Les types que j'ai rencontrés en prison, ils lui auraient filé une dépression nerveuse.

Stevens sourit.

— Gardez ça pour le magnéto.

Oakes laissa la vitre du côté passager baissée durant tout le trajet en renversant la tête dans l'air vif et coupant.

— Est-ce que la fumée vous dérange ? demanda Stevens.

— Non. (Oakes bougeait la tête avec un lent mouvement de va-et-vient comme sous un séchoir.) C'était futé de votre part de m'appeler par haut-parleur à Heathrow.

— Je voulais être le premier à vous faire une offre.

— Dix mille, c'est ça ?

— Je pense que ça doit pouvoir se faire.

— Les droits exclusifs ?

— Nécessairement, pour le prix...

Oakes rentra la tête dans la voiture.

— Je ne sais pas ce que ça va donner.

— Vous vous en tirerez très bien. Vous êtes écossais, non ? Nous sommes des conteurs-nés.

— Si vous le dites... J'imagine qu'Édimbourg a changé, depuis le temps.

— Il faut dire que ça fait un bail que vous êtes parti.

— C'est sûr.
— Vous connaissez encore quelqu'un ici ?
— Je peux citer un ou deux noms, dit-il avec un sourire. Jim Stevens, John Rebus, ça fait deux et j'ai débarqué dans ce pays il y a seulement une demi-heure. (Jim Stevens éclata de rire. Oakes remonta la vitre et se pencha en avant pour éteindre la musique. Il se tourna sur son siège de façon à avoir toute l'attention de Stevens.) Alors parlez-moi de Rebus. J'aimerais le connaître.
— Pourquoi ?
Les yeux de Oakes restèrent scotchés sur ceux du reporter.
— Quand quelqu'un s'intéresse à moi, je m'intéresse à lui, déclara-t-il.
— Ça me concerne aussi ?
— On ne sait jamais, Jim. On ne sait jamais.

Stevens aurait préféré emmener Oakes hors d'Édimbourg et le tenir reclus tant que dureraient les interviews. Mais Oakes le lui avait dit au téléphone, ce serait Édimbourg ou rien. Point. C'était donc Édimbourg. Un hôtel discret dans une nouvelle rangée d'immeubles à New Town. Cette appellation faisait toujours sourire Stevens. Partout ailleurs en Écosse, elle désignait des quartiers tels que Glenrothes et Livingston, des villes-champignons surgies dans les années cinquante ou soixante. À Édimbourg, New Town, la « ville neuve », remontait au XVIIIe siècle. Et en matière de nouveautés, le siècle des Lumières représentait l'ultime limite tolérable. L'endroit choisi par Stevens était aménagé dans un ancien hôtel particulier qui s'échelonnait sur quatre étages. Une élégance bourgeoise et discrète, une rue tranquille. Oakes y jeta un œil et refusa : ça ne lui convenait pas. Sans plus amples explications, il resta dehors sur le perron à humer l'air, tandis que Stevens téléphonait tous azimuts sur son portable.

— Ça m'aiderait de savoir ce que vous voulez.

— Bof, fit Oakes en haussant les épaules. Je le saurai quand je le verrai.

Il fit un geste en direction de la voiture de police garée, lumières allumées.

— Entendu. En voiture, consentit le journaliste.

Ils partirent par Leith Walk en direction du port de Leith.

— C'est toujours un quartier chaud ? s'enquit Oakes.

— Ça change. De nouveaux aménagements, le ministère des Affaires écossaises. De nouveaux restaurants et un ou deux hôtels.

— Mais c'est toujours Leith, non ?

— Toujours, confirma-t-il d'un signe de tête.

À peine arrivés sur le front de mer, dès que Oakes aperçut l'hôtel, il approuva énergiquement d'un signe de tête.

— Voilà, on y est ! s'exclama-t-il en regardant du côté des docks. Quelle ambiance, hein ?

Il y avait un porte-conteneurs ancré là, des lampes à arc allumées pendant que les hommes s'affairaient autour. Deux pubs, avec des restaurants attenants. De l'autre côté du bassin, un bateau transformé en night-club flottant était amarré. De nouveaux appartements s'étaient construits là-bas aussi.

— Le ministère des Affaires écossaises est situé juste là, précisa le journaliste.

— Combien de temps ça va durer, d'après vous ? demanda Oakes en indiquant la voiture de police qui s'arrêtait.

— Pas longtemps. S'ils s'accrochent, j'appellerai

nos avocats. Je dois les appeler de toute façon pour faire établir votre contrat.

— Un contrat, répéta Oakes en savourant ce mot. Ça fait un bail que je n'ai pas eu de boulot.

— Vous n'aurez qu'à parler dans le micro et poser pour quelques photos.

— Pour dix mille, je te fais les reconstitutions en plus, putain !

Le visage de Stevens blêmit. Oakes l'observait de près pour guetter sa réaction.

— Ce ne sera sans doute pas nécessaire, articula le reporter, et Oakes rigola, car le « sans doute » lui plaisait bien.

À l'intérieur de l'hôtel, sa chambre lui convint. Stevens ne put en avoir une voisine et dut s'installer en bas du couloir. Il alla régler avec sa carte de crédit en indiquant qu'ils resteraient quelques jours. Il trouva Oakes allongé sur le lit dans sa chambre, chaussures aux pieds, son sac de sport sur le couvre-lit à côté de lui. Il en avait extrait un seul objet : c'était une bible fatiguée, qui reposait sur la table de chevet. Un détail touchant, Stevens s'en servirait pour l'intro.

— Vous êtes pratiquant, Jim ? s'enquit Oakes.

— Pas particulièrement.

— Quelle honte ! La Bible vous apprend un tas de choses. C'est en prison que j'en ai fait la découverte. Il fut une époque où je n'avais pas le temps pour les Saintes Écritures.

— Vous allez à l'église ?

Oakes hocha la tête, l'air distrait.

— On avait l'office du dimanche en prison. J'étais un habitué. (Il regarda Stevens.) Je ne suis pas prisonnier ici, hein ? Je veux dire, je suis libre d'aller et venir ?

— Non, non, je ne voudrais surtout pas que vous ayez l'impression qu'on vous tient enfermé.

— On est deux dans ce cas.

— Mais il y a quelques règles tant que c'est moi qui paie. Si vous sortez, je veux le savoir. En fait, j'aimerais vous suivre.

— De peur que je me fasse racoler par la concurrence ?

— C'est plus ou moins ça.

— Eh ! fit Oakes avec un large sourire. Admettons que j'aie envie de me faire une gonzesse ? Tu vas t'asseoir dans le coin pendant que je la tringle ?

— Écouter à la porte me suffira.

Oakes éclata de rire et se tortilla sur le matelas.

— C'est le pieu le plus moelleux que j'aie jamais eu. Et il sent bon.

Il resta allongé encore un moment puis, brusquement, bondit sur ses pieds. Stevens fut surpris par le changement de vitesse.

— Ben alors, allons-y, dit Oakes.

— Où ça ?

— Dehors, mon vieux. Ne te bile pas, je ne vais pas faire plus de cinquante mètres.

Stevens le suivit, mais resta devant la porte de l'hôtel, de laquelle il pouvait voir où Oakes se rendait.

La voiture de patrouille, toutes lumières allumées et trois silhouettes à l'intérieur. Oakes lorgna par le pare-brise, se dirigea vers le siège du chauffeur, tapota contre la vitre. Celui qu'il savait être Rebus ouvrit sa fenêtre.

— Eh ! fit Oakes en guise de salutation avec un signe de tête à l'adresse des deux autres, une jeune femme et un homme d'un certain âge à la mine sacrément renfrognée. (Il esquissa un geste en direction de l'hôtel.) Un endroit sympa, hein ? L'un d'entre vous a déjà créché dans un coin pareil ?

Ils ne répondirent pas. Il se pencha, un bras calé sur le toit de la voiture, l'autre sur le bord de la vitre.

— J'étais... (Tout à coup il prit un petit air gêné.) Ouais... (Maintenant, il savait comment il allait le lui balancer.) Ça m'a vraiment remué d'apprendre ce qui est arrivé à ta fille. Mec, ça doit être une sacrée garce. (Fixant Rebus d'un regard impersonnel.) Un des meurtres qu'on m'a collé sur le dos, c'était une fille à peu près de son âge. Je veux dire, l'âge de ta fille. Sammy, c'est ça, non ?

Rebus repoussa la portière d'un geste si brusque qu'elle faillit projeter Oakes au bord de l'eau. L'autre type — le chef de Rebus — cria pour le rappeler à l'ordre. La jeune femme se précipita à son tour hors de la bagnole. Rebus avait déjà le visage à deux doigts de celui de Cary Oakes. Jim Stevens débarquait de l'hôtel au pas de course.

Oakes avait levé les mains au-dessus de la tête.

— Si vous me touchez, je vous attaque pour voies de fait.

— Vous êtes un menteur.

— Répétez, pour voir.

— Vous n'avez pas été mis en examen pour quelqu'un de l'âge de ma fille.

Oakes éclata de rire en se frottant le menton.

— Tiens, tiens, il y a du juste là-dedans. J'imagine que vous gagnez le premier round, hein ?

La femme policier retenait Rebus par le bras. Jim Stevens était essoufflé après ses deux minutes de course. Le boss, assis dans l'auto, n'en perdait pas une miette. Oakes se pencha un peu pour regarder à l'intérieur.

— Alors, on est au-dessus de ça, hein ? Ou on n'a pas les couilles ? Au choix, mon pote !

Stevens l'empoigna par l'épaule.

— Allez, venez.

Oakes se dégagea d'un geste.

— Bas les pattes ! On ne me touche pas, c'est la règle numéro un.

Mais il se laissa guider en direction de l'hôtel. Stevens se retourna pour voir Rebus qui ne le quittait pas des yeux. Qui d'autre aurait pu parler de lui et de sa famille à Oakes ? Celui-ci éclata de rire et il se gondolait encore après avoir franchi les portes vitrées de l'hôtel. Il se retourna pour regarder la rue.

— Ce Rebus, dit-il calmement. Il a vite fait de péter les plombs, le mec !

De retour chez Patience à Oxford Terrace, Rebus se versa un whisky qu'il coupa avec l'eau d'une bouteille du réfrigérateur. Elle sortit de la chambre à coucher, les yeux mi-clos pour ne pas être éblouie et vêtue d'une chemise de nuit jaune paille tombant aux chevilles.

— Désolé, je ne voulais pas te réveiller, dit Rebus.

— J'avais soif de toute façon, répondit-elle en prenant du jus de pamplemousse dans la porte du réfrigérateur, dont elle se versa un grand verre. La journée a été bonne ?

Rebus ne sut s'il devait rire ou pleurer. Ils emportèrent leurs verres au salon et s'assirent ensemble sur le sofa. Rebus prit un numéro de *The Big Issue*. Patience l'achetait toujours, mais c'était lui qui le lisait. À l'intérieur, il y avait de nouveaux appels à information sur des disparitions. S'il allumait la télévision pour mettre Teletext, il y aurait une liste de personnes disparues. Il lui était arrivé de regarder et de passer en revue quelques pages. C'était dirigé par une association d'envergure nationale qui avait un numéro vert. Janice l'avait contactée.

— Et toi ? demanda-t-il.

Patience fourra ses pieds sous elle.

— Oh ! toujours la même rengaine. Parfois, je me dis qu'un robot ferait aussi bien l'affaire. Aux mêmes symptômes les mêmes remèdes. Amygdales, rougeole, vertiges…

— On pourrait peut-être partir, dit Rebus. (Elle le regarda.) Juste un week-end.

— On a déjà essayé une fois, tu te rappelles ? Tu t'es cassé les pieds.

— Bah ! c'était la campagne.

— Alors quel intermède romantique as-tu en tête ? Dundee ? Falkirk ? Kirkcaldy ?

Il se leva pour retourner faire le plein et lui demanda s'il pouvait la resservir. Elle refusa, les yeux sur le godet vide de Rebus.

— Le deuxième de la journée, annonça-t-il en se dirigeant vers la cuisine.

— D'où te vient cette idée-là ? demanda-t-elle en le suivant.

— Laquelle ?

— L'idée soudaine de partir en vacances.

Il lui jeta un coup d'œil.

— Je suis allé voir Sammy hier. Elle m'a dit qu'elle te parlait plus que moi.

— C'est un peu exagéré.

— C'est ce que j'ai dit. Mais avoue qu'elle n'a pas tout à fait tort.

— Ah bon ?

Il versa un peu moins d'eau dans son verre cette fois. Et peut-être un doigt de whisky de plus.

— Enfin, bon, je sais que je peux être… distrait. Je sais que je ne suis pas toujours un cadeau. (Il referma la porte du réfrigérateur et se tourna vers elle.) Bon, voilà.

Les yeux fixés sur son verre il se demanda pourquoi, pendant qu'il prononçait ces mots, une photo de vacances de Janice Mee lui traversait l'esprit.

— Je continue de croire que tu reviendras, dit Patience. (Il la regarda, elle se tapota le front.) De là où tu es parti.

— Je suis ici.

— Non, ce n'est pas vrai. Tu n'es pas vraiment là.

Elle fit demi-tour et retourna au séjour.

Un peu plus tard, elle alla se coucher. Rebus se dit qu'il allait rester encore un peu. Il zappa entre les chaînes sans rien trouver. Il se mit sur Teletext, page 346. Il coiffa les écouteurs pour pouvoir écouter Genesis, *For Absent Friends*[1]. Jack Morton assis sur l'accoudoir du divan tandis que défilait un écran après l'autre avec des noms de personnes disparues. Toujours rien sur Damon. Rebus alluma une cigarette, souffla la fumée vers la télévision et la regarda disparaître. Puis il se souvint qu'il était chez Patience et qu'elle n'aimait pas la fumée. Il battit en retraite dans la cuisine pour assouvir son plaisir coupable. Après Genesis, il passa Family, *Song for Sinking Loves*[2].

Quelque chose qui déconne chez toi.
C'est votre maison qui l'a voulu là.

Il vit deux hommes au banc des accusés, avec leur avocat qui s'acharnait sur le jury. Il vit Cary Oakes se pencher dans la voiture.

Il va récidiver.

Il vit Jim Margolies faire un dernier plongeon dans le noir. Tout cela était peut-être impossible à comprendre. Il se tourna vers Jack. Il lui arrivait

1. « Aux amis absents. »
2. « Chanson pour amours déclinantes. »

souvent d'appeler Jack — quelle que fût l'heure, celui-ci ne se plaignait jamais. Ils discutaient de tout, partageaient leurs problèmes et leurs déprimes.

— Comment tu as pu me faire ça, Jack ? dit Rebus tranquillement en portant son verre à ses lèvres, tandis que la pièce se remplissait de fantômes.

Il était tard, mais Jim Stevens savait que le rédacteur en chef ne dirait rien. Il essaya d'abord le portable. Bingo : son patron assistait à un dîner à Kelvingrove. Des personnalités politiques, des décideurs, la routine. Le patron de Stevens adorait ce genre de fréquentations. Il n'était peut-être pas fait pour la presse à scandale.

À moins que, après toutes ces années à rouler sa bosse, ce ne fût Jim Stevens qui n'était plus dans le coup. Il semblait entouré de journalistes plus jeunes, plus brillants et plus zélés que lui. Ces temps-ci, on pouvait se trouver en rade à cinquante piges. Il se demanda dans combien de temps le chèque pour services rendus serait contresigné par le bureau du rédac-chef, combien de temps avant que les jeunes loups du bureau fassent une collecte pour se débarrasser du « brave vieux Jim ». Il connaissait la marche à suivre ; il connaissait même à l'avance les discours auxquels il aurait droit — des trucs que tout rédacteur qui se respecte barrerait et couperait dans un papier. Il le savait parce qu'il était déjà passé par là, à l'époque où il était lui-même un jeune homme aux dents longues et que les vieux de la vieille se plaignaient de la baisse du niveau et de la dégradation du journalisme.

Dès que Jim avait entendu parler de Cary Oakes, il avait pris son patron à part pour avoir une discussion seul à seul, puis il avait vérifié les horaires des vols et s'était insinué dans les faveurs du service des informations d'Heathrow pour qu'on appelle le fils prodigue par haut-parleur.

— Il est à vous, Jim, lui avait dit son rédac-chef en levant un doigt en guise d'avertissement. Ça peut être la crème sur le gâteau. Mais attention à ce que ça ne tourne pas à l'aigre.

À présent le patron lui donnait quelques potins recueillis au dîner. Manifestement il avait déjà bu quelques verres. Ça ne l'empêcherait pas de regagner la rédaction. Douze heures par jour ; ça faisait un bail que Jim Stevens n'en avait pas fait autant.

— Alors, que puis-je pour vous, Jim ?

Ouf, enfin... Stevens respira à fond.

— On est installés à l'hôtel.

— Il a l'air comment ?

— Ça va.

— Pas un monstre avec l'écume aux lèvres ni rien ?

— Non, plutôt tranquille en fait, dit Stevens qui préféra passer sous silence l'altercation avec Rebus.

— Et prêt à nous accorder l'exclusivité ?

— C'est ça, confirma Stevens en allumant une sèche.

— Vous ne m'avez pas l'air très emballé.

— Disons que la journée a été longue, patron, c'est tout.

— Vous êtes sûr d'avoir l'énergie nécessaire, Jim ? Je pourrais vous prêter un des membres de la rédaction...

— Non merci, ça ira comme ça. (Il entendit le boss rigoler.) Ce n'est pas le genre d'aide dont j'ai besoin.

— Vous voulez parler de la vérification de son témoignage ?

— Ou plutôt de l'absence de celle-ci.

— Mouais... (Songeur.) Vous avez un plan d'action ?

— Vous n'avez pas travaillé vous-même un an ou deux aux États-Unis ?

— Ça fait un bail, vous savez.

— Mais vous avez gardé des relations là-bas ?

— Peut-être une ou deux.

— J'ai besoin d'avoir un contact avec quelqu'un d'un journal de Seattle pour voir si je peux parler avec un des flics qui a travaillé sur l'affaire Oakes.

— Un type que j'ai connu travaille aux infos pour CBS.

— C'est déjà un début.

— Dès que j'arrive au bureau, je m'en occupe, d'accord, Jim ?

— Merci.

— Et... Jim ? Ne vous bilez pas trop pour les recoupements. Ce que vous devez tirer de notre ami Oakes c'est d'abord une superhistoire, putain. On se fout du reste.

Stevens raccrocha et se rallongea sur son lit. Une partie de lui voulait tout balancer. Mais l'autre n'était pas rassasiée. Il voulait que les gamins du bureau le regardent en se demandant s'ils seraient capables un jour d'être à sa hauteur, d'avoir son punch, son mordant. Il voulait l'histoire de Oakes. Après quoi, couronné de gloire et tout, il pourrait tirer sa révérence s'il en avait envie. Il pensa de nouveau à Rebus. Qu'est-ce que Oakes avait à gagner en cherchant la bagarre ? D'après ce que Stevens en savait, personne n'en venait aux poings avec Rebus sans récolter quelques bleus et égratignures. Et parfois... parfois il y avait de la casse avec séjour à l'hôpital.

Mais Oakes était prêt. C'était exprès qu'il avait fait sortir Rebus de ses gonds.

Jim Stevens était censé jouer les nounous. Mais

apparemment soit Oakes avait une idée en tête, soit il était suicidaire. Difficile de jouer les nounous dans les deux cas.

— Allez, Jim, courage, c'est ton dernier boulot, se jura-t-il.

Et pour arroser l'événement, il opta pour une descente sur le minibar.

13

Le budget de surveillance était si juste qu'ils travaillaient en solo. À 4 heures du matin, comme il ne dormait pas, Rebus descendit en voiture sur le front de mer et s'arrêta dans une station-service ouverte en nocturne. Siobhan Clarke était dans une Rover 200 banalisée. Elle avait mis sa tenue d'alpiniste : pantalons fourrés dans d'épaisses chaussettes et chaussures de montagne, blouson de survie et bonnet à pompon. Sur le siège du passager, un carnet et un stylo, trois sachets vides de chips de régime, deux bouteilles thermos. Rebus grimpa à l'arrière et lui offrit une pâtisserie passée au micro-onde et un gobelet de café.

— Santé ! dit-elle.

Rebus regarda en direction de l'hôtel.

— Vous l'avez vu ?

Elle secoua la tête en mâchant et déglutit.

— Je suis un peu inquiète quand même. Il y a des sorties de service à l'arrière du bâtiment. Pas moyen pour moi de les couvrir.

— Il doit se ressentir du décalage horaire de toute façon.

— Autrement dit, il est réveillé la nuit et il dort le jour ?

— Je n'y avais pas pensé, remarqua Rebus en se penchant en avant. Il n'est pas sorti du tout ?

— Non, fit-elle. Après toutes ces années au trou, il est peut-être devenu agoraphobe.

— Peut-être.

Elle pouvait avoir mis le doigt sur quelque chose. Il avait connu des anciens taulards qui ne pouvaient plus affronter le monde extérieur. C'était trop d'espace et de lumière. Ils finissaient par récidiver, ce qui était la seule façon pour eux de retourner sous les verrous.

— Il a dîné au restaurant, indiqua-t-elle en pointant le menton en direction des vitres de la salle à manger.

— Vous a-t-il repérée ?

— Pas sûr. Sa chambre est au deuxième. Cette fenêtre carrément au bout.

Rebus regarda. Douze petits carreaux. La fenêtre était entrouverte sur deux centimètres en bas.

— Comment vous savez ça ?

— J'ai demandé au gérant.

Rebus hocha la tête. Les ordres du Péquenot étaient clairs : pas la peine de prendre des gants.

— Comment l'a-t-il pris ?

— Il a eu l'air mal à l'aise, articula-t-elle en avalant le reste du gâteau.

— On ne tient pas à rendre le séjour de ce monsieur agréable, n'est-ce pas ?

— Surtout pas, renchérit Clarke.

Rebus ouvrit la portière.

— Je vais juste en reconnaissance, annonça-t-il. Dites, comment vous faites quand vous avez besoin de... ?

Elle leva une des thermos et ramassa un entonnoir par terre.

— Et pour... ?

— Self-control, chef

— Ouais, dit-il. Mais surtout évitez de mélanger vos bouteilles, hein ?

Dehors, l'air était frais. Les bruits de la circulation nocturne sur le port, un taxi qui drague de temps à autre au bout de la route. Les taxis... il fallait qu'il les interroge sur Damon et la femme. Il fit le tour sur le côté de l'hôtel et se rendit sur le parking. Les sorties de service étaient verrouillées. À côté se trouvaient quatre bennes à ordures, séparées des voitures des clients par une haute clôture en bois. L'Astra de Jim Stevens se repérait facilement. Rebus déchira une page de son carnet, griffonna quelques mots et plia le feuillet qu'il coinça sous un essuie-glace. De retour aux portes de service, Rebus vérifia qu'elles ne s'ouvraient pas de l'extérieur. Il partit satisfait de savoir que même si Oakes s'en servait pour quitter l'hôtel, il serait obligé d'emprunter l'entrée principale pour réintégrer les lieux.

À supposer qu'il les réintègre. Peut-être allait-il simplement se faire la belle ? Bon, n'était-ce pas ce qu'ils voulaient ? Non, pas exactement. Ils voulaient avoir la certitude qu'il avait bien quitté Édimbourg. Oakes absent de son hôtel, ce n'était pas tout à fait pareil. Rebus retourna à la voiture de Clarke, sortit son portable et passa un appel. La réception de l'hôtel répondit.

— Bonsoir, dit Rebus. Pourriez-vous me passer la chambre de M. Oakes, s'il vous plaît ?

— Un instant.

Rebus adressa un clin d'œil à Clarke. Il tint le portable entre eux pour qu'elle puisse entendre. Un bourdonnement répété trois ou quatre fois. Puis le déclic.

— Ouais... qu'est-ce que c'est ? grogna une voix franchement groggy.

— Tommy, c'est toi ? (En imitant l'accent de Glasgow.) On est en train de picoler dans ma piaule. Je me suis dit que tu pourrais venir.

Silence un moment. Puis :

— C'est quelle chambre déjà ?

Rebus réfléchit à une réponse, puis préféra couper la communication.

— Au moins nous savons qu'il est là.

— Et réveillé maintenant.

— Écoutez, vous finissez à six heures, nota Rebus en vérifiant sa montre.

— Si Bill Pryde se réveille à l'heure.

— Je vais lui faire le coup de l'horloge parlante.

Rebus s'apprêtait à descendre de voiture.

— Oh ! inspecteur, regardez, lui signala Clarke, faisant un geste du menton vers l'hôtel.

Rebus regarda. La fenêtre du deuxième étage, la dernière à droite. Aucune lumière, mais les rideaux ouverts et un visage à la fenêtre qui regardait dehors. Et les épiait attentivement. Rebus adressa un signe de la main à Cary Oakes tandis qu'il allait rejoindre sa voiture.

Pas la peine de prendre des gants.

À 8 heures tapantes, il était au bureau et entrait dans son ordinateur les renseignements concernant Damon Mee, car il entendait faire une descente en règle sur les associations, gîtes et organisations diverses pour les sans-abri. À 9 heures, il reçut un message du planton. Quelqu'un demandait à le voir.

C'était Janice.

— Ce doit être de la télépathie, dit-il. Je travaillais justement sur Damon. Du nouveau ?

Ensemble ils longèrent Rankeillor Street. Ils trouveraient un café sur Clerk Street. Il ne voulait pas lui parler au poste pour tout un tas de bonnes raisons. Il ne tenait pas à ce qu'on sache qu'il travaillait sur une affaire qui n'était pas spécifiquement du ressort de la police du Lothian & Borders. Il ne voulait pas qu'elle voie certains des éléments dont ils disposaient, des photos de personnes disparues et de suspects, des enquêtes menées sans émotion et (souvent) sans enthousiasme. Et, peut-être, mais peut-être seulement, il ne voulait pas la partager. Bref, il ne voulait pas que la partie d'elle qui appartenait à son passé imprègne ici et maintenant son présent, son lieu de travail.

— Aucune nouvelle, répondit-elle. J'ai pensé que j'allais passer la journée à Édimbourg pour voir si je pouvais... Je ne sais pas. J'ai besoin d'agir.

Il hocha la tête. Elle avait des cernes bistres sous les yeux.

— Tu arrives à dormir ? demanda-t-il.

— Le docteur m'a prescrit des pilules.

Il se souvint comment ses réponses aux questions pouvaient parfois donner *l'illusion* d'être des réponses.

— Mais est-ce que tu les prends ? (Elle le regarda avec un sourire triste.) C'est bien ce que je pensais.

Ce n'était pas qu'elle était menteuse, mais il fallait savoir formuler une question pour être sûr d'avoir une réponse exacte.

— C'était le genre de conversations que nous avions tout le temps, n'est-ce pas ?

Oui, elle avait raison. Quand Rebus se demandait si ses copains lui plaisaient un peu trop et cherchait à lui poser la question sans paraître jaloux. Quand elle lui donnait diverses versions de sa vie avant qu'ils ne commencent à sortir ensemble. Des dialogues de non-dits.

Il la fit entrer dans le café et la conduisit à une table en coin. Le propriétaire qui venait lui-même d'arriver n'avait ouvert la porte que parce qu'il avait reconnu Rebus.

— Je ne peux pas faire de cuisine, les prévint-il.

— Un café me suffira, répondit Rebus en regardant Janice, qui confirma d'un geste.

Ils restèrent les yeux dans les yeux pendant que le patron s'éloignait.

— M'as-tu jamais pardonné ? demanda-t-elle.

— De quoi ?

— Je pense que tu le sais.

— Peut-être, dit-il en hochant la tête. Mais je veux t'entendre le dire.

— De t'avoir tapé dans l'œil.

Il regarda autour de lui.

— Pas si fort, on va t'entendre.

Elle pouffa, ce qu'il avait espéré.

— Tu as toujours le mot pour rire, Johnny.

— Ah bon ? s'étonna-t-il, tentant de se rappeler.

— Tu es resté en contact avec Mitch ?

— Alors ça ! fit-il en soufflant bruyamment. C'est vraiment du passé.

— Vous étiez comme les deux doigts de la main, lui rappela-t-elle, ponctuant la phrase d'un geste.

— Je ne suis pas sûr que c'était légal à l'époque.

— Arrête de charrier.

Elle sourit, baissa les yeux sur la table. Elle avait le rouge aux joues. Eh oui, il était encore capable de la faire rougir comme autrefois.

— Et toi ? demanda-t-il.

— Quoi moi ?

— Toi et Barney.

— Plus personne ne l'appelle Barney de nos jours, dit-elle en se reculant sur sa chaise. Nous étions amis et le sommes restés quelques années. Un soir, il m'a invitée à sortir. On a commencé à se voir. (Elle haussa les épaules.) Ça se passe comme ça quelquefois. Sans flèche de Cupidon, sans feux d'artifice. Juste... gentiment. (Elle leva les yeux et lui sourit.) Quant au reste de la bande... Billy et Sarah sont toujours dans les parages. Ils se sont mariés, mais se sont séparés, ils ont trois gosses. Tom est toujours par ici, il a eu un accident du travail et n'a pas repris le boulot depuis des lustres. Cranny... tu t'en souviens ? (Rebus fit signe que oui.) Les uns ont déménagé... d'autres sont morts.

— Morts ?

— Des accidents de voiture ou autres. La petite Paula a eu un cancer, Midge une crise cardiaque.

Elle s'interrompit quand les cafés arrivèrent et arrosa le sien de mousse de lait.

— J'ai des biscuits... ? proposa le cafetier, mais ils refusèrent.

— Et puis, reprit Janice après avoir soufflé sur son café, il y a eu Alec...

— Il n'est jamais revenu ?

Alec Chishohn, qui était allé jouer au foot. Alec, qui n'était jamais arrivé au parc.

— Sa mère est toujours en vie, tu sais. Elle a plus de quatre-vingts ans et se demande toujours ce qui lui est arrivé.

Rebus ne dit rien. Il savait ce qu'elle pensait : peut-être est-ce l'avenir qui me guette. Il se pencha à travers la table et lui pressa la main. Elle était souple, chaude.

— Tu peux m'aider, dit-il.

Elle chercha un mouchoir dans son sac à main.

— Comment ?

Rebus sortit la liste qu'il avait imprimée ce matin-là.

— Voilà une liste des gîtes et des associations, lui expliqua-t-il pendant qu'elle se mouchait en regardant la feuille. Il faut les contacter. Je comptais le faire, mais on gagnerait du temps si tu pouvais t'y mettre.

— Entendu.

— Ensuite il y a les taxis. Ce qui veut dire faire passer le mot, aller voir chaque station et expliquer ce qu'on cherche : Damon et une blonde, sur le trottoir en face du *Dôme*.

— Je peux le faire, affirma-t-elle.

— Je vais te donner la liste des adresses où les trouver.

Le propriétaire, debout à côté du comptoir, grillait sa cigarette matinale en lisant le journal du jour. Rebus aperçut le gros titre et comprit qu'il devait l'acheter. Janice cherchait la monnaie dans son sac.

— Laisse, c'est moi qui règle.

— Je vais avoir besoin de monnaie pour le téléphone, dit-elle.

Rebus réfléchit un instant.

— Et si on prenait mon appart comme base opératoire ? Ce n'est pas tellement plus confortable que ces cabines téléphoniques, mais au moins tu pourras t'asseoir, te faire un café...

Il lui tendit un trousseau de clés. Elle le regarda, perplexe.

— Tu crois vraiment ?

— Non seulement je le crois, mais j'en suis sûr.

Il griffonna l'adresse sur son carnet, ajouta les numéros du bureau et de son portable, déchira la page et la lui tendit. Elle la lut.

— Il n'y a rien de secret que tu ne veux pas qu'on voie ?

— À vrai dire, je n'y suis pas souvent. Il y a deux ou trois boutiques de quartier, si tu as besoin de...

— Alors où tu habites en ce moment ?

Il se gratta la gorge.

— Chez quelqu'un.

— Super, dit-elle en lui rendant son sourire.

Pourquoi avoir dit « quelqu'un » plutôt que « chez mon amie » ou « chez ma copine », voire « ma maîtresse » ? Il se demanda si leur conversation était aussi empêtrée que ses sentiments. Tels des gosses, pour qui le langage était la pire forme de communication.

— Je vais te déposer, proposa-t-il.

— N'oublie pas la liste des stations de taxi, dit-elle. Et un répertoire des rues si tu en as.

Rebus alla payer. Le propriétaire fit sonner le tiroir-caisse et laissa son journal ouvert à la page juridique. Il s'agissait du témoignage de la veille dans l'affaire de Shiellion. LE PATRON DES JEUNES ÉTAIT UN VÉRITABLE MONSTRE. On voyait une photographie d'Harold Ince conduit vers une fourgonnette par le garde avec lequel Rebus avait fumé. Ince semblait fatigué, tout à fait quelconque.

C'était tout le problème avec les monstres. Ils avaient l'air comme tout le monde.

Jim Stevens ne put dissimuler son soulagement quand il entra dans la salle à manger. Il se dirigea vers une des tables devant la vitre. Deux clients le saluèrent et lui sourirent au passage. Ils devaient se trouver au bar la veille au soir.

— Salut, Jim, fit Cary Oakes en essuyant le jaune d'œuf aux commissures des lèvres et en indiquant le ciel. Le temps est gris, exactement comme dans mes souvenirs. (Il prit le dernier triangle de toast et se mit à l'œuvre.) Les poulets sont toujours là.

Le journaliste regarda par la fenêtre. Une voiture banale, mais impossible de s'y tromper. Un homme au volant mastiquait un petit pain.

— Ça va durer longtemps, d'après vous ? s'enquit Oakes.

Stevens lui lança un coup d'œil.

— J'ai essayé d'appeler votre chambre.
— Quand ça ?
Il y a un quart d'heure, vingt minutes.
J'étais déjà descendu, camarade. Pour m'imprégner de l'ambiance.
Stevens chercha le garçon des yeux.
— On se sert pour les jus et les céréales, expliqua Oakes en indiquant le comptoir. Ensuite on te prend ta commande pour les plats chauds.
L'autre considéra l'assiette grasse de Oakes.
— Après la soirée d'hier, je pense que je vais me contenter d'un jus d'orange et de café.
— C'est pour ça que je ne bois pas, fit Oakes en rigolant. (La veille, il avait descendu des litres de jus d'orange et de limonade, Stevens s'en souvenait à présent.) Sans compter, ajouta Oakes en se penchant par-dessus la table, que quand je picole, je ne sais plus ce que je fais.
— Gardez ça pour le magnéto, Cary.
Quand le garçon vint, Oakes demanda si on pouvait lui servir un deuxième petit déjeuner.
— Juste les plats que je n'ai pas encore goûtés. (Il examina le menu.) Euh, pourquoi pas du foie poêlé, des oignons et peut-être du haggis sauté et du pudding. (L'œil sur Stevens, il se tapota l'estomac en souriant.) C'est juste aujourd'hui, vous comprenez, pour fêter ça. Je me remets au régime demain.
Quand la nourriture arriva, Stevens, qui avait ingurgité son jus d'orange et tenté de se préparer à affronter les toasts, jeta un regard sur l'assiette et s'excusa. Il sortit pour allumer une cigarette. Un vent froid montait des docks. À travers les grilles du bassin, il aperçut l'immeuble de Scott FM. En tournant la tête, il vit le flic dans la voiture qui l'observait. Il ne reconnut pas son visage. Derrière la vitre du restaurant, Oakes boulottait avec une délectation

exagérée pour titiller le flic. Souriant, Stevens fit le tour du parking en regardant les voitures des cadres : des Beamers, des Rover 600, une Audi. Il remarqua une feuille sur le pare-brise de la sienne. Au premier abord, il la prit pour un chiffon de papier poussé là par le vent. Puis il se dit que c'était peut-être un prospectus pour une vente de tapis ou une brocante. Mais quand il le déplia, il comprit d'où ça venait. Deux mots seulement : LAISSEZ TOMBER.

Stevens fourra le message dans sa poche et repartit vers l'hôtel. Oakes, qui avait fini de déjeuner, était assis sur un des canapés de la réception et feuilletait un journal grand format.

— Je suis peiné, dit-il. Après cette bousculade à l'aéroport...

— Essayez la presse à scandale, suggéra Stevens en s'asseyant en face de lui. On ne parle que de ça. Je crois que mon préféré, c'est « Cary le tueur rentre au pays. »

— Tiens, c'est charmant ! grogna Oakes en écartant le journal. Alors, on commence quand ?

— Disons dans un quart d'heure dans votre chambre ?

— Ça me va. Mais auparavant, j'ai un autre service à vous demander.

— Quoi ?

— Quelqu'un que je veux retrouver. Un certain Archibald.

— Il y en a treize à la douzaine par ici.

— C'est son nom de famille. Son prénom c'est Alan.

— Alan Archibald ? Je suis censé le connaître ?

Oakes fit signe que non.

— Vous pouvez éclairer ma lanterne ?

— C'était un flic... il l'est peut-être encore. Mais il doit commencer à prendre de la bouteille.

— Et alors ?

— Pour le moment, fit Oakes en haussant les épaules, ça vous suffira. Si vous êtes bien sage, je vous raconterai peut-être l'histoire.

— Pour ce qu'on vous paie, on veut toutes les histoires.

— Eh bien trouvez-le, Jim. Vous me feriez tellement plaisir.

Stevens réfléchit un instant en se demandant qui tirait les ficelles. Certes, cela aurait dû être lui, mais bon…

— Je peux toujours passer quelques coups de fil, concéda-t-il.

— Le brave garçon, approuva Oakes en se levant. Dans un quart d'heure chez moi. Apportez tout votre stock de papier. J'aime faire la une de la presse.

Et là-dessus, il gagna l'escalier.

14

Le matin, c'était Jamie qui allait acheter le lait, les petits pains et les journaux. Il en avait fait tout un art en mentant sur les prix pour glaner de la menue monnaie. Sa mère se plaignait, disait qu'il pouvait aller ailleurs pour moins cher, mais « ailleurs » était hors de portée pour Jamie. D'ailleurs, elle n'aimait pas le voir s'éloigner. Pas de problème, parce que, quand il avait envie d'aller traîner ses guêtres dans la cité, Billy Boy pouvait toujours dire qu'il était chez lui.

Jamie se trouvait rudement futé.

Il s'arrêta devant le magasin pour fumer une cigarette. Il ne les achetait pas là, c'était illégal et le proprio pakistanais ne l'aurait pas autorisé. Il avait un marché avec un grand de l'école, qui l'approvisionnait en paquets de vingt en échange de magazines porno. Jamie se procurait les revues sous le lit de Cal. Il y en avait tellement que Cal ne semblait pas s'en apercevoir. Même quand on se gelait, Jamie aimait en griller une devant la boutique. Des gosses lève-tôt sur le chemin de l'école le regardaient. Des potes venaient parfois se joindre à lui. On le remarquait.

Un voisin l'avait un jour répété à sa mère et elle

avait essayé de lui flanquer une raclée, mais c'était un rapide, Jamie. Il avait esquivé le coup et filé par la porte en se marrant pendant qu'elle jurait tant et plus. La fois où elle l'avait vraiment eu mauvaise, c'était quand l'école avait envoyé une lettre à la maison. Il avait séché la classe pendant plusieurs semaines d'affilée. Sa mère lui avait fichu une sacrée correction et l'avait envoyé dans sa chambre, le visage rouge de honte d'avoir chialé.

Sans doute irait-il à l'école dans la journée. Cal savait bien imiter l'écriture de sa mère. Il le faisait depuis si longtemps que l'école prenait sa signature à lui pour celle de leur mère et quand elle avait signé un mot pour le voyage de l'école, le directeur avait bassiné Jamie pour savoir qui en était l'auteur. Il avait même pris le téléphone pour parler à sa mère, ce qui avait fait doucement rigoler Jamie. Il n'y avait pas de téléphone chez eux. Deux douzaines de cendriers, la plupart provenant de leurs vacances ou chapardés dans des pubs, mais pas de téléphone. Cal avait un portable, qui leur servait en cas d'urgence. Encore fallait-il que Cal soit d'humeur à le leur prêter.

C'était le problème avec Cal. Il pouvait être super... et puis disjoncter. Boum ! Comme une bouteille qui explose contre un mur. Ou il ne disait plus rien et s'enfermait dans sa chambre en refusant d'écrire des mots pour lui. Alors Jamie sortait et lui rapportait quelque chose, qu'il piquait éventuellement dans un magasin. Des offrandes de paix quand il n'avait rien fait de mal. Les bons jours, Cal frottait ses phalanges contre le crâne de Jamie en l'appelant le pacificateur. Jamie aimait ce mot. Cal disait qu'il était les Nations unies, qui maintenaient un cessez-le-feu difficile. Il trouvait ces machins-là dans les journaux. « Les Nations unies », « un cessez-le-feu difficile ». Jamie avait demandé une fois :

— Si les nations sont censées être unies, pourquoi on veut se séparer alors ?

— Qu'est-ce que tu veux dire, mon pote ?

— Se séparer de l'Angleterre ?

Cal avait replié le journal sur ses genoux et envoyé sa cendre dans un cendrier en équilibre sur l'accoudoir du fauteuil.

— Parce qu'on n'aime pas les Angliches.

— Pourquoi ?

— Parce que c'est des Angliches, tiens.

De l'énervement dans sa voix, qui indiquait à Jamie qu'il valait mieux ne pas insister.

— On a des cousins en Angleterre, non ? On ne les déteste pas, hein, Cal ?

— Écoute…

— Et quand on s'est battu contre les Allemands, on était avec les Anglais, non ?

— Écoute, Jamie, on veut diriger notre propre pays, vu ? Alors point barre. L'Écosse est un pays, notre pays, vu ? (Il attendit un geste d'assentiment.) Alors, qui devrait en être responsable, d'après toi ? Londres ou Édimbourg ?

— Édimbourg, Cal.

— Bon, tu vois.

Il reprit son canard. La séance était close.

Jamie avait plein d'autres questions, auxquelles il n'obtenait jamais de réponse. Sa mère ne lui était d'aucun secours. « Ne me parle pas de politique », disait-elle, ou : « Ne me parle pas de religion. » Ni du reste, en fin de compte. Comme si elle avait réfléchi une fois pour toutes, trouvé les bonnes réponses et n'allait pas s'embêter à remettre ça juste pour lui faire plaisir. « C'est à ça que ça sert, les profs », ajoutait-elle.

Ce qui n'était pas faux, mais à l'école, Jamie avait une réputation à défendre. Il était le *frangin de Cal Brady*. Il ne pouvait pas aller poser des questions aux profs, ça ferait mauvais genre. Cal lui avait dit il y avait belle lurette : « À l'école, Jamie, il y a "eux" et il y a "nous", tu vois ce que je veux dire ? Comme sur le champ de bataille, mon pote, on ne fait pas de quartier, tu piges ? »

Et Jamie avait fait oui de la tête sans rien comprendre.

À présent, comme il était posté devant le magasin et tapait le bout de sa chaussure contre une poubelle, voilà Billy Horman qui se pointait. Jamie se redressa un peu.

— Ça baigne, Billy Boy ?

— Pas mal. T'as une clope ?

Jamie lui tendit une de ses précieuses cigarettes.

— T'as vu le foot hier soir ?

Jamie secoua la tête en reniflant.

— Non, ça me gonflait.

— Les Hearts, du grand art.

À sa façon de le regarder en disant ça, l'air d'attendre son approbation, Jamie comprit que Billy tenait l'expression de quelqu'un d'autre, peut-être du copain de sa mère, et qu'il n'était pas sûr de lui.

— Ils se débrouillent, concéda Jamie tandis que Billy mimait un coup au but fulgurant.

— Tu rentres chez toi ? s'enquit Billy.

Jamie tapota le journal et les petits pains fourrés sous son bras.

— Attends une minute, je viens avec toi, dit Billy en rentrant dans le magasin dont il ressortit avec du lait et un paquet de margarine.

— Maman était fumasse ce matin. Son nouveau mec est rentré du pub et s'est farci une dizaine de toasts. (Il lança la margarine en l'air et la rattrapa.) Il a fini la boîte.

Jamie ne répondit pas. Il pensait aux pères. C'était drôle que ni Billy ni lui n'en avait. Jamie se demanda où se trouvait le sien, quelle histoire il devait croire.

— Avec qui t'étais hier ? demanda-t-il quand ils se mirent en marche.

— Hein ?

— En bas de St Mary's Street. Un oncle ou quoi ?

— Oui, c'est ça. Mon oncle Bill.

Mais Billy Boy mentait. Ses oreilles viraient au cramoisi quand il mentait...

De retour chez lui, Jamie apporta le journal dans la chambre de Cal.

— Il était temps, bonhomme.

Cal était couché, la télévision portable allumée. La chambre sentait le renfermé. Parfois Jamie essayait de se retenir de respirer. Cal avait une tasse de thé sur le sol à côté du cendrier.

— Change de chaîne, tu veux ?

La télévision était posée sur une commode au pied du lit. Elle n'avait pas de télécommande. Cal l'avait simplement rapportée à la maison un soir en disant qu'il avait gagné un pari au pub. Il y avait un petit carré à côté du tableau des boutons où était écrit : « Télédétecteur. » Jamie savait donc qu'il devait y avoir une télécommande. Il dut enjamber les vêtements de Cal entassés par terre pour atteindre l'appareil. Il poussa le bouton de Channel 4. Il y avait des gonzesses dans l'émission du matin. Des « gonzesses »... un mot que Cal lui avait appris.

Jamie repassa par-dessus les vêtements et quitta la chambre en vidant ses poumons dans le couloir. Vingt-cinq secondes, c'était loin d'être son record en apnée. Sa mère beurrait les petits pains à la table de la cuisine. Elle lui en tendit un. Il se chercha un bol de lait et s'assit. Il avait dit à sa mère qu'en raison des restrictions budgétaires, l'école ne commençait qu'à 9 h 30. Soit elle le croyait, soit elle avait renoncé à argumenter. Elle avait l'air fatigué, sa mère, elle semblait avoir besoin d'une gâterie. Mais il savait que l'apparence pouvait être trompeuse. Elle pouvait passer de la fatigue à la folie furieuse en deux secondes chrono. Il l'avait vue faire avec une des vieilles peaux du dessus venue se plaindre du bruit. Elle avait carrément pété les plombs. Pareil pour le vieux type qui s'était plaint du ballon qui atterrissait dans son jardin.

— La prochaine fois, j'y mettrai une fourche, alors faites quelque chose.

— Essayez pour voir. Si vous faites ça, je prends votre putain de fourche et je vous la plante dans les couilles, lui avait gueulé sa mère en pleine figure, le type se ratatinant à mesure qu'elle semblait prendre du volume.

Jamie avait beaucoup de respect pour sa mère. La dernière fois qu'elle lui avait filé une baffe, c'était parce qu'il avait essayé de l'appeler « Van ». Cal l'appelait ainsi, mais il en avait le droit parce que c'était un grand, comme elle. Jamie avait hâte de devenir grand, lui aussi.

Une tasse de thé à la main, sa mère vaquait à son rituel matinal qui consistait à chercher où elle avait laissé ses clopes.

— C'est peut-être Cal qui les a, avança Jamie.

— On ne parle pas la bouche pleine.

Elle gueula en direction de la chambre de Cal et il gueula que ce n'était pas lui qui les avait. Dans le séjour, elle souleva les coussins du canapé et du fauteuil, donna un coup de pied dans une pile de revues automobiles et musicales posées par terre.

Et trouva un demi-paquet sur la hi-fi. Le dessus du rabat manquait, Cal s'en servait pour se rouler une « spéciale ». Sa mère en sortit une cibiche, mais là aussi, une bonne moitié manquait. Elle poussa un soupir, la planta dans sa bouche et l'alluma avec le briquet qui était à l'intérieur du paquet.

Comme elle n'avait pas de poche, elle posa les cigarettes sur l'accoudoir du fauteuil. Elle portait un pantalon de survêt gris argenté avec un haut de jogging violet à fermeture à glissière. Le haut était vieux et les lettres au dos — SPORTING NATION — se fendillaient et se décollaient. Jamie se demanda si la nation sportive en question c'était l'Écosse.

Ayant terminé son petit pain et son lait, il glissa au pied de sa chaise. Il avait des projets pour la journée. Princes Street peut-être, ou un bus jusqu'au Gyle. Seul ou avec quiconque il ramasserait en route. Le problème du Gyle, c'est que c'était vraiment au diable. Il y avait une arcade de jeux vidéo sur Lothian Road qui lui plaisait, mais on y croisait des habitués qui étaient meilleurs que lui et, même s'il refusait de jouer contre eux, ils restaient plantés à regarder comment il s'en tirait, puis ils lui disaient les erreurs qu'il avait commises et assuraient qu'avec les deux poignets dans le plâtre, ils feraient mieux que lui.

Tant mieux, aurait-il dû leur rétorquer, *parce que vu la vie que vous menez, c'est tout votre corps qui finira dans le plâtre.* Mais il la bouclait. La plupart étaient plus grands que lui. Et comme ils ne connaissaient pas Cal, ils n'en avaient pas peur. Aussi Jamie n'y allait plus aussi souvent...

La porte de la chambre s'ouvrit brutalement et Cal pénétra dans la cuisine. Il avait mis ses jeans, mais oublié de fermer sa braguette et de boutonner la ceinture. Sans chaussures ni chaussettes ni tee-shirt. Il avait des estafilades, et des bleus sur la poitrine et les bras. On pouvait voir les muscles bouger sous la peau. Il jeta le canard sur la table et flanqua sa main dessus.

— Vise-moi ça, siffla-t-il entre ses dents, le visage rouge de rage. Regarde un peu.

Jamie regarda. Une double page intitulée : L'APPARTEMENT DU DÉLINQUANT SEXUEL DONNE SUR UN TERRAIN DE JEUX. L'article était illustré. Une des photographies montrait un grand ensemble avec une flèche pointée vers un des étages. L'autre représentait un bout de macadam avec deux ou trois gosses qui jouaient.

— C'est ici, remarqua-t-il, sidéré.

Il n'avait encore jamais vu Greenfield dans le journal ni de photos de l'endroit. Sa mère vint les rejoindre.

— Qu'est-ce qu'il y a ? demanda-t-elle.

— Un putain de pédé habite juste sous nos fenêtres, cracha Cal. Et personne ne nous a rien dit. (Il frappa le journal de son poing.) C'est écrit noir sur blanc ici. On n'a même pas été prévenus.

Van parcourut le papier.

— Attends, il n'y a pas de photos de lui.

— Non, mais c'est comme s'ils te donnaient le numéro de l'appart de ce fumier.

Quelque chose lui revint.

— La police est venue l'autre jour. Je croyais qu'on te cherchait.

— Qu'est-ce qu'ils voulaient, ces flics ?

— Il y en a juste un qui est venu. Il a demandé si je connaissais un certain... (Elle pressa les paupières pour fouiller sa mémoire.) Darren truc-machin.

— Darren Rough, dit Jamie.

Cal se tourna vers lui.

— Tu le connais ?

Jamie ne savait pas quelle réponse plairait à son frère. Il haussa les épaules.

— Je l'ai vu dans le coin.

— Mais comment tu connais son nom ? Parle.

Ses yeux plongés dans les siens.

— Il... Ch'ais pas.

— Il quoi ? (Cal se tenait maintenant devant lui, les poings serrés.) Dans quel appart il est ? (Jamie commença à lui dire, mais Cal l'attrapa par son col de chemise.) Encore mieux, viens me montrer.

Mais comme ils avançaient sur le palier conduisant à l'appartement de Darren Rough, ils s'aperçurent que d'autres avaient eu la même idée. Un groupe de sept ou huit résidents s'était rassemblé devant sa porte. La plupart avaient roulé le journal du matin qu'ils brandissaient comme une arme. Cal fut vexé de ne pas être le premier.

— L'est pas là ?

— Pas de réponse, en tout cas.

Cal envoya un coup de pied dans la porte et vit l'air impressionné des autres. Il prit son élan pour charger, donna un coup d'épaule puis la bourra de coups de pied. Deux serrures : un verrou de sûreté et une mortaise. Impossible de voir à l'intérieur, la boîte aux lettres était bloquée et un drap était cloué sur la fenêtre. Tout le monde le savait.

— Eh ! réveille-toi, saleté de pédé ! brailla Cal Brady en direction de la fente. Viens voir ton fan club !

Il vit des sourires autour de lui.

— Peut-être qu'il fait les trois-huit ? lança quelqu'un.

Cal ne trouva pas de repartie spirituelle. Alors il bourra de coups la boîte aux lettres, puis recommença à taper la porte avec les pieds. Quelques nouveaux locataires arrivèrent, mais d'autres, plus nombreux, commençaient à repartir. Bientôt, il n'y eut plus que deux ou trois gosses, plus Cal et Jamie.

— Jamie, dit Cal, va me chercher une bombe. Regarde sous mon pieu.

Jamie savait parfaitement où son frère planquait les bombes de peinture.

— Bleu ou noir ? demanda-t-il avant de se rendre compte que c'était une boulette.

Tout à son affaire, Cal ne releva pas, seule la porte l'intéressait.

— Je m'en fous, dit-il.

Jamie fila en direction de leur appartement. Sa mère était dehors, bras croisés, en train de parler à deux autres femmes sur le palier. Jamie passa devant elles au pas de course.

— Alors ? demanda sa mère.

— Y a personne.

Elle se retourna vers ses copines.

— Allez savoir où il est. Ce genre d'ordure, on peut pas savoir.

— Il faut faire une pétition, déclara une femme.

— Oui, pour demander à la municipalité de le reloger.

— Si tu t'imagines qu'ils vont nous écouter ! s'exclama Van. L'action directe, y a que ça de vrai. C'est notre problème et on va le régler, on s'en fout de ce que les autres diront.

— La République populaire de Greenfield, lança une des voisines en se poilant.

— Je suis sérieuse, Michèle, affirma Van. Rudement sérieuse.

Derrière elle, Jamie s'engouffra dans l'appartement.

15

— Ma mère et moi, j'ai l'impression qu'on n'arrêtait pas de déménager dans les premiers temps.

Cary Oakes était dans un fauteuil près de la fenêtre de sa chambre, les pieds posés sur la table devant lui. Jim Stevens était tassé sur un coin du lit et tenait le magnétophone à bout de bras.

— Des lieux ? Des dates ?

Oakes lui lança un regard bref.

— Je ne me souviens pas des noms des villes ni des gens chez qui on était. Quand on est gosse, ce genre de choses, ça ne compte pas, hein ? J'avais ma propre vie, mon propre monde imaginaire. Je serai soldat ou pilote de chasse. L'Écosse serait pleine d'étrangers et je me lancerai à leurs trousses, une sorte de scénario d'autodéfense. (Il regarda par la fenêtre.) Comme on se déplaçait beaucoup, je ne me suis pas fait vraiment d'amis. De vrais amis. (Il vit que Stevens était sur le point de l'interrompre.) Là encore, je ne peux pas donner de noms. Mais je me souviens de mon arrivée à Édimbourg. (Il s'arrêta, se pencha pour frotter le pouce sur le bout d'une chaussure et retirer une trace de saleté.) Oui, Édimbourg reste planté dans ma mémoire. On était hébergés chez la famille, ma tante et son mari. Je ne sais plus dans quel quartier on habitait. Il y avait un parc à proximité. J'y allais beaucoup. On pourrait peut-être faire une photo de moi là-bas.

— Si vous vous rappelez où c'était.

— N'importe quel parc fera l'affaire, non? On pourrait faire semblant. C'est ce que je faisais dans ce parc. C'était mon univers à moi. Je pouvais y faire tout ce qui me plaisait, putain. J'étais Dieu.

— Et qu'est-ce que vous y faisiez?

Stevens se disait: *cool, ça vient tout seul.* Soit Oakes était un conteur-né ou bien... soit il avait tout préparé. Mais quelque chose sonnait faux à propos de la famille: *ma tante et son mari.* Une drôle de façon de le dire...

— Ce que je faisais? Je jouais, comme n'importe quel môme. Et je ne manquais pas d'imagination, je peux vous le dire. Quand on est gosse, on peut courir sans arrêt en tirant sur tout ce qui bouge, tout le monde s'en fout, vous voyez ce que je veux dire? Dans votre tête, vous pouvez tuer des populations entières. Je parie qu'il n'y a pas un seul putain d'individu sur cette planète qui n'a pas pensé à assassiner quelqu'un un jour. Tiens, vous aussi, je parie.

— Je vous montrerai ma collection de poupées vaudou, concéda Stevens, ce qui fit sourire Oakes.

— Maman a fait de son mieux pour moi, reprit-il avant de faire une pause. Ça, j'en suis sûr.

— Qu'est-ce qu'elle est devenue?

— Elle est morte, mon vieux. (Ses yeux vrillèrent ceux du reporter.) Mais bon, faut bien mourir un jour.

— Ces jeux, vous y jouiez tout seul?

— Non, les autres gosses ont commencé à me connaître. Je suis entré dans une bande et j'ai grimpé les échelons.

— Ça chauffait beaucoup?

— Bof, fit Oakes avec désinvolture. Il y a eu quelques bagarres. La plupart du temps, on jouait au foot et on lançait des regards noirs aux étrangers. On a buté aussi quelques chats du voisinage.

— Comment ?

— On les aspergeait de liquide inflammable et on y foutait le feu. (Il regarda fixement Stevens.) Un début typique pour un tueur en série. J'ai lu ça quand j'étais en taule. Un solitaire qui met le feu aux animaux.

— Mais vous n'étiez pas seul, vous faisiez partie d'une bande.

Oakes lui décocha un sourire.

— Ouais, mais c'était moi qui tenais le briquet, Jim. Et c'est ce qui fait toute la différence.

Quand ils firent une pause, Stevens retourna dans sa chambre. Deux sachets de café dans une tasse d'eau bouillante. Il avait été réveillé à 4 heures du matin par le téléphone. Son patron avait réussi un miracle et Stevens s'était trouvé en ligne avec un journaliste de Seattle qui avait suivi le procès Oakes d'un bout à l'autre. Matt Lewin, le journaliste, confirma que Oakes assistait régulièrement aux offices du dimanche au pénitencier de Walla Walla.

— Beaucoup le font, ce qui ne veut pas dire qu'ils ont eu la révélation.

À présent, Stevens était allongé sur son lit et sirotait son breuvage. Il voulait retrouver la trace de la bande d'adolescents. Ça permettrait de planter le décor et ça donnerait une autre approche de Oakes. S'ils publiaient son papier, peut-être que d'autres membres de la bande le liraient et prendraient contact. Stevens pourrait alors les interviewer pour son bouquin. Il avait demandé à Matt Lewin si un éditeur américain serait intéressé.

— Non, parce qu'il n'est pas de chez nous. On aime les produits pur sucre faits maison. Par-dessus le marché, Jim, les tueurs en série, c'est passé de mode depuis un bout de temps déjà.

Stevens espérait un regain d'intérêt. Le livre serait sa montre en or, son cadeau d'adieu au moment de prendre sa retraite. Évidemment il devrait enquêter, vérifier les histoires que Oakes lui racontait, faire des recoupements. Mais il se sentait crevé et son boss lui avait dit : faites-le parler d'abord, qu'il vous raconte son histoire, ensuite on vérifiera. Il finit son café et prit une cigarette. Puis il balança ses jambes hors du lit.

Le spectacle continue !

Janice Mee fit une pause et mangea au restaurant situé en haut de John Lewis. Par une des fenêtres, on avait une vue sur Calton Hill. Ils l'avaient escaladé un jour avec Damon, quand il avait sept ou huit ans. Elle avait des photographies de la balade dans un de ses albums. Calton Hill, le château, le musée de l'Enfance... Ils avaient des dizaines d'albums, qu'elle rangeait au fond de sa garde-robe. Elle les avait récemment sortis, avait descendu le tout au rez-de-chaussée pour les revoir et raviver le souvenir de colonies de vacances et de séjours à la mer, d'anniversaires et de compétitions sportives avec l'école. De l'une des autres fenêtres du restaurant, elle avait une belle vue sur le littoral du Fife. Son regard ne pouvait porter jusqu'à sa ville natale. À certaines périodes de sa vie, il lui était arrivé d'envisager de partir, au sud vers Édimbourg, ou au nord vers Dundee. Mais c'est confortable de vivre là où on est né, où l'on a sa famille et ses amis. Ses parents et ses grands-parents étaient nés dans le Fife, l'histoire de ce coin de terre se mêlait inextricablement à la sienne. Sa mère était petite à l'époque du général Strike, mais elle se souvenait d'avoir vu ériger les barricades autour de Lochgelly. Son père avait assisté, accroché au pied d'un réverbère, aux funérailles de Johnny Thomson. On pouvait mesurer sur combien de temps remontait la mémoire familiale. Mais ce sens de l'histoire vous amenait à croire que l'avenir serait identique. Comme Janice devait le découvrir, le cours des choses pouvait être interrompu à tout moment.

Elle avala sans goût ni plaisir le petit pain fourré de crevettes et de mayonnaise. Elle avait bu son café puisque sa tasse était vide. Une crevette rosâtre était tombée de son sandwich sur le bord de l'assiette. Elle la regarda et quitta la table.

Ayant laissé St James' Centre derrière elle, elle traversa Princes Street et se dirigea vers Waverley Station. Une file de taxis remontait du parvis souterrain jusqu'à la tête de station sur Waverley Bridge en surface. Les chauffeurs étaient assis au volant et lisaient, mangeaient ou écoutaient la radio. D'autres regardaient dans le vide ou échangeaient des potins avec leurs collègues. Elle prit le bout de la file et remonta jusqu'au premier véhicule. John Rebus lui avait fourni quelques noms, parmi lesquels figurait Henry Wilson. Les chauffeurs, qui semblaient bien le connaître, l'appelaient le « Bûcheron ». Ils lui passèrent un appel. Entre-temps, elle leur présenta des clichés de Damon et leur expliqua qu'il avait pris un taxi sur George Street.

— Seul ou accompagné, mon petit ? demanda un des chauffeurs.

— Avec une femme... blonde, cheveux courts.

L'homme secoua la tête.

— Et pourtant j'ai de la mémoire pour les blondes, dit-il en lui rendant le prospectus.

Le problème, c'est que deux trains venaient juste d'arriver, un de Londres, l'autre de Glasgow. Les taxis avançaient plus vite qu'elle pour aller prendre les clients qui attendaient. Elle regarda la côte derrière elle. D'autres taxis venaient sans cesse grossir le flot et elle ne savait plus auquel elle avait parlé, ni qui venait d'arriver. Les moteurs grondaient, les gaz pénétraient dans ses poumons. Les voitures klaxonnaient en la dépassant avant de descendre vers la station, se demandant ce qu'elle fichait sur le bitume alors qu'il y avait un trottoir en face. Les clients la regardaient aussi. Ils savaient qu'elle ne trouverait jamais de taxi en se plaçant à cet endroit, ils connaissaient le système. On fait la queue, c'est tout.

Elle avait un goût aigre, grumeleux, dans la bouche. Le café qu'elle avait bu était trop fort, elle sentait son cœur cogner. Et une autre voiture klaxonna.

— Ça va, ça va, dit-elle en avançant vers un taxi, qui partait déjà.

Un klaxon retentit de nouveau, juste sur ses talons. Elle fit volte-face, le fusilla du regard, et vit un autre taxi noir, vitre baissée. Personne à l'arrière, juste le chauffeur qui se penchait vers elle. Courts cheveux noirs, longue barbe noire, chemise écossaise verte, style rustique.

— Vous êtes le Bûcheron ? demanda-t-elle.

— En personne, dit-il. C'est comme ça qu'on m'appelle.

Elle sourit, soulagée.

— C'est John Rebus qui m'a donné votre nom.

Des voitures étaient bloquées derrière lui. L'une d'elles fit des appels de phares.

— Vous feriez mieux de grimper avant qu'on me retire ma licence pour entrave à la circulation.

Janice Mee s'exécuta. Le taxi pénétra dans la gare et remonta la rampe de sortie, puis il tourna à droite, traversa le flot des voitures et revint se placer à la queue des taxis. Henry Wilson tira sur le frein à main et se retourna sur son siège.

— Alors, qu'est-ce que veut l'inspecteur, cette fois-ci ?

Et Janice Mee le lui expliqua.

Ça devait être sérieux. Au lieu de le convoquer, le Péquenot était venu voir Rebus, qui était dehors sur le parking en train de griller une cibiche en pensant à Janice Playfair à quinze ans.

— C'est au sujet de la filature ? s'enquit Rebus en croyant qu'il s'était peut-être passé quelque chose.

— Non, rien à voir là-dedans, putain, grogna le boss, les mains dans les poches.

Ça, c'était vraiment sérieux.

— Qu'est-ce que j'ai fait, cette fois ?

— La presse a déniché Darren Rough. Un journal a publié un papier sur lui ce matin, les autres n'ont pas l'intention d'être en reste. Ma secrétaire a répondu à tellement d'appels qu'elle ne sait plus si elle est à St Leonard ou à St Pancras.

— Comment ont-ils su ? marmonna Rebus en laissant tomber son mégot avec une fausse désinvolture.

Le patron plissa les paupières.

— C'est exactement ce que l'éducateur de réinsertion de Rough voudrait savoir. Il est prêt à porter plainte en bonne et due forme.

— Parce qu'il croit que c'est moi ? demanda Rebus en se frottant le nez.

— John, je sais fichtrement bien que c'est vous.

— Avec tout le respect que je vous...

— John, bouclez-la, vous voulez bien ? Dès que vous avez raccroché, le journaliste auquel vous avez parlé a composé le 1471. Il a su d'où vous appeliez.

— Et alors ?

— C'était le *Maltings*. (Un pub situé presque en face de St Leonard.) Mais mieux que ça, notre intrépide reporter a interrogé le client qui décrochait sur la dernière personne à avoir utilisé le téléphone. Vous voulez que je vous lise son signalement ?

— Un homme blanc, entre deux âges ? proposa Rebus. Il y en a à la pelle, des types comme ça.

— Peut-être bien. Ce qui n'a pas empêché l'éducateur de Rough d'en conclure que c'était vous.

Rebus regarda en direction de Salisbury Crags.

— En tout cas, je suis content que quelqu'un l'ait dénoncé… S'il fallait ça pour y arriver…

— Arriver à quoi ? Le chasser des limites de la ville ? Lancer une foule assoiffée de sang à ses trousses ? John, je n'aimerais pas voir ce que vous feriez à Ince et Marshall.

Ince et Marshall, les accusés de Shiellion.

— Vous n'auriez pas besoin de regarder, répliqua Rebus en tenant tête. Qu'est-ce que vous voulez que je fasse ?

— Ne vous approchez plus de Rough, règle numéro un. Tenez-vous-en à la surveillance de Oakes, au moins ça nous évitera les ennuis pendant six heures d'affilée. Et passez un coup de fil à Jane Barbour.

Il lui tendit un bout de papier avec un numéro de téléphone.

— Barbour ? Qu'est-ce qu'elle veut ?

— Aucune idée. Sans doute quelque chose à voir avec Shiellion House.

Rebus fixa le numéro.

— Ouais, fit-il, probable.

Le Péquenot le quitta et, au lieu de rentrer au poste, Rebus descendit la ruelle jusqu'à l'axe principal et traversa d'un pas vif. Il entra au *Maltings*. C'était calme dans la journée. Quand il avait passé l'appel, il n'y avait eu qu'un seul autre consommateur sur place. Une minute après l'ouverture, le même type était seul au bar avec une demi-pinte et un whisky devant lui.

— Alexandre, dit Rebus, j'ai deux mots à vous dire, s'il vous plaît.

Il tira le buveur par le bras vers les toilettes « Messieurs ». Il ne tenait pas à ce que la serveuse écoute.

— Bon sang, mon vieux, qu'est-ce qu'il y a ?

Le buveur s'appelait Alexander Jessup. Il n'aimait pas qu'on l'appelle Alex, ni Alec, ni Sandy, ni Eck. On devait dire « Alexander ». À une époque, il dirigeait sa propre entreprise, une imprimerie. Il fabriquait du papier à en-tête, des livres de compte, des tickets de tombola et que sais-je encore. Il avait tout liquidé et à présent buvait consciencieusement le produit de la vente. Connaissant tout le monde, il entendait des choses mais ne donnait jamais de tuyau intéressant à Rebus. Pourtant, il adorait parler. Il parlait à qui voulait écouter.

— Des journalistes vous ont couru aux basques ? s'enquit Rebus.

Jessup le regarda, les yeux chassieux comme ceux d'un vieux chien. Il secoua la tête. Le visage était une jungle de chairs bouffies sillonnées de capillaires éclatés.

— Vous avez parlé à l'un d'eux au téléphone, précisa Rebus pour lui rafraîchir la mémoire.

— Ah bon, c'était un journaliste ? s'étonna Jessup, hébété. Il l'a pas dit.

— Et vous lui avez donné mon signalement.

— Possible, admit le bonhomme en se creusant les méninges. (Il hocha la tête et leva un doigt.) Mais aucun nom, vous me connaissez, John. Je ne lui ai pas donné votre nom.

Rebus parlait à mi-voix.

— Si quelqu'un vient fouiner, restez aussi vague

que possible dans ce que vous dites, d'accord ? Ce type-là, vous ne l'aviez encore jamais vu, ce n'est pas un habitué.

Il attendit que le message soit compris. Jessup lui fit un énorme clin d'œil.

— Message reçu.

— Cinq sur cinq ?

— Cinq sur cinq, confirma Jessup. Je ne vous ai pas causé d'ennuis, au moins ? (Il crevait d'envie de savoir.) Vous me connaissez, je ne ferais jamais une chose pareille.

Rebus lui tapota l'épaule.

— Ça va sans dire, Alexandre. Tâchez seulement de vous rappeler qui vous apporte le petit déj' quand on vous colle en cellule pour la nuit.

— Tout juste, John, approuva Jessup en faisant « O.K. » avec les doigts. Je m'excuse si je vous ai causé des ennuis.

Rebus ouvrit la porte.

— Tenez, laissez-moi vous payer un verre, hein ?

— Seulement si je peux vous en payer un après.

— C'est tentant, admit Rebus tandis qu'ils rejoignaient le bar. Je mentirais si je disais le contraire.

— Tu as bu ? demanda Janice Mee.

Rebus resta muet. Il était trop occupé à regarder son séjour. Janice éclata de rire.

— Excuse-moi, dit-elle. Je n'ai pas pu m'en empêcher.

La pièce était rangée, journaux et revues empilés en bas de la bibliothèque. Les livres qui jonchaient le sol avaient rejoint les étagères supérieures. Les tasses et les assiettes avaient disparu dans la cuisine, les emballages des plats à emporter et les cannettes de bière étaient partis à la poubelle. Même le cendrier avait été vidé. Rebus le souleva.

— Ce doit être la première fois que je peux lire ce qui est écrit au fond.

Il l'avait piqué dans un pub et il vantait les mérites d'une nouvelle bière qui n'était pas arrivée à s'imposer. Janice sourit.

— Je fais ça pour me passer les nerfs.

— Tu devrais venir plus souvent pour te passer les nerfs ici.

Elle lui donna un coup de poing.

— Doucement, dit-il. La dernière fois que tu as fait ça, je suis resté dans les vapes pendant dix minutes.

— J'ai acheté du thé en sachet et du lait pendant que j'étais dehors, dit-elle en se dirigeant vers la cuisine. Tu veux une tasse ?

— Oui, s'il te plaît, répondit-il en suivant les effluves de son parfum. (Patience n'était pas montée chez lui depuis plus d'un an et il ne recevait pas beaucoup de femmes dans son antre.) Comment ça s'est passé ?

— Le Bûcheron m'a plu.

— Mais s'est-il montré utile ?

Elle s'affaira autour de la bouilloire.

— Oh ! tu sais...

— Tu as fait le tour des stations de taxis ?

— Ton ami m'a dit que ce n'était pas la peine. Il va le faire pour moi.

— De sorte que tu t'es de nouveau sentie inutile, c'est ça ?

— J'ai cru..., commença-t-elle avec un faible sourire. Je croyais qu'en venant ici je pourrais... (Elle pencha la tête et sa voix ne fut plus qu'un murmure.) J'aurais mieux fait de rester chez moi.

— Janice. (Il la fit pivoter vers lui.) Tu fais de ton mieux.

Sa taille, sa douceur, sa sveltesse. Ils se tenaient

aussi près l'un de l'autre qu'au bal de fin d'études où ils avaient dansé ensemble, leur dernière soirée en tant que couple. Des danses convenables, la valse, le pas de deux, et le traditionnel Gay Gordons. Elle voulant que chaque danse ne finisse pas, lui voulant l'entraîner derrière l'école, dans leur cachette... la même qui servait à tout le monde.

— Tu fais de ton mieux, répéta-t-il.

— Mais ça n'amène à rien. Tu sais ce que je me suis mise à penser aujourd'hui ? Je me suis dit : je le tuerai pour ce qu'il me fait endurer. (Sa bouche se tordit.) Et puis je me suis dit : et s'il était déjà mort ?

— Il n'est pas mort, assura Rebus. Pour ça, tu peux me croire. Il ne l'est pas.

Ils emportèrent le thé dans le séjour et s'assirent à la table.

— À quelle heure tu repars ? demanda-t-il.

— J'ai pensé six heures. Il y a un train vers cette heure-là.

— Je vais te ramener en voiture.

— Non, dit-elle. Même une fille de la campagne comme moi sait comment ça circule à l'heure de pointe. J'irai plus vite en train.

Ce qui était vrai.

— Alors je vais te conduire à la gare.

Qu'avait-il d'autre à faire avant de prendre la relève à part un somme ? Elle joignit les mains autour de sa tasse.

— Pourquoi tu as choisi la police, Johnny ?

— Ah oui, pourquoi ? (Il essaya de formuler une réponse qu'elle pourrait comprendre.) J'avais été dans l'armée, ça ne m'a pas plu, je ne savais pas quoi faire d'autre.

— Ce n'est pas exactement le genre de boulot où on entre par hasard.

— Pour certains, si. Tu vois, je me suis retrouvé là.

— Et tu es un bon flic ?

— Bof, fit-il en haussant les épaules. J'obtiens des résultats.

— Ce n'est pas la même chose ?

— Pas exactement. Passer inaperçu et se tenir à carreau, la politique interne... zéro, ce n'est pas mon fort. (Il changea de position.) Et toi, tu disais que tu voulais enseigner ?

— J'ai enseigné... quelque temps.

Rebus se retint de dire que son ex-femme aussi.

— Ensuite tu as épousé Brian ?

— Les deux n'ont aucun rapport.

Elle baissa les yeux sur son thé et parut soulagée quand le téléphone sonna. Rebus décrocha.

— Bonsoir, monsieur Rebus.

— Henry ? dit Rebus à l'intention de Janice. Vous avez du nouveau pour nous ?

— Ça se pourrait. Deux passagers embarqués sur George Street. Le chauffeur se souvenait de la blonde. Un visage frappant, d'après lui. Assez dur, le regard glacial. Il a pensé que c'était peut-être une pute.

— Où les a-t-il conduits ? demanda-t-il, les yeux sur Janice, qui s'était levée et s'agrippait à sa tasse.

— À Leith, il les a déposés au *Shore*.

Leith, là où toutes les professionnelles de la ville exerçaient leur métier. *The Shore,* situé en face de l'hôtel de Cary Oakes.

— Il a vu où ils allaient ?

— Le garçon ne s'est pas montré très généreux côté pourboire. Alors mon pote est reparti dare-dare. Quelqu'un avait essayé de le héler sur Bernard Street. Il n'y a pas beaucoup d'endroits ouverts dans le coin. À cette heure-là, les pubs prenaient leurs dernières commandes s'ils n'étaient pas déjà fermés. Mais il y a des apparts, par là-bas.

Oui, des appartements... et un hôtel.

— À moins qu'ils ne soient allés sur le bateau, ajouta Wilson.

— Quel bateau ?

— Celui qui est amarré là-bas. (Juste, Rebus l'avait vu, ça avait l'air d'un mouillage semi-permanent.) On y donne des fiestas, précisait Wilson. Encore que je n'y sois jamais allé moi-même...

Finalement, il déposa Janice sur le parvis de Waverley. Ils étaient convenus de se retrouver le lendemain après-midi pour visiter le bateau.

— C'est peut-être quelque chose ou peut-être rien, s'était-il senti obligé de dire.

— Je me contenterai de ça.

Comme elle allait descendre, elle hésita, puis se pencha vers lui et lui planta un baiser sur la joue.

— C'est quoi, ça ? Tu ne me roules pas une pelle ? plaisanta-t-il. (Elle fit mine de lui donner un coup de poing, mais se retint.) Dis bonjour à Brian pour moi.

— D'accord. S'il n'est pas sorti avec ses copains.

À sa façon de le dire, il faillit pousser plus loin, mais elle était sortie et claquait la portière. Elle agita la main, lui envoya un baiser et partit en direction du quai du pas d'une femme qui sait qu'on la regarde. Rebus se rendit compte qu'il avait une main sur la poignée de sa portière.

— Laisse tomber, marmonna-t-il pour lui-même.

Il prit son portable pour dire au répondeur de Patience qu'il était de nuit et qu'il rentrait à son appartement pour piquer un roupillon.

Mais d'abord, arrêt technique à l'*Oxford Bar* pour un whisky avec beaucoup d'eau. Exactement ce qu'il faut pour un automobiliste responsable. Il se mêla à la conversation et ajouta son grain de sel. George Klasser le réprimanda.

— Vous devenez un habitué inhabituel, John.

— C'est tout moi, Doc.

À l'autre bout du bar, une discussion sur le rugby battait son plein et attirait les clients. Chacun avait son opinion, chacun sauf Rebus. Il avait les yeux fixés sur un tirage accroché au mur : un portrait du poète écossais Robert Burns. Un autre sur le mur du fond représentait une rencontre entre Burns et le jeune Walter Scott. Ils n'avaient pas l'air très à l'aise, l'artiste ayant travaillé avec du recul. On aurait cru que Burns savait que l'enfant devant lui était destiné à le battre sur son propre terrain, que le morveux deviendrait chevalier, bâtirait Abbotsford House et ferait copain-copain avec le roi.

C'est un truc super, le recul.

Il scruta le fond de son verre et vit la danse des sortants. Il vit un grand échalas appelé Johnny qui entraînait sa copine hors de la salle, lui faisait franchir les portes de l'école et descendre le perron. En prétendant que c'était un jeu, mais en la tenant fermement par les deux mains. Tous les deux s'appliquant à prendre l'air naturel, parce que cela faisait partie du rituel. Et dans la salle, Mitch, le meilleur copain de Johnny — deux vrais potes, qui prenaient toujours la défense l'un de l'autre —, Mitch ne s'était pas rendu compte qu'il était traqué par trois garçons dont il s'était fait des ennemis. Des garçons pour qui c'était l'occasion ou jamais de se venger. Se venger de quoi, au fait ? Ils ne devaient même pas le savoir eux-mêmes. Peut-être sentaient-ils déjà que la vie les avait floués, que des types comme Mitch allaient réussir là où ils ne pouvaient que se planter.

À trois contre un.

Tandis que Johnny Rebus jouait lui aussi son va-tout.

Rebus finit son verre et reprit le chemin du bercail. Il sombra dans son fauteuil, un double whisky dans le poing. En écoutant Tommy Smith, *The Sound of Love*[1]. Et il se demanda si vraiment, l'amour, ça peut s'entendre.

Il s'endormit dans la lueur orangée des réverbères.

Presque en paix, s'il le fut jamais.

Il leur avait fallu du temps pour trouver une église dont la porte ne fût pas verrouillée.

— La confiance se perd de nos jours, remarqua Cary Oakes. Même Dieu ne l'a plus.

Ils avaient traversé Leith et remonté le Walk jusqu'à Pilrig. Une église catholique, pas un chat dans les parages. L'intérieur frais et sombre. Un tas de vitraux, mais l'église était cernée de tours sur trois côtés. Il fut un temps, se dit Stevens, où on n'avait pas le droit de bâtir plus haut qu'une église. Oakes était assis sur un prie-Dieu dans les premiers rangs, tête inclinée. Il n'avait pas l'air spécialement paisible ni méditatif. La nuque et les épaules tendues, la respiration saccadée. Stevens n'était pas à l'aise. Bien que la porte ne fût pas fermée à clé, il se sentait un intrus. Une église *catholique* en plus : il n'avait sans doute jamais mis les pieds dans un endroit pareil de sa vie. Cela dit, ça ne différait guère de la version presbytérienne. Aucune odeur d'encens. Des confessionnaux, mais il en avait déjà vu au cinéma. L'un avait le rideau ouvert. Il jeta un œil à l'intérieur en se disant que ça ressemblait à un Photomaton. Il s'efforçait de marcher sur la pointe des pieds.

1. « Le son de l'amour. »

Il n'avait pas envie de voir débarquer un prêtre et de lui expliquer ce qu'ils fabriquaient.

Requête de Oakes : J'aimerais aller à l'église.

Réponse de Stevens : Ça ne peut pas attendre dimanche ?

Mais le regard de son « client » lui avait dit qu'il n'avait pas envie de rigoler. Ils étaient donc partis à pied, avec la voiture de surveillance qui les suivait à une allure d'escargot et attirait l'attention sur elle et sur eux.

— S'ils veulent jouer à ce petit jeu, on va être deux, avait déclaré Oakes.

Dix minutes passèrent, un quart d'heure. Stevens se demanda si Oakes ne dormait pas. Il remonta la nef et s'arrêta à côté de lui. Oakes leva les yeux.

— Encore deux minutes, Jim, fit Oakes avec un geste du menton. Fais une pause, si ça te dit.

Pas besoin qu'on le lui répète. Stevens sortit en griller une. La voiture de patrouille était garée au bout de la rue, et le chauffeur l'observait. Il venait juste de s'allumer une cigarette quand il pensa brusquement : mais tu es en reportage, tu devrais être à l'intérieur, essayer de trouver un angle d'attaque, avoir des phrases qui te passent par la tête. Oakes à l'église, ça pourrait ouvrir un des chapitres du bouquin... Il éteignit la clope entre ses doigts et la reglissa dans le paquet. Puis il poussa la porte et rentra.

Aucune trace de Oakes sur les prie-Dieu. Le bruit de l'eau qui coule. Stevens plissa les paupières pour scruter la pénombre, sa vue s'ajustant lentement. Une forme près du confessionnal. Oakes debout regardait Stevens par-dessus son épaule. Le corps arqué, il urinait à travers le rideau. Le sourire fendu, il lui adressa un clin d'œil. Puis, ayant fini son affaire, il referma sa braguette et descendit la nef en direction de Stevens, figé, dont l'expression scandalisée disait clairement ce qu'il pensait. Oakes pointa le doigt en direction du plafond.

— Juste histoire de Lui rappeler qui est le boss, Jim.

Et sans s'arrêter, il regagna la lumière. Stevens s'attarda un instant. Pisser dans le confessionnal, c'était un message pour qui ? Pour Dieu, ou pour le journaliste ? À son tour, il quitta l'église en se demandant comment diable il en était arrivé là.

16

Le jeune sergent Roy Frazer était le troisième membre de l'équipe de filature. Arrivé à St Leonard le mois précédent, c'était une rare recrue de la Division F, basée à Livingston. Les flics d'Édimbourg avaient baptisé ceux de Livingston la « troupe F ». Ils lui avaient balancé quelques piques, mais Frazer avait su les prendre — ou au moins avait essayé. Le Péquenot avait choisi Frazer pour compléter l'équipe. Il le trouvait un peu spécial.

Rebus prit place à côté de lui dans la Rover et écouta son rapport.

— La seule chose à signaler, dit Frazer, c'est ce restaurant à côté du pub là-bas : ils ont eu pitié de moi et m'ont fait apporter à manger.

— Vous rigolez.

Rebus regarda en direction du pub en question. Passé l'heure de la fermeture, les clients vidaient les lieux à contrecœur.

— De la soupe à la carotte et des espèces de beignets au poulet. Pas mauvais du tout.

Rebus considéra le sac qu'il avait apporté avec lui : une thermos de café fort, deux petits pains farcis (corned-beef et betterave), du chocolat et des chips. Plus des bandes et son walkman, un quotidien du soir et deux bouquins.

— Ils m'ont apporté ça sur un plateau, sont revenus une demi-heure plus tard pour du café avec un bonbon à la menthe.

— Faites gaffe, fiston, le prévint Rebus. Un repas gratuit, ça n'existe pas. Quand on commence à accepter des pots-de-vin... (Il secoua la tête d'un air contrit.) Enfin, c'est peut-être des choses qui se font à Livingston, mais vous n'êtes plus en pleine cambrousse ici.

Frazer comprit enfin qu'il le charriait et finit par grimacer un sourire qui était deux tiers de soulagement et un tiers d'humour. Il avait un physique robuste et jouait au rugby dans l'équipe de la police. Cheveux noirs en brosse, mâchoire carrée. Quand il était arrivé à St Leonard, il arborait une grosse moustache, qu'il avait rasée depuis pour on ne sait quelle raison. La peau en dessous semblait rose et délicate. Il venait de la campagne, quelque part entre West Calder et l'A70. Son père avait toujours une ferme là-bas. Il avait ça en commun avec le Péquenot, dont la famille travaillait la terre autour de Stonehaven. Les deux hommes partageaient autre chose : ils allaient à l'église. Rebus y allait aussi, mais rarement le dimanche. Il les aimait vides, vides à part ses pensées.

— Vous avez les notes de terrain ?

Frazer sortit le bloc format A4. Bill Pryde avait relevé Siobhan Clarke à 6 heures, noté que Oakes et Stevens étaient restés à l'hôtel jusqu'à 11 heures et n'avaient pas bougé de la chambre : il avait vérifié à la réception. On avait fait monter le café dans celle de Oakes. Interprétation de Pryde : ils bossaient. Un taxi s'était présenté à 11 heures et les hommes étaient sortis de l'hôtel. Stevens avait remis une grosse enveloppe au chauffeur, qui était reparti. Supposition de Pryde : l'enregistrement de la première interview expédié à la rédaction du journal.

Le taxi parti, Stevens et Oakes étaient allés à pied sur les docks de Leith, Pryde fermant la marche. Ils avaient l'air de tuer le temps, de prendre l'air. Puis retour à l'hôtel. Siobhan Clarke reprit du service à midi, Rebus l'ayant convaincue d'échanger sa tranche horaire avec lui. Elle ne s'était pas fait prier. « J'aime dormir dans mon lit la nuit », avait-elle reconnu.

L'après-midi n'avait guère différé du matin : les deux hommes bien calés à l'hôtel, un taxi venu prendre livraison d'une enveloppe, les hommes faisant une pause. Sauf que cette fois ils étaient allés en ville en s'arrêtant en chemin dans une église à Pilrig. Rebus jeta un coup d'œil à Frazer.

— Une église ?

Frazer haussa les épaules. Après l'église, ils étaient allés au bout du Walk, chez John Lewis, où ils avaient renouvelé la garde-robe de Oakes. Des chaussures neuves aussi. Stevens avaient tout réglé avec sa carte de crédit. Puis ils avaient pris un verre dans deux pubs, le *Café Royal* et le *Guildford Arms*. Clarke était restée dehors : « Je ne savais pas si je devais entrer ou pas. Ce n'est pas comme s'ils ne savaient pas que j'étais là. »

De retour à l'hôtel, Oakes lui avait adressé un signe de la main pendant qu'elle se garait.

Relevée par Frazer à 18 heures. Les deux hommes, Stevens et Oakes, s'étaient rendus à pied dans un des nouveaux restaurants qui s'étaient construits en face du Scottish Office. Un mur était complètement vitré, ce qui leur donnait une pleine vue sur Frazer pendant qu'il faisait le pied de grue sous leur nez. À part son dîner surprise — que les notes passaient sous silence —, c'était à peu près tout.

— Ai-je raison de penser que c'est une perte sèche de temps ? demanda Frazer quand Rebus eut fini sa lecture.

— Tout dépend de vos critères, rétorqua Rebus. Il tenait la formule d'un stage de formation à Tulliallan.

— Ben, ils vont manifestement rester là tout le temps qu'ils font ce boulot, non ?

— Nous voulons seulement que Oakes le sache.

— Bien sûr, mais c'est surtout quand il sera livré à lui-même qu'il faudra le lui faire savoir. Quand il se sera trouvé un logement et que tout le battage médiatique sera fini.

Là, Frazer marquait un point. Rebus alla jusqu'à concéder un lent hochement de tête.

— Ce n'est pas à moi qu'il faut dire ça, c'est au Grand Chef

— Je l'ai déjà fait. (Rebus le regarda, sa curiosité en éveil.) Il s'est pointé vers 9 heures du matin pour savoir comment ça se passait.

— Et vous le lui avez dit ?

Frazer fit signe que oui. Rebus se fendit la pêche.

— Et comment a-t-il réagi ?

— On continue pendant quelques jours.

— Vous savez qu'on pense que Oakes risque de récidiver.

— La seule personne à sa portée pour le moment est ce journaliste. Ça me briserait le cœur s'il lui arrivait quelque chose.

Là encore, Rebus rigola.

— Vous savez quoi, Roy ? Vous vous en tirez très bien.

— La force de la prière, monsieur.

Rebus était seul dans la voiture depuis une heure et le froid s'infiltrait à travers ses trois paires de socquettes quand il vit quelqu'un pousser la porte de l'hôtel et entrer. Le bar de l'hôtel était encore ouvert, il ne fermerait pas avant le départ de son dernier client. Stevens avait la cravate défaite autour du cou et les deux premiers boutons de sa chemise baillaient. Il soufflait la fumée de sa cigarette vers le ciel en traînant les pieds pour garder l'équilibre. Et c'est reparti, on remet ça, se dit Rebus. Stevens finit par porter son regard sur la voiture de patrouille et parut lui trouver quelque chose d'amusant. En gloussant sans bruit, il s'inclina bien bas et secoua lentement la tête. Puis il s'approcha de l'auto. Rebus sortit pour l'attendre.

— Alors on se rencontre enfin, Moriarty, déclara le journaliste.

Rebus croisa les bras et s'appuya contre la voiture.

— Comment marche le baby-sitting ?

Stevens souffla en gonflant les joues.

— À vrai dire, j'ai du mal à le cerner.

— Qu'est-ce que vous voulez dire ?

— Après tout ce temps au trou — et à faire ceinture —, il devrait avoir envie de fêter ça.

— J'imagine qu'il ne picole pas.

— Correct. Il dit que boire lui pollue l'esprit et que ça le rend dangereux.

Un rire sans gaieté.

— Pour combien de temps encore ?

Rebus sentait son haleine chargée de whisky. Dans une ou deux minutes, il pourrait même donner la marque.

— Deux ou trois jours. C'est intéressant, attendez de le lire.

— Vous savez ce que les Amerloques nous ont dit ? Ils pensent qu'il va récidiver.

— Ah oui ?

— Il a dit quelque chose là-dessus ?

— Oui, il m'a donné la liste de ses prochaines

victimes. Ça donne une actualité au récit. (Stevens sourit, la bouche de traviole, et remarqua l'expression de Rebus.) D'accord, mon vieux, désolé. Ce n'était pas de très bon goût. J'ai un éditeur intéressé, je vous l'ai dit ? Il doit me recontacter demain ou après-demain avec des propositions.

— Comment vous pouvez faire ça ? demanda Rebus calmement.

— Faire quoi ? rétorqua Stevens en retrouvant son équilibre.

— Faire ce que vous faites.

— On croirait une chanson de la Motown. (Il renifla et toussa.) Son histoire m'intéresse, Rebus. Voilà ce qu'il représente pour moi, une histoire. Et pour vous, qu'est-ce qu'il représente ? (Il attendit une réponse, en fut pour ses frais et agita un doigt en l'air.) Ce mot que vous m'avez passé : « Laissez tomber », vous pensiez que j'aurais brusquement la révélation, que je céderais ma place à quelqu'un d'autre, à un autre canard ? Aucun risque, mon pote. Ce n'est pas la route de Damas.

— J'avais remarqué.

— Après tout, mon bonhomme n'est pas le seul ex-taulard à faire l'actualité, pas vrai ? J'ai vu qu'on a révélé dans la presse l'adresse d'un pédophile. Il paraît que ça vient d'un flic. (Il agita de nouveau l'index en faisant claquer sa langue. Tss, tss.) Rien à déclarer, monsieur l'inspecteur ?

— Allez vous faire foutre, Stevens.

— Tiens, je pense à une chose. Ce type a passé quatorze ans au gnouf et là on est à Leith, le bordel d'Édimbourg, et ça ne l'intéresse pas. Vous pouvez croire ça ?

— Il a peut-être autre chose en tête.

— Ça ne me dérangerait pas qu'il préfère les garçons tant que j'en tire un bouquin. (Il se frotta les mains.) Regardez-nous, hein ? Vous ici dehors, moi dans ce grand hôtel. Ça donne à penser.

— Allez vous pieuter, Stevens. Vous aurez besoin de vos forces.

Stevens tourna les talons, se rappela quelque chose et fit demi-tour.

— Vous êtes d'accord pour une petite séance photo demain soir ? Le photographe vient de toute façon et je me suis dit que ça ferait un bon encadré : Le flic qui veille pendant que l'assassin est en liberté.

Rebus se tut et attendit que le journaliste reprenne le chemin de l'hôtel.

— Qu'est-ce qu'il voulait faire, à l'église ?

La question figea Stevens sur place. Rebus la répéta. Stevens se tourna à demi, secoua lentement la tête puis traversa la route. Sa démarche était brusquement lasse, ce que Rebus ne sut comment interpréter. Il plongea la main dans la voiture pour prendre son paquet de cigarettes et en alluma une, referma la portière et fit une cinquantaine de mètres jusqu'au bout de la route, puis traversa le pont de l'autre côté du bassin, où un bateau était au mouillage. Il y avait un panneau demandant à la clientèle de respecter le voisinage et d'éviter le tapage nocturne. Mais le bateau ne servait pas ce soir-là, on n'y donnait ni fête ni réception. On construisait à proximité des appartements « sur le modèle du loft new-yorkais » pour trentenaires dynamiques, auxquels Leith devait en partie son renouveau. Rebus retraversa vers le pub, mais il était fermé maintenant. Le personnel était probablement là en train de vider un dernier verre en rejouant les moments forts de la soirée. Rebus retourna à son auto.

Une heure plus tard, un taxi s'arrêta devant l'hôtel. Il pensa d'abord à une autre bande pour le journal. Mais il y avait quelqu'un à l'intérieur, qui paya et descendit. Rebus vérifia l'heure : 2 h 15. Un des clients qui étaient sortis en ville. Il but une gorgée à sa thermos et replaça les écouteurs sur ses oreilles. String Driven Thing : *Another Night in this Old City*[1].

Ce n'était rien de le dire.

Quarante minutes plus tard, le client du taxi sortit de l'hôtel. Il rendit son salut au portier. La vitre baissée, Rebus l'entendit dire : « Bonne nuit. » Il resta debout, jeta un œil à sa montre, regarda la rue, d'un côté et de l'autre. Il cherche un taxi, se dit Rebus. Qui irait à l'hôtel à une heure pareille ? Qui était-il allé voir ?

Le regard de l'homme tomba sur le véhicule administratif. Rebus descendit complètement sa vitre et secoua sa cendre. L'homme venait en direction du véhicule. Rebus ouvrit la portière et descendit.

— Inspecteur Rebus ?

L'homme lui tendit la main. Rebus regarda à qui il avait affaire. Frisant la soixantaine, bien habillé. Pas le genre à vous jouer un tour, mais sait-on jamais. L'homme lut dans ses pensées et sourit.

— Je ne vous en fais pas grief. En pleine nuit, un étranger qui veut faire connaissance et vous appelle par votre nom...

— Nous nous sommes déjà rencontrés, non ? demanda Rebus en plissant les paupières.

— Ça fait un bail. Mais je vous félicite, vous avez une bonne mémoire. Je m'appelle Archibald. Alan Archibald.

Rebus hocha la tête et prit enfin la main du nouveau venu.

— Vous avez été muté à Great London Road.

1. « Une autre nuit dans cette vieille cité. »

— Pendant deux mois. Avant ma retraite, j'étais en poste à Fettes à m'occuper de la paperasse derrière un bureau.

Alan Archibald. Un grand type, cheveux courts, poivre et sel. Des traits forts, un corps qui résistait au temps.

— On m'a dit que vous aviez pris votre retraite.

— Vingt ans dans la maison, j'ai trouvé que ça suffisait.

Son regard disait : et vous ? La bouche de Rebus fit la grimace.

— Il fait meilleur à l'intérieur. Je ne vous propose pas de vous reconduire, mais je pourrais sans doute…

— Je sais, coupa Alan Archibald. Cary Oakes m'a dit.

— Il… quoi ?

Archibald indiqua la voiture d'un mouvement de menton.

— Mais j'accepte votre proposition. J'ai perdu l'habitude du travail nocturne depuis quelque temps.

Ils montèrent donc dans l'auto et Archibald s'emmitoufla dans son pardessus de laine noire. Rebus mit le contact pour allumer le chauffage et proposa une cigarette à Archibald.

— Non, merci. Mais ne vous gênez pas.

— Il faudrait utiliser l'artillerie lourde pour m'arrêter, répliqua Rebus en allumant sa clope. Alors, c'est quoi, cette histoire avec Oakes ?

Archibald effleura le tableau de bord.

— Il m'a appelé et m'a dit où il se trouvait. (Il regarda Rebus.) Il sait, pour vous.

— Sûr, fit Rebus. C'est toute l'idée.

— Oui, il l'a bien compris. Mais il savait aussi que vous étiez de nuit.

— Pas très dur. Il me voit de la fenêtre de sa

chambre, répondit Rebus en indiquant celle-ci. Ou peut-être que son ange gardien le lui a dit.

— Le journaliste ? Je ne l'ai pas vu.

— Il était sûrement au pieu.

— Oui, j'ai dû appeler la chambre de Oakes. Mais il ne dormait pas, il m'a dit que c'était le décalage horaire.

— Comment s'est-il procuré votre numéro ?

— Je suis sur liste rouge. (Archibald s'interrompit.) Je suppose que le journaliste a tiré quelques ficelles.

Rebus aspira la fumée et la souffla par les narines.

— Alors, c'est quoi, votre histoire ?

— À mon avis, Oakes joue un drôle de jeu...

Rebus observa son voisin.

— Quel jeu ?

— Le genre qui me tire du lit à une heure du matin. C'est là qu'il m'a appelé pour me dire que c'était maintenant ou jamais.

— À quel sujet ?

— Le meurtre.

— Hein ? fit Rebus en plissant le front. Un seul ?

— Pas un de ceux qu'il a commis en Amérique. Celui-là s'est passé ici même à Édimbourg. Plus exactement à Hillend.

Hillend, le « bout de la colline », l'extrémité nord des Pentland Hills, d'où le nom du lieu. Connue localement pour sa piste de ski artificielle. Depuis la bretelle, on apercevait les lumières la nuit. Brusquement, l'affaire lui revint en mémoire. Un affleurement de rochers, un corps de femme. Une jeune femme, étudiante à l'institut pédagogique. Rebus avait participé au début de l'enquête. Celle-ci l'avait conduit de Hillend à Swanston Cottages, un groupe de maisons extraordinaires, que la modernité avait miraculeusement épargnées. Il avait aussitôt eu envie d'y acheter une habitation, mais c'était trop isolé pour sa femme. Et au-dessus de leurs moyens de toute façon.

— Ça fait quinze ans, non ? demanda-t-il.

Archibald confirma. Il avait glissé les mains dans ses poches et fixait le pare-brise.

— Dix-sept, répondit-il. Dix-sept ans ce mois-ci. Elle s'appelait Deirdre Campbell.

— Vous étiez sur l'affaire ?

— Non, répondit Archibald. Ce n'était pas possible à l'époque. (Il prit une profonde inspiration.) On n'a jamais retrouvé l'assassin.

— Elle a été étranglée ?

— Assommée, puis étranglée.

Rebus se souvint du mode opératoire de Oakes. De nouveau, ce fut comme si Archibald avait lu dans ses pensées.

— Similaire, dit-il.

— Oakes était ici à l'époque ?

— Ça s'est passé juste avant son départ pour les États-Unis.

Rebus émit un petit sifflement.

— Il a avoué ?

Archibald changea de position.

— Pas exactement. Quand il a été arrêté aux États-Unis, j'ai suivi son procès et j'ai remarqué des similitudes. J'y suis donc allé pour l'interroger.

— Et alors ?

— Il m'a fait marcher, il a finassé. Des allusions, des sourires, des semi-vérités et des salades. Il m'a donné du fil à retordre.

— Je croyais que vous n'étiez pas sur ce dossier ?

— Je ne l'étais pas. Pas officiellement.

— Je ne pige pas.

Archibald scruta le bout de ses doigts.

— Pendant toutes les années où il a été à l'ombre,

je l'ai laissé jouer à cache-cache avec moi. Parce que je savais que je l'aurais à l'usure. Il ne sait pas à quel point j'ai la tête dure.

— Et maintenant, il vous appelle en pleine nuit ?

— Pour me raconter encore des salades. (Demi-sourire.) Mais il n'a pas l'air de se rendre compte que les cartes ont changé. Il est en Écosse à présent. Ici, c'est moi qui mène la danse. (Une pause.) Je lui ai demandé de venir à Hillend avec moi.

Rebus le dévisagea.

— Attendez, ce type est un tueur. Les rapports psychiatriques disent qu'il va récidiver.

— Il tue les faibles. Je ne suis pas faible.

Rebus médita un moment là-dessus.

— Il ne joue peut-être plus au même jeu ?

Archibald secoua la tête. Il avait l'air obsédé par une idée fixe. Bon Dieu, Rebus aurait pu écrire un livre entier là-dessus : une affaire qui s'empare de vous, vous accapare et vous tourmente sans répit. Des meurtres non élucidés qui hantent vos nuits blanches. Vous les passez en revue sans cesse, examinant à la loupe chaque grain de sable, chaque poussière, en quête d'une anomalie...

— Je ne comprends toujours pas, répéta Rebus. Vous n'étiez pas sur le premier dossier... alors comment se fait-il... ?

Puis brusquement, ça lui revint. Il aurait dû s'en souvenir tout de suite. L'histoire avait circulé à l'époque, on en parlait entre membres de l'équipe pendant les recherches.

— Merde ! soupira-t-il en portant la main à ses yeux. C'était votre nièce...

17

Il n'avait eu aucun mal à trouver une chambre inoccupée dans l'hôtel, et crocheter la serrure fut d'une simplicité enfantine. De sorte que Cary Oakes était assis dans l'ombre près de la fenêtre, une fenêtre que ne surveillait pas l'inspecteur principal John Rebus. L'arroseur arrosé. L'observateur était à son tour observé sans le savoir.

Il tenait un plan sur ses genoux. Il avait dit à Stevens qu'il avait besoin de se familiariser à nouveau avec la ville. Plus tôt, Stevens avait laissé échapper que Rebus avait habité Arden Street et y était peut-être toujours. Arden Street à Marchmont. Page 15, carré 6G. Alan Archibald vivait à Corstorphine ou y logeait à l'époque où il correspondait avec lui. Toutes ces lettres, sans jamais donner son numéro de téléphone au détenu. Il avait fallu moins d'un jour à Oakes pour le découvrir. La force du savoir. Surprendre l'adversaire, toujours avoir une longueur d'avance sur lui. Voilà comment se gagne la partie.

Oakes observait les deux hommes en train de discuter dans l'auto. Il éprouvait une certaine fierté, presque comme s'il dirigeait une agence de rencontre. Il avait mis ces deux-là en contact, ils étaient faits pour s'entendre. Ils restèrent assis pendant une heure à siroter le breuvage contenu dans une thermos. Puis une voiture de patrouille était arrivée — Rebus avait dû la demander par radio. N'était-ce pas attentionné ? Retour gratuit au bercail pour l'inspecteur à la retraite ! Archibald avait bien vieilli, peut-être soutenu par sa soif de vengeance. Oakes savait qu'il était loin d'être aussi frais et dispos qu'aux premiers jours de son incarcération. La chair de son visage était flasque et il avait le regard éteint en dépit de toutes les vitamines et de la gymnastique qu'il pratiquait.

Il glissa une main dans sa poche pour tâter une liasse de billets de banque. Il avait bu au bar en racontant des bobards à des hommes d'affaires pendant que Stevens se taisait. Il avait d'ailleurs fini par abandonner le terrain et s'était éclipsé. Oakes avait appris nombre de choses derrière les barreaux. Crocheter les serrures en était une, faire les poches en était une autre. Il ne s'était pas intéressé aux cartes de crédit, ça laissait des traces et c'était une source de complications. Il ne s'était intéressé qu'au cash, au pognon. Comme Stevens voulait qu'il reste dépendant du journal, il retardait le moment de le payer. Bon, pour le moment, il avait besoin de Stevens, mais ça ne durerait qu'un temps. Et dans l'intervalle, il avait du pain sur la planche.

Et l'argent, c'était le nerf de la guerre.

Il avait quitté sa chambre pour descendre par l'escalier jusqu'au palier du premier. Au bout se trouvait une fenêtre qui donnait sur une rangée de garages individuels. Un bond de deux mètres cinquante jusqu'au toit du box en contrebas. Il s'accroupit sur le rebord de la fenêtre et attendit l'arrivée du taxi. Il entendit le moteur alors qu'il approchait. Il lui avait donné le nom et le numéro de chambre de l'une des rencontres du bar. Il guetta le moment où le taxi dépassait la voiture de Rebus, le moment où l'inspecteur risquait le moins de l'entendre, et il sauta dans le noir sur le toit puis se laissa glisser sur le bitume. Sans s'arrêter pour reprendre son souffle ou chasser la poussière de ses vêtements, il rejoignit au pas de course le mur qui le conduirait dans la ruelle, laquelle lui permettrait de s'éloigner de l'hôtel.

Avec un peu de veine, il trouverait un taxi. Il y en aurait un dans une minute, dont le chauffeur ne serait pas mécontent de ramasser un client.

Quatre heures du matin. Darren Rough estima que c'était sans risque, tout le monde devait dormir. Il avait eu de la veine. Rentrant tard la veille au soir, il avait acheté sur le trajet du retour la première édition de son quotidien et y avait trouvé sa propre histoire transformée. Il était chez lui avec Radio Two en sourdine pour ne pas déranger les voisins. Ils avaient des gosses et les gosses ont besoin de sommeil, tout le monde sait ça. La radio à peine audible, un thé et des toasts, assis près du chauffage à gaz.

Puis il était tombé sur ces pages... Les deux premiers paragraphes lui avaient suffi. Il avait mis le journal en boule, arpenté la pièce avec rage avant d'avoir une crise d'hyperventilation. Il avait respiré dans un sac en papier jusqu'à ce que la crise soit passée. Affaibli, il s'était traîné à quatre pattes dans la salle de bains, s'était aspergé le visage et le cou de l'eau des toilettes, puis s'était hissé sur la cuvette, où il était resté assis un moment, la tête ployée sous son poids. Quand il avait récupéré l'usage de ses jambes, il avait défroissé le journal et l'avait étalé par terre. Et il avait lu l'article d'un bout à l'autre.

Alors ça y est, ça recommence, se dit-il.

Il devait sortir avant le matin. Il passa le reste de

la nuit à parcourir les rues, glacé jusqu'aux os et les membres raides de fatigue. Il trouva un café où il prit un petit déjeuner. Son éducateur n'arriva au bureau que vers 9 heures. Il lui dit qu'il parlerait à un avocat pour voir s'ils pouvaient porter plainte. En ajoutant que ça allait s'arranger.

— Nous devons juste tenir bon.

Facile à dire, quand on est dans un bureau bien chauffé, avec sans doute une famille sympathique qui vous attend à la maison. Son éducateur conduisait un break, et il y avait des chaussures de football de gamins à l'arrière. Un père de famille qui effectue ses huit heures de boulot.

Le reste de la journée, Darren était resté à distance de Greenfield. Il avait marché jusqu'au Jardin botanique et prétendu s'intéresser aux plantes. Il était resté au chaud dans les serres, dont il avait fait le tour une bonne dizaine de fois. De retour en ville, Princes Street Gardens. Il avait réussi à piquer un roupillon d'une heure sur un banc, avant qu'un policier lui dise de déguerpir. Un groupe de sans-abri le vit en piteux état et lui offrit des cigarettes et une bière forte. Il passa une heure avec eux, mais ils ne lui plaisaient pas. Trop débraillés à son goût. Pas son genre.

Les galeries d'art, les églises... Beaucoup de choses sont gratuites à Édimbourg. Le soir, il se fit la réflexion qu'il aurait pu écrire son propre guide. Il dîna dans un fast-food en prenant tout son temps. Puis un pub dans Broughton Street. Laisser passer un jour... C'est alors qu'on se rend compte que les gens ont besoin d'avoir un but dans la vie, un boulot. On aime que la journée soit structurée. On n'aime pas se sentir pourchassé.

Après l'heure de la fermeture, il avait rencontré d'autres sans-abri et écouté d'autres récits. Puis il avait repris prudemment le chemin de Greenfield en faisant trois fois demi-tour avant d'affronter sa peur et de la surmonter. Là, on y était.

Il gravit les marches à pas de loup en s'attendant à chaque tournant à voir surgir devant lui un visage, une lame de couteau. Non, rien, juste des ombres. Sur le palier, il était passé devant les portes closes, sous les fenêtres endormies. Sa clé fit le bruit d'une scie à métaux quand il la glissa dans la serrure. Il remarqua alors qu'il avait les mains poisseuses. Il recula et s'aperçut que sa porte était maculée de boue… non, d'excréments. Il le sentit sur ses mains, ses articulations, ses doigts. Et sous la merde, quelque chose en lettres noires était écrit. Il s'accroupit, s'essuya les mains sur le sol en béton et déchiffra le message.

À MORT LE MONSTRE !

Le mot MORT était souligné deux fois. Pour être sûr qu'il ne le raterait pas.

C'était bien le parc.

Il n'avait pas changé. On y avait installé des balançoires et un tourniquet, mais le tourniquet avait disparu et il ne restait que le moyeu en métal. Les balançoires étaient faites avec de gros pneus en caoutchouc. Le sol était goudronné, avec un terrain de jeux sur la gauche. On avait planté des arbres, mais ils avaient l'air rachitiques. La maison de sa tante… on pouvait apercevoir une mince tranche verticale du parc par la fenêtre de la salle de bains à l'étage en lorgnant entre deux rangées de constructions identiques. La maison était toujours là, dans l'obscurité, rideaux tirés. Il avait partagé une chambre à coucher avec sa mère sur l'arrière de la maison avec vue sur un bout de jardin à l'abandon, dont la cabane était devenue son refuge.

Il n'y avait guère de refuge dans le parc. La bande du quartier y traînait et refusait d'intégrer Cary. Il était un « nouveau », un « étranger », les deux mots signifiant un intrus. Il restait à la périphérie, accroché à la rampe jusqu'à ce que l'un d'eux, saturé de l'abreuver d'injures, vienne lui filer des coups de savate.

Et il se laissait faire. Parce que les coups, c'était mieux que rien.

La fois où il avait traqué un chat, l'avait arrosé de liquide inflammable et avait regardé la queue prendre feu, personne n'était là pour le voir. La police avait interrogé la bande, mais nul ne s'était soucié de Cary Oakes. Aucun n'avait pensé à interroger l'« avorton »...

À présent il se tenait près de la grille. Il en manquait la moitié. Au milieu de la nuit, c'était désert. Pas de voitures. Personne pour le voir tandis que ses mains s'acharnaient sur la grille rouillée qui branlait.

Puis un bruit, des rires d'ivrogne. Trois jeunes en balade, peu soucieux d'être entendus, de perturber le sommeil du voisinage. L'adolescent Cary ne fermait l'œil que tard dans la nuit, entendant par-dessus la respiration de sa mère les joyeux fêtards qui rentraient chez eux en braillant de vieilles ballades écossaises.

Ils étaient trois, qui ne craignaient pas de réveiller le quartier parce qu'ils régnaient en maîtres. C'étaient les chefs de la petite bande locale. Ils étaient seuls au monde, ils étaient les rois.

Ils se trouvaient sur le trottoir d'en face, mais ils virent Oakes et s'aperçurent qu'il les regardait.

— Eh, tu veux ma photo ?

Pas de réponse. Ils commencèrent à discuter entre eux en se renvoyant la balle sans s'arrêter.

— Un pédé ou quoi ?

— Il y en a toujours qui traînent dans les parcs.

— À moins que ce soit une espèce de tantouze.

— Planté là en pleine nuit…

Maintenant ils s'étaient arrêtés. Ils se retournaient, traversaient la rue. À trois.

Trois contre un. Fameux.

— Alors, mon pote, qu'est-ce que tu glandes, hein ?

— Je réfléchis, répondit Oakes tranquillement, une main triturant encore la grille.

Les trois jeunes se regardèrent. Ils avaient passé la soirée en boîte et dans les pubs. Ils avaient picolé et fumé ou pire, un cocktail explosif pour booster l'agressivité et la confiance en soi. Alors qu'ils tâtaient encore le terrain et cherchaient lequel allait prendre la tête des opérations, Oakes arracha la rambarde métallique de la grille et la leur balança dessus. Elle atteignit le premier en plein nez, qui explosa comme les fleurs qu'on voit dans ces films en accéléré. Le jeune homme porta les mains à son visage en poussant des cris stridents et en tombant à genoux. Quand la rambarde eut parcouru un arc de cercle, Oakes revint en arrière comme un pendule et attrapa le numéro deux à l'oreille. Le troisième envoya un coup de pied, mais la barre le frappa au menton, puis rebondit pour s'écraser sur la bouche en lui cassant les dents. Oakes laissa tomber son arme. Nez Cassé reçut un coup de pied à la gorge. Tympan eut droit à un uppercut. Menton et Dents s'éloignait déjà en traînant la patte, mais Oakes le rattrapa, lui fit un croche-patte et lui fila une volée de coups de savate dans la tête.

Il se redressa aussitôt après en reprenant son souffle. Il regarda les maisons dont le souvenir était resté intact dans sa mémoire. Personne n'avait quitté son lit. Personne n'avait été témoin de son triomphe. Il essuya le bout de ses chaussures contre la chemise de la silhouette étendue face contre terre et les examina pour s'assurer qu'elles ne s'étaient pas éraflées dans la bagarre. Il s'approcha de Tympan et le tira par les cheveux. Un autre piaillement. Oakes plaça ses lèvres près de l'oreille qui saignait.

— Ici c'est chez moi, maintenant, pigé ? Si quelqu'un m'emmerde, il reçoit dix fois plus.

— On ne voulait pas...

Oakes enfonça son pouce dans l'oreille sanguinolente.

— Vous ne voulez jamais écouter quand on vous parle. Jamais.

Il regardait en direction de l'espace entre les immeubles, là où se trouvait la maison de sa tante. Il envoya la tête du jeune valdinguer contre le sol. La tapota, puis repartit.

À 6 h 20, Rebus entra sur la pointe des pieds dans l'appartement de Patience à Oxford Terrace muni d'un pain chaud à peine sorti du four, de lait frais et du journal. Il se fit une tasse de thé et s'assit dans la cuisine en lisant les pages de sport. À 6 h 45, il alluma la radio au moment même où le chauffage central se remettait en route. Il prépara le thé dans la théière et versa un verre de jus d'orange pour Patience, coupa des tranches de pain et mit le tout sur un plateau qu'il emporta dans la chambre. Patience ouvrit un œil.

— Qu'est-ce que c'est ?

— Petit déjeuner au lit.

Elle se redressa et arrangea les coussins dans son dos. Il posa le plateau sur ses genoux.

— J'ai oublié un anniversaire ou quoi ?

Il repoussa une mèche qui lui tombait dans les yeux.

— C'est juste que je ne voulais pas que tu dormes trop longtemps.

— Tiens, pourquoi ?

— Parce que dès que tu te seras levée, je me mets au pieu et je dors.

Il esquiva le couteau à beurre quand elle voulut le frapper à la volée. Ils riaient tous les deux quand il commença à déboutonner sa chemise.

Jim Stevens descendit pour le petit déjeuner en croyant trouver Cary Oakes déjà à la moitié de ses œufs au bacon. Mais pas de Cary à l'horizon. À la réception, personne ne l'avait vu. Il appela la chambre de Oakes, pas de réponse. Il monta et tambourina à la porte. *Idem.*

De retour à la réception, il s'apprêtait à demander un double de la clé quand Cary Oakes entra par la porte de l'hôtel.

— Où étiez-vous passé, nom de nom ? s'exclama Stevens, dont la tête tournait presque de soulagement.

— Évite la caféine ce matin, Jim, conseilla Oakes. Regarde-toi, mon vieux, tu es déjà en transe.

— Je vous demande où vous êtes allé.

— Je suis tombé du lit. J'imagine que je suis toujours à l'heure américaine. Alors je me suis baladé sur les docks.

— Personne ne vous a vu sortir.

Oakes considéra la réception, puis de nouveau Stevens.

— C'est quoi, le problème ? Je suis ici maintenant, non ? (Il écarta les bras.) Ce n'est pas ce qui compte ? (Il posa une main sur l'épaule de Stevens.) Bon, j'ai la dalle, on va se caler un creux. (Il l'entraîna vers la salle à manger.) J'ai des choses super pour toi ce matin. Ton rédacteur en chef va tomber à genoux et te tailler une pipe quand il va lire ça…

— La routine, quoi, dit Stevens en s'épongeant le front.

18

L'homme d'affaires propriétaire du *Clipper Night-Ship* demanda à Rebus s'il voulait lui faire une offre.

— Je suis sérieux. Je serais ravi de vendre, même à perte, mais personne n'en veut.

Il expliqua que le *Clipper* ne lui avait apporté que des maux de tête. Des tracas administratifs pour la licence, des plaintes de la part du voisinage, une enquête de la municipalité, des visites de la police...

— Tout ça pour que les clients puissent se saouler la gueule sur un bateau. J'aurais moins d'embêtements et plus de bénéfices si j'avais un pub.

— Alors pourquoi vous ne le faites pas ?

— Je l'ai déjà fait, l'*Apple Tree*, à Momingside. Mais à l'époque, on aurait dit que chaque pub devait avoir sa spécialité. Dieu sait ce qu'on trouve aux pubs irlandais, qui leur a fourré dans le crâne que c'était mieux qu'un pub écossais ? Puis il y a eu la coqueluche des pubs à thème, genre Sherlock Holmes ou Jekyll et Hyde, ou des pubs pour les Australiens et les Sud-Africains. (Il secoua la tête.) Alors quand j'ai vu le *Clipper*, j'ai cru que j'avais décroché le gros lot. C'est peut-être le cas, mais parfois ça me paraît beaucoup de boulot pour que dalle.

Ils étaient assis dans les bureaux de PJP : Preston-

James Promotions. Rebus et Janice Mee étaient d'un côté du bureau, Billy Preston de l'autre. Rebus ne pensait pas que ça plairait à Preston d'apprendre que son homonyme était au clavier pour les Beatles et les Stones.

Bill Preston avait dans les trente-cinq ans et une présentation impeccable dans un costume gris sans col à reflet métallique. On avait l'impression que rien ne pouvait l'atteindre, comme s'il était un homme Téflon : tout glissait sur lui. Le crâne était rasé, mais son long menton carré arborait une barbe à la Frank Zappa. Les bureaux de PR occupaient deux pièces au premier étage d'un immeuble à mi-hauteur de Canongate. En dessous se trouvait un magasin d'antiquités spécialisé dans les cartes anciennes.

— On devrait déménager, dit Preston, trouver plus grand avec un parking. Mais mon associé dit qu'il faut attendre.

— Pourquoi ? s'enquit Rebus.

— L'ouverture du Parlement, rétorqua Preston en pointant le doigt vers la fenêtre. À deux cents mètres dans cette direction. L'immobilier est en train de monter en flèche dans le coin. On serait des poires si on vendait. (Il jouait avec la souris de l'ordinateur qu'il faisait glisser sur son tapis en cliquant sans arrêt. Ça avait le don d'agacer Rebus, qui ne pouvait pas voir l'écran.) Évidemment, s'ils avaient choisi Leith au lieu de Holyrood...

Preston roula des yeux.

— Le *Clipper* ne vous causerait pas tous ces embêtements... ? supposa Rebus.

— Tout juste. On aurait pris notre temps, on aurait attendu les députés et leur aréopage, qui palpent tous des paquets de pognon et cherchent comment le claquer.

— Le *Clipper* est une sorte de club privé ? intervint Janice.

— Pas vraiment. Il est à louer. Si vous me garantissez au minimum quarante clients en semaine, soixante le week-end, il est à vous gratis tant qu'ils picolent au bar du bateau. Vous payez la disco, c'est tout.

— Vous dites un minimum de quarante. Le maximum, c'est combien ?

— Les normes de sécurité publiques stipulent soixante-quinze.

— Mais à quarante, vous faites votre bénéfice ?

— Tout juste. J'ai du personnel, des frais généraux, l'électricité...

— Alors il y a des soirs où vous n'ouvrez pas ?

— Ça vient par vagues, si l'on peut dire. On a eu de bonnes périodes. Maintenant c'est plutôt...

— Le creux de la vague ? suggéra Rebus.

Preston grogna et plongea la main dans un tiroir pour en sortir un livre de comptes.

— Alors quelle date vous intéresse ?

Janice le lui dit. Elle entourait la tasse de café de ses deux mains. Celui-ci était déjà tiédasse et âcre quand on le leur avait servi. Rebus se demanda quelles étaient les fonctions exactes de la grande blonde qui faisait office de secrétaire dans le bureau à l'entrée. De la paperasse par terre, le courrier cacheté... Si Preston ne se montrait pas arrangeant, Rebus pouvait envisager de passer un appel aux inspecteurs du fisc.

Il feuilletait rapidement le registre.

— J'ai trouvé ça ici en emménageant, expliqua-t-il. J'ai pensé que j'essaierais d'en trouver l'usage. (Il leva les yeux.) Vous savez, du genre faisons dans la continuité.

Son doigt tomba sur la date, il suivit la ligne.

— C'était réservé ce soir-là, une soirée privée. Costumée. (Il regarda Janice.) Vous êtes sûre que votre fils se rendait au *Clipper* ?

Elle haussa les épaules.

— Je n'en sais rien, mais c'est possible.

— Qui donnait la soirée ? interrogea Rebus.

Il avait déjà quitté sa chaise. Les yeux sur le registre, Preston ne parut pas remarquer qu'il contournait le bureau. Le premier réflexe de Rebus fut de regarder l'écran. Un jeu de patience, qui attendait que le joueur commence la partie.

— Amanda Petrie, annonça Preston. J'étais là. Je m'en souviens. Une soirée à thème... des pirates ou quelque chose comme ça. (Il se frotta le menton.) Non, c'était « L'île au trésor ». Un trouduc s'est pointé habillé en perroquet. À la fin de la soirée, il en avait la couleur. (Il se tourna de nouveau vers Janice.) Puis-je revoir ces photos ?

Elle les lui tendit. Damon et la blonde captés par les caméras de la sécurité, puis Damon en colonie.

— Ils n'étaient pas déguisés ? insista Preston.

Janice fit signe que non. Les mains de Preston étaient occupées par le registre et les photos. Penché sur lui pour étudier le livre, Rebus s'aperçut que son coude avait fait monter la souris sur l'écran près de l'emplacement pour fermer le jeu. Une légère pression sur la souris et l'écran changea. D'un jeu de patience à l'image d'une femme à quatre pattes. Le cliché avait été pris par-derrière, le modèle tournant la tête pour faire la moue en direction de l'artiste. Bas blancs et porte-jarretelles, rien d'autre. La moue était exagérée. Sur le sol, à côté d'elle, une bouteille de champagne vide. Rebus regarda le rebord de la fenêtre, où se trouvait le cadavre d'une bouteille de champagne.

— Est-ce qu'elle tape bien, au moins ? demanda Rebus.

Preston vit ce qu'il regardait et éteignit l'écran. Rebus profita de l'occasion pour prendre le lourd registre sur le bureau et retourner s'asseoir.

— Alors, vous y étiez, ce soir-là ?

— Ben, pour avoir l'œil, répondit l'autre, troublé.

— Et vous n'avez aperçu ni Damon ni la blonde ?

— Je ne m'en souviens pas.

— Eh, fit Rebus en levant les yeux, ce n'est pas tout à fait pareil, hein ?

— Écoutez, inspecteur, j'essaie de me rendre utile...

— Amanda Petrie, répéta Rebus en lisant l'adresse.

Là, il percuta. Il regarda Preston.

— La fille du juge ?

— C'est ça. Ama Petrie.

— Ama Petrie, répéta Rebus en se tournant vers Janice dont le regard interrogateur réclamait une explication.

— L'enfant terrible d'Édimbourg. (À Preston :) Je vois que vous ne lui avez pas facturé le bateau.

— Ama fait toujours venir une bonne clientèle.

— Elle utilise beaucoup le *Clipper* ?

— À peu près une fois par mois, généralement pour une soirée costumée.

— Et tout le monde entre dans le jeu ?

Preston comprit où il voulait en venir.

— Pas tout le temps.

— Alors ce soir-là, il y a eu des invités habillés normalement ?

— Oui, quelques-uns.

— Et on les remarquait moins que les pirates et les perroquets ?

— Exact.

— Donc il est possible... ?

— C'est possible, admit Preston en soupirant. Dites, qu'est-ce que vous attendez de moi ? Vous voulez que je mente et que je dise que je les ai vus ?

— Non, monsieur.

— Le mieux, c'est de poser la question à Ama directement.

— Exactement, dit Rebus songeur.

Il pensait à Amanda Petrie, à sa réputation. Il pensait à son père aussi, le juge Petrie.

— Elle est entourée d'une sacrée bande de noceurs, dit Preston.

— Pleins aux as, en plus.

— Oh ! oui.

— Le genre de clients que vous aimeriez bien voir plus souvent.

Preston lui lança un regard noir.

— Je ne mentirais pas pour elle. De plus je ne suis pas sûr que mon palpitant résisterait à un autre client de cet acabit. Ça prend du temps de faire le ménage derrière elle, croyez-moi, et ça coûte. Et j'ai l'impression que c'est après ses réceptions que j'ai le plus gros des plaintes. Il faut dire qu'ils sont déjà bourrés en arrivant...

— Vous n'avez rien remarqué sortant de l'ordinaire, cette nuit-là ?

— Inspecteur, articula-t-il en fixant Rebus, c'était une soirée *Ama Petrie*. Avec elle, rien n'est jamais « ordinaire ».

Rebus recopiait sur son carnet le numéro de téléphone indiqué sur le livre. Il survola les autres réservations sans rien relever.

— Eh bien, merci pour votre temps, monsieur Preston. (Un dernier coup d'œil sur l'ordinateur.) Nous vous laissons reprendre votre jeu.

Dehors, Janice se retourna vers lui.

— J'ai l'impression que j'ai raté quelque chose.

Il ne répondit pas. La voiture était garée dans une rue transversale. Ils marchèrent sous le crachin qui leur fouettait le visage.

— Ama Petrie, expliqua Rebus qui avançait, tête baissée. Ça ne correspond pas à mon idée de Damon.

— La blonde mystérieuse, avança Janice.

— Une amie d'Ama, tu crois ?

— Allons poser la question à la demoiselle.

Il essaya de la joindre sur son portable, mais il tomba sur son répondeur et préféra ne pas laisser de message. Janice le regardait.

— Ça peut aider quelquefois de ne pas prévenir trop à l'avance, expliqua-t-il.

— Pour ne pas donner aux gens le temps de concocter une histoire ?

— Ce genre de chose.

Elle le buvait des yeux.

— Tu es vraiment un bon flic, hein ?

— Je l'étais.

Il songea à Alan Archibald. Toutes ces années dans la police, cette obstination à traquer l'assassin de Deirdre Campbell... Même si ça ressemblait à une sorte de folie, on devait s'incliner. C'était ce côté cabochard que Rebus aimait chez les flics. Sauf que la plupart n'étaient pas comme ça.

— Retour à Arden Street, annonça-t-il.

Elle avait des appels à passer de chez lui, son appartement lui servant toujours de base.

— Et toi ? demanda-t-elle.

— Oh ! je ne risque pas de chômer.

Elle lui prit la main et la pressa dans les siennes.

— Merci pour tout, John. (Puis elle effleura son visage.) Tu as l'air crevé.

Rebus retira ses doigts de sa joue, les porta à sa bouche et les embrassa. Et de sa main gauche, il tourna la clé de contact.

Le premier épisode de « L'histoire de ma vie » par Cary Oakes était là pour la forme : deux paragraphes sur son retour en Écosse, deux autres sur son incarcération et puis un début de biographie. Rebus nota que les noms des lieux étaient réduits au minimum. Explication de Oakes : « Je ne veux pas donner mauvaise réputation à tel ou tel endroit juste parce que Cary Oakes a eu le malheur d'y passer l'hiver. »

Touchant.

À plusieurs reprises, on faisait allusion à des révélations — de quoi aiguiser la curiosité du public — mais, dans l'ensemble, le journal avait manifestement acheté les yeux fermés et, vu ce que ça devait lui coûter, on était loin du compte. Rebus doutait que le rédacteur en chef de Stevens nage dans le bonheur. Il y avait des illustrations : Oakes à l'aéroport, Oakes lors de sa libération du pénitencier, Oakes bébé. Plus une photo en vignette du « reporter James Stevens » à côté de sa signature. Les photos occupaient plus d'espace que le texte même. Apparemment le journaliste aurait du mal à en tirer un bouquin.

Il plia le journal et regarda par la vitre. Il était garé devant l'entrée d'un supermarché du bricolage, un de ces entrepôts à peine camouflés et construits à la va-vite dont la ville semblait environnée. Il n'y avait que quatre voitures sur le spacieux parking. Il ne connaissait pas bien cette partie de la ville, Brunstane. Juste à l'ouest se trouvait The Jewel, avec son inévitable centre commercial. À l'est Esk College. Le message que Jane Barbour lui avait fait parvenir était elliptique : juste l'heure et le lieu de rendez-vous. Rebus alluma une autre cigarette en se demandant si elle allait venir. Puis une voiture freina à côté de la sienne, klaxonna et pénétra sur le parking. Il mit le contact pour la suivre.

L'inspecteur principal Jane Barbour conduisait une Ford Mondeo crème. Elle descendait de voiture quand Rebus se gara à côté d'elle et se retourna pour prendre une enveloppe A4 sur la banquette arrière.

— Jolie voiture, approuva Rebus.

— Merci d'être venu.

Il referma la portière pour elle.

— Quoi de neuf? Vous êtes à court de chevilles en plastique?

— Vous êtes déjà venu ici?

— Je mentirais en disant oui.

Le vent lui rabattait ses cheveux sur le visage.

— Venez, dit-elle, très professionnelle, presque désagréable.

Il se laissa conduire sur le côté du bâtiment. C'était la partie du parking réservée aux voitures et aux deux-roues du personnel. Il y avait deux portes à incendie d'un vert aussi sinistre que le gris des cloisons en tôle ondulée. L'arrière de l'entrepôt était réservé aux livraisons et aux ordures. Des bennes vomissaient des cartons aplatis. Une dizaine de pots en terre cuite attendaient d'être emportés à l'intérieur pour être proposés à la vente. Un muret en brique entourait le secteur.

— Et c'est là que vous m'agressez? demanda Rebus en plongeant les mains dans les poches.

— Pourquoi avoir filé le tuyau sur Darren Rough?

— En quoi ça vous regarde?

— Répondez-moi.

Il essaya d'accrocher son regard, mais elle refusa de jouer.

— À cause de ce qu'il est et à cause de ce qu'il

faisait au zoo. Parce qu'il a calomnié un collègue. Parce que…

— Shiellion ? lança-t-elle, plantant enfin son regard dans le sien. Comme vous ne pouviez pas atteindre Ince et Marshall, vous aviez quelqu'un sous la main à leur place.

— Ce n'est pas vrai.

Barbour ouvrit l'enveloppe et en sortit un tirage en noir et blanc. Il paraissait vieux et représentait une maison géorgienne de trois étages. Une famille posait devant, fière de sa nouvelle voiture, un modèle des années vingt.

— Elle a été démolie il y a six ans, expliqua Barbour. C'était ça ou attendre qu'elle tombe en poussière.

— Chouette baraque.

— Le patriarche, là, expliqua-t-elle en tapotant l'image de l'homme qui posait, un pied sur le garde-boue, a fait faillite. Il s'appelait M. Callstone. Il travaillait dans le jute, je crois. Il a fallu vendre la maison de famille. L'Église d'Écosse a sauté sur l'occasion. Mais par contrat, elle s'engageait à lui conserver le nom de la famille. C'est donc resté Callstone House.

Elle attendit qu'il ait enregistré le nom.

— Un foyer d'accueil, dit-il enfin, et elle hocha la tête.

— C'est ça et Ramsay Marshall y travaillait avant d'être muté à Shiellion. Il connaissait Harold Ince avant son transfert.

Elle lui tendit d'autres photographies. Rebus les passa en revue. Callstone House était un foyer d'accueil géré par l'Église d'Écosse. Des gamins groupés devant la même porte d'entrée, des gamins pris à l'intérieur, assis à de longues tables de réfectoire, le regard affamé. Des lits alignés dans le dortoir.

Des images du personnel, l'air revêche. L'esprit de Rebus tournait à toute vitesse.

— Darren Rough a séjourné à Callstone...

— Exact.

— Sous la férule de Ramsay Marshall ?

Elle confirma.

— Vous ? s'exclama-t-il, comprenant soudain. C'était donc vous qui vouliez qu'on mette Darren Rough à Greenfield ?

— Absolument.

— Pour le procès ?

— Tout à fait. Nous lui avons déniché un appartement, nous voulions qu'il reste en bonne disposition. On y a consacré des semaines.

— Il a subi des sévices ? demanda Rebus, sourcil froncé. Il ne figure pas sur la liste.

— Le procureur ne pensait pas qu'il ferait un bon témoin.

— Ouais, acquiesça Rebus. À cause de son casier. On ne pouvait pas risquer un contre-interrogatoire.

— En effet.

Il lui rendit les tirages. Il savait ce qui allait suivre.

— Alors, que lui est-il arrivé ?

Elle rangea les clichés dans l'enveloppe.

— Un soir, Marshall est allé au dortoir. Darren ne dormait pas. Marshall lui a dit qu'ils allaient faire un tour en voiture. Il a emmené Darren à Shiellion.

— Ce qui prouve que Marshall et Ince étaient déjà de mèche ?

— À croire. Ces deux hommes et un troisième qui est venu les rejoindre.

— Nom de Dieu, jura Rebus, le regard fixé sur l'entrepôt qu'il imagina sous la forme d'un foyer d'accueil, un prétendu refuge, un abri. (Il se demanda ce qu'en pensait le fantôme de M. Callstone.) Qui était le troisième larron ?

Barbour haussa les épaules.

— Darren avait les yeux bandés.

— Comment ça se fait ?

— Écoutez, John, je lui ai fait un certain nombre de promesses.

— À un pédophile reconnu ? grogna-t-il malgré lui.

— Vous n'avez jamais entendu parler des conséquences du milieu sur la formation du caractère ?

— Le maltraité devient maltraitant, quand la victime renverse les rôles ? Vous trouvez que c'est une excuse valable ?

— C'est au moins une raison. (Elle s'était calmée.) Le Pr Calder de Glasgow a mis au point un test qui permet d'évaluer le risque de récidive. Darren présente un risque minime. Pendant tout son temps d'incarcération, il a assisté à toutes les séances, il a scrupuleusement suivi la thérapie.

Rebus plissa le nez.

— Alors pourquoi ne s'est-il pas déclaré ?

Il avait vérifié. Quarante-neuf délinquants sexuels étaient recensés officiellement à Édimbourg et Rough n'était pas du nombre.

— Ça faisait partie du deal. Il est terrifié à l'idée qu'ils le retrouvent.

— C'est qui, « ils » ?

— Ince et Marshall. Je sais qu'ils sont sous les verrous, mais il en fait encore des cauchemars. (Elle attendit qu'il dise quelque chose, mais il réfléchissait.) Ce qui se passe à Greenfield, ce n'est vraiment pas juste, poursuivit-elle. Est-ce là votre réponse : on les débusque et on les traque ? Mais il faut bien qu'ils aillent quelque part, John. Nous devons assumer, pas les livrer à la foule.

Rebus avait les yeux collés à la pointe de ses chaussures. Décidément, elles avaient besoin d'un coup de cirage.

— Rough vous a dit quelque chose ?

— Non, dit-elle. Quand j'ai vu le journal, j'ai essayé de le joindre. Puis j'ai parlé à son éducateur. Andy Davies est assez sûr que c'est vous.

— Et vous, vous le croyez ?

Elle haussa les épaules. Ils retournaient en direction de leurs voitures.

— Alors qu'est-ce que vous voulez ? demanda-t-il. Des excuses ?

— Je veux seulement que vous compreniez.

— Bon, merci pour la séance de thérapie. Je crois que je suis prêt à réintégrer la société.

— Je suis ravie que vous soyez capable d'en plaisanter, répliqua-t-elle, glaciale.

Il se tourna vers elle.

— Rough revient à Édimbourg et, comme par hasard, Jim Margolies, le flic qu'il a accusé de l'avoir passé à tabac, décide de faire un vol plané du haut de Salisbury Crags. Je crois qu'il pourrait y avoir un rapport. Voilà pourquoi je m'intéresse à ce… (Il vit son visage changer en entendant le nom de Jim Margolies.) Quoi ? (Elle secoua la tête. Rebus plissa les paupières.) Vous avez parlé à Jim, c'est ça ? Vous avez eu la même conversation avec lui ?

Elle hésita, puis acquiesça d'un signe.

— J'ai fait venir Darren à Édimbourg. Il était réticent, il voulait savoir si l'inspecteur principal Margolies était toujours dans les parages.

— Vous avez donc rencontré Jim pour lui expliquer ?

— Je voulais m'assurer qu'il n'y aurait pas de… de conflit, j'imagine.

— Ainsi Margolies savait que Rough était de retour ?

Rebus réfléchissait. Un portable sonnait, celui de la jeune femme. Elle le sortit de sa poche et écouta un instant.

— Je rentre immédiatement, dit-elle en concluant l'appel. (Puis à Rebus :) Vous feriez mieux de venir aussi.

Il la regarda.

— Qu'y a-t-il.

Elle ouvrit la portière de sa voiture.

— Ce qui se passe à Greenfield n'est pas joli joli. Apparemment, Darren a fini par rentrer chez lui.

19

La foule se pressait sur le palier devant l'appartement de Darren Rough et, pour s'interposer entre la porte et la populace, il y avait l'agent Tom Jackson. À la tête d'un groupe, Van Brady brandissait une pince-monseigneur. D'autres femmes se pressaient derrière elle. Une équipe de la télévision locale manœuvrait pour se mettre en place. Un reporter photographe prenait des clichés d'une bande de gamins armés d'une banderole. Celle-ci était bricolée maison avec une moitié de drap et une bombe de peinture noire. Le message était clair : SAUVEZ-NOUS DE LA BÊTE.

— Charmant, commenta Jane Barbour.

Les locataires des autres tours regardaient par la fenêtre ou se penchaient pour crier leur solidarité. Rebus vit qu'on avait barbouillé de la peinture sur la porte de l'appartement. On avait enduit d'œufs et de graisse la fenêtre. La foule réclamait du sang et ses rangs semblaient grossir à vue d'œil.

Qu'est-ce que je fiche ici ? se demanda Rebus.

Tom Jackson regarda dans la direction de Rebus. Il avait le visage rouge, des gouttes de sueur dégoulinaient sur ses tempes. Jane Barbour se fraya un chemin dans la foule.

— Que se passe-t-il ici ? cria-t-elle.

— On veut juste que ce fumier déguerpisse, clama Van Brady. On va le lyncher, putain de bois !

Il y eut des cris d'encouragement — « Pendez-le ! » « La corde, c'est trop bon pour lui ! » Barbour leva les mains pour réclamer le calme. Elle vit que la plupart des manifestants portaient des badges collés sur leurs vestes et leurs pull-overs. Des étiquettes sur lesquelles étaient écrites trois lettres : GAP.

— C'est quoi, ça ? demanda-t-elle.

— « Guerre aux pédés », expliqua Van Brady.

Rebus aperçut un gosse qui distribuait les autocollants. Il reconnut Jamie Brady, le cadet de Van.

— Depuis quand vous êtes chargés de défendre ces ordures-là ? demanda une femme.

— Tout le monde a des droits, répondit Barbour.

— Même les détraqués ?

— Darren Rough a purgé sa peine, poursuivit l'inspectrice principale. Il est en probation.

Elle vit l'équipe de télévision se rapprocher et chuchota quelques mots à l'oreille de Tom Jackson. Il se fraya un chemin jusqu'à la caméra et leva la main pour boucher l'objectif.

— On veut des réponses, braillait Van Brady. Pourquoi on l'a fourgué ici ? Qui était au courant ? Pourquoi on nous a rien dit ?

— Et on veut qu'il dégage ! renchérit une voix d'homme.

Le flot s'écarta pour laisser passer le nouveau venu. Un jeune homme, les traits fins, les bras nus. Il se tenait côte à côte avec Van Brady, sans un regard pour Barbour, tous ses propos uniquement destinés à la caméra.

— C'est notre quartier, pas celui de la police, reprit-il. (Applaudissements et acclamations.) S'ils ne peuvent pas s'occuper de ce fumier (le pouce levé en direction de la porte de Rough, dans son dos), pas de problème, on réglera ça nous-mêmes. On s'est toujours débrouillés seuls à Greenfield.

D'autres hourras, d'autres gestes d'assentiment.

— Tu l'as dit, Cal ! approuva un des manifestants.

Cal Brady, debout à côté de sa mère, qui couvait d'un œil fier son rejeton. Cal Brady, première rencontre en peau et en viande avec Rebus.

Enfin, pas exactement la première. Disons, la première sachant qui il avait en face de lui. Car il l'avait déjà entrevu. Au *Gaitano*, debout au bar du nightclub en compagnie d'Archie Frost, le sous-directeur. Frost, avec sa couette dans le dos, ses mauvaises manières, et son jeune ami qui avait tenu sa langue et s'était promptement volatilisé...

— Est-ce qu'on pourrait discuter ? demanda Jane Barbour.

— Discuter de quoi ? grogna Van Brady, les bras croisés sur la poitrine.

— De la situation.

Sans lui répondre, Cal Brady s'adressa à sa mère.

— Il est là ?

— Un de ses voisins a entendu du bruit.

Cal Brady tambourina contre la fenêtre, puis dut s'essuyer le poing sur son jean.

— Écoutez, intervint Jane Barbour, si nous pouvions...

— C'est ça, coupa Cal Brady.

Puis, prenant la pince-monseigneur à sa mère, il la balança par la fenêtre dont le verre se brisa, empoigna le drap souillé et fit sauter d'un geste les punaises qui le retenaient. Il avait à moitié enjambé le rebord de la fenêtre et pénétré dans la chambre, le levier à la main, quand Rebus l'attrapa par un pied et le tira vers lui. Des éclats de verre déchirèrent le devant du tee-shirt de Brady.

— Eh là ! hurla Van Brady en balançant un coup de poing à Rebus.

Cal Brady se dégagea, se releva et se dressa, menaçant, devant lui.

— Tu veux y goûter, c'est ça ? demanda-t-il en brandissant son outil sous le nez du policier qu'il n'avait pas reconnu.

— Toi, tu te calmes, répondit ce dernier, tranquille, puis il se tourna vers la mère : Et vous, un peu de tenue.

La foule s'était rassemblée autour de la fenêtre, curieuse de voir l'intérieur de l'appartement. Il ressemblait à tous les autres, avec murs crépis, canapé, chaise, bibliothèque. Pas de télévision ni de hi-fi. Les livres empilés sur le canapé : des livres sur la photographie, des romans. Des journaux par terre, des paquets de pâtes vides, un carton à pizza. Des canettes et des bouteilles de limonade sur la bibliothèque. Tous avaient l'air déçus par leur piètre butin.

— Attention, il est de la police, dit Van à son fils.

— Écoute ta mère, Cal, conseilla Rebus.

Au moment où Cal Brady abattait la barre métallique, une demi-douzaine de policiers en tenue surgissaient de la cage de l'escalier.

Avant tout, ils commencèrent par disperser la foule. Van Brady beugla qu'il y avait un meeting du GAP chez elle. L'équipe de télévision semblait prête à suivre. Le photographe s'attarda pour prendre des clichés du séjour de Darren Rough jusqu'à ce que les hommes en uniforme le délogent, lui aussi. Barbour était sur son portable et demandait qu'on envoie quelqu'un pour barricader la fenêtre.

— Et vite, avant qu'on verse un bidon d'essence à l'intérieur.

Tom Jackson s'approcha de Rebus en s'épongeant le front.

— Dieu du ciel, soupira-t-il. Je crois que je préférais comme c'était avant.

Quand Rebus leva les yeux, il vit que Jackson le dévisageait.

— C'est moi que vous rendez responsable ? demanda Rebus.

— J'ai dit ça ? répliqua Jackson sans cesser de s'essuyer. Je ne m'en souviens pas.

Et il tourna les talons sans attendre. Rebus regarda par la fenêtre. Il flottait à l'intérieur une odeur de renfermé. Peu surprenant puisqu'on ne laissait entrer ni l'air ni la lumière. *Tant qu'on y est...*, songea-t-il en posant un pied sur le rebord et en se hissant.

Le verre brisé crissa sous son pied. Pas trace de Darren Rough.

C'est ce que tu voulais, John. La voix dans sa tête, pas la sienne mais celle de Jack Morton. *Tu l'as voulu, tu l'as eu...*

Non, se dit-il. Ce n'est pas ce que je voulais. Pas ça.

Mais Jack avait raison dans une certaine mesure. Et on en était là.

Un étroit passage voûté conduisait du séjour à la kitchenette. Rebus tâta la bouilloire électrique : aucune trace de chaleur. Il regarda dans le réfrigérateur : pain, margarine, confiture. Pas de lait. Dans la poubelle à couvercle pivotant, pas de carton de lait ni de boîte de conserve.

— Alors, le héla Jane Barbour. Intéressant ?

— Pas grand-chose.

— Et si vous ouvriez la porte ?

— Bien sûr.

Il ouvrit la porte du couloir, qui était plongé dans le noir. Il tâtonna pour trouver l'interrupteur. Une ampoule de quarante watts, nue. Il essaya d'ouvrir la porte, mais le verrou était fermé, aucune clé en vue. La boîte aux lettres était bloquée par un morceau de bois. Encore que Rough ne devait guère recevoir de courrier. Il retourna à la fenêtre et fit savoir à Barbour qu'elle devrait entrer par le même chemin que lui si elle voulait visiter les lieux.

— Non, merci, dit-elle. Une fois suffit. (Rebus la regarda sans comprendre.) C'est moi qui l'ai conduit ici la première fois.

Rebus retourna dans le couloir. Deux chambres à coucher, plus une salle de bains et des toilettes. La première chambre contenait un sac de couchage posé par terre avec, pour lectures de chevet, la Bible pour tous, version illustrée, des paquets de chips vides. Rebus les ramassa. L'un des sachets contenait un préservatif usagé. Les rideaux étaient tirés, il les ouvrit et vit que la fenêtre donnait sur une route. La deuxième chambre à coucher était vide, pas même une ampoule. Même panorama que la première. La salle de bains avait besoin d'un brin de ménage. Il y avait de la moisissure sur les murs. L'unique serviette était minuscule et dans un état lamentable, récupérée dans un hôpital peut-être. Rebus essaya la porte des toilettes, elle était fermée à clé. Il poussa plus fort, mais elle résista. Il frappa.

— Rough, vous êtes là ? (Impossible de verrouiller la porte du dehors.) Police ! annonça-t-il. Écoutez, nous allons partir et votre fenêtre sur le palier est en miettes. Dès qu'on sera parti, les barbares vont être de retour. (Silence.) Super, dit-il en repartant. À propos, l'inspecteur principal Barbour est dehors. Salut, Darren.

Rebus avait refranchi la fenêtre quand il entendit un bruit dans son dos. En se retournant, il vit Darren Rough debout dans l'embrasure de la porte, le visage hâve, les paupières frissonnantes, terrifié. L'air hagard d'une bête traquée. Il tenait ses mains tremblantes à la hauteur de la poitrine comme pour se protéger contre les coups de levier.

Rebus, qui se croyait largement blindé, éprouva un brusque sentiment de pitié. Jane Barbour, sur le palier, s'entretenait avec Tom Jackson. Elle remarqua l'expression dans les yeux de Rebus et s'interrompit.

— Inspecteur principal Barbour, dit-il, quelqu'un pour vous, je crois.

Jim Stevens s'efforçait de se sortir de la tête la vue de Cary Oakes pissant dans l'église. Maintenant qu'il le tenait, il voulait son récit et il voulait le grand jeu. Son patron s'était plaint de la qualité de la première livraison, la traitant de « couilles molles », et il espérait que ça allait s'améliorer. Stevens s'en était porté garant.

Oakes avait une bible à côté de son lit. Pourtant, à l'église… Stevens ne voulait pas penser à ce que ça voulait dire. Il y avait quelque chose en lui… parfois, quand on le regardait dans les yeux, ça se voyait, mais s'il vous surprenait à ce moment-là, il clignait des yeux et ça passait. Pffuit. Toutefois, pendant une poignée de secondes, son esprit était ailleurs, un ailleurs dont le journaliste préférait ne rien savoir.

Fais ton boulot, c'est tout, se répétait-il sans cesse. Encore quelques jours, amplement le temps de se faire porter aux nues par le patron, montrer aux autres feuilles de chou qu'il était encore à la hauteur, et mettre sur pied un contrat avec l'éditeur qui ferait la meilleure offre. Il était déjà en pourparlers avec deux éditeurs londoniens, mais quatre autres n'avaient pas été intéressés.

— Les biographies d'assassins, avait répondu l'un d'eux, blasé, on connaît, c'est toujours pareil.

Pour faire grimper les enchères, il lui fallait d'autres offres. Deux interlocuteurs, c'était difficilement suffisant pour créer une compétition.

Alors il ne manquait plus que ça.

Oakes avait dit qu'il allait dans sa chambre pour une demi-heure après le déjeuner. La séance du matin s'était bien déroulée. Rien de génial, mais correcte. Assez d'éléments pour le prochain épisode. Mais sous prétexte d'une migraine, Oakes avait dit qu'il voulait prendre un bain. Au bout d'une demi-heure, Stevens avait tambouriné à sa porte, pas de réponse. La réception ne l'avait pas vu sortir. Stevens avait songé à s'en aller pour se renseigner auprès des flics en planque, mais ç'aurait été audacieux. Il persuada le directeur de l'hôtel qu'il s'inquiétait pour la santé de son collègue. Un passe leur permit de pénétrer dans la chambre. Personne, pas l'ombre d'une présence. Stevens avait présenté ses excuses au directeur avant de regagner sa propre chambre. Où il était assis à se ronger les ongles en se demandant ce qui l'attendait encore.

Ça devait être pour la frime.

Pris tremblant et larmoyant par la police... La seule façon pour Darren Rough de sauver un semblant d'amour-propre fut de refuser de s'en aller, comme le proposait Barbour. Elle pouvait lui offrir le local de garde à vue en attendant de trouver mieux. Impossible désormais de garantir sa sécurité à Greenfield.

Rough sourit quand elle dit « désormais », car ils savaient tous les deux qu'elle jouait sur les mots.

— Je reste, dit-il. Ras-le-bol, j'en ai assez de bouger, j'ai besoin de me poser quelque part, alors pourquoi pas ici ? (Il gloussa.) Comme dans les westerns, non ? C'est quoi son nom déjà, John Wayne ?

Ses doigts imitèrent un six-coups et il tira en l'air. Puis il regarda autour de lui et renifla, le visage de nouveau sans vie.

— Je ne pense pas que ce soit une bonne idée, insista Barbour.

— Je suis d'accord, renchérit Andy Davies.

C'était la première fois que Rebus rencontrait l'éducateur. Grand, mince, la barbe et les cheveux roux, il se déplumait sur le haut du crâne. Des pattes-d'oie rieuses encadraient ses yeux, une petite bouche rose.

— Il y a quelque chose que vous pourriez faire pour moi, dit Rough.

Davies se pencha en avant sur le canapé, les mains serrées entre les genoux.

— Qu'est-ce que c'est, Darren ?

— Une pelle et une balayette, pour que je puisse nettoyer ce foutoir, répondit Rough en donnant un coup de pied dans un bout de verre.

Un ouvrier des services de la municipalité était arrivé pour obturer la fenêtre. Il y avait un dégoût tacite dans ses yeux. Quelqu'un en bas avait apposé une étiquette GAP sur sa boîte à outils. Il utilisa un tournevis sans fil, une scie et un marteau pour fixer les planches en travers de l'ouverture, masquant ainsi ce qui restait de jour.

Quand Rough alla dans la kitchenette, Rebus voulut le suivre. L'éducateur se leva.

— Ça va, lui dit Rebus. Je veux juste lui dire un mot.

Les deux hommes se mesurèrent du regard. Rebus fit un geste à Davies pour qu'il se rasseye, mais celui-ci préféra s'approcher de la fenêtre. Rebus se dirigea vers le passage voûté à l'entrée de la cuisine.

Rough ouvrait et fermait les placards, pas très sûr de ce qu'il faisait ni pourquoi. Il savait que Rebus était là, mais refusait de le regarder.

— Vous avez eu ce que vous vouliez, marmonna-t-il.

— Ce que je veux, ce sont des réponses.

— Une drôle de façon de s'y prendre.

Rebus glissa les mains dans ses poches.

— Depuis combien de temps vous êtes de retour ?

— Trois ou quatre semaines.

— Je suppose que vous n'avez pas revu l'inspecteur-chef Margolies ?

— Il est mort. Je l'ai appris par le journal.

— Oui, mais avant.

Rough claqua une des portes et se tourna vers Rebus, la voix chevrotante.

— Bon sang, c'est quoi maintenant ? Il s'est suicidé, non ?

— Peut-être que oui, peut-être que non.

Rough se passa une main sur le front.

— Vous croyez que je... ?

Andy Davies s'était approché.

— Qu'est-ce qu'il se passe encore ?

— Il essaie de me piéger, lâcha Rough.

— Écoutez, inspecteur, je ne sais pas ce que vous cherchez...

— Tout juste, repartit Rebus, vous ne le savez pas. Alors pourquoi ne restez-vous pas en dehors ?

— Je n'en peux plus, brailla Rough au bord des larmes.

Jane Barbour arriva dans l'entrée. Elle porta sur Rebus un regard accusateur et déçu, et plus accusateur que déçu. Ce qu'elle lui avait dit de Rough lui revint. Maintenant il reniflait et se frottait le nez du revers de la main. Ses genoux avaient l'air de vouloir se dérober. L'ouvrier avait presque fini et la pièce était plongée dans la pénombre. Chaque vis qu'il posait donnait l'impression qu'on fermait un cercueil.

— Est-ce que l'inspecteur principal Margolies est venu vous voir, oui ou non ? s'obstina Rebus.

Rough le fixa d'un air de défi.

— Non.

— Je crois que vous mentez, rétorqua Rebus en l'obligeant à baisser les yeux.

— Alors frappez-moi pour voir.

Rebus fit un pas vers lui. L'éducateur implorait Barbour.

— Inspecteur principal Rebus, intervint Barbour.

Rebus se posta carrément devant lui. Ce dernier recula jusque dans la kitchenette, puisqu'il n'y avait pas d'autre endroit.

— Est-il venu vous voir ?

Rough détourna les yeux et se mordit la lèvre.

— Oui ou non ?

— Oui ! hurla Darren Rough.

Il pencha la tête et se passa une main dans les cheveux. Les coups de marteau incessants sur les clous s'enfonçant dans le bois. Il pressa les mains sur ses oreilles. Rebus les écarta en forçant le moins possible et il parla d'une voix calme.

— Que voulait-il ?

— Shiellion, gronda Rough. C'est toujours à propos de Shiellion.

Rebus fronça les sourcils.

— Inspecteur principal Rebus..., appelait Barbour d'une voix de plus en plus irritée et proche du point de rupture.

— Que voulait-il, à propos de Shiellion ?

— Vous lui aviez dit ce qui m'était arrivé, dit Rough en regardant Jane Barbour.

— Et alors ? le pressa Rebus.

— Il voulait savoir pourquoi on m'avait bandé les yeux... il n'arrêtait pas de me demander qui d'autre était là.

— Et qui d'autre était là, Darren ?

— Je n'en sais rien, articula-t-il, les dents serrées.

— C'est ce que vous lui avez dit ?

— Ça pouvait être n'importe qui, fit-il en hochant lentement la tête.

— Quelqu'un que vous n'étiez pas censé voir. Peut-être quelqu'un que vous connaissiez.

Rough acquiesça.

— Je me suis souvent posé la question, poursuivit-il d'une voix plus calme. Peut-être que je l'aurais reconnu... Je ne sais pas, quelqu'un en uniforme, j'ai l'impression... un col romain. (Il leva les yeux.) Peut-être même quelqu'un de chez vous.

Mais Rebus n'écoutait plus.

— Un prêtre ? répéta-t-il, étonné.

Callstone et Shiellion appartenaient à l'Église d'Écosse. Or seuls les prêtres catholiques portent le col romain.

— Nous en avions un, soutint Rough.

Intriguée, Barbour plissa le front.

— Vous aviez un prêtre ?

— Il est venu quelque temps, puis on ne l'a plus revu. Je l'aimais bien. Il s'appelait le père Leary. (Un faible sourire.) Il nous disait de l'appeler Conor.

Quand Rebus prit l'escalier pour descendre, Jane Barbour le rattrapa.

— Qu'est-ce que vous en pensez ? demanda-t-elle.

— Ma foi..., fit-il, dubitatif. Pourquoi Jim Margolies s'intéressait-il à Shiellion ?

Ce fut à elle de faire un geste d'impuissance.

— Vous aviez dit à Jim que Roughy avait subi des sévices ?

— Oui, acquiesça-t-elle. Vous croyez que ça a à voir avec son suicide ?

— *Si* c'était un suicide.

Elle gonfla ses joues et souffla.

— Je ferais mieux de parler aux vigiles, dit-elle. Qu'ils gardent la cocotte-minute fermée.

— Tom Jackson leur a déjà parlé.

Ils se retournèrent en entendant des pas derrière eux dans l'escalier. C'était Andy Davies.

— On devrait le changer de place, dit Davies. Il n'est plus en sécurité ici.

— Il ne veut pas bouger.

— On devrait insister.

— Si le populo n'a pas réussi à le faire déménager, quelle chance avons-nous ?

— Vous pourriez l'arrêter.

Rebus rigola.

— Il y a deux jours...

Davies se tourna vers lui, furieux.

— Il s'agit de le protéger, pas de le harceler.

— Nous laissons quelqu'un sur place, lui rappela Barbour.

— Tom Jackson devra quand même rentrer chez lui à un moment donné, fit remarquer Rebus.

— J'assurerai la relève moi-même au besoin. (Elle se tourna vers Davies.) Pour le moment, je ne vois pas ce que nous pouvons faire de plus.

— Ni s'il vous sera encore utile au tribunal... ?

— Je préfère ne pas tenir compte de cette remarque, monsieur Davies, dit-elle d'une voix glaciale en le fusillant du regard.

— Ils vont le tuer, dit l'éducateur. Mais j'imagine que ça ne vous fera ni chaud ni froid.

Barbour regarda Rebus en se demandant s'il allait réagir. Mais celui-ci se contenta de secouer la tête en allumant une cigarette.

Rebus connaissait le père Conor Leary depuis des lustres. Pendant une période, il était allé voir régulièrement le prêtre pour discuter avec lui autour d'une canette de Guinness. Mais quand Rebus composa le numéro de Leary, ce fut une autre voix qui répondit.

— Conor est hospitalisé, expliqua le jeune prêtre qui le remplaçait.

— Depuis quand ?

— Quelques jours. Nous pensons qu'il a eu une crise cardiaque. Pas trop grave, je crois qu'il va bien.

Rebus partit donc en voiture pour l'hôpital. La dernière fois qu'il avait vu Leary, celui-ci avait un réfrigérateur bourré de médicaments. Le prêtre avait expliqué qu'ils étaient destinés à soigner des maux mineurs.

— Depuis combien de temps le saviez-vous ? demanda Rebus en approchant une chaise du chevet de son ami.

Conor Leary avait l'air pâle et vieilli, la peau flasque.

— Pas d'oranges, je vois, fit Leary d'une voix dépourvue de sa causticité habituelle.

Il était assis dans son lit environné de bouquets et de cartes de vœux. Sur le mur au-dessus de sa tête, le Christ en croix baissait les yeux.

— Je l'ai appris il y a seulement une demi-heure.

— C'est gentil à vous de faire un saut. Je crains de ne pouvoir vous offrir un verre.

— Il paraît que vous n'allez pas tarder à sortir, répondit Rebus avec un sourire.

— Ah ! mais on vous a dit si je sortirai les pieds devant ?

Rebus réussit à garder son sourire. Dans sa tête, il voyait un menuisier qui enfonçait des clous.

— J'ai un service à vous demander, dit-il. Si vous êtes en état.

— Vous voulez devenir catholique ? plaisanta Leary.

— Vous croyez que le confessionnal tiendrait le choc ?

— Vous avez raison. Il faudrait prévoir une équipe de prêtres qui se relayent pour un pécheur de votre acabit. (Il ferma les yeux.) Alors de quoi s'agit-il ?

— Vous êtes sûr que ça ira ? Je peux revenir...

— Me faites pas suer, John. Vous savez que vous finirez par la poser, votre fichue question, de toute façon.

Rebus se pencha en avant ; son vieil ami avait des flocons blancs aux commissures des lèvres.

— Un nom qui vous rappellera peut-être quelque chose, avança-t-il. Darren Rough.

Leary réfléchit un moment.

— Non, dit-il. Mettez-moi sur la voie.

— Callstone House.

— Ça, ça fait une paye.

— Vous y avez passé quelque temps.

— Absolument, convint Leary. Un de ces trucs multiconfessionnels. Dieu sait de qui c'était l'idée, mais ce n'était pas la mienne. Un pasteur visitait les foyers d'accueil catholiques et je devais me rendre à Callstone. (Il s'interrompit.) Darren était l'un des gamins ?

— Oui.

— Le nom ne me dit rien. J'en ai vu un paquet.

— Il se souvient de vous. Vous lui aviez dit de vous appeler par votre prénom.

— Je suis sûr que c'est vrai. Il a des ennuis, ce Darren ?

— Vous n'en avez pas entendu parler ?

— On est comme dans un cocon ici. Pas de journaux ni d'informations.

— C'est un pédophile qui vient d'être rendu à la société. Sauf que la société ne veut pas de lui.

Conor Leary hocha la tête, les paupières toujours closes.

— A-t-il maltraité un autre enfant ?

— Quand il avait douze ans. La victime en avait six.

— Je m'en souviens à présent. Le teint blafard, il n'osait jamais ouvrir le bec. Celui qui dirigeait Callstone...

— Ramsay Marshall.

— Il comparaît en justice, non ?

— C'est juste.

— A-t-il... avec Darren ?

— Je le crains.

— Oh ! Seigneur Dieu. Et ça c'est sans doute passé juste sous mon nez. (Il ouvrit les yeux.) Peut-être que les garçons... ils ont peut-être essayé de me le dire et je n'ai pas su entendre ce qu'ils disaient.

Quand le prêtre referma les yeux, une larme s'échappa et glissa sur sa joue. Rebus se sentit mauvaise conscience. Il n'avait pas voulu cela en venant ici. Il pressa la main de son ami.

— Nous en reparlerons, Conor. Mais maintenant, il faut vous reposer.

— John, quand des gens comme vous et moi trouvent-ils le repos ?

Rebus se leva et considéra la silhouette allongée sur le lit. *Un col romain*... Peut-être, mais pas Conor Leary. *Peut-être même quelqu'un de chez vous*... Quelqu'un en uniforme. Si Rebus ne voulait pas y songer, Jim Margolies y avait réfléchi avant lui. Et peu après, il était mort.

— John, disait le prêtre, pensez à moi dans vos prières, hein ?
— Toujours, Conor.
Il n'eut pas le cœur de lui dire que ça faisait une paye qu'il ne priait plus.

20

De retour à son appartement, il prépara deux tasses de café et les emporta au séjour. Janice était au téléphone avec une autre institution à laquelle elle fournissait des précisions sur Damon. Rebus s'assit à la table. C'était une pièce spacieuse, de quatre mètres sur sept, haute — peut-être plus de trois mètres —, avec un plafond à moulures et une grande baie, dotée de ses volets d'origine. Rhona, son ex-femme, adorait cette pièce malgré le papier peint qui ornait les murs quand ils avaient acheté l'appartement (des traits ondulés violets qui lui donnaient le mal de mer quand il passait devant). La tapisserie avait disparu de même que la moquette marron et la peinture assortie.

Il songea au logement de Darren Rough. Il avait vu pis en son temps, bien sûr, mais pas tellement pis. Janice raccrocha et se gratta la tête avec son stylo avant d'écrire une note sur un morceau de papier. Après avoir tiré un trait sur le numéro de téléphone de l'institution, elle lança le stylo sur la table.

— Café, annonça Rebus.

Elle prit la tasse avec un sourire de reconnaissance.

— Tu m'as l'air sombre.

— Une disposition naturelle, dit-il. Ça t'ennuie si j'utilise le téléphone ?

Il s'installa dans le fauteuil et prit l'appareil. C'était un modèle sans fil qu'il n'avait que depuis quelques mois. Il composa de nouveau le numéro d'Ama Petrie. Une voix mâle irritée lui dit d'essayer une des salles de réception du *Marquess Hotel* en précisant ce qu'il y trouverait.

— Tu as un message de la part du directeur de la banque de Damon, l'informa Janice quand il eut raccroché.

— Ah bon ?

— Feu vert du siège. S'il y a des débits sur le compte de Damon, il te le fera savoir.

— Rien pour le moment ?

— Non.

— Le soir où il s'est envolé, il a retiré cent livres.

— On tient combien de temps avec ça de nos jours ?

— S'il dort à la dure, un certain temps.

— Nous en parlons comme s'il avait fait une fugue.

— Tant que le contraire n'a pas été prouvé, ce n'est rien d'autre.

— Mais pourquoi aurait-il... ? (Elle s'interrompit avec un pauvre sourire.) Toujours les mêmes questions. Tu dois en avoir ras-le-bol de les entendre.

— Le seul à pouvoir répondre, c'est Damon. Te prendre la tête d'ici là n'arrangera rien.

Elle le regarda bien en face, résolue à se montrer à la hauteur.

— Tu as sûrement raison, Johnny.

— Ravi de pouvoir t'être utile, bougonna-t-il.

Quand Janice eut fini son café en profitant des dernières gorgées pour avaler deux comprimés de paracétamol, il lui annonça qu'ils étaient de sortie.

— Où ça ? demanda-t-elle en cherchant sa veste du regard.

— Un concours de beauté, déclara-t-il en ajoutant avec un clin d'œil : Tu as pris ton maillot de bain ?

— Non, pourquoi ?

— Ça ne fait rien, tu ne remplirais pas les conditions. Trop vieille.

— Eh, je te remercie.

— Tu verras, la rassura-t-il en ouvrant la porte.

Cary Oakes tenait une coupure de presse. Elle était vieille et fragile. Il ne la regardait plus aussi souvent ces temps-ci de peur qu'elle ne s'effrite entre ses doigts. Mais aujourd'hui, c'était un grand jour, pour ainsi dire, de sorte qu'il la tira de sa poche dans le café pour la relire. Des mots défraîchis sur du papier gris. Un compte rendu de son procès et du verdict découpé dans un journal populaire anglais. Avec des mots de haine : « Il méritait la chaise électrique. » Une profession de foi.

Mais il avait échappé à la Faucheuse et il était là, de retour dans la même ville que celui qui avait voulu le faire griller. La colère ressurgit en lui, ses mains tremblaient un peu quand il replia le bout de papier en suivant les anciennes pliures et le remit dans sa poche. Un jour, bientôt, quelqu'un devrait payer pour ça. Il lui ferait rentrer les mots dans la gorge. Littéralement. Et il resterait assis à le regarder mâcher, la peur dans les yeux.

Et après il le ferait griller. Lui.

En quittant le café, il grimpa la côte et dépassa en flânant quelques pavillons dans des rues paisibles. Jusqu'à ce qu'il arrive à destination. Il observa la maison.

Il était là-dedans. Oakes pouvait presque le goûter

et le sentir. Peut-être était-il seul dans sa chambre, à se reposer ou à dormir. Ou bien il lisait le journal pour se tenir au courant des exploits de Cary Oakes.

« Bientôt », se dit Oakes en tournant les talons pour ne pas attirer l'attention. « Bientôt », se répéta-t-il en redescendant la colline en direction de la ville.

L'hôtel, dans le style des années trente, se situait près d'un rond-point sur la bordure ouest d'Édimbourg.

— On dirait le Rex, non ? risqua Janice.

Elle avait raison. Le Rex avait été un des trois cinémas de Cardenden, juché sur une hauteur dans la rue principale de la ville. Quand il était petit, Rebus lui trouvait un air de ressemblance avec ces bâtiments officiels qu'on voyait dans les films sur le rideau de fer : sévère, tout en lignes rigides et en angles droits. L'hôtel était une version en longueur du Rex, comme si quelqu'un l'avait pris sur les côtés et tiré. Les places du parking étant occupées, Rebus fit comme d'autres avant lui : il hissa la Saab en cahotant sur l'herbe du talus et amena le capot au ras des plates-bandes.

Il y avait un grand tableau d'affichage dans l'entrée de l'hôtel sur lequel on pouvait lire qu'on trouverait « Nos Petits Anges » dans la suite Devonshire. Par un double jeu de portes et le long d'un couloir leur parvint le crépitement des applaudissements. Devant la porte de la suite Devonshire veillait une femme baraquée en deux-pièces fuchsia, installée à une petite table où une demi-douzaine de badges attendaient de trouver preneur. Elle leur demanda leurs noms.

— Nous ne sommes pas attendus, lui dit Rebus en lui présentant sa carte de police.

Les yeux de la femme s'écarquillèrent et le restèrent tandis que Rebus faisait entrer Janice dans la salle.

Il y avait une estrade provisoire à un bout, des rangées de chaises disposées devant et des tentures roses et blanches accrochées derrière. Des vases de fleurs à peine écloses étaient posés devant l'estrade et à l'extrémité de chaque rangée de sièges. La salle était à moitié pleine. Des sacs et des manteaux étaient déposés contre le mur. Mères et filles s'affairaient, s'attifant et se pomponnant. On brossait et peignait les cheveux, rectifiait le maquillage, lissait une robe ou renouait un ruban. Les filles regardaient la salle et suivaient la compétition avec nervosité, voire parfois un soupçon de mépris. Âge limite : huit ou neuf ans.

— On dirait un concours de chiens, chuchota Janice.

Un homme au micro lisait le nom de la candidate suivante inscrit sur une fiche.

— Molly vient de Burntisland et va à l'école primaire locale. Ses loisirs préférés sont les promenades en poney et le dessin de mode. Elle a dessiné sa propre robe pour le concours d'aujourd'hui. (Il leva les yeux sur le public.) Une styliste, qu'est-ce que vous pensez de ça, mes amis ? Une future Dior. Allez, applaudissez Molly.

La mère tapota l'épaule de sa fille et, d'un pas hésitant, Molly s'approcha des trois marches en bois de l'estrade. Le présentateur s'accroupit, micro à la main. Bronzage artificiel et mise en plis, à moins que ce ne soit de la jalousie de la part de Rebus. Les juges étaient assis au premier rang et essayaient de protéger leurs bulletins de vote contre les regards indiscrets.

— Et quel âge as-tu, Molly ?

— Sept ans trois quarts.

— Sept ans trois quarts ? Trois-quarts centre ou trois-quarts aile ? (L'animateur souriait, mais Molly fut affolée, ne sachant que répondre.) Ne t'inquiète pas, ma chérie, enchaîna-t-il rondement. Alors parle-nous de la jolie robe que tu portes.

Rebus regarda autour de lui. Le maquillage était étalé sur des visages immatures, de sorte que les fillettes avaient l'air de clowns. Les coiffures imitaient celles des adultes. Les mères s'activaient, le visage tendu et anxieux. Elles aussi étaient soigneusement maquillées et tirées à quatre épingles. Certaines avaient les cheveux teints. Quelques-unes étaient sans doute passées sous le bistouri. Personne ne s'intéressait à Rebus et Janice, il y avait beaucoup d'autres couples. Mais c'était un concours pour mère et fille, cela ne faisait aucun doute.

Pas trace d'Ama Petrie et il ne voyait pas ce qu'elle serait venue faire ici. La voix au téléphone n'avait pas pris le temps de le lui expliquer. Cependant il aperçut deux silhouettes qu'il reconnut. Hannah Margolies, dont les longues boucles blondes descendaient plus bas que les épaules. À l'enterrement de son père, elle portait de la dentelle blanche. Aujourd'hui, elle était vêtue d'une robe bleu pâle avec des collants blancs et des chaussures rouges vernies. Elle avait des rubans bleus dans les cheveux et sa bouche était un bouton de rose écarlate. Katherine Margolies, sa mère, agenouillée devant elle, lui prodiguait d'ultimes conseils. Hannah gardait les yeux rivés sur ceux de sa mère et approuvait d'un léger hochement de tête de temps à autre. Katherine lui prit les mains et les pressa, puis se releva.

La veuve de Jim Margolies avait eu l'air posé aux funérailles. Elle semblait plus nerveuse à présent.

Elle était encore en noir — la jupe et la veste — sur un corsage de soie blanche. Elle lança un regard à la scène où Molly, accompagnée par une bande musicale, chantait *Sailor,* une chanson que Rebus attribuait à Petula Clark. Janice, qui avait trouvé une chaise au bout d'une rangée, leva sur Rebus des yeux incrédules. Quand il se retourna vers Hannah, il vit Katherine Margolies qui l'observait comme pour se rappeler où elle l'avait déjà vu. Molly terminait son numéro sous les applaudissements et faisait une révérence, puis elle décampa avec un grand sourire qui découvrit des dents très espacées.

— Notre prochaine concurrente est Hannah, proclama alors l'animateur. Hannah vit ici même, à Édimbourg…

Quand la fillette fut montée sur scène, Rebus s'approcha de sa mère.

— Bonjour, madame Margolies.

Elle posa un doigt sur ses lèvres, toute son attention tournée vers l'estrade. Elle joignit les mains en une prière muette pendant qu'elle suivait la prestation de sa fille, faisant un rictus quand l'animateur posa une question qui lui parut piégée. Finalement, la mère plongea la main dans un des sacs et s'avança vers la scène avec une flûte à bec, qu'elle tendit à sa fille avec un sourire. Sans accompagnement, celle-ci interpréta un morceau qui devait être du classique. Rebus l'avait entendu dans une publicité quelconque, sans pouvoir se rappeler laquelle. En regardant Janice, il aperçut un couple âgé assis à côté d'elle, qui avait l'air aux anges. Ils se tenaient par la main. Les doigts libres de l'homme tenaient une canne. C'étaient les parents de Jim Margolies.

Pour finir, des applaudissements crépitèrent et Hannah rejoignit sa mère, qui déposa un baiser sur ses cheveux.

— Tu as été parfaite, lui dit Katherine Margolies. Absolument parfaite.

— J'ai joué une fausse note.

— Je n'ai rien entendu.

— Et vous, vous l'avez entendue ? interrogea Hannah en se tournant vers Rebus.

— Ça m'a paru très bien, assura Rebus.

Le visage de Hannah se détendit un peu. Elle chuchota quelque chose à l'oreille de sa mère.

— Vas-y vite alors.

Comme Hannah allait rejoindre ses grands-parents, Katherine Margolies se releva lentement en la regardant s'éloigner.

— Nous ne nous connaissons pas vraiment, madame Margolies, dit Rebus, mais j'étais présent aux funérailles de Jim. Je travaillais avec lui. Je m'appelle John Rebus.

Elle écoutait, l'air distrait, regardant la salle.

— Vous devez me trouver... (Elle cherchait ses mots.) Si tôt après l'accident... Mais j'ai pensé que ça changerait les idées à Hannah.

— Bien entendu.

— Elle a été si malheureuse.

— J'en suis sûr. (Il remarqua qu'elle observait les juges, les membres de l'assistance, comme si elle cherchait à deviner les chances de succès de sa fille.) Vous pensez que Jim a fait une chute ? demanda-t-il.

— Hein ?

— Il y a des gens qui croient que c'est un suicide.

— Laissez-les penser ce qu'ils veulent, répondit-elle sèchement avant de se tourner vers lui. Vous voulez que je dise à Hannah que son père s'est supprimé ?

— Bien sûr que non...

— Il est allé se promener, il s'est approché trop

près du bord, il faisait noir... une bourrasque, peut-être.

— Vous y croyez, vous ? (Elle ne répondit pas.) Jim allait-il souvent se balader comme ça la nuit ?

— Est-ce que ça vous regarde ?

Il baissa les yeux sur la moquette.

— Franchement, non.

— Bien, alors...

— J'essaie juste d'y trouver une logique.

Elle le considéra de nouveau.

— Pourquoi ?

— Pour ma propre satisfaction. (Il soutint son regard. Elle était très belle. Les cheveux noirs coiffés en arrière pour dégager les contours de son visage, de fins sourcils arqués, les pommettes hautes. Les yeux de Hannah étaient bleus, comme ceux de son père, mais ceux de sa mère étaient noisette.) Et parce que je pensais que ça pouvait avoir un rapport avec Darren Rough, poursuivit-il.

— Qui est-ce ?

— Jim n'en a pas parlé ?

Elle fit un signe de dénégation et eut un soupir d'impatience, puis son regard se tourna de nouveau vers les juges. L'un d'eux était en conversation avec l'animateur, qui avait coupé son micro.

Elle parut sur le point de dire quelque chose, mais non. Comme elle se taisait, il posa une autre question.

— Il n'a pas pris sa voiture, n'est-ce pas ?

— Pardon ?

— Il pleuvait cette nuit-là.

— Quand vous allez marcher, est-ce que vous prenez une voiture ?

— Certes, mais moi, je n'irais pas en haut de Salisbury Crags sous une pluie battante. De jour comme de nuit.

— Eh bien, Jim, si, n'est-ce pas ?

— Bon, mais... je ne comprends toujours pas pourquoi.

— Écoutez, monsieur Rebus, j'ai suffisamment de soucis comme ça, alors si vous voulez bien m'excuser...

Elle regarda par-dessus son épaule et son visage s'éclaira.

— Amanda, ma chérie !

Une jeune femme était entrée en coup de vent sans un regard pour la femme postée à l'entrée. Elle avançait à présent, les bras grands ouverts, des emplettes plein les mains, et serra contre elle Katherine Margolies.

— Pardon d'être en retard, Kathy. Cette circulation me tue. J'espère que je ne l'ai pas ratée.

— Je crains que si.

— Ah, putain de merde ! (Assez fort pour que des têtes se tournent. À un mètre, Rebus sentait le tabac et l'alcool. Les sacs de ses achats portaient les noms de Jenners, Cruise, Body Shop.) Comment elle s'en est tirée ? Je parie qu'elle a été géniale... (Regardant autour d'elle.) Et où elle est, d'ailleurs ?

Hannah venait vers elle en tenant sa grand-mère par la main, son grand-père fermant la marche. Son visage s'éclaira à la vue de la nouvelle venue. Amanda s'accroupit et, de nouveau, écarta les bras. Hannah s'y précipita.

— Attention à son maquillage, Ama, prévint Katherine Margolies.

— Tu as l'air d'un ange, dit Amanda à Hannah. Encore que les anges ne portent pas de rouge à lèvres.

Mme Margolies leva un œil sur Rebus.

— Excusez-moi, je croyais que nous avions fini de bavarder.

— Certes, admit Rebus, mais c'est en fait Mlle Petrie que je suis venu voir.

Celle-ci se releva. Elle portait une minirobe noire collante et un blouson de cuir noir avec des fermetures à glissière partout. Talons aiguilles noirs et jambes nues. Elle considéra Rebus de haut en bas.

— À qui dois-je de l'argent ? demanda-t-elle. (Elle se tourna vers le docteur Margolies et sa femme.) Salut, vous deux. (Elle les embrassa l'un et l'autre.) Comment vous portez-vous ?

— Ma foi, vous savez, ma chère..., dit Mme Margolies.

— Hannah a été *magnifique*, intervint le docteur. Excusez-moi, nous n'avons pas été présentés.

Il tendit la main à Rebus.

— Inspecteur principal Rebus, dit-il en regardant le visage du vieil homme se décomposer. (À présent, Ama Petrie le dévisageait. Il sourit.) J'ai connu pire que d'être pris pour un gros bras... On pourrait peut-être s'offrir un verre au bar... ?

Mais Amanda connaissait la chanson. Quelques verres supplémentaires lui délieraient la langue, s'était dit Rebus. Elle ne voulut rien entendre et s'en tint sagement à un thé et du jus d'orange. Rebus, Janice et Ama Petrie s'étaient réfugiés dans le salon de l'hôtel. Ama ramena une mèche blonde derrière l'oreille... Rebus l'observait, sachant ce que Janice pensait : était-elle la blonde mystérieuse ? Non, probablement pas. Elle avait une carrure différente, moins grande, les épaules plus étroites. Il ne lui trouvait aucune ressemblance avec son père...

Elle jouait avec une des bretelles de sa robe tandis que ses yeux faisaient le tour des lieux, dévisageant chacun, en quête de gens intéressants, de gens connus, des gens qui comptaient, de ceux qu'on doit connaître.

— Je veux être de retour quand le jury se prononcera, leur rappela-t-elle. Hannah va sûrement gagner.

— Pourquoi dites-vous ça ?

— Elle a la classe. On naît avec ou pas. Ce n'est pas quelque chose qu'on peut peindre sur un visage ou ajouter d'un coup de machine à coudre.

— Vous avez déjà fait de la couture ? demanda Rebus.

Elle l'observa de plus près.

— Exactement, de la couture et de l'économie domestique. Mon école voulait faire de nous de bonnes petites maîtresses de maison.

Elle alluma une cigarette et ramena ses jambes sous elle. Comme elle n'avait rien proposé, Rebus sortit ostensiblement son propre paquet et s'alluma une clope en en proposant une à Janice.

— Excusez-moi, dit Ama Petrie en tendant son paquet, mais Rebus agita sa cigarette déjà allumée. Comment m'avez-vous dénichée ? demanda-t-elle.

— On a téléphoné chez vous.

— Vous avez dû tomber sur Nick. (Elle souffla la fumée.) C'est mon frangin. Toujours prêt à vendre sa sœur aux cognes, celui-là.

Rebus fit semblant de ne pas avoir entendu.

— Comment avez-vous connu Hannah ? demanda-t-il.

— Nous sommes un peu cousines. Au deuxième degré, je crois, vous savez comment c'est dans les familles.

Rebus savait que Jim Margolies avait épousé quelqu'un d'une « grande famille ». Il ne savait pas que Katherine était liée au juge Petrie.

— Encore que je ne fréquente guère la plus grande partie de ma famille, poursuivit Ama Petrie. Mais Hannah est tellement adorable, n'est-ce pas ?

La question s'adressait à Janice, qui acquiesça d'un geste.

— Cela dit, ajouta cette dernière, j'ai des doutes concernant ce genre de spectacle.

— C'est vrai, convint l'autre, l'air d'approuver. Mais Kathy adore ça et je crois que Hannah aussi.

— Toutes ces mères qui sont là à pousser leurs filles, poursuivit Janice.

— Enfin, bon..., fit Ama en faisant tomber sa cendre dans le cendrier. Qu'est-ce que vous voulez, au juste ?

Rebus lui résuma la situation. Pendant qu'il parlait, l'attention d'Ama se tourna vers Janice. À un moment donné, elle se pencha en avant et lui pressa la main.

— Oh, ma pauvre !

La commisération d'une rédactrice du courrier du cœur sur le visage. Quelqu'un qui compatit à la souffrance d'un proche.

— J'avais bien une fête ce soir-là, reconnut-elle. Encore que je ne m'en souvienne pas très bien. Un peu bourrée, trop de monde... comme d'hab'. On se passe le mot et il y a de temps à autre un resquilleur. Ça m'est égal tant que les gens sont intéressants, mais le proprio du bateau devient casse-pieds dès que ça a l'air bondé. Il me demande sans arrêt si je connais un tel ou une telle, si je l'ai invité. (Elle vida son deuxième verre de jus d'orange.) Allez savoir pourquoi je me donne cette peine.

— Et pourquoi vous vous donnez cette peine ?

Un petit sourire affecté.

— Parce que c'est marrant, j'imagine. Et pendant ce temps-là, je suis quelqu'un. (Elle médita ses paroles et écarta cette pensée comme si ce n'était pas la bonne veste.) Et vous êtes sûrs qu'il est venu à ma fête ?

— C'est la dernière fois qu'il a été vu, confirma Janice.

Rebus sortit les photographies. Damon, Damon et la blonde mystérieuse. Tandis qu'Ama les examinait, il demanda comme en passant si elle était déjà allée au *Gaitano*.

— Est-ce qu'on ne l'appelle pas le *Guiser*? (Il confirma d'un geste.) Oui, une ou deux fois. On y rencontre des tas de fraudeurs et de travailleurs au noir qui cherchent la magouille. Déjà bourrés à l'heure de l'apéro, plus l'ecsta qu'ils s'enfilent dans les toilettes. (Un sourire glacial.) Pas mon genre, merci. (Elle lui rendit les tirages.) Je regrette, ça ne me dit rien.

— Pas même la femme ?

Elle fit la grimace.

— Elle fait plutôt vulgaire, non ?

— Ce n'est pas quelqu'un que vous auriez pu rencontrer ?

— Inspecteur ! s'esclaffa-t-elle avec un rire rauque. Ça ne réduirait pas beaucoup le champ de vos investigations. Je connais tout le monde.

— Et pourtant, vous ne connaissez pas mon fils, nota Janice, l'air sombre.

— En effet, admit Ama en prenant l'air contrit. Je regrette. (Elle bondit sur ses pieds.) Allons, je ferais mieux d'y retourner. Ils vont annoncer les résultats.

Rebus et Janice la suivirent et restèrent dans l'entrée pendant qu'on distribuait les prix. Hannah était deuxième. Quand on annonça la gagnante et qu'elle avança pour recevoir une couronne étincelante, la salle applaudit avec enthousiasme. Tout le monde sauf Ama Petrie, qui se dressa sur la pointe des pieds et tourna les deux pouces vers le sol avec énergie en huant à tue-tête la petite fille aux volumineux cheveux noirs qui scintillaient de mille feux.

Katherine Margolies tenta de la retenir, mais, de l'avis de Rebus, sans trop de conviction...

— Où vous étiez encore passé, putain ?

Stevens trouva Cary Oakes au bar, où il sirotait tranquillement un jus d'orange en bavardant avec le personnel.

— J'ai musardé, réfléchi..., fit Oakes avec le plus grand sérieux. Je veux m'assurer que je n'oublie rien.

Stevens repéra le jus de fruits de Oakes.

— Alors n'oubliez pas ça : c'est moi qui paie ce que vous buvez, c'est mon pognon qui le paie. On a perdu toute une séance.

— Tu ne vas pas le regretter, fit Oakes en lui envoyant un baiser avec un sourire et en faisant un clin d'œil au barman. (Il se retourna vers Stevens.) Regarde-toi, mon pauvre vieux, tu trembles et tu dégoulines. C'est l'arrêt cardiaque garanti si tu continues. Lève le pied, coco, laisse-toi aller, sois zen.

— Mon patron trouve qu'on est loin du compte.

— Même si tu lui apportais l'assassin de Kennedy sur un plateau, il trouverait à râler. Toi et moi, Jim, on sait qu'il faut garder le meilleur pour le bouquin, pas vrai ? Le livre fera notre fortune.

— Encore faut-il que je dégote un éditeur.

— Ça va se faire, aie confiance. Maintenant assieds-toi à côté de moi et laisse-moi t'en payer un. Putain, ça ne me gêne pas de mettre la main au porte-monnaie pour un ami. (Il passa un bras autour des épaules de Stevens.) Tu es avec Cary maintenant, Jim. Tu fais partie de mon cercle intime. Rien de mal ne peut t'arriver. (Oakes planta son regard dans le sien.) Tu peux me croire, dit-il. Promis juré.

— Dépose-moi simplement à Haymarket, dit Janice dans la voiture comme ils retournaient vers le centre-ville.

— Tu es sûre ? Je pourrais te conduire...

— Non, non, ça va aller.

— Écoute, Janice, une piste comme ça... c'est inévitable qu'on tombe sur une impasse, peut-être plusieurs. Il faut savoir l'accepter.

— Oh ! fit-elle, je pensais à ces gamines... je me demandais ce qu'elles allaient devenir plus tard. Si j'avais eu une fille...

De nouveau, elle secoua la tête.

— C'était assez flippant, convint-il.

— Tu as trouvé ? Moi aussi, au début. Et puis j'ai continué à regarder... elles avaient l'air si belles.

Elle sortit son mouchoir et se tapota les yeux.

— Je préférerais te raccompagner chez toi.

— Non, je ne veux pas. (Elle posa une main sur son bras.) Je veux dire... Je ne veux pas te mettre... Mon Dieu, je ne sais plus ce que je veux.

— Tu veux retrouver Damon.

— Oui, c'est ça.

— Et quoi d'autre ?

Elle parut réfléchir à la question. Mais finalement, les mots ne vinrent pas. Elle se contenta de se tourner vers lui et de lui sourire entre ses larmes.

— D'une certaine manière, c'est comme si tu n'étais jamais parti, dit-elle.

— Penses-tu ! fit-il en hochant la tête. Une bonne trentaine d'années, qu'est-ce que c'est, entre amis ?

Ils éclatèrent de rire. Il effleura sa main du bout des doigts. À l'arrêt devant la gare de Haymarket, ils restèrent assis en silence un long moment. Puis elle ouvrit la portière et descendit, esquissant un dernier sourire avant de s'éloigner.

Rebus resta encore une ou deux minutes en s'imaginant qu'il courait sur le quai, la cherchait parmi la foule... comme au cinéma. Mais la vraie vie n'est pas comme ça. Au cinéma, rien n'est impossible. Dans la vraie vie... dans la vraie vie, ça finit toujours par déconner.

Il retourna à Oxford Terrace. Patience n'était pas rentrée. Ils n'en étaient plus à se laisser des mots. Il paressa dans la baignoire pendant une demi-heure et s'assoupit, se réveillant en sursaut quand son menton toucha la surface de l'eau. Il vit la manchette : *Mort de fatigue, un flic se noie dans son bain.* C'est Jim Stevens qui serait aux anges.

Il s'allongea sur le canapé et se mit de la musique. *Two of Three Spectres* [1], par Pete Hammill. Ils étaient là, bien sûr, ses fantômes, ils s'installaient autour de lui, prenant leurs aises, peinards. Plus à l'aise qu'il ne le serait jamais. Patience, Sammy, Janice... Quelque chose mijotait, entre Patience et lui. Peut-être un moment critique, mais ils avaient déjà connu ça. N'y avait-il pas également quelque chose qui se tramait entre Janice et lui ? Autre chose... Il prit un livre, l'ouvrit au hasard et se le colla sur les yeux.

Et il plongea.

1. « Deux fantômes sur trois. »

21

Ama Petrie n'était pas la seule à trouver la blonde mystérieuse « vulgaire », pour ne pas dire carrément l'air d'une prostituée. Alors qu'il se rendait au *Shore*, ce soir-là, Rebus décida de faire un petit détour.

Quelques-unes des filles exerçaient encore leur métier près des quais. La plupart des péripatéticiennes de la ville travaillaient dans des endroits ayant pignon sur rue, genre saunas, par exemple, mais quelques-unes prenaient encore des risques en arpentant les rues. Parfois c'était parce qu'elles étaient aux abois ou dans un état limite — autrement dit, elles avaient un vrai problème de drogue — alors que d'autres voulaient tapiner librement et n'en faire qu'à leur tête malgré les risques. À Glasgow, il y avait moins de saunas et plus de filles sur le trottoir. Résultat des courses : sept meurtres en sept ans.

Rebus réfléchit. Les prostituées bossaient à Leith. La blonde faisait « vulgaire ». Le taxi l'avait conduite à Leith avec Damon. C'était une autre possibilité. Admettons qu'ils ne soient pas allés au *Clipper*. Admettons qu'elle l'ait emmené chez elle.

Chez elle, ou à l'hôtel, peut-être.

Il n'y avait que trois femmes ce soir-là sur Coburg

Street, mais il en connaissait une. Il arrêta la voiture et l'appela. Elle monta à la place du passager, apportant avec elle des effluves capiteux.

— Ça fait un bail, dit-elle en guise de salutation.

Elle s'appelait Ferri. Les michetons croyaient que c'était un pseudo, mais Rebus savait d'après son casier que c'était bien son vrai nom, Fern Bogot. Il savait aussi qu'elle faisait le trottoir parce qu'elle aimait son indépendance alors qu'au sauna, le propriétaire prenait toujours sa part. Elle avait ses habitués et n'allait guère avec des étrangers. Les messieurs d'un certain âge, de préférence. Elle les trouvait moins agressifs.

Sa crinière rousse était une perruque, bien qu'elle ait l'air assez naturelle. Rebus tourna la clé de contact et mit son clignotant pour indiquer qu'il déboîtait. Elle emmenait ses clients sur un terrain vague de Granton. Si Rebus traînait dans le coin, comme il n'était pas acheteur, sa présence finirait par gêner tout le monde. En regardant dans son rétroviseur, il vit qu'une des femmes restantes regardait la voiture avec attention avant de griffonner quelque chose sur un mur.

— Qu'est-ce qu'elle fabrique ? demanda-t-il.

Fern se retourna.

— Cette brave Lesley. Elle relève votre numéro d'immatriculation. Comme ça, si on retrouve mon cadavre, les flics auront quelque chose à se mettre sous la dent. On appelle ça notre assurance-vie. On n'est jamais trop prudent de nos jours.

Il fallait bien en convenir. Rebus erra dans les rues en lui posant des questions. Elle regarda attentivement les photos, mais dut reconnaître que ce visage ne lui disait rien.

— On n'a personne comme ça par ici.

— Et le garçon ?

— Non, je regrette.

Elle lui rendit les photos. Rebus les échangea contre un des prospectus de Janice.

— Garde-le. À tout hasard, dit-il.

Quand il la redéposa sur son bout de bitume, il descendit de voiture et alla regarder le mur. Effectivement, il y avait des rangées de numéros griffonnés dans divers tons de rouge à lèvres, certains effacés par la pluie. Le sien était au pied de la dernière colonne. Il leva les yeux, fronça les sourcils. En haut se trouvait un numéro qu'il croyait reconnaître. D'où le tenait-il ?

Brusquement, ça lui revint. Il l'avait vu dans un dossier au commissariat de Leith. Leith, où Jim Margolies était en poste. Il était mentionné dans le dossier sur le suicide de Jim.

C'était sa plaque d'immatriculation.

— Qu'est-ce qu'il y a ? s'étonna Fern.

Rebus tapota le mur.

— Celui-là, il appartient à un certain Jim. Un flic.

Elle réfléchit un moment, puis fit un geste d'ignorance.

— Ce n'est pas l'un des miens, dit-elle. Mais c'est du rouge à lèvres orange.

— Alors ?

— Lesley a un code, sa façon de dire qui part avec quelle bagnole.

— Et quand c'est orange, c'est qui ?

— Ben, fit-elle, c'est pas qui, mais plutôt quoi. L'orange veut dire que ce type-là, qui qu'il soit, il les aimait jeunes…

Roy Frazer n'était pas seul à attendre Rebus au *Shore*. Assis à côté de lui dans la voiture se trouvait le Péquenot.

— Vous êtes venu en contrôle, monsieur ? demanda Rebus en grimpant à l'arrière.

Dès qu'il fut monté, Frazer descendit et ferma la portière derrière lui.

— Où étiez-vous fourré ? grogna le Péquenot. J'ai passé la moitié de la journée à essayer de vous mettre la main dessus. (Il tendit à Rebus les notes sur la filature du jour.) La première entrée, ordonna-t-il sèchement.

Rebus regarda. Bill Pryde indiquait qu'il prenait la relève derrière Rebus à 6 heures. Première ligne : « Cary Oakes rentre à l'hôtel à 7 h 45. »

— Ce qui signifie qu'il a quitté l'hôtel à un moment donné et que l'un de vous l'a raté.

— J'ai vu la lumière s'éteindre dans sa chambre, dit Rebus.

— Exactement, vous le signalez dans les notes.

— Autrement dit, il s'est éclipsé pendant ma planque ? grogna Rebus dont les ongles s'enfoncèrent dans ses paumes.

— Sinon, pendant la première heure de Bill Pryde.

— L'un ou l'autre. Mais on ne couvre que la façade de l'immeuble. Les points d'accès ne manquent pas à l'arrière.

Le Péquenot se tourna promptement vers lui.

— Ce n'est pas un problème d'accès, John. Notre problème, c'est qu'il semble capable d'aller et venir comme bon lui semble.

— Oui, monsieur. Mais une planque assurée par une seule personne…

— Ne sert strictement à rien si nous ne l'avons pas à l'œil.

— Je croyais que l'idée, c'était de l'asticoter pour qu'il sache qu'on pouvait lui compliquer la vie.

— Et avez-vous l'impression qu'on la lui complique, inspecteur ?

— Non, monsieur, convint Rebus. La question, c'est que s'il a trouvé le moyen de se faire la belle sans qu'on le remarque, pourquoi ne pas revenir de la même façon ?

— Parce que les portes à l'arrière ne s'ouvrent que de l'intérieur.

— C'est une possibilité, monsieur.

— Et l'autre ?

— Il se paie notre tête, il nous a couillonnés et il tient à ce qu'on le sache.

— Et qu'est-ce qu'il a fait pendant le temps où il est allé baguenauder ?

— Ça, monsieur, admit Rebus, je n'en sais rien. Pourquoi ne pas lui poser la question ?

Quand Frazer et le Péquenot furent repartis, Rebus décida de joindre le geste à la parole. Cary Oakes était au bar, juché sur un tabouret, et bavardait avec les deux barmen. Pas trace de Jim Stevens. Il y avait quelques consommateurs disséminés autour des tables, des hommes d'affaires qui parlaient bizness, même avec un verre dans le nez. Oakes invita Rebus à se joindre à lui et lui demanda ce qu'il buvait.

— Un whisky, dit-il.

— Faites votre choix, c'est M. Stevens qui régale. (Oakes se permit de glousser doucement, le menton rentré dans son col. Il avait l'air d'avoir une longueur d'avance, mais Rebus vit qu'il buvait du Coca.) Et si vous preniez quelque chose pour le faire couler ?

— Ça ira. Et je paie moi-même.

Ce n'était pas le choix qui manquait derrière le bar. Rebus en choisit un bien corsé, Laphroaig, avec une goutte d'eau pour en adoucir le feu. Cary Oakes voulut prendre la note, mais Rebus tint bon.

— Tchin-tchin, alors, dit Oakes en levant son verre.

— Vous êtes un joueur, vous aimez le jeu, hein ? demanda Rebus.

— Pas grand-chose d'autre à faire en taule, vous savez. J'ai appris les échecs.

— Je ne parlais pas de ce genre de jeux.

— Quel genre, alors ? fit Oakes, l'observant sous ses paupières mi-closes.

— Tenez, en ce moment même, vous jouez un numéro.

— Ah bon ?

— Celui du pilier de bistrot. Vous en faites trop, à raconter vos histoires au premier venu. (Il indiqua les barmen qui étaient partis à l'autre bout du comptoir pour laver les verres.) Vous aimez embobiner les gens.

— Vous pourriez passer à la télévision avec ce machin, non, vraiment. Vous avez un de ces flairs ! J'imagine que c'est nécessaire dans votre métier.

— Est-ce que Jim Stevens se laisse avoir ?

— Par quoi ?

— Les salades que vous lui servez. Quelle part de vérité dans tous vos bobards ?

Oakes plissa les paupières.

— À quel point tient-il à savoir la vérité, toute la vérité, d'après vous ? Si j'entrais dans les détails, vous croyez que son canard aurait assez d'estomac pour les publier ? (Il considéra Rebus d'un air grave.) Les gens ne peuvent accepter qu'une parcelle de vérité, John. (Il se pencha vers lui.) Vous voulez que je vous en parle à vous, John ? Vous voulez que je vous dise combien j'en ai vraiment tué ?

— Parlez-moi de Deirdre Campbell.

Oakes se redressa et sirota une gorgée de liquide.

— Ah, c'est important pour Alan, hein ? Sinon pourquoi serait-il venu au pas de course quand je l'ai appelé ?

— Il veut savoir la vérité. Toute la vérité.

— Vous avez peut-être raison. Et vous, John, que voulez-vous ? Qu'est-ce qui vous a fait venir au pas de course ? Tenez, je vais vous le dire... (Il se mit à l'aise sur son tabouret.) Le flic du matin m'a vu rentrer. Je n'étais pas sûr qu'il était réveillé. Bras croisés, la tête sur l'épaule. Je croyais qu'il somnolait. (Il fit claquer sa langue, l'air sévère.) Il m'a l'air de manquer un peu de conviction. Pour son boulot, voyez-vous, son job de policier. Il m'a l'air du genre à se la couler douce en attendant la retraite.

Ce qui résumait assez bien Bill Pryde, même si Rebus ne l'aurait jamais reconnu.

— Je pense que vous aussi, vous avez des problèmes avec votre boulot, mais pas les mêmes.

— Vous avez appris la psychologie de comptoir en même temps que les échecs.

— Faute de livres, j'ai commencé à étudier les gens.

— Vous avez tué Deirdre Campbell, n'est-ce pas ?

Oakes posa un doigt sur ses lèvres. Puis :

— Et vous, vous avez tué Gordon Reeve ?

Gordon Reeve, un autre fantôme. Une affaire qui remontait à des années-lumière... Jim Stevens avait encore déblatéré sur son compte.

— Dites-moi, c'est donnant-donnant avec Stevens ? Vous lui racontez une histoire, il vous en raconte une ?

— Oh ! c'est juste que je m'intéresse à vous.

— Alors sachez que j'ai tué Gordon Reeve.

— Vous en aviez l'intention ?

— Non.

— Vous en êtes certain ? Vous avez poignardé un dealer... et il est mort.

— Autodéfense.

— Oui, mais vous vouliez le tuer ?

— Parlons de vous, Oakes. Pourquoi avez-vous choisi Deirdre Campbell ?

Oakes grimaça un autre sourire forcé. Rebus aurait voulu lui arracher les lèvres.

— Vous voyez, John, comme c'est facile de jouer à ce petit jeu ? Des histoires, rien de plus. Qui remontent très loin, des choses qu'on croit pouvoir oublier. (Il se laissa glisser au pied de son tabouret.) Bon, je vais aller dans ma chambre maintenant, prendre un bon bain chaud, je pense, et après peut-être que je vais me payer un film à la télé. Je me ferai même monter un sandwich plus tard. Aimeriez-vous qu'on vous fasse livrer quelque chose dans votre caisse ?

— Je ne sais pas, c'est quoi, le menu ?

— Pas de menu, on commande ce qu'on veut.

— Alors je prendrai votre tête sur un plateau, sans garniture.

Cary Oakes rigolait en quittant le bar.

Il y avait quelqu'un dans la voiture.

En s'approchant, Rebus vit une silhouette assise à la place du passager. De plus près, il comprit que c'était Alan Archibald. Rebus ouvrit l'autre portière et grimpa.

— La voiture n'était pas fermée à clé, dit Archibald en matière d'excuse.

— En effet.

— J'ai pensé que vous n'y verriez pas d'inconvénient.

Rebus balaya la remarque d'un geste et alluma une cigarette.

— Vous lui avez parlé ? (Archibald connaissait la réponse.) Qu'est-ce qu'il a dit ?

— Il joue à tirer les ficelles, Alan. C'est un grand jeu, pour lui, rien d'autre.

— C'est ce qu'il vous a dit ?

— Il n'en a pas eu besoin. C'est ce qu'il fait. Stevens, vous, moi... c'est comme ça qu'il prend son pied.

— Vous vous trompez, John. J'ai vu comment il prenait son pied. (Il se pencha pour ramasser un dossier vert qu'il avait posé par terre.) J'ai pensé que vous aimeriez avoir de la lecture.

C'était le dossier d'Alan Archibald sur Cary Dennis Oakes.

Cary Oakes s'était rendu aux États-Unis avec un visa touristique. Sa biographie avant cette date était sommaire: un père mort quand il était petit, une mère souffrant de problèmes psychologiques. Cary était né à Nairn, où son père travaillait à l'entretien du green dans un des golfs du coin et sa mère comme femme de chambre dans un hôtel de la ville. Pour Rebus, Nairn était une station balnéaire balayée par les vents, le genre de destination en pleine déconfiture depuis que les vacances bon marché à l'étranger avaient prospéré.

Quand le père de Oakes était mort des suites d'une attaque, la mère avait fait une dépression nerveuse. Mise à la porte par ses employeurs, elle était descendue dans le sud avec son fils, pour s'arrêter finalement à Édimbourg, où elle avait une demi-sœur. Elles n'étaient pas très proches mais, faute de mieux, n'ayant pas d'autre famille, la mère et le fils s'étaient entassés dans une chambre de la maison de Gilmerton. Peu après, Cary avait commencé à fuguer. L'école avait informé sa mère que sa présence en classe était, au mieux, irrégulière. Il y avait des nuits et des week-ends où il ne se fatiguait même pas à rentrer à la maison. Sa mère n'était plus en mesure de s'en inquiéter et la demi-sœur de celle-ci préférait le savoir loin, puisque son mari avait carrément pris le garçon en grippe.

D'où venait l'argent qui avait payé son voyage aux États-Unis ? Alan Archibald avait creusé un peu et découvert une série d'agressions et de vols par effraction non élucidés à Édimbourg, qui s'arrêtèrent plus ou moins au moment du départ de Cary Oakes. Le mystère du meurtre de sa jeune nièce constituait un dossier en soi. Archibald avait interrogé la mère de Oakes et la demi-sœur de celle-ci (à présent toutes deux décédées), ainsi que le mari (toujours en vie et résidant dans un foyer à East Craigs). Ils ne se souvenaient de rien de particulier pour la nuit du meurtre, n'étaient même pas sûrs si Cary se trouvait dans les parages ce jour-là ou le lendemain.

Deirdre Campbell était sortie danser en ville pour finir dans un club au coin de Rose Street, à moins de vingt mètres de l'emplacement actuel du *Gaitano*. Elle avait été invitée par un inconnu pour les quatre ou cinq dernières danses. Elle l'avait présenté à ses amis. Elle n'aurait jamais dû se trouver là à la veille de ses examens. En effet, le club étant réservé aux plus de vingt et un ans, Deirdre était encore mineure. Le propriétaire avait eu des problèmes par la suite. « Si elle n'était pas venue ici, on l'aurait laissée rentrer ailleurs », avait-il dit pour sa défense. Ce qui était vrai. Le maquillage, le choix des vêtements et la coiffure pouvaient vieillir une adolescente d'une demi-douzaine d'années. Après le dancing, la petite bande était allée sur Lothian Road pour essayer de prolonger la soirée. Une pizzeria, puis des taxis. Deirdre préférait marcher. Elle habitait Dalry, ça ne lui prendrait que vingt minutes.

Les policiers avaient interrogé le jeune homme avec lequel elle avait été, celui avec qui elle avait dansé. Il lui avait demandé s'il pouvait la raccompagner, mais elle avait refusé. Comme il habitait très loin de Comiston, il avait accepté de partager un des taxis. Deirdre était partie à pied.

Pour finir assassinée à mi-hauteur de la côte. Dépouillée de ses vêtements, mais aucun signe de viol. Un coup sur la tête, puis étranglée.

Trois jours plus tard, Cary Oakes quittait l'Écosse, emportant avec lui un sac à dos et un fourre-tout. Aucun membre de sa famille ne savait où il était passé. Ils n'entendirent parler de lui que lorsqu'il fut arrêté, deux bons mois plus tard.

Personne ne s'était inquiété de contacter la police pour signaler sa disparition.

— Il avait l'âge de prendre ses propres décisions, avait déclaré l'oncle à Alan Archibald. Nous savions qu'il avait emporté des vêtements et des affaires. Nous nous sommes donc dit qu'il avait voulu changer d'horizon.

Archibald s'était servi des rapports de police et des pièces du procès pour reconstituer les pérégrinations de Cary Oakes aux États-Unis. De New York, il avait pris un bus partant vers l'ouest. À son procès, Oakes s'en était expliqué en ces termes : « C'était ce que faisaient les pionniers : ils partaient vers l'ouest. » Il passa une semaine à Chicago à sillonner la ville à pied et au moyen des transports publics. Puis, en auto-stop, il parvint à Minneapolis, où il décida qu'il avait besoin de se renflouer et il tenta sa chance. Après deux succès mineurs, il connut un sérieux revers. Il tomba sur une femme qui avait une bombe de gaz incapacitant dans la poche de son manteau et un crochet du gauche redoutable. Il quitta Minneapolis avec l'œil gauche enflé, le droit injecté de sang et qui lui cuisait. Il mangea dans des cafés pour routiers sur l'I-94, dépassa Fargo et Billings, et parvint jusqu'à Spokane avant que le manque de cash ne devienne trop pressant. Il fit alors deux ou trois fric-frac et essaya de négocier son maigre butin. Mais les brocanteurs, qui savaient reconnaître de loin le fruit d'un cambriolage, lui offrirent une maigre poignée de dollars et, quand il les insulta, ils appelèrent la police pour livrer son signalement.

S'étant habitué à dormir à la dure, il rencontra des personnages du même acabit que lui. Il monta une combine avec une petite bande de voleurs à la tire. Avec son « drôle d'accent », il détournait l'attention des employés pendant que les autres s'activaient discrètement. Déjà, il se vantait d'être un fugitif, qui avait trucidé quelqu'un chez lui en Écosse. Pas de détails, la revendication seule suffisant pour frimer. Tous les gens qui vivent dans la rue se cachent derrière un tissu de mensonges et d'inventions. Tous avaient connu la belle vie, tous avaient perdu la grâce.

À Spokane, il avait assassiné Dorothy Anne Wreiss, une divorcée de quarante-deux ans qui enseignait à la maternelle trois jours par semaine. Elle habitait un lotissement dans une banlieue tentaculaire. On pensait que Oakes l'avait repérée au centre commercial, l'avait suivie chez elle ou avait ratissé le quartier jusqu'à ce qu'il ait repéré son break garé dans l'allée.

On l'avait retrouvée dans sa cuisine, ses courses encore dans les sacs posés sur le comptoir de la cuisine. Ses deux chats dormaient, blottis dans son dos. On l'avait frappée avec une pierre, puis étranglée avec un torchon. On avait vidé son porte-monnaie ainsi que sa boîte à bijoux dans sa chambre. Le lendemain, Oakes avait tenté de vendre sa montre. Au procès, il avait déclaré qu'elle lui avait été donnée par un de ses amis de galère, qui s'appelait

Otis. Mais autour de lui, personne ne connaissait le dénommé Otis.

Il partit vers Seattle, où il séjourna plus d'une semaine. On avait essayé de lui coller un crime non élucidé : un homme laissé inconscient sur le parking du King Dome. Il avait été assommé et on lui avait volé sa voiture. Mort à l'hôpital des suites de ses blessures. On avait retrouvé le véhicule à Ballard, de même que Cary Oakes. Entre-temps, la police de plusieurs États avait commencé à s'intéresser aux faits et gestes du « marginal écossais » en cavale. Deux agressions graves à Chicago, un homosexuel notoire découvert mort dans sa voiture dans le quartier de La Grange. Une femme agressée et laissée pour morte dans un centre commercial aux abords de Bloomington, près de Minneapolis. La mort d'une femme de soixante-dix-huit ans après le cambriolage de sa maison à Tacoma, dans l'État de Washington. Tantôt les policiers obtenaient un signalement de la part de quelqu'un qui se trouvait sur les lieux ou à proximité, tantôt ils n'avaient que le mode opératoire. Aucune empreinte, aucune identification formelle de Cary Oakes.

Pour finir, il y eut le meurtre d'un autre homosexuel : Willis Chadaran, âgé de soixante ans. L'agression avait eu lieu dans la chambre principale de son domicile à Bellevue. Une lourde statuette, que Chadaran avait gagnée pour le montage d'un documentaire en 1982, avait servi d'arme à l'assassin. Il avait fait un véritable massacre, avant d'achever sa victime avec la ceinture de son *yakuta* en soie rouge. On releva les empreintes digitales de Cary Oakes sur la tête de lit. Quand on l'eut arrêté et qu'on le mit devant le relevé décadactylaire, il reconnut être allé chez Chadaran, mais nia l'avoir tué. Les inspecteurs demandèrent comment ses empreintes s'étaient retrouvées sur le bois du lit, et Oakes s'en tira en prétendant qu'il s'était introduit dans la chambre pour cambrioler, alors peut-être avait-il touché à quelque chose.

Il fut finalement arrêté à Pike Place Market. Les marchands avaient signalé qu'il semblait sur le point de piquer quelque chose. Les policiers lui avaient demandé ses papiers et il avait présenté son passeport, avec un visa de touriste périmé, puis il avait filé. Ils l'avaient rattrapé, coffré, et, là, quelqu'un avait fait le rapport avec divers signalements diffusés dans les commissariats des quatre coins du pays.

Au procès, le procureur n'y était pas allé par quatre chemins.

« Voici un homme pour qui le meurtre bestial est devenu un mode de vie, un lieu commun. S'il a besoin de quelque chose, s'il désire, s'il convoite quelque chose... il tue pour l'avoir. Il nous voit tous comme des victimes potentielles. Nous ne sommes pas pour lui ses semblables, il a cessé de penser à nous en ces termes, les termes par lesquels notre société s'organise et qui font sa valeur, les termes sans lesquels nous ne saurions nous prétendre des êtres *civilisés*. Son âme s'est flétrie au point de n'être pas plus grosse qu'une noix, peut-être moins encore. Mesdames et messieurs les jurés, Cary Oakes s'est mis de lui-même en marge de notre société, de nos lois, de notre civilisation, et il doit en payer le prix. »

Le prix étant deux condamnations à perpétuité.

Rebus reposa le dossier.

— Des tas de présomptions, dit-il, songeur.

— Mais tout se recoupe. Plus qu'il n'en faut pour entamer une procédure.

— Sans doute, convint Rebus. Mais je vois où il a

trouvé les failles. (Il tapota le dossier en pensant au récapitulatif du procureur.) Je me demande quelle taille fait normalement une âme… (Il se tourna vers Archibald.) Il nous fait marcher, c'est un grand jeu pour lui.

— Je le sais. Le blabla que publie le journal de Jim Stevens… Oakes les mène en bateau.

— Il a essayé de me faire croire qu'une de ses victimes avait l'âge de ma fille. Personne là-dedans ne correspond.

— Votre fille a dans les vingt-cinq ans, Deirdre en avait dix-huit, répondit Alan Archibald, le regard perdu dans le lointain. Peut-être y en a-t-il eu d'autres dont nous ne savons rien.

Oui, songea Rebus, *à moins que ce ne soit encore un mensonge.*

— Alors que comptez-vous faire ? demanda-t-il.

— Le garder à l'œil.

— Et entrer dans son jeu, vous laisser manipuler ?

— Je ne vois pas les choses comme ça.

— Je le sais bien et c'est ce qui m'inquiète.

— Ce n'était pas votre nièce à vous, lâcha le vieux policier d'une voix rauque.

Rebus regarda Alan Archibald dans les yeux : il y lut le courage et le cran, la vitalité qu'il avait su conserver durant toutes ses années de travail et dont il n'était pas près de se défaire.

— Comment puis-je vous aider ?

— Qu'est-ce qui vous fait croire que je veux de l'aide ?

— Parce que vous êtes revenu ce soir. Pas pour lui parler, mais pour me voir.

— Je vous connais un peu, John, remarqua Archibald, radouci. Je sais que nous ne sommes pas très différents l'un de l'autre.

— Alors, comment puis-je vous aider ?
— Aidez-moi à le faire venir à Hillend.
— Qu'est-ce que vous espérez en tirer ?
— Il a pris la fuite, John. Il a fui le lieu du crime, il a fui le plus loin possible de ce souvenir. Ramenez-le là-bas, sur les lieux de son premier meurtre... Tout pourrait ressortir alors, la terreur, les doutes. Je crois que tout commencerait à s'éclaircir.
— Est-ce ce que nous voulons ? insista Rebus, qui songeait : *Il va récidiver...*
— C'est ce que je veux, moi. J'ai juste besoin de savoir si je peux compter sur vous.
Rebus frotta ses mains sur le volant.
— J'ai besoin d'y réfléchir.
— Très bien, mais ne tardez pas trop. J'ai l'impression que vous avez besoin de ça autant que moi.
Décontenancé, Rebus le regarda.
— La foi ne suffit pas toujours à la longue, poursuivit Archibald. De temps à autre, on a besoin de plus.

22

Au bout d'une bonne heure de conversation, Archibald partit se chercher un taxi. Il avait évoqué sa nièce, ses souvenirs, et raconté comment le meurtre avait éprouvé la famille.

— Nous nous sommes désagrégés, dit-il. Si lentement que je doute que quelqu'un s'en soit rendu compte. Nous nous sentions fautifs quand nous nous retrouvions, comme si nous avions quelque chose à nous reprocher. Parce que quand nous étions ensemble, nous n'avions qu'une idée en tête et nous ne voulions pas en parler.

Il avait également décrit son travail sur l'affaire. Des semaines passées dans les archives de la police, des mois à reconstituer le passé de Cary Oakes, son voyage aux États-Unis.

— Ça a dû vous coûter un max, dit Rebus.

— Mais ça valait le coup, John.

Rebus n'avait pas précisé qu'il ne pensait pas à l'argent. Il savait la force d'une obsession, comment cela vous dépouille, vous vide de tout. Il avait reçu un puzzle à Noël quand Sammy était petite. Il avait débarrassé la table et s'était mis au travail, y était resté tard dans la nuit alors qu'il savait quel dessin il reconstituait. Il le savait parce qu'il était déjà sous son nez, sur le couvercle de la boîte. Sauf qu'il s'efforçait de ne pas regarder, il voulait le terminer sans aide.

Et il avait manqué une pièce. Il avait demandé à Rhona, interrogé Sammy : l'avait-elle prise ? Rhona avait suggéré qu'elle n'était peut-être pas dans la boîte au départ, mais il avait refusé d'y croire. Il avait démonté le canapé et les fauteuils, exploré chaque centimètre carré de la pièce, puis le reste de l'appartement. Juste pour le cas où Sammy l'aurait mise ailleurs. Il ne l'avait jamais retrouvée. Des années plus tard, il lui arrivait encore de se demander si le morceau n'avait pas glissé entre les lattes de parquet, ou sous une plinthe, ou...

Une enquête de police pouvait avoir le même effet si on n'y prenait garde. Des affaires non élucidées, des questions qui vous tracassent, des gens dont on sait qu'ils sont coupables mais sans pouvoir les inculper. Il avait eu plus que son content de tout cela. Mais pour finir, il tournait la page, même si cela voulait dire boire pour oublier. Alan Archibald ne semblait pas capable de jeter l'éponge. Il avait l'impression que même si Oakes avait été innocenté, Archibald aurait continué à le croire coupable. C'était ça, l'obsession.

Seul avec ses pensées, Rebus plongea la main dans sa poche pour en extraire sa flasque de whisky, qu'il vida d'un trait.

Innocenté... Il pensa à Darren Rough, bouclé à double tour dans ses toilettes, tremblant de peur. Simplement parce que les services sociaux avaient eu le mauvais goût de le loger au-dessus d'un jardin de jeux. Et parce que John Rebus avait collé sur les épaules de Rough les péchés des autres. Les péchés des hommes qui avaient eux-mêmes maltraité Rough.

Rebus se frotta les yeux. Il n'était pas rare qu'il

sente peser sur lui le poids de la faute. Il portait en lui la mort de Jack Morton. Mais quelque chose avait changé. Dans le passé, Darren Rough ne l'aurait guère préoccupé. Il se serait dit que Rough méritait son sort du simple fait qu'il était ce qu'il était. Mais si on remontait plus loin... si on remontait au flic qu'il avait été dans ses débuts, il n'aurait jamais livré Rough aux torchons de presse. Peut-être que Mairie Henderson avait raison : quelque chose déconnait chez lui.

L'acharnement, la persévérance d'Alan Archibald l'épataient, mais admettons qu'il se soit trompé ? Continuerait-il à pourchasser Cary Oakes ? S'en tiendrait-il à cette chasse à l'homme ou ferait-il justice lui-même ? Rebus leva les yeux vers le ciel nocturne.

C'est d'un compliqué, ici-bas, n'est-ce pas, Grand Chef ?

Il se demanda à quoi servait la surveillance. Oakes semblait la tourner à son avantage, il allait et venait à sa guise sans oublier de le leur faire savoir. Il prenait plaisir à les ridiculiser. Rebus ferma les yeux et écouta les messages sur la fréquence radio de la police, tandis que Damon Mee lui revenait en tête. Il se cassait les dents. Le bateau semblait être une autre impasse. Damon s'était fait la belle, avait faussé compagnie à la vie. L'idée de Damon le ramena à Janice et, de là, à l'époque du lycée, quand tout avait commencé à se compliquer dans sa vie.

Un jour, Alec Chisholm avait disparu et on ne l'avait jamais retrouvé.

Rebus était retourné au lycée après le bal parce qu'il voulait parler à Mitch. Janice l'avait mis K.O., une bande avait attaqué Mitch. Et brusquement la vie de Rebus avait basculé.

Un bruit le sortit de sa rêverie. Cela semblait venir de l'arrière de l'hôtel. Il décida d'aller y voir de plus près. Le parking et l'entrée de service étaient dans le noir, mais il balaya l'endroit avec sa torche et regarda les fenêtres de l'hôtel. L'une d'elles était ouverte et les rideaux claquaient dans le vent. Rebus ramena sa lampe vers le bas en faisant un arc de cercle et le rayon atterrit sur le toit d'un box, accolé à deux autres identiques. Ils étaient séparés du terrain de l'hôtel par un mur. Rebus se hissa dessus et sauta de l'autre côté. Une allée étroite, des flaques et des détritus sous ses pieds. Aucun signe de vie, mais des empreintes de pas dans la boue. Il suivit le chemin, qui le conduisit derrière un bâtiment d'usine et un immeuble d'habitation, avant qu'il n'atteigne Bernard Street, une artère très fréquentée. Les voitures des noctambules et les taxis attendaient aux feux, tandis que les pochards rentraient chez eux d'un pas chancelant. Un homme exécutait une danse élaborée en faisant son propre arrangement musical. La femme qui l'accompagnait le trouvait tordant. Can, *Tango Wiskyman*[1].

Pas trace de Cary Oakes, rien, mais Rebus le sentait dans l'ombre. Il suivit les empreintes de pas, s'arrêta à la hauteur d'une benne de détritus se trouvant devant l'entrée de service, prit la bouteille vide dans sa poche et la jeta dedans.

Sa tête fut projetée en avant quand le coup le frappa par-derrière. Sous la douleur fulgurante, il ferma les yeux en serrant les paupières. Il leva la main et se tourna à demi. Un second coup l'étendit raide.

Il faisait un noir d'encre et, quand il bougea, il y eut un sourd écho métallique.

Et une odeur.

1. « Tango du buveur de whisky. »

Il était couché sur quelque chose de mou. Des voix au-dessus de lui, puis une lumière éblouissante.

— Ben dis donc !

Une seconde voix, amusée :

— Alors on cuve, monsieur ?

Rebus se protégea les yeux pour regarder en haut de la paroi abrupte. Deux têtes passaient par-dessus le rebord. Il releva les genoux et glissa en essayant de se relever. Ses mains picotaient. La tête vibrait de douleur.

Il était... bon, il savait où il était. Dans une benne à ordures, celle qui se trouvait derrière l'hôtel. Des cartons humides sous lui et Dieu sait quoi d'autre. Des mains l'aidèrent à se remettre debout.

— Venez, monsieur... Essayez de...

La voix s'éteignit quand la torche rencontra son visage. Deux uniformes, appartenant sans doute au poste de Leith. Et l'un d'eux le reconnut.

— Inspecteur principal Rebus ?

Rebus, débraillé, l'haleine empestant le whisky, qu'on retirait d'une benne à ordures. Censé être en planque. Il savait de quoi il avait l'air.

— Ah ! la vache, monsieur, que vous est-il arrivé ?

— Écartez cette torche de ma figure, petit.

Les visages étaient des ombres pour lui, impossible de dire s'il les connaissait. Il demanda l'heure et évalua qu'il n'avait dû rester inconscient que dix minutes, un quart d'heure au plus.

— On a reçu un appel d'un téléphone public sur Bernard Street, expliqua un des agents. Pour dire qu'il y avait une bagarre derrière l'hôtel.

Rebus examina le dos de sa tête : pas de sang sur sa paume. Les mains lui brûlaient. Il se frotta les doigts. Il eut mal en les touchant, les leva vers la lumière. Un des policiers siffla doucement.

Ses articulations étaient écorchées, meurtries, à vif. Deux jointures paraissaient enflées.

— En tout cas, vous l'avez corrigé, il a eu son compte, on peut dire, assura l'un des policiers.

Rebus examina les égratignures. Comme s'il avait boxé contre du ciment.

— Je n'ai cogné personne, dit-il.

Les policiers échangèrent un regard.

— Si vous le dites, monsieur.

— J'imagine que c'est trop vous demander que de garder ça pour vous.

— Muets comme la tombe, monsieur.

Un mensonge éhonté. Allez demander un service à des agents en tenue !

— On peut faire autre chose, monsieur ?

Rebus voulut secouer la tête, mais il sentit une vague de nausée quand la douleur s'abattit sur lui. Il se stabilisa en posant une main sur la benne.

— Ma voiture est au coin, articula-t-il, la voix crispée.

— Vous aurez besoin d'une douche en rentrant.

— Merci, Sherlock.

— C'était juste pour rendre service, marmonna l'autre.

Rebus fit lentement le tour du bâtiment. La réceptionniste parut sur le point d'appeler le vigile, mais se calma quand Rebus sortit sa plaque et lui demanda de sonner la chambre de Oakes. Pas de réponse.

— Y a-t-il autre chose, monsieur ?

Rebus regarda dans son portefeuille. Ses cartes s'y trouvaient toujours, mais le liquide s'était envolé.

— Vous avez une idée d'où se trouve M. Oakes ? demanda-t-il.

— Je ne l'ai pas vu sortir, répondit-elle.

Il la remercia. Il se dirigea vers un canapé et se laissa tomber dessus. Un peu plus tard, il demanda une aspirine. Quand elle la lui apporta, elle dut le secouer par l'épaule pour le réveiller.

Il rentra chez Patience. Merde pour la surveillance. De toute façon, Oakes n'était plus dans sa chambre, il était lâché dans les rues et Rebus avait besoin de se changer, de prendre une bonne douche plus quelques calmants supplémentaires. Comme il franchissait la porte en chancelant, Patience apparut tout ensommeillée dans l'entrée, clignant des yeux. Il leva les deux mains pour la calmer.

— Ce n'est pas ce que tu crois, dit-il.

Elle s'approcha, lui prit les mains et examina les endroits enflés.

— Explique-moi, dit-elle.

Ce qu'il fit.

Allongé dans la baignoire, une compresse froide sous l'arrière du crâne, confectionnée avec les moyens du bord, c'est-à-dire un sac à congélation, des glaçons et un bandage. À présent, elle lui enduisait les mains d'une crème antiseptique après avoir nettoyé les plaies et vérifié qu'il n'avait rien de cassé.

— Ce Oakes, dit-elle. Je ne comprends toujours pas pourquoi il a fait ça.

Rebus arrangea le sac de glaçons.

— Pour m'humilier. Il a fait en sorte que des bleus me retrouvent inconscient dans une benne à ordures.

— Ah oui ? dit-elle en ajoutant encore un peu de pommade.

— Les articulations meurtries comme si je m'étais bagarré. Et que mon adversaire m'avait flanqué une raclée. Se retrouver comme ça derrière l'hôtel, il n'y en a qu'un à qui ça puisse arriver. Demain matin, l'histoire aura fait le tour de tous les commissariats de la ville.

— Pourquoi ferait-il ça ?
— Pour me montrer de quoi il est capable. Pourquoi, sinon ?
Il essaya de ne pas broncher pendant qu'elle faisait pénétrer la crème dans une écorchure.
— Je ne sais pas. Peut-être pour distraire ton attention.
Il la regarda, interloqué.
— De quoi ?
— Comment le saurais-je ? poursuivit-elle en faisant la moue. C'est toi l'inspecteur, pas moi. (Elle examina son travail.) Il faut que je te mette un pansement.
— Tant que je peux conduire...
— John..., insista-t-elle, sachant déjà qu'il ne l'écouterait pas.
— Patience, si je me balade les mains emballées comme celles d'une momie, il aura gagné le premier round.
— Pas si tu refuses d'entrer dans son jeu.
Il vit l'inquiétude dans ses yeux et lui effleura la joue du dos de sa main. Il vit Janice accomplir le même geste et retira sa main, mal à l'aise.
— Tu as mal ? demanda-t-elle en se méprenant.
Il hocha la tête sans oser parler. Plus tard, il s'assit sur le canapé avec une tasse de thé léger. Il avait avalé deux autres analgésiques, plus costauds. Ses vêtements souillés étaient enfermés dans un sac-poubelle noir, prêts à partir chez le teinturier. Dommage qu'on ne puisse pas expédier en même temps ses pensées sales au pressing.
Quand son portable grésilla, il le regarda avec insistance. Il était posé sur la table basse devant lui, avec ses clés et sa monnaie. Patience se tenait dans l'entrée quand il se décida enfin à répondre. Elle avait un petit sourire aux lèvres, mais aucune gaieté

dans les yeux. Elle savait bien qu'il finirait par répondre.

Cal Brady se sentait plutôt bien en rentrant du *Guiser*. Ça dura dix secondes, pas plus. À peine affalé sur son lit, le pédé lui revint en mémoire. Sa mère était dans sa chambre à coucher avec un mec. Les murs étaient si minces qu'ils auraient pu aussi bien s'envoyer en l'air devant lui. Tous les appartements étaient comme ça, de sorte que les choses qu'on voulait garder pour soi devaient se faire en silence. Il colla son oreille contre un mur, puis contre un autre : sa mère et son jules, et deux chaînes de télévision. Jamie était donc réveillé et regardait la télé dans le séjour, tandis que la télévision portative marchait dans la chambre de sa mère dans l'espoir de masquer plus ou moins les autres bruits. Il colla son oreille sur le sol. Là aussi, il entendait tout, plus les déplacements des voisins, leurs toux et leurs voix. Il avait récemment consulté un médecin pour savoir si ses oreilles étaient plus sensibles que la moyenne.

— Je n'arrête pas d'entendre des choses que je ne veux pas entendre.

Quand il avait expliqué qu'il habitait dans une des tours de Greenfield, le docteur lui avait conseillé un walkman.

Mais c'était pareil dans la rue. Il captait des bribes de conversation, des choses qu'il n'était pas censé entendre. Parfois il avait l'impression que ça empirait, qu'il entendait les battements de cœur des passants, la circulation sanguine dans leur corps. Il croyait entendre leurs pensées. Comme au *Guiser*, quand des filles le regardaient et qu'il leur souriait. Elles pensaient : même s'il ne paie pas de mine, puisqu'il est avec Archie Frost, c'est quelqu'un d'important. Elles pensaient : si je danse avec lui et qu'il m'offre un verre, je serai plus proche du *pouvoir*.

C'était pourquoi il évitait de bouger, il se contentait de rester collé au bar en jouant les types cool et peu loquaces. Mais il écoutait, il écoutait toujours. Il entendait des choses... Des trucs sur le Charmeur, des trucs sur les clients, sur les clientes. Ama Petrie, par exemple, son frère et le reste de la bande. Sa version à lui du *pouvoir*.

La boîte était tranquille, ce soir-là. Sans un car entier venu de Tranent, l'endroit aurait été désert. Ils n'avaient pas eu l'air très impressionnés, ils dansaient entre eux. Archie doutait qu'ils reviennent. D'ailleurs, il s'était déjà mis en quête d'un autre job et ce n'était pas les clubs qui manquaient à Édimbourg. Cal n'avait pas encore commencé à chercher. Cal était quelqu'un de réglo.

— Je sais que le Charmeur essaie de se faire rembourser son pognon, avait dit Archie, mais le problème, c'est que lui aussi a des dettes. C'est seulement une question de temps avant qu'on vienne le lui réclamer...

Cal avait redressé le dos comme pour dire : cool.

Il voulait prendre le temps de réfléchir, de mettre de l'ordre dans ses pensées, et c'est pourquoi il était retourné dans sa chambre au lieu d'aller s'asseoir avec Jamie. Mais avant même qu'il ait regagné son sanctuaire, Darren Rough avait ressurgi dans son esprit. Le mur du couloir disparaissait à moitié sous les panneaux, qui sentaient encore la peinture fraîche. On avait découpé des cartons et écrit des messages sur les faces vierges : À BAS LES MONSTRES. NE TOUCHEZ PAS À NOS ENFANTS. PENDONS LES PÉDÉS.

À bas les monstres, songeait Cal en fumant une cigarette, allongé sur son lit. Il se leva brutalement et tambourina contre le mur du fond.

— Vous allez pas la boucler, espèces d'enculés ?

Le silence, puis un gloussement étouffé. Pendant un moment, Cal fut sur le point de leur foncer dessus, mais il connaissait trop bien la réaction de sa mère. En outre, la dernière chose qu'il voulait, c'était la voir comme ça.

À bas les monstres.

Un coup de sonnette. Qui ça pouvait bien être à une heure pareille, bon sang ? Cal alla voir. Il reconnut la femme, une voisine, elle était dans tous ses états, se frottant les mains comme si elle faisait la lessive.

— Vous n'avez pas vu mon Billy, par hasard ?

C'était Joanna Horman, la mère de Billy, un des copains de Jamie. Cal appela ce dernier, qui sortit de la salle de séjour.

— T'as pas vu Billy Boy ? demanda Cal.

Jamie secoua la tête. Il tenait un sachet de chips à la main. Cal se retourna vers Joanna Horman. Certains de ses copains la trouvaient pas mal. Pour l'instant, en tout cas, elle avait l'air complètement défait.

— Qu'est-ce qu'il y a ? demanda-t-il.

— Il est sorti jouer vers sept heures et je ne l'ai pas revu depuis. Je croyais qu'il était peut-être allé chez sa mamie, mais j'ai vérifié et elle ne l'a pas vu de la journée.

— Je viens de rentrer. Attendez une minute. (Il alla cogner à la porte de Van. Une bonne excuse pour interrompre les ébats.) Eh, m'man, est-ce que Billy Horman est venu ici ce soir ?

Des bruits lui parvinrent de l'autre côté de la porte. Joanna Horman, appuyée au chambranle, avait l'air sur le point de tomber. Pas mal fichue, songea Cal. Un peu mollasse, mais il n'aimait pas les sacs d'os. La chambre de sa mère s'ouvrit. Van portait sa robe, qu'elle arrangeait en marchant. Rien en dessous, visiblement. Elle referma promptement la porte sur ses talons. Impossible de savoir qui était avec elle.

— Il y a un problème, Joanna ? demanda-t-elle en se postant devant Cal comme s'il n'existait pas.

— C'est notre petit Billy, Van. Il a disparu.

— Seigneur ! Venez dans la salle de séjour.

— Je ne sais pas quoi faire.

— Où l'avez-vous cherché ?

Cal suivit les deux femmes dans la pièce.

— Partout. Je pense qu'il est temps que j'appelle la police.

— Ben voyons ! grogna-t-elle. Ils seront là en un éclair. La seule chose qui intéresse ces connards, c'est de protéger ces détraqués...

Sa voix faiblit. Pour la première fois, elle regardait son fils. Ils se connaissaient si bien que les mots étaient inutiles.

— Écoutez, mon petit, dit Van avec calme. Restez ici. Je vais rassembler les troupes. Si votre Billy est dans le lotissement, on le retrouvera, vous en faites pas.

En une demi-heure, Van Brady organisa les recherches. Des gens allaient de porte en porte pour poser des questions, recruter de nouveaux volontaires. On avait expédié Jamie au lit, mais il ne dormait pas, et Joanna Horman était dans la salle de séjour avec un verre de Coca additionné de rhum. Cal avait proposé de s'occuper d'elle. Elle était sur le canapé, lui dans le fauteuil, et il ne savait pas quoi lui dire. D'habitude il n'était pas du genre muet. Son chagrin, qui la rendait languide, le faisait bander. Mais il eut honte de se laisser émouvoir par sa présence, et la tête lui tourna comme après avoir trop bu ou pris des amphéts.

Il se leva et poussa la porte de la chambre de son frère.

— Eh, toi, debout, viens t'occuper de la maman de Billy. Faut que j'y aille.

Il ouvrit la porte du palier et prit le couloir, descendit l'escalier et sortit dans la nuit. Il y avait des garages en face. Il avait la clé de l'un d'eux, où il stockait des affaires. C'était le box de Jerry Langham, mais Jerry purgeait trois à cinq ans à Soughton et il lui restait encore six mois à tirer avant qu'il ait droit à un semblant de remise de peine. Sa voiture était garée dans le box. C'était une Mercedes des années soixante-dix, avec les marchepieds rouillés et une couche de peinture caca d'oie, mais Jerry l'adorait.

— Je ne mets pas ma bourgeoise sous clé, mais pas question que je laisse un con mettre la main sur ma Mercedes.

Ça se voulait un avertissement : sers-toi du box autant que tu veux, rince-toi l'œil avec le moteur, mais pas touche. Encore que Cal n'en avait rien à cirer. Il lui arrivait d'ouvrir la voiture et de s'y asseoir, en faisant comme s'il la conduisait. Il avait ouvert le capot une fois aussi, de sorte qu'il savait ce qui se trouvait dessous.

Il mit la clé dans la serrure, souleva un jerrycan et le secoua. Il était presque à moitié vide. L'évaporation, sans doute. L'essence, ça doit s'évaporer. Sur des rayonnages, il trouva des chiffons graisseux, qu'il fourra dans ses poches. Il était paré.

De retour dans l'immeuble, il grimpa les marches quatre à quatre. Il avait un but maintenant, le jerrycan clapotait avec un bruit sourd contre sa jambe. Si on fermait les yeux, on pouvait presque se croire à la plage. Il se faufila jusqu'à l'appartement de Darren Rough. Des planches obstruaient la fenêtre.

Les gamins avaient fait largement usage de leurs bombes. Le GAP était déjà venu en délégation ce soir-là. Pas de réponse, personne à la maison. Cal déboucha le bidon, le leva pour faire dégouliner l'essence sur toute la longueur de la fenêtre condamnée, puis sur la porte. Il prit une boule de chiffons dans sa poche qu'il imbiba de liquide avant de la glisser dans un étroit interstice entre le bois et le mur. Puis un autre, et un autre encore. Il balança le bidon vide par-dessus le balcon — il s'en voulut ensuite. D'abord, il y avait des empreintes dessus. Et Jerry risquait de le réclamer. Il irait le récupérer dans une minute.

Il sortit son briquet, celui que Jamie lui avait offert pour Noël. Jamie... Ce qu'il faisait, c'était pour Jamie et ses copains, pour tous les gosses du quartier. Jamie était intelligent. D'accord, il n'aimait pas l'école, mais qui aimait ça ? Ça ne le rendait pas plus bête pour autant. Il pourrait voyager, faire ce qu'il voudrait de sa vie. Deux ou trois fois où il avait picolé, Cal avait essayé de le lui expliquer. Il avait l'impression de ne pas avoir réussi à se faire comprendre, comme s'il avait été jaloux. Après tout, il l'était peut-être, un peu. Un gamin comme Jamie, il avait le monde à ses pieds. Cal regarda le briquet. Autre chose à propos de son petit frère : c'était un véritable artiste du vol à la tire.

23

Quand Rebus arriva à Greenfield, la moitié du lotissement regardait l'incendie — ou ce qu'il en restait.

Il reconnut Eddie Dickson, un des pompiers. Celui-ci lui adressa un signe de tête pour le saluer. Il était en grand uniforme et montait la garde auprès de sa machine.

— Si je bouge, ils vont grimper partout. (Autrement dit les gosses du quartier, et autrement dit aussi : ils vont piquer tout ce qui leur tombera sous la main.) On s'est fait refouler en arrivant.

— Par qui ?

— Allez savoir, fit-il en haussant les épaules. Ils ont foncé sur nous sans prévenir. Ça craint. J'ai l'impression qu'on n'est pas les bienvenus.

Des agents en uniforme de St Leonard essayaient de renvoyer les badauds au lit.

— Des blessés ?

— À cause des jets de bouteilles, vous voulez dire ?

— Non, répliqua Rebus en le regardant fixement, le doigt pointé en direction de l'appartement de Darren Rough. Je veux dire là-haut.

— L'endroit était vide quand on est arrivé.

— La porte ouverte ?

Dickson se gratta la joue.

— Ben, on a dû casser ce qui en restait. Un acte de malveillance, d'après vous ?

— Vous ne lisez pas les journaux, on dirait ?

— Quand j'aurais le temps, John ?

— C'est l'appartement d'un pédophile.

— Ah ouais... Je m'en souviens maintenant. Griller, c'est encore une mort trop douce pour eux, pas vrai ?

Rebus le laissa à sa surveillance et se dirigea vers Cragside Court. Le policier dans l'entrée lui dit de ne pas essayer les ascenseurs.

— L'un est nase, l'autre sert de toilettes publiques.

De toute façon, Rebus avait eu l'intention de prendre l'escalier. Il ne restait rien des planches qui fermaient la fenêtre de Rough à part des bouts calcinés pendus aux vis. La porte aussi avait brûlé. L'inspecteur Grant Hood se tenait dans le vestibule. Rebus poussa du pied la porte des toilettes. Personne.

— Votre copain, dit Hood.

Il était jeune, intelligent. Un supporter acharné des Glasgow Rangers, mais nul n'est parfait.

— Ce n'était pas moi, répliqua Rebus. Mais merci de m'avoir prévenu.

— J'ai pensé que ça vous intéresserait. (Il remarqua les mains bandées de Rebus.) Vous avez eu un accident, on dirait ?

Rebus fit semblant de ne pas comprendre.

— Sauf que ça, ce n'est pas un accident, n'est-ce pas ?

— Des bouts de chiffon qui pendent dans l'encadrement de la fenêtre. De l'essence renversée dans le passage...

— Aucun signe de l'occupant ?

— Pas l'ombre. Une idée ? s'enquit Hood.

— Regardez autour de vous, Grant. C'est le Far West ici. Ils en sont tous capables. (Il avait franchi de nouveau ce qui restait de la porte et se penchait par le balcon.) Mais si c'était moi, je poserais des questions à Van Brady et à son fils aîné.

Hood griffonna les noms.

— Je suppose que M. Rough ne va pas revenir.

— Sans doute pas, répondit Rebus.

Ce qui avait été le but depuis le départ. Mais maintenant qu'il obtenait ce qu'il voulait, Rebus se demanda pourquoi il se sentait aussi écœuré... Les paroles de Jane Barbour lui revinrent : peu de risque de récidive... et lui-même victime de maltraitance dans son enfance... Il faut lui donner une chance.

Puis il aperçut Cal Brady en bas au milieu de la foule qui se dispersait. Il était complètement habillé, comme s'il n'était pas encore couché. Rebus redescendit l'escalier quatre à quatre. Cal distribuait des badges du GAP à quiconque n'en avait pas. Les femmes avec des manteaux jetés sur leurs chemises de nuit les prenaient. Cal collait chaque sigle à sa place avec un soin exagéré, ce qui en faisait rougir certaines, qui n'étaient pas exactement des vierges effarouchées.

— Ça gaze, Cal ? l'interpella Rebus.

Cal se retourna pour voir qui lui parlait, enleva la pellicule d'un autocollant et le lui plaqua sur le blouson.

— J'espère que vous êtes des nôtres, inspecteur.

Rebus voulut décoller le papier. Cal avança une main pour l'arrêter et Rebus en profita pour la prendre et la porter à son nez. Cal recula promptement, mais pas assez.

— L'eau et le savon sont généralement recommandés dans ces cas-là, remarqua Rebus.

— Je n'ai rien fait.
— Tu pues l'essence.
— Non coupable, Votre Honneur.
— Je n'ai pas de préjugé, Cal...
— Ce n'est pas ce qu'on dit.
— Mais dans ton cas, je vais faire une exception, écoute mon conseil. (À qui Cal avait-il parlé ? Qui lui avait parlé de Rebus ?) L'inspecteur Hood va vouloir te poser quelques questions. Sois gentil avec lui.
— Je vous encule, tous autant que vous êtes.
— Tu crois que ta bite est assez longue pour ça ?
Envoyé avec le sourire.
Cal le fixa longuement, puis il partit d'un grand éclat de rire.
— Vous êtes un vrai clown, vous. Je vous vois très bien au cirque.
— Et toi, Cal, tu te prends pour qui ? Monsieur Loyal ? (Rebus agita un index.) Non, petit, tu fais ton numéro pour celui qui tient le fouet. Que ce soit ta maman ou Charmeur Mackenzie, ajouta-t-il en tournant les talons.
— Qu'est-ce que vous voulez dire ?
— Tu travailles pour lui, non ?
— En quoi ça vous regarde ?
Rebus se contenta de hausser les épaules et partit rejoindre sa voiture. Il était garé juste à côté de la voiture des pompiers. Il ne voulait pas prendre de risques.
— Eh, John, l'apostropha Eddie Dickson. Ça sera au poil, non ?
— Quoi ?
— Quand ils vont bâtir le Parlement. Juste à côté de ça, ajouta-t-il avec un geste embrassant la scène.
Rebus leva les yeux et vit la forme sombre de Salisbury Crags. Une fois de plus, il eut l'impression

d'être au fond d'une gorge dont les parois lisses ne laissaient aucune chance d'évasion. Vous vous mettiez les doigts en sang à force d'essayer.

C'était ça ou les mains dans le cambouis.

Hood arriva en courant alors que Rebus pliait et dépliait les doigts.

— Je crois qu'on a un problème.

— Ce serait un miracle si on n'en avait pas.

— Il y a un gamin qui a disparu. Ils ne voulaient même pas nous le dire.

Rebus réfléchit.

— C'est la DUI, annonça-t-il. (Puis, devant l'air médusé de Hood, il précisa :) Une « déclaration unilatérale d'indépendance », fiston. Bon, qui a craché le morceau ?

— Je suis allé chez Van Brady. La porte était ouverte, une jeune femme était au salon. (Il regarda ses notes.) Elle s'appelle Joanna Horman. Son gamin s'appelle Billy.

Rebus se souvint de sa première visite à Greenfield, Van Brady penchée par la fenêtre : *Je t'ai vu, Billy Horman !* Il ne se rappelait pas trop bien le gosse, sauf qu'il jouait avec Jamie Brady.

— Maintenant nous savons pourquoi ils ont foutu le feu à l'appart, ajouta Hood.

— Déduction brillante, Grant. On ferait peut-être mieux d'aller parler à la dame en question.

— La mère du gosse ?

— Non, fit Rebus. À Van Brady.

Ayant ouvert les négociations avec Van Brady, dont la cuisine fournit une table peu propice à cette rencontre au sommet, Rebus appela des renforts. On allait former des groupes de policiers et de résidents pour patrouiller dans le secteur.

— C'est votre territoire, concéda Rebus en ingurgitant d'autres calmants avec une tasse d'un infâme café coupé de chicorée. Vous connaissez l'endroit mieux que nous, les planques possibles, les repaires des bandes, là où il pourrait se réfugier pour la nuit. Si sa mère nous donne une liste de ses camarades de classe, nous pourrons contacter les parents, voir s'il est chez l'un d'eux. Il y a des choses que nous pouvons faire mieux que vous, et d'autres que vous pouvez faire.

Il avait parlé d'une voix égale en la regardant droit dans les yeux. Ils étaient huit dans la cuisine, sans compter ceux qui se pressaient dans le vestibule et le séjour.

— Et pour le pédé ? demanda Van Brady.

— Nous le retrouverons, ne vous inquiétez pas. Mais pour l'instant, je crois qu'il faut se concentrer sur Billy, pas vous ?

— Et si c'est lui qui a Billy ?

— Attendons de voir, d'accord ? La première urgence, c'est de reprendre les recherches. Nous ne trouverons personne en restant assis ici.

Après la réunion, Rebus était parti en quête de Grant Hood.

— À vous de jouer, Grant, dit-il. Je ne devrais même pas être là.

— C'est juste, convint Hood. Je regrette de vous avoir impliqué.

— Surtout pas, au contraire. Mais couvrez vos arrières. Réveillez l'inspecteur principal Barbour pour lui faire savoir où en sont les choses.

— Et si c'est lui qu'on retrouve en premier ?

Autrement dit Darren Rough avant le gamin.

— Alors là, c'est un homme mort, répondit Rebus. C'est aussi simple que ça.

Il quitta Greenfield en se demandant à quel moment Darren Rough avait vidé son logement. Et où irait se réfugier le jeune homme. Holyrood Park ? Il y avait des siècles de cela, le lieu servait d'asile aux condamnés. Tant que vous ne franchissiez pas les limites, vous étiez sur le domaine de la Couronne et hors d'atteinte de la loi. Les débiteurs s'y réfugiaient, y restaient des années, survivant grâce à la charité publique, aux poissons des lochs et aux lapins de garenne. Quand leurs dettes étaient enfin remboursées ou passées par pertes et profits, ils réintégraient la société. Le parc leur avait donné une illusion de liberté. Car en fait, ce n'était guère qu'une prison sans barreaux.

Holyrood Park... Une route contournait le pied de Salisbury Crags et d'Arthur's Seat. Il y avait des parcs de stationnement près des lochs, fréquentés le jour par des familles et des propriétaires de chiens. La nuit, les couples venaient y faire l'amour. La police des parcs royaux y patrouillait régulièrement. Des bruits couraient sur le démantèlement de ce corps, le parc passant sous l'autorité des Lothian & Borders. Mais la chose restait à faire.

Rebus effectua trois traversées du parc. En roulant lentement, sans s'intéresser vraiment aux rares voitures garées sur son trajet. Puis, près du loch de St Margaret, comme il allait prendre la sortie de Royal Park Terrace, il crut distinguer une ombre du coin de l'œil et il stoppa. Peut-être était-ce la migraine ou les comprimés qui lui troublaient la vue ? Il laissa tourner le moteur, descendit la vitre et alluma une cigarette. Un renard ou, pourquoi pas, un blaireau ? Il pouvait se tromper. Il y avait toutes sortes d'ombres dans la ville.

Mais un visage apparut près de la vitre baissée.

— Je pourrais avoir une clope ?

— Pas de problème, dit Rebus en détournant le visage pendant qu'il fouillait dans sa poche.

— Bon, écoutez, je ne sais pas… (Un grattement de gorge.) Vous ne cherchez pas de la compagnie, par hasard ?

— Si, justement, répliqua Rebus en levant les yeux. Allez, Darren, grimpez.

Darren Rough parut atterré quand il reconnut l'inspecteur. Il avait le visage noirci et une quinte de toux le plia en deux.

— Intoxication par la fumée, observa Rebus. Vous avez vraiment attendu la dernière minute pour évacuer les lieux.

— Je me suis dit qu'ils devaient m'attendre dehors. Je guettais la voiture des pompiers.

— Quelqu'un a fini par les appeler.

Il grogna, ce qui le fit de nouveau tousser.

— De peur que son appartement parte aussi en fumée, sans doute, marmonna-t-il en reprenant son souffle.

— Quelqu'un attendait dehors ?

Rough fit signe que non. Évidemment, songea Rebus, car ils étaient tous à la recherche de Billy Horman. Cal Brady avait flanqué le feu seul et n'avait pas traîné dans les parages pour ne pas être repéré.

Il s'était mis à pleuvoir. De grosses gouttes qui rebondissaient sur les épaules du jeune homme. Il leva le visage vers le ciel en ouvrant ses lèvres desséchées.

— Vous feriez mieux de monter, lui conseilla Rebus.

L'autre inclina la tête pour dévisager Rebus.

— De quoi on m'accuse ?

— Un gamin a disparu.

Rough baissa les yeux, murmura quelque chose comme « je vois », mais si bas que Rebus ne l'entendit pas.

— Ils croient que je… ? (Il s'interrompit.) Bien

sûr, ils croient que c'est moi. Si j'étais à leur place, je penserais la même chose.

— Mais ce n'est pas vous ?

— Non, dit-il. Je ne fais plus ces choses-là. Ce n'est pas moi.

Il commençait à être trempé.

— Allez, montez, répéta Rebus, et Rough s'installa à la place du passager. Mais vous y pensez encore, insista-t-il.

Il attendait une réponse. Rough scruta la nuit derrière le pare-brise, les yeux brillants.

— Je mentirais si je disais que non.

— Alors, qu'est-ce qui a changé ?

Rough se tourna vers lui.

— Vous voulez me le faire payer, hein ?

— Vous ne paierez rien du tout, répliqua Rebus en démarrant. Ce soir, vous roulez gratis.

24

Rebus conduisit Darren Rough au poste de St Leonard.

— Ne vous en faites pas, dit-il. Appelez ça de la détention préventive dans votre propre intérêt. Je veux juste officialiser vos déclarations concernant la disparition du gosse.

Ils s'assirent dans la salle d'audition avec le magnétophone et un agent à la porte en buvant un thé au goût de lavasse, le reste des locaux pratiquement vide. Tous les fonctionnaires disponibles avaient foncé à Greenfield pour participer aux recherches.

— Alors, vous ne savez rien de la disparition du gamin ? interrogea Rebus.

Comme il n'y avait personne dans les parages pour le rappeler à l'ordre, il alluma une sèche. Rough refusa d'abord d'en prendre une, puis changea d'avis.

— Le cancer est sans doute le cadet de mes soucis en ce moment, remarqua-t-il avant d'ajouter qu'il ne savait rien sauf ce que l'inspecteur lui avait appris.

— Mais les résidents vous ont chassé et vous avez tenu à rester à Greenfield.

— Où vouliez-vous que j'aille ? Je suis un homme

marqué. (Un regard reconnaissant.) Je dois vous remercier.

Rebus se leva. Rough tressaillit, mais le policier alla s'adosser contre le mur, en face de la caméra vidéo. Encore que ça ne servait à rien puisque la caméra n'était pas en fonctionnement.

— Vous êtes un homme marqué en raison de ce que vous êtes, monsieur Rough.

— D'accord, je suis un pédophile, inspecteur. J'imagine que je le serai toujours. Mais j'ai cessé d'être un pédophile *actif*. (Haussement d'épaules.) La société va devoir s'y faire.

— Je ne crois pas que vos voisins l'entendent de cette oreille.

Rough se permit un sourire de condamné.

— Vous avez sûrement raison.

— Et vos amis ?

— Quels amis ?

— D'autres gens qui partagent vos intérêts, vos goûts. (Rebus fit tomber sa cendre sur la moquette. Les agents d'entretien passeraient avant le matin.) Vous avez reçu des visites ?

Rough fit signe que non.

— Vous en êtes bien sûr, monsieur Rough ?

— Personne ne savait que j'étais là avant que les journaux étalent mon histoire sur une double page.

— Mais après... personne que vous avez connu dans le passé ne vous a recontacté ?

Rough ne répondit pas. Le regard perdu dans le vide, il songeait encore aux journaux.

— Ince et Marshall... J'ai lu des papiers sur eux dans la presse. Là où ils sont... en cellule... est-ce qu'ils peuvent voir les infos ?

— Ça peut arriver, admit Rebus.

— Donc ils savent pour moi ?

— Sans doute, acquiesça-t-il. Mais ne vous faites

pas de soucis. Ils sont sous les verrous à Saughton. (Il s'interrompit.) Vous deviez témoigner contre eux.

— Je voulais le faire.

Le regard de nouveau dans le vague, le visage tendu en raison des souvenirs. Rebus connaissait la chanson : les victimes deviennent agresseurs à leur tour. Il avait toujours trouvé ça facile à rejeter. Tout violé ne se transforme pas en violeur.

— La fois où ils vous ont emmené à Shiellion..., commença Rebus.

— C'est Marshall qui m'y a conduit, Ince le lui avait demandé, répondit-il d'une voix frémissante. Ils ne m'ont pas choisi spécialement ni rien, ça aurait pu tomber sur n'importe lequel. Sauf que j'étais peut-être le plus tranquille, le moins enclin à la révolte. Marshall faisait les quatre volontés d'Ince à l'époque, il adorait ça. J'ai vu une photo d'Ince, il n'a pas changé. Marshall s'est endurci, comme s'il s'était fait une carapace.

— Et le troisième homme ?

— Je l'ai déjà dit, ça pouvait être n'importe qui.

— Mais il était déjà sur place à Shiellion, il vous attendait quand vous êtes arrivés ?

— Oui.

— C'était donc probablement un ami d'Ince plutôt que de Marshall.

— Ils ont fait ça à tour de rôle. (Les doigts de Rough étaient agrippés au bord de la table.) Après, j'ai essayé d'en parler mais personne ne m'a écouté. C'était : « Tu ne dois pas dire ça », « Ne raconte pas des choses pareilles. » Comme si c'était ma faute à moi. Alors que moi, comme j'ai touché au gosse d'un voisin, j'ai mérité tout ce qui m'arrive... Pis, certains ont cru que je mentais et je n'ai jamais menti. Jamais.

Il ferma les yeux et posa son front sur ses mains.

Il marmonna un mot qui semblait être « fumiers ». Puis il se mit à pleurer.

Rebus savait qu'il avait diverses possibilités. Appeler le service social, pour qu'on lui trouve un endroit où l'héberger, le mettre en cellule, ou le relâcher dans la nature… n'importe où. Mais quand il essaya le numéro d'urgence du service social, personne ne répondit. Ils avaient dû recevoir un autre appel. Le message enregistré lui conseilla de renouveler son appel toutes les dix minutes. Il lui disait de ne pas paniquer.

Il y avait des cellules vides au poste, mais Rebus savait que cela se saurait et, quand l'heure viendrait de libérer Darren Rough, il y aurait une foule dehors à l'attendre. Alors il alluma une autre cigarette et retourna dans la salle.

— Ça va, marmonna-t-il en ouvrant la porte. Venez avec moi.

— Belle pièce, dit Darren Rough en regardant autour de lui et en observant les moulures du plafond élevé. Et spacieuse, ajouta-t-il, l'air appréciateur.

Il voulait se montrer agréable, faire la conversation. Il se demandait ce que Rebus lui voulait pour l'amener ainsi chez lui.

Rebus lui tendit une tasse de thé et lui dit de s'asseoir. Il lui proposa une autre cigarette, qu'il refusa cette fois. Rough était assis sur le canapé. Rebus avait envie de lui dire de s'asseoir sur une chaise. Comme s'il allait contaminer tout ce qu'il touchait.

— Votre éducateur ferait bien de vous trouver une nouvelle piaule demain matin, remarqua Rebus. Un endroit loin d'Édimbourg.

Rough le regarda. Il avait des cernes noirs, les cheveux sales. Son imperméable vert était posé sur le dossier du canapé. Une veste écossaise sur un jean avec des chaussures de base-ball, une chemise blanche en nylon : il était ficelé comme l'as de pique et semblait avoir fait les fonds de tiroir chez Emmaüs.

— La mobilité, c'est la règle, hein ?

— Une cible mobile est plus dure à atteindre, souligna Rebus.

Rough eut un sourire las.

— Vous avez mis dans le mille vous-même.

Rebus fit de nouveau ployer ses doigts pour les empêcher de s'ankyloser. Rough prit une gorgée de thé.

— Il m'a vraiment cogné, vous savez.

— Qui ça ?

— Votre ami.

— Jim Margolies ?

— C'est ça, fit Rough. Brusquement il a eu une expression dans le regard. Et aussitôt, ça a été la castagne. (Il se passa une main dans les cheveux.) Quand il s'est tué, j'ai lu sa nécro dans les journaux. On répétait partout que c'était un « bon policier », un « père aimant », qui allait régulièrement à l'église. (Un demi-sourire.) Quand il m'est rentré dans le chou, c'était sans doute une démonstration de christianisme musclé.

— Attention à ce que vous dites.

— Bien sûr, c'était votre ami, vous avez travaillé avec lui. Mais je me demande si vous le connaissiez si bien que ça.

Il n'en dit pas plus, mais Rebus commençait à se poser la même question. Du rouge à lèvres orange, ce qui voulait dire qu'il les aimait « très jeunes ». Il avait demandé à Fern la limite d'âge. Rien d'illégal, avait-elle répondu.

— Pourquoi il est mort, d'après vous ? demanda Rebus.

— Qu'est-ce que j'en sais ?

— Quand vous avez discuté... il avait l'air comment ?

— Pas en colère ni rien, dit Rough après réflexion. Il voulait juste savoir pour Shiellion. Combien de fois j'avais... bref, vous savez. Et par qui. (Il jeta un œil à Rebus.) Il y a des gens qui prennent leur pied comme ça, à écouter.

— Vous pensez que c'est pour ça qu'il vous demandait ?

— Pourquoi vous me posez toutes ces questions, inspecteur ? Vous me balancez à la presse et, après, vous venez à la rescousse. C'est peut-être votre façon à vous de prendre votre pied, en faisant tourner les gens en bourrique.

Rebus ne répondit pas ; il songeait à Cary Oakes et à ses combines.

— Je pense que vous avez quelque chose à voir avec la mort de Jim Margolies, dit-il. Que vous le sachiez ou non.

Après ça, ils restèrent assis en silence jusqu'à ce que Rough demande s'il y avait quelque chose à manger. Rebus se rendit dans la cuisine et fixa l'une des portes de placard avec l'envie d'envoyer son poing dedans. Mais ses phalanges le lui feraient regretter. Il les regarda. Il savait ce que Oakes avait fait, il lui avait frotté les doigts contre le sol du parking, peut-être lui avait-il replié les poings pour les presser contre le métal de la benne. Ce sale petit fumier, ce tordu. Et Patience se demandait si c'était un chiffon rouge qu'on agitait sous ses yeux, une manœuvre de diversion. Les manœuvres de diversion, il en avait plein la tête. Un vrai chassé-croisé. Comment pouvait-il faire confiance à Rough ? Il ne le prenait pas pour un manipulateur, il n'en avait pas la carrure. Mais Jim Margolies... cachait-il son jeu ?

Était-ce cela qui l'avait tué ?

Rebus ouvrit la porte du placard et cria qu'il pouvait faire des haricots-sauce tomate avec des toasts. Rough répondit que ça lui allait. Il n'y avait pas de margarine pour le toast, mais Rebus se dit que la sauce tomate le ramollirait. Il vida la boîte dans une casserole, mit le pain à griller et se demanda où il allait caser son invité.

Pas dans sa propre chambre, bien sûr. Il ouvrit la porte de ce qui avait été la chambre d'amis, après avoir été — il y a un bail — celle de Sammy. Son lit à une place était toujours là, ses posters sur les murs, ses albums d'adolescente sur une étagère. Jack Morton était un des derniers à avoir occupé cette chambre. Pas question de faire dormir Darren Rough ici.

Rebus ouvrit la garde-robe, trouva une vieille couverture et un oreiller qu'il emporta dans la salle de séjour.

— Vous pouvez prendre le canapé, dit-il.

— Très bien, comme vous voudrez.

Rough regardait par la fenêtre. Rebus alla le rejoindre. Deux gamins habitaient en face, de l'autre côté de la rue, mais les volets étaient clos. Pas question de mater.

— C'est tellement tranquille ici, commenta Rough. À Greenfield, on a toujours l'impression qu'il y a une bagarre quelque part. Une bagarre ou une fête, et la plupart des fêtes se terminent en bagarre.

— Mais vous, vous êtes un bon voisin, hein ? insista Rebus. Peinard, qui n'embête personne.

— J'essaie.

— Et quand les gosses font du boucan, vous n'avez pas envie d'intervenir ?

Rough ferma les yeux et pressa son front contre son verre.

— Je ne cherche pas d'excuses, chuchota-t-il.
— Et en présenter, alors ?
Un autre sourire, les yeux toujours fermés.
— Je peux m'excuser jusqu'à ce que les poules aient des dents, ça ne changera rien. Ça ne changera pas ce que j'éprouve. (Il ouvrit les yeux et se tourna vers Rebus.) Mais ça, vous préférez ne pas le savoir, n'est-ce pas ?
Rebus l'observa un instant.
— Les toasts crament, dit-il en s'éloignant brusquement.

À 5 heures, Rough étant blotti sous la couverture sur le canapé, Rebus appela Bill Pryde.
— Je m'excuse de te réveiller, Bill.
— Le réveil était sur le point de sonner de toute façon. Quoi de neuf ?
— Au sujet de la voiture de surveillance.
— Eh bien quoi ?
— Elle n'est pas au *Shore*, dit-il en lui expliquant où elle se trouvait.
— Bon sang, John, et Oakes alors ?
— De toute façon, il va et vient à sa guise, Bill. On ne servait qu'à l'amuser.
— Tu ferais mieux de prévenir le Péquenot.
— Je vais le faire.
— Entre-temps tu veux que je vienne chercher la voiture chez toi ?
— J'ai rempli le carnet de bord, tout y est consigné.
— Et pour les clés ?
— Sous le siège avant, au même endroit que le carnet de bord. Je n'ai pas fermé à clé.
— Et maintenant tu vas piquer un roupillon ?
— Plus ou moins.
Il regarda Darren Rough. La couverture se soulevait au rythme de sa respiration. Il semblait aussi

dangereux que de la pâte à pain. Rebus composa le numéro du commissariat. Toujours rien pour Billy Horman. On avait fouillé partout. Les recherches étaient interrompues jusqu'au lever du soleil. Il appela l'hôtel et demanda qu'on lui passe la chambre de Oakes. Toujours vide. Il raccrocha et alla dans sa chambre. Allongé dans son lit, un matelas à même le sol... Il avait envisagé de rentrer chez Patience, mais n'aimait pas l'idée de laisser Rough seul chez lui. Il risquait de fouiner, d'entrer dans la chambre de Sammy, d'ouvrir les tiroirs, de tripoter... Dès que possible, il devait dégager.

C'est toi qui l'as amené là, dit une voix dans sa tête. *C'est à cause de toi qu'il en est là.* Des bâtons, des barres de fer et des cris. Les résidents de Greenfield rassemblés en meute. Cal Brady avec son bidon d'essence et ses mensonges. Il travaillait pour Charmeur Mackenzie et surveillait les entrées du *Guiser*. D'où Damon Mee était parti pour monter en taxi avec une blonde. Laquelle avait été vue en dernier aux alentours du *Clipper*, où Ama Petrie faisait la fête, dont le père présidait le procès du Shiellion, où Darren Rough aurait dû témoigner, et où Rebus avait été passé au rouleau compresseur par Richard Cordover... Le juge Petrie, un membre de la famille de Katherine Margolies.

Ama, Hannah, Katherine... Sammy, Patience, Janice... La sarabande des liens de parenté et leur sac de nœuds envahissaient tout son espace. La ronde qui jamais ne s'arrête, avec ses embrouilles dorées sur tranche.

La vie et la mort à Édimbourg. Et encore assez de place pour quelques fantômes, dont le nombre ne cessait d'augmenter.

Si j'étais resté dans le Fife au lieu de m'engager,

songea-t-il, *que penserais-je de tout ça ? Qui serais-je aujourd'hui ?*

Encore cette voix dans sa tête... était-ce celle de Jack Morton ? *Ça ne devait pas se faire. C'était à ça que tu étais destiné.* Il chercha des yeux une bouteille de whisky dans la chambre, mais il était éreinté. Il ferma les yeux. Toujours cette douleur sourde au fond du crâne. *Seigneur, faites que mon sommeil soit sans rêves.*

Sa première prière depuis une éternité.

Cary Oakes, qui guettait à Arden Street le retour de Rebus, le vit descendre de voiture avec un autre homme, qu'il fit monter chez lui. Il se demanda qui était cet étranger, comment Rebus l'avait rencontré. Il se trouvait sur le trottoir d'en face, caché dans l'ombre d'une porte. Il avait un sac en nylon avec lui, avec un livre de poche à l'intérieur pour lui donner du poids. Si quelqu'un l'avait vu, il avait une histoire toute prête. Il faisait les trois-huit et attendait la voiture qui devait le prendre. Ses collègues étaient en retard, dirait-il.

Sauf que personne ne le vit, personne n'entra ni ne sortit de l'immeuble et personne ne lui posa de question. Mais il vit les lumières s'allumer dans le séjour de Rebus, l'étranger s'approcher de la fenêtre, y appuyer le front, et aperçut la tête de Rebus derrière l'épaule de l'autre, quand il vint regarder dans la rue. Oakes ne broncha pas et sentit qu'il n'avait pas été repéré. La beauté de la chose, c'était que même si Rebus l'avait vu, il restait maître du jeu. Puis l'inspecteur était sorti de l'immeuble pour prendre quelque chose dans sa voiture, une sorte de cahier. Apparemment, à voir sa façon de bouger, d'agir, Oakes n'avait pas causé tellement de dégâts. Il emporta le livre chez lui, puis revint une demi-heure plus tard le remettre dans l'automobile. Quand il fut de nouveau reparti, Oakes traversa la rue et vérifia la porte du chauffeur. Elle n'était pas fermée à clé. Il entra, tâta le sol sous le siège et trouva le livre, de même que les clés de la voiture. Quelle aubaine. Il mit le contact, alluma la radio de la police, qu'il écouta d'une oreille pendant qu'il lisait attentivement les notes de terrain. Rebus n'avait pas pris la peine de mentionner les visites d'Alan Archibald. Intéressant.

Cinquante minutes plus tard, quand la porte de l'immeuble s'ouvrit avec un bruit de ferraille, il se laissa glisser sur son siège puis se redressa pour observer l'inconnu s'éloigner à pied. Il avait l'air sale et débraillé. Un petit vice secret de Rebus ? Non, ce n'était pas le genre. Mais cela l'intrigua tout de même. Il attendit que l'homme ait tourné le coin de la rue, puis il démarra et le prit en filature...

À 6 heures, Rebus fut réveillé par l'interphone. Il alla à la porte et répondit.

— C'est qui ?

— C'est moi, grogna Bill Pryde.

— Qu'est-ce qu'il y a ?

— Cette bagnole que je suis censé prendre, où tu l'as planquée exactement ?

— Attends.

Rebus alla dans le séjour et jeta un œil sur le canapé. La couverture était pliée avec soin ; aucun signe de Darren Rough. Un coup d'œil par la fenêtre lui permit de constater qu'il y avait un espace vide à la place du véhicule de police. Il jura entre ses dents, enfila ses chaussures et fonça au bas des marches.

— Je crois que quelqu'un l'a piquée, dit-il à Bill Pryde.

— C'est toi qui as merdé, John, avertit celui-ci,

l'œil fixé sur les jours qui le séparaient encore de la retraite.

— Je sais, répondit Rebus, qui n'avait guère envie de préciser qu'il connaissait peut-être le coupable, Darren Rough.

Pryde montra ses mains.

— Il paraît que tu t'es fait corriger. Dans quel état est Oakes ?

— Ça ne s'est pas passé comme ça.

— On t'a retrouvé complètement nase dans une benne, d'après ce que j'ai entendu dire.

Rebus le regarda fixement.

— Tu tiens à aller à pied au boulot, Bill ?

— Non, fit Pryde. Je veux être au premier rang pour le grand spectacle, c'est-à-dire quand tu vas raconter au Péquenot comment tu t'es fait piquer la bagnole.

Rebus contempla de nouveau la rue.

— Je ferais mieux de glisser un fer à cheval dans mon gant pour ça, dit-il en rentrant dans l'appartement.

25

Rebus prit la Saab pour aller au poste de St Leonard afin de signaler le vol. L'équipe de jour venait d'arriver. À 8 h 45, il était dans le bureau du Péquenot où il rendait compte de toute l'histoire, y compris les écorchures sur ses mains. Le surintendant Watson s'affaira autour de sa machine à café tout le temps que dura le rapport de Rebus. C'était une machine à espresso avec buse-vapeur pour le lait. Il n'en proposa pas à l'inspecteur. Quand celui-ci se tut, il versa le lait mousseux dans sa tasse, éteignit la machine et se cala derrière son bureau. La tasse entre les mains, il observa Rebus.

— J'ai toujours cru que la surveillance était un travail de routine. Une fois de plus, vous avez réussi à me prouver que je me trompais.

— Ça n'allait nulle part, monsieur.

— Contrairement au véhicule disparu.

Rebus fixa le plancher sans répondre.

— Alors voyons où nous en sommes, poursuivit le patron en aspirant une autre gorgée. Je vous dis de laisser tomber Darren Rough, vous allez le chercher. Je vous dis de garder à l'œil un homme dont les spécialistes disent que c'est un assassin potentiel, vous vous retrouvez sans connaissance dans une benne à ordures. (Sa voix grimpa d'une octave.) Vous trouvez Darren Rough et vous l'emmenez chez vous, puis il part au volant d'un de nos véhicules en emportant le carnet de bord. Est-ce que j'ai fait à peu près le tour de la situation ?

Son visage s'empourprait au fur et à mesure.

— C'est clair et concis, monsieur.

— Ne vous avisez pas de prendre l'air amusé avec moi ! tonna le Péquenot en plaquant la paume de sa main sur son bureau.

— Je n'oserais pas, monsieur, fit Rebus en serrant les dents. Mais d'un autre côté, j'ai cru que je faisais ce qu'il fallait.

— Non, inspecteur. Comme d'habitude, vous n'en faisiez qu'à votre idée en vous foutant des autres. N'est-ce pas plus près de la réalité ?

— Sauf votre respect, monsieur...

— Arrêtez votre numéro ! Vous n'avez aucun respect pour moi ni pour le boulot que nous sommes censés faire ici !

— Vous avez peut-être raison, monsieur, prononça Rebus tranquillement, tandis que ça recommençait à cogner sous son crâne.

Le patron le regarda, interloqué, puis se renversa dans son fauteuil et avala une autre gorgée de son breuvage.

— Alors, qu'est-ce que nous allons faire à ce sujet ?

— Je ne sais pas, monsieur. Vous avez raison. J'ai des doutes concernant mon travail depuis des mois. Depuis que Jack Morton...

— Peut-être même avant, non ? dit le surintendant, brusquement calmé.

— Peut-être, monsieur. Plus d'une fois, j'ai pensé à filer ma démission. (Il regarda le boss.) Pour vous faciliter la vie.

— Mais vous ne l'avez pas fait.

— Non, monsieur.

— Il doit y avoir une raison à cela.

— Peut-être qu'une petite partie de moi y croit encore, monsieur. Et curieusement, cette partie a grossi.

— Tiens donc ?

Alan Archibald, Darren Rough... Il n'avait pas mentionné Archibald dans son compte rendu, il n'en voyait pas le besoin.

— Je me suis trompé sur le compte de Rough, je dois le reconnaître. Enfin... Je ne suis pas sûr d'avoir eu tort, à vrai dire. Mais je sais maintenant pourquoi il est à Édimbourg. Je connais mieux ses antécédents.

— Qu'est-ce que vous me chantez là ? gronda le Péquenot, les yeux mi-clos. Vous le *comprenez*, vous ? (Un rictus presque cruel.) De la *compassion*, vous, John ? Je ne savais pas que les dinosaures pouvaient évoluer.

— Sinon c'est la disparition de l'espèce, répondit Rebus en pressant ses mains sur ses genoux.

Comment expliquer ce qu'il était en train d'apprendre, que le passé façonne le présent, que le libre arbitre est un fantasme, qu'une force qu'on peut appeler le Destin ou Dieu régit les chemins que vous prenez ? Janice lui avait donné un coup de poing et... le petit Darren Rough en voiture roulant vers Shiellion... Alan Archibald et sa nièce. Tout semblait lié d'une façon étrange et inextricable.

— Il vous faut un rapport détaillé par écrit, dit Rebus en se redressant sur sa chaise.

— Certainement. De toute façon, j'allais arrêter la surveillance. (Il reposa sa tasse.) Vous pensez que Cary Oakes est dangereux ?

— Indiscutablement. Mais il a changé.

— En quoi ?

— Sa cavale aux États-Unis, ce n'était pas prévu. Ça manquait de réflexion, et ça semblait toujours faire partie d'une autre stratégie.

— Expliquez-vous.

— Il tuait pour répondre à des besoins, pour du pognon, une bagnole, peu importe. Mais vers la fin, je crois qu'il s'est mis à y prendre goût. Et c'est là qu'il s'est fait coincer. Il a passé toutes ces années en taule à se remémorer ce pied.

— Donc maintenant il pourrait tuer rien que pour prendre son pied ?

— Je n'en suis pas sûr. J'ai l'impression qu'il a une espèce de plan concernant Édimbourg. (Et Alan Archibald, aurait-il pu ajouter.) J'ai l'impression qu'il bande rien qu'à y penser.

— Peut-être qu'il repoussera indéfiniment le passage à l'acte.

— N'y comptez pas trop, monsieur, dit Rebus avec une grimace. C'est une mise en bouche, pour lui, des préliminaires…

L'image parut gêner le Péquenot, qui fut soulagé d'entendre sonner le téléphone. Il décrocha.

— Bien, dit-il après avoir prêté l'oreille. Je vais le lui dire.

Il raccrocha et regarda Rebus.

— On a retrouvé la voiture.

— Super.

— Convenablement garée, d'ailleurs.

Rebus demanda au surintendant ce qu'il voulait dire et la réponse lui donna le choc de sa vie.

Deux gardiens de la paix étaient déjà sur place quand Rebus, le Péquenot et Bill Pryde arrivèrent au *Shore*. La Rover occupait son emplacement habituel, en face de l'hôtel.

— Je n'y crois pas, répéta Rebus pour la cinquième ou sixième fois.

— Ce n'est pas une blague de votre part ? insista Bill Pryde.

Le Péquenot regarda à l'intérieur.

— Où est le livre de bord ?

— Il était sous le siège, monsieur.

Le Péquenot plongea la main et en ressortit le cahier ainsi que les clés.

— Avez-vous parlé à Rough de la surveillance ? interrogea-t-il. (Rebus fit signe que non.) Devons-nous supposer que Rough n'a pas pris la voiture ?

Rebus haussa les épaules.

— On dirait que c'est quelqu'un qui connaît nos activités, admit Bill Pryde.

— Ou l'a simplement lu dans le journal de bord, remarqua Rebus. Celui qui a trouvé les clés a trouvé le cahier.

— Exact, reconnut Bill Pryde.

— Ce qui remettrait Rough dans le circuit, intervint le Péquenot. En tout cas, celui qui a volé la voiture a lu les notes.

— C'est gênant pour tout le monde, monsieur, souligna Pryde.

— Et plus que ça si Fettes est au courant.

— Qui va le leur dire ?

Le Péquenot avait feuilleté les pages de notes pour en venir à la dernière entrée de Rebus, ou ce qui aurait dû être la dernière. Il ouvrit le cahier à plat et le tendit pour que Rebus et Pryde puissent lire.

— Qu'est-ce que c'est ?

Sous les yeux de Rebus, en grosses lettres capitales, au stylo feutre rouge, quelqu'un avait ajouté un post-scriptum aux commentaires de l'inspecteur :

HOU LE VILAIN, OÙ EST M. ARCHIBALD ?

Le surintendant Watson avait les yeux fixés sur lui.

— Qui est ce M. Archibald ?
— Peuh ! fit Pryde. Aucune idée.
Mais le patron n'avait d'yeux que pour Rebus.
— Qui est M. Archibald ? répéta-t-il tandis que ses joues devenaient écarlates.
Sans répondre, Rebus traversa la rue et regarda par les grandes vitres du restaurant. On servait des petits déjeuners tardifs, les tables à demi cachées par des plantes vertes en pot et dans des paniers décoratifs suspendus. Et, assis à une table en vitrine, ne perdant pas une miette du spectacle, Cary Oakes. Il agita sa fourchette en direction de Rebus, lui adressa un sourire radieux en levant son verre de jus d'orange et but à sa santé. Rebus fonça tête baissée sur la porte de l'hôtel, la poussa et entra. Des odeurs de cuisine émanaient du restaurant. Un serveur lui demanda s'il désirait une table pour une personne. Sans prendre la peine de répondre, il marcha droit sur la table où Cary Oakes était installé.
— Vous avez envie de m'accompagner, inspecteur ?
— Pas même si vous partiez en miettes. Et ça ? ajouta-t-il en lui collant ses poings sous le nez. Ça vous dit quelque chose ?
— Ouh, ça a l'air vilain, minauda Oakes. J'irais voir un toubib à votre place. Heureusement que vous en connaissez un.
— Vous savez où j'habite, siffla Rebus. Jim Stevens vous l'a dit.
— Ah bon ? fit Oakes en attaquant une saucisse qu'il coupa d'abord dans le sens de la longueur, comme s'il la disséquait.
— Vous avez pris la voiture.
— C'est un peu tôt pour les devinettes, non ? susurra-t-il en portant le morceau de charcuterie à ses lèvres.

Rebus tendit la main et envoya balader la fourchette et la saucisse. Puis il hissa Cary Oakes sur ses pieds.

— Qu'est-ce que vous mijotez, putain de merde ?

— Est-ce que ça ne devrait pas être ma réplique ? demanda Oakes avec un large sourire.

Un brusque éclair lumineux inonda la salle. Il tourna à demi la tête. Jim Stevens se tenait derrière lui avec, à son côté, un photographe.

— Maintenant, déclara Stevens, on pourrait vous prendre en train d'échanger une poignée de main sur la prochaine. (Il fit un clin d'œil à Rebus.) Je vous avais bien dit que je voulais des photos.

Rebus lâcha sa proie et fonça sur le journaliste.

— Inspecteur !

La voix du boss. Il était à la porte du restaurant, le visage furieux.

— Je désire échanger un mot avec vous dehors, si vous le permettez.

D'un ton sans réplique. Rebus fixa Jim Stevens d'un regard dur pour lui faire savoir qu'il ne perdait rien pour attendre. Puis il sortit dans le hall de l'hôtel, le Péquenot sur les talons.

— Inspecteur, j'attends toujours une réponse. Qui est M. Archibald ?

— Un homme qui a une mission, dit-il. (Dans son esprit, il voyait encore le sourire triomphant de cette crapule de Oakes.) Et le problème, c'est qu'il n'est pas le seul.

Rebus resta jusqu'à l'heure du déjeuner « en conférence » avec le surintendant Watson. Juste avant midi, Archibald les rejoignit, le patron ayant envoyé une voiture de patrouille à Costorphine pour le ramener. Les deux hommes se connaissaient de longue date.

— Je croyais que vous aviez déjà reçu votre médaille pour bons et loyaux services, depuis le temps, dit Archibald en serrant la main du Péquenot.

Mais il fallait plus pour amadouer ce dernier.

— Asseyez-vous, Alan. Pour un flic à la retraite, vous êtes pas mal occupé.

Archibald jeta un œil à Rebus, qui avait le regard fixé sur le store.

— Je vais coincer ce type, voilà tout.

— Tiens, c'est tout ? s'exclama le Péquenot d'un air faussement surpris. John me dit que vous avez consulté le dossier de Cary Oakes. En fait, vous en savez plus long sur lui que nous. Vous devriez donc savoir à qui vous avez affaire.

— Je sais à *quoi* j'ai affaire.

Le regard du boss passa d'Archibald à Rebus puis revint au premier.

— Ça me suffit d'avoir celui-là sur les bras, dit-il avec un geste du menton vers son subordonné. La dernière chose dont j'ai besoin, c'est d'un autre cinglé qui cherche à faire la loi. Vous croyez que Oakes a tué votre nièce, j'attends les preuves.

— Allons, mon vieux...

— Montrez-moi les preuves !

— Je le ferais si je le pouvais.

— Vraiment, Alan ? (Le patron s'interrompit.) À moins que vous ne préfériez les garder pour vous tout seul, jusqu'au bout ? (Il se tourna vers Rebus.) Et vous, John ? Vous comptiez lui donner un coup de main pour enterrer le corps ?

— Si j'avais voulu le tuer, il serait déjà mort et enterré, répliqua Archibald.

— Et admettons qu'il vous fasse des aveux, Alan ? Juste de lui à vous, sans tierce personne ? Comme ça ne suffirait pas pour aller en justice, qu'est-ce que vous feriez ?

— Ça me suffirait, assura Archibald tranquillement.

— Pourquoi faire ?

— Pour moi-même, pour la mémoire de Deirdre.

Le Péquenot attendit et se tourna vers Rebus.

— Vous y croyez, vous ? Vous croyez qu'Alan écouterait les aveux de Oakes et se contenterait de repartir tranquille ?

— Je ne le connais pas assez bien pour avoir une opinion, lâcha Rebus qui semblait toujours hypnotisé par le store.

— Du pareil au même, trancha le Péquenot.

Rebus regarda Archibald, qui l'observait. On frappa à la porte. Son supérieur gueula l'ordre d'entrer. C'était Siobhan Clarke.

— Vous voulez intervenir ?

— Non, monsieur.

Peu disposée à entrer, semblait-il, elle restait audehors et passait juste la tête par l'entrebâillement.

— Alors ?

— Une mort suspecte, monsieur. À Salisbury Crags.

— Suspecte à quel point ?

— Très, d'après les premiers rapports.

Le Péquenot se frotta l'arête nasale.

— Il y a des semaines qui n'en finissent pas.

— Le problème, monsieur, c'est que d'après le signalement, je dirais qu'on a son identité.

Sentant quelque chose dans sa voix, il la regarda.

— Quelqu'un que nous connaissons ?

Son regard croisa celui de Rebus.

— En quelque sorte, monsieur.

— On n'est pas ici pour jouer aux devinettes, inspecteur Clarke.

— Eh bien, fit-elle en se raclant la gorge, il semblerait que ce soit Darren Rough.

26

— On peut commencer si vous êtes prêt.

Il régnait dans la chambre de Jim Stevens un désordre qui commençait à lui ressembler, qui lui plaisait. Sauf que là, ils ne se trouvaient pas dans la chambre de Stevens mais dans celle de Oakes et on avait l'impression que son locataire n'y était pas souvent. Il y avait deux chaises près d'une petite table basse près de la fenêtre. La boîte d'allumettes de l'hôtel était debout, intacte, dans le cendrier. Deux publications destinées aux clients de passage à Édimbourg étaient posées à côté et, par-dessus, le questionnaire pour les remarques des clients qui attendait qu'on le remplisse, voire simplement qu'on le lise.

Dans l'esprit de Stevens, la plupart des gens, y compris ceux qui ont passé le tiers de leur vie à l'ombre dans une prison étrangère, feraient ce qu'il avait fait lui-même dans sa chambre, c'est-à-dire explorer, essayer, toucher à tout, feuilleter le moindre prospectus. Mais pas Cary Oakes, qui n'avait touché à rien.

Celui-ci s'éclaircit la gorge.

— T'es pas curieux de savoir ce que Rebus me voulait ?

— Je veux juste qu'on finisse ça, répondit Stevens, prudent.

— Alors quoi, on ne pète plus le feu, Jim? C'est fini?

— C'est l'effet que vous avez sur les gens.

— Dis voir, tu as retrouvé la trace de mes copains de jeunesse? enchaîna Oakes, qui rigola en voyant la tête que tirait Stevens. Non, je m'en doutais. Ils se sont probablement dispersés aux quatre coins de la planète.

— La dernière fois qu'on s'est arrêtés, lui rappela Stevens, glacial, en vérifiant que les bobines tournaient, vous traversiez l'Amérique.

— Ça y est... Je suis arrivé dans un endroit qui s'appelait, vous n'allez pas le croire, Opportunity, un boui-boui miteux pour routiers à la frontière de l'État de Washington et de l'Idaho. C'est là que j'ai rencontré Fat Boy, un chauffeur routier. Je n'ai jamais su son vrai nom. Je crois que même ses papiers étaient faux.

— Quel nom était indiqué dessus?

Oakes ne tint pas compte de la question.

— Fat Boy avait de drôles d'idées, il croyait à une conspiration de l'État. Il piégeait sa maison quand il partait sur la route. Il disait que les routiers avaient une vraie vision du monde — il entendait par là, les États-Unis, car son monde n'allait pas plus loin. Et on a une sacrée vision du monde derrière le volant d'un camion. Il disait qu'un routier, ça ferait un sacré président.

« Ça c'était donc Fat Boy. Je l'ai rencontré à Opportunity, Washington. Il y a des tas de noms comme ça aux States. Et des tas de Fat Boy aussi. On s'est mis à parler de meurtre. La radio était allumée et toutes les stations donnaient de nouveaux flashes sur des homicides avec préméditation. Il disait que le mot « préméditation » ne convenait pas. Il y avait des meurtres « justes » et des « mauvais », et c'était à chacun de juger lequel était quoi, pas au législateur.

— Et vous, c'était quel genre ?

Oakes n'apprécia pas cette interruption.

— Je parle de Fat Boy, pas de moi.

— Combien de temps avez-vous voyagé avec lui ?

Stevens essayait d'établir une chronologie.

— Trois, quatre jours. On roulait vers le sud pour faire une livraison, puis retour sur l'I-90.

— Qu'est-ce qu'il transportait ?

— Des appareils électriques. Il travaillait pour General Electric. Il sillonnait le pays. Il disait que c'était bien, étant donné son dada, son dada étant de tuer. (Oakes regarda Stevens.) C'était censé m'émouvoir d'entendre dire ça pendant qu'on roulait à quatre-vingt-dix sur la route. Peut-être que si ça avait marché, il l'aurait fait, il aurait essayé de me faire la peau. Mais je l'ai regardé et j'ai dit que c'était intéressant. (Il rigola.) C'était bien le moins, non ? Quelqu'un te dit qu'il est un tueur en série et tu fais la moue : « Mmouais, c'est intéressant... »

— Mais vous l'avez cru ?

— Au bout d'un moment, oui. Et je me suis dit : après toutes ces salades qu'il m'a racontées, impossible qu'il me laisse partir. À chaque fois qu'on s'arrêtait, je pensais : ça y est, il va me sauter dessus.

— Vous étiez prêt à vous battre ?

Stevens essayait de se rendre compte dans quelle mesure on lui montait un bateau. Cette histoire avait-elle un rapport avec ce qui se passait entre Oakes et le reporter ?

— Tu sais ce qui est bizarre ? J'ai décidé de me montrer cool. Bon, s'il devait me tuer, tant pis, c'était comme ça. Comme si je m'en tapais. J'aurais pu mourir à ce moment-là, ça aurait été une sorte de justice immanente, si on veut.

— A-t-il tué quelqu'un pendant que vous étiez sur la route ?

— Non.

— Mais vous êtes convaincu qu'il ne racontait pas de bobards ?

— Et toi, Jim, tu le crois, qu'il racontait des bobards ?

— Quand on vous a arrêté, vous avez parlé de lui à la police ?

— Et qu'est-ce que j'en avais à foutre ?

— Ça vous aurait rapporté un bon point.

— À vrai dire, je n'y ai pas pensé.

— Alors c'est lui qui vous a donné l'idée de tuer ?

— Il savait de quoi il parlait. Bon, on peut toujours se rendre compte quand quelqu'un en rajoute, non ? fit Oakes avec un large sourire. Je me demandais, en l'écoutant parler : alors le monde est comme ça ? Et la réponse est venue toute seule : oui, bien sûr. Pourquoi serait-il autrement ?

— Ce que vous me dites, c'est que Fat Boy vous a donné l'impression qu'il n'y avait rien de mal dans le fait de tuer ?

— Ah bon, j'ai dit ça ?

— Alors qu'est-ce que vous voulez dire ?

— Je te raconte ma putain de vie, Jim, c'est tout. À toi de savoir comment la lire.

— Et en prison, Cary ? Avec tout ce temps devant vous, quelles ont été vos pensées... ?

— Jim, détrompe-toi, on n'a pas de temps à soi en prison. On est dérangé sans arrêt, le bruit, les gens, la routine. On croit qu'on va pouvoir réfléchir et toc, on t'envoie en examen psychiatrique. (Oakes finit le reste du jus d'orange.) Mais je vois où tu veux en venir. (Il examina le fond de son verre.) À propos, comment se passe ta contre-enquête sur le contexte général ? Tu as parlé à quelqu'un de Walla Walla ? (Il retourna le verre vide sur sa main.) Tiens, sans le jus et les glaçons, il te reste une arme qui peut tuer.

Il fit semblant de fracasser le verre contre le rebord de la table, puis il partit d'un fou rire qui donna à Jim Stevens la chair de poule.

En remontant sur Salisbury Crags, Rebus garda les mains dans ses poches et ses pensées pour lui. Il savait ce que le surintendant avait en tête. Ce matin-là, Darren Rough se trouvait dans l'appartement de Rebus. Pour autant qu'on sache, il était le dernier à l'avoir vu.

Et Rebus avait été son persécuteur, l'instrument de la vengeance. Le Péquenot n'en tirerait pas de conclusions, mais d'autres le feraient à sa place. Jane Barbour, par exemple, et l'éducateur de Rough.

Radical Road était un sentier pierreux qui contournait les Crags. On pouvait partir des résidences universitaires à Pollock Halls et aboutir à Holyrood. En cours de route, on avait pour compagnie la ligne d'horizon qui partait du sud et de l'ouest jusqu'au centre-ville et au-delà. Les flèches et les créneaux de la vieille cité. Manfred Man, Cubist Town. Avec Greenfield presque en contrebas.

— C'est là que vous l'avez ramassé, hein ? demanda le Péquenot pendant qu'ils marchaient.

— À St Margaret's Loch, précisa Rebus. (Qui se trouve après un long virage dans le rocher et au pied d'un talus totalement à pic.) Mais je vais vous dire, ajouta-t-il. Jim Margolies a sauté de là.

Il pointait le doigt en direction d'une paroi rocheuse qui se terminait en une sorte de promontoire. Les gens emmenaient leur chien faire une balade sur le plateau en évitant de s'approcher trop près du bord. Édimbourg était sujet à de brusques bourrasques, qui pouvaient vous emporter par-dessus bord. Le patron soufflait bruyamment.

— Vous voyez toujours un lien entre Rough et Jim Margolies ?

— Plus que jamais, monsieur.

Le corps était couché un peu plus loin sur le sentier, un ruban de police délimitant un périmètre de sécurité. Quelques badauds, emmitouflés contre le mauvais temps, s'étaient agglutinés derrière le cordon et se tordaient le cou pour apercevoir quelque chose. Un morceau de plastique blanc qui ressemblait à un coupe-vent avait été placé autour du corps, de sorte que seuls voyaient ceux qui le devaient. On interrogeait une femme avec un springer : c'est elle qui avait découvert le corps, tandis qu'elle promenait son chien, un rituel que tous deux attendaient avec impatience. Désormais, ils prendraient un autre chemin, loin de Salisbury Crags.

— J'ai du mal à croire qu'ils vont construire notre Parlement ici, remarqua le patron en regardant dans la direction de Holyrood Road. Un vrai trou. La circulation va être infernale.

— Et sur notre territoire en plus.

— Alors là, ce ne sera plus mon problème, Dieu merci, ronchonna le Péquenot. J'aurai dans une main ma médaille et, dans l'autre, un club de golf.

Ils franchirent le cordon de sécurité. Les techniciens de la scène du crime étaient à l'œuvre, délimitant le point d'impact, et veillaient à lui conserver sa « pureté ». Aussi Rebus et son supérieur durent enfiler combinaisons et chaussons en nylon afin de ne pas laisser d'empreintes papillaires sur les lieux.

— Le vent a déjà dû les disséminer aux quatre coins, bougonna Rebus.

Mais il râlait sans conviction. Il connaissait la valeur du travail des techniciens, savait que les scientifiques et les officiers du labo étaient ses amis. Un médecin avait déclaré officiellement le décès de la victime. Le Dr Curt était le légiste habituel, mais il se trouvait à Miami où il participait à un congrès. Son supérieur, le Pr Gates, venait d'arriver et examinait le corps *in situ*. C'était un costaud, avec une solide tignasse châtaine lissée en arrière pour dégager le front. Il portait à la main un dictaphone et parlait dedans en bougeant. Il était obligé de jouer des coudes pour se faire de la place. Un photographe et un homme avec une caméra vidéo attendaient pour filmer.

Le sergent George Silvers s'approcha. Il salua son supérieur d'un mouvement de tête mais, au lieu de s'en tenir là, il poursuivit le geste de sorte qu'il s'acheva en une sorte de révérence cérémonieuse. C'était bien de Silvers, que ses collègues surnommaient « Hi-Ho[1] ». Il frisait la quarantaine, était toujours tiré à quatre épingles, toujours un œil sur le tableau de promotion sans vouloir mouiller sa chemise pour autant. Avec ses cheveux noirs et ses yeux profondément enchâssés, il avait un air de ressemblance avec une vedette du football.

— Nous croyons tenir l'arme du crime, monsieur. Une pierre avec du sang et des cheveux dessus. (Il indiqua le haut du sentier.) À une quarantaine de mètres environ.

— Qui l'a trouvée ?

— Un chien, monsieur. (Il eut un tic à l'œil.) Il a léché la plus grande partie du sang avant qu'on puisse la récupérer.

Le Pr Gates leva un œil.

1. Morceau du groupe Fleetwood Mac.

— Donc si le labo trouve des points de comparaison dans les fichiers, dit-il, et qu'on vous dit que la victime avait une fourrure magnifique, vous saurez pourquoi.

Il rit et Rebus rit avec lui. C'était comme ça, quand on était sur les lieux, on faisait comme si tout était normal, on dressait des barrières pour se protéger contre le fait criant que tout était au contraire anormal.

— On m'a dit que vous pourriez me faire une identification non officielle, ajouta Gates.

Rebus confirma d'un hochement de tête, respira un bon coup et s'approcha. Le corps était allongé là où il était tombé, l'arrière du crâne éclaté et couvert de sang séché. Le visage reposait contre le chemin chaotique, une jambe pliée au genou, l'autre raide. Un bras était coincé sous le corps, l'autre tendu de sorte que les doigts étaient agrippés à la terre froide. Rebus aurait pu s'en tenir aux vêtements, mais il s'accroupit pour scruter ce qu'il pouvait voir du visage. Gates le souleva un petit peu pour l'aider. La lumière avait quitté les yeux. Une barbe de trois jours devrait être rasée par l'entrepreneur des pompes funèbres. Rebus hocha la tête.

— Oui, c'est Darren Rough, déclara-t-il d'une voix pâteuse.

Jim Stevens faisait une pause. Il était assis nu au bord du lit, ses vêtements disséminés autour de lui, deux mignonnettes de whisky vides posées sur sa table de chevet. Le verre vide serré dans une main, il avait l'œil rivé dessus, fixant des choses que le monde ne pouvait voir…

DEUXIÈME PARTIE

TROUVÉ

Je vous invite à examiner plus attentivement votre devoir et les obligations ici-bas, chose dont nous n'avons tous qu'une notion vague et rare...

27

Une des chaussures de Rough était tombée à un moment donné, à peu près à mi-chemin entre le point d'impact et l'endroit où l'on avait retrouvé la pierre. Une hypothèse de départ: quelqu'un l'avait frappé très fort. Il avait trébuché et avait essayé de s'écarter de son agresseur en chancelant. Sa chaussure s'était détachée et il l'avait perdue. Finalement il avait fait une chute et il était mort, victime des coups. Des aboiements avaient alerté le meurtrier qui avait pris la fuite.

Seconde hypothèse: après avoir été assommé, Rough était mort sur le coup. Son agresseur l'avait alors traîné sur le sentier et la chaussure s'était détachée. Peut-être pour donner l'impression, par une mise en scène, que Rough s'était jeté ou était tombé du haut des Crags. Mais le propriétaire du chien s'était pointé et le meurtrier avait pris peur.

— Qu'est-ce qu'il faisait dans le coin de toute façon? avait demandé quelqu'un au poste.

— Je pense qu'il aimait l'endroit, répliqua Rebus. (Il était devenu le spécialiste officiel pour l'affaire Darren Rough.) C'était une sorte d'asile, un lieu où il se sentait en sûreté. Et de là-bas, il pouvait observer Greenfield, voir ce qui s'y passait.

— Quelqu'un l'a donc suivi ? Lui est tombé dessus sans crier gare ?

— Ou l'a persuadé de venir là.

— Pourquoi ?

— Pour que ça ait l'air d'un suicide. Peut-être quelqu'un qui a appris le suicide de Jim Margolies dans le journal.

— C'est une idée...

Les idées ne manquaient pas, les hypothèses non plus, il y en avait à la pelle. Entre autres : ouf, bon débarras. Une semaine plus tôt, cela aurait été le point de vue de Rebus aussi.

On préparait la salle d'enquête et on transportait des ordinateurs dans la pièce consacrée au dossier. Le Péquenot avait nommé l'inspecteur-chef Gill Templer à la tête de l'enquête. Rebus et elle avaient été amants à un moment donné, mais il y avait si longtemps que ç'aurait pu être dans une autre vie. Ses cheveux étaient coupés dans un dégradé court avec un balayage et elle avait des yeux vert émeraude. Elle se déplaçait d'un pas sûr dans la pièce, l'œil sur les préparatifs.

— Bonne chance, lui dit Rebus.

— Attends, je te veux dans l'équipe.

Ça pouvait se comprendre. Elle prenait ses marques et, au moment où elle mettait les chariots en cercle, elle préférait l'avoir avec elle que contre elle.

— Et je veux un rapport sur mon bureau avec tout ce que tu peux me dire sur la victime et toi.

Vu. Rebus se mit aussitôt à l'œuvre sur l'un des ordinateurs. *Tout ce que tu peux me dire.* Rebus aimait sa façon de le formuler, cela lui donnait une clause dérogatoire. Ce n'était pas nécessairement *tout* ce qu'il savait, mais tout ce qu'il était en mesure de divulguer. Siobhan Clarke établissait un tableau de service mural. Elle croisa son regard et fit un T avec les mains. Il acquiesça et, cinq minutes plus tard, elle était de retour avec deux gobelets brûlants.

— Tenez.

— Merci, dit-il.

Elle regardait l'écran par-dessus son épaule.

— Rien que la vérité ? demanda-t-elle.

— Qu'est-ce que vous croyez ?

Elle souffla sur sa tasse.

— Une idée de qui voulait le tuer ?

— Je n'en vois pas beaucoup qui ne le voulaient pas. Ne serait-ce que la moitié des habitants de Greenfield pour commencer.

Notamment Cal Brady, qui n'était pas un enfant de chœur. Et sa mère non plus.

— Le pourchasser et le tuer, ce n'est pas exactement le même topo.

— Non, mais il peut y avoir une escalade dans ce genre de comportement. Peut-être que Billy Horman a été la goutte d'eau.

Elle s'appuya contre le coin du bureau.

— Frappé avec une pierre… ça ne paraît pas prémédité, n'est-ce pas ?

Frappé avec une pierre… Deirdre, la nièce d'Alan Archibald, avait été tuée de la même façon. La tête écrasée contre un rocher avant d'être étranglée. Clarke devina ce qu'il pensait.

— Cary Oakes ?

— Est-ce qu'on a l'heure de la mort ? interrogea-t-il en tendant la main vers le téléphone.

— Pas que je sache. Le corps a été découvert à onze heures et demie.

— Et nous supposons que le tueur s'est enfui en entendant quelqu'un approcher, poursuivit Rebus avant de presser les touches, l'oreille collée au récepteur en attendant la communication. Bonjour, pourriez-vous me passer James Stevens, s'il vous plaît ?

Clarke ne le quittait pas des yeux. Il posa la main sur le combiné.

— Je veux savoir ce qui s'est passé après le petit déjeuner. (Il écouta de nouveau et retira la main.) Pourriez-vous essayer la chambre de Cary Oakes ?

Il indiqua d'un signe que le journaliste n'était pas dans sa chambre. Cette fois, on décrocha.

— Oakes, c'est vous ? Rebus à l'appareil, passez-moi Stevens. (Il attendit un instant.) Une question : que s'est-il passé après le petit déjeuner ? (Il écouta de nouveau.) L'avez-vous quitté des yeux ? Vous étiez là toute la matinée ?.... Non, ça va. Vous l'apprendrez toujours assez tôt.

Il raccrocha.

— Ils ont travaillé toute la matinée.

— Aucune chance que ce soit Oakes alors. (Elle fixa l'écran de l'ordinateur.) Quel serait son motif de toute façon ?

— Allez savoir... Cela dit, il était chez moi et il a piqué la voiture de patrouille. Peut-être qu'il a vu Rough s'en aller et a compris qu'il avait un rapport avec moi.

— Vous pouvez le prouver ?

— Non.

— Alors il lui suffit de le nier.

Rebus soupira bruyamment.

— Il nous roule dans la farine. C'est un jeu et il tire les ficelles.

De l'autre côté de la pièce, Gill Templer avait l'œil fixé sur eux.

— Je ferais mieux de me remettre au boulot, annonça Clarke en emportant son thé.

Rebus finit son rapport, l'imprima et le remit personnellement à Gill Templer.

— Quand aurons-nous les conclusions du légiste ?

Elle vérifia l'heure à son poignet.

— J'étais justement sur le point d'aller les chercher.

— Tu veux un chauffeur ?

Elle l'observa par en dessous d'un œil méfiant.

— Ta conduite s'est améliorée ?

— Je vous laisse juge, madame.

Le service médico-légal n'était pas en fonctionnement. Des changements devaient être opérés pour des raisons d'ordre sanitaire. Entre-temps, on avait recours au centre hospitalier. Comme on ne lui avait pas trouvé de famille ni d'amis, on avait fait appel à Andy Davies pour procéder à l'identification officielle du défunt. L'éducateur de postprobation attendait quand Rebus et Gill Templer arrivèrent. Il fit le nécessaire sans un mot pour Rebus, qu'il toisa d'un regard glacial avant de partir.

— Il a une dent contre toi ? demanda Templer.

— C'est mieux que pas de dents du tout, Gill.

Le Pr Gates s'était mis à l'œuvre pendant qu'ils revêtaient leurs blouses et leurs masques. Pour l'identification officielle, le corps de Rough était recouvert d'un linceul. À présent, étendu sur la table en inox, il était entièrement dénudé. Les côtes proéminentes, remarqua Rebus. Il pensait au repas qu'il avait préparé pour Rough. Préparé à contrecœur. Des haricots-sauce tomate sur toast. Sans doute son dernier repas. Et Gates allait probablement le révéler au grand jour. Rebus tourna la tête à demi.

— Le mal de mer, inspecteur ? plaisanta Gates.

— Ça ira tant qu'on ne descend pas à la cale.

Gates gloussa.

— Mais la partie la plus intéressante se situe sous le pont.

Il mesurait, marmonnait ses remarques à son assistant, un jeune homme au visage couleur de cendre.

— Et vous, Gill, comment ça va ? demanda-t-il enfin.

— Débordée.

Il leva les yeux.

— Une chouette fille comme vous devrait être chez elle entourée d'une ribambelle de marmots.

— Merci pour le vote de confiance.

Gates gloussa de nouveau.

— Ne me dites pas que vous manquez de prétendants ?

Elle se tut, mais le médecin légiste enchaîna avec entrain.

— Et vous, John ? Comment vont les amours ? Je devrais peut-être jouer à Cupidon et vous mettre ensemble. Qu'est-ce que vous dites de ça, hein ?

Rebus et Templer échangèrent un regard entendu.

— Des professions comme les vôtres n'ont rien à voir avec celles d'avocat ou de romancier, n'est-ce pas ? Pas facile de briser la glace avec ça dans les soirées mondaines. (Il adressa un signe de tête à son assistant.) Garde ça en tête, Jerry. Pas de partie de jambes en l'air à moins de mentir sur ce que tu fais.

Son dernier gloussement se perdit dans une quinte qui le plia en deux. Puis il s'essuya les yeux.

— Il est temps de vous arrêter de fumer, l'avertit Templer.

— Impossible. Ça ficherait tout en l'air pour notre pari.

— Quel pari ?

— Entre le Dr Curt et moi. Lequel vivra le plus longtemps avec vingt clopes par jour.

— Vous êtes...

Templer était sur le point de dire « malades » quand elle s'aperçut que le corps avait été découpé presque sans qu'elle s'en rende compte et elle comprit pourquoi Gates entretenait la conversation. Ça détournait l'attention de ce qui les occupait. Et pendant quelques instants, ça avait marché.

— Je vais vous dire une chose tout de suite, reprit le légiste. Ses vêtements étaient mouillés, ce qui pour moi veut dire de la pluie. J'ai vérifié : nous avons eu une giboulée ce matin de bonne heure et plus rien depuis.

— Pourrait-il s'être mouillé en restant allongé sur le sentier ?

— Il était couché sur le ventre. Le dos de ses vêtements est mouillé. Donc il s'est trouvé sous l'averse... mort ou vif, je ne peux pas dire. Mais ses cheveux sont mouillés aussi. Voyons, si vous étiez pris sous une averse, est-ce que vous ne relèveriez pas votre veste pour vous couvrir la tête ?

— Ça dépend de votre état d'esprit, répondit Rebus.

— Ce n'est qu'une hypothèse. En revanche, ce dont je suis sûr... (Il passa un doigt sur le corps en soulignant des plaques bleutées.) La lividité cadavérique. C'était visible déjà sur la scène du crime. Je suis arrivé trois quarts d'heure après la découverte du corps.

— Mais la lividité...

— Bon, elle commence dès l'instant où le cœur arrête de pomper, mais elle devient visible entre une demi-heure et une heure après la mort. Or c'était bien établi au moment où je suis arrivé.

— Et la rigidité cadavérique ?

— Les paupières étaient rigides, de même que la mâchoire. Je vais prélever un échantillon de potassium dans l'œil pour avoir une meilleure idée de l'heure, mais pour l'instant, je dirais que le cadavre est resté étendu là trois heures, voire plus.

Rebus fit un pas en avant. Si Gates avait raison — et il avait toujours raison —, la propriétaire du chien n'avait pas dérangé l'assassin. Celui-ci s'était éclipsé depuis longtemps quand l'épagneul et sa maîtresse étaient arrivés, et Darren Rough était mort autour de 7 ou 8 heures le matin. À 5 heures, il était couché sur le canapé de Rough. À 6 heures, il était parti...

— Est-il mort à l'endroit où on l'a retrouvé ? demanda Rebus qui voulait une certitude.

— À en juger par le type de lividité, je dirais que c'est à parier. (Il s'interrompit.) Bien sûr, je dois reconnaître qu'il m'est arrivé de perdre quelques livres sur un mauvais cheval dans le temps.

— Nous avons besoin d'une heure plus précise pour la mort.

— Je sais, inspecteur, vous en avez toujours besoin. Je ferai ce que le budget me permettra de faire.

— Et le plus tôt possible.

Gates s'apprêtait déjà à sortir les organes. Jerry disposait les instruments nécessaires à leur place.

Trois heures, quatre peut-être, songeait Rebus.

Cary Oakes était de nouveau en lice.

28

Ils le firent venir pour l'interroger. Rebus resta en dehors et écouta l'enregistrement plus tard. Le journal de Stevens avait procuré à leur client un conseiller juridique attaché à un des plus grands cabinets de la ville, bien que Templer leur ait assuré qu'il s'agissait seulement de quelques points faciles à éclaircir. Mais Oakes sut tenir sa langue. Templer se montra à la hauteur et Pryde était avec elle. Leur système était bien huilé, mais Rebus eut l'impression que Oakes connaissait déjà toutes leurs ficelles. Il avait été soumis à un interrogatoire et à un contre-interrogatoire, puis avait été rappelé à la barre, et il avait subi tout cela devant un tribunal américain. Il resta assis et dit qu'il ne savait rien de la voiture de patrouille, rien de l'adresse où habitait Rebus, et rien du pédophile mort. Sa conclusion :

— C'est quoi, ces salades, pour un pédé ?

Pryde, qui écoutait la bande, croisa les bras et fit la moue, partageant en grande partie la même opinion. Quand il demanda à Rebus s'il sortait pour en griller une, Rebus, qui mourait d'envie de fumer, refusa. Plus tard, il alla sur le parking, seul, qu'il arpenta en tirant goulûment sur sa première Silk Cut, puis la deuxième. Dix par jour, c'était la limite qu'il s'était fixée. Et s'il montait à douze un jour, il réduisait à huit le lendemain. Huit ça allait, il pouvait y arriver. Ça lui donnait une marge pour aujourd'hui, une marge dont il estimait avoir besoin.

Le problème, c'est qu'il avait accumulé de sacrés arriérés sur la semaine. Sur le mois, à vrai dire.

Tom Jackson sortit à son tour et alluma une sèche. Ils se turent pendant quelques minutes. Jackson racla ses chaussures sur le bitume et rompit le silence.

— J'ai appris que vous l'avez conduit chez vous.

Rebus souffla la fumée par le nez.

— C'est juste.

— Vous l'avez tiré d'affaire en le prenant chez vous cette nuit-là.

— Et alors ?

— Tout le monde n'aurait pas été aussi charitable.

— Je ne suis pas sûr que c'était de la charité.

— C'était quoi alors ?

C'était quoi ? Bonne question.

— Le problème, reprit Jackson, c'est que quelques jours plus tôt, vous vouliez qu'on le pende.

— N'exagérons rien.

— C'est vous qui avez jeté cette meute de chiens à ses trousses.

— Vous voulez parler des journaux ou des voisins ?

— Les deux.

— Attention, Tom. Vous êtes leur agent de proximité. C'est de vos clients que vous parlez.

— Je parle de vous. Que s'est-il passé ?

— Il a juste dormi sur mon canapé, Tom. À aucun moment il n'a été question de l'engueuler ni rien.

Rebus envoya une troisième clope par terre et l'écrasa sous son talon. Seulement à demi consumée, donc ça ferait deux et demie. On arrondit à deux.

— On n'a toujours pas retrouvé le gosse.

— Comment va la mère ?

Sachant ce que sous-entendait la question, Jackson répondit explicitement :

— Personne n'a l'air de la suspecter.

— C'est quoi, ses antécédents ?

— Billy est son seul enfant. Elle l'a eu à dix-neuf ans.

— Le père est quelque part ?

— Il a pris la tangente avant la naissance. Il s'est tiré en Ulster pour rejoindre les troupes paramilitaires.

— Alors il ne va pas tarder à pointer au chômdu.

— Bof, fit Jackson. Elle a eu une demi-douzaine de mecs depuis. Ça fait quelques semaines qu'elle vit avec le dernier.

— Tous les trois ensemble dans l'appart ?

Jackson confirma d'un signe.

— On l'a interrogé. On fouille son histoire.

— Cinq sacs qu'il a un casier.

— Quoi ? Parce qu'il vit à Greenfield ? dit Jackson en souriant. Gardez votre pognon. (Il s'interrompit.) Vous ne croyez vraiment pas que ça a un rapport avec notre défunt ami ?

— Peut-être, Tom, mais peut-être pas de la façon dont nous le croyons.

— Que voulez-vous dire ?

— Bon, à la revoyure, coupa Rebus en s'éloignant.

Avec, en tête, une vieille chanson de Gravy Train : *Won't Talk About It*[1].

Il prévint Patience qu'il ne pourrait pas la voir. Il devait y avoir quelque chose dans sa voix qui le trahit.

— Tu vas au bistrot ?

— Tu me connais trop bien.

1. « Je refuse d'en parler. »

Il raccrocha le combiné avant qu'elle puisse ajouter un mot. Il partit en direction du Maltings, remonta sur Causewayside jusqu'au Swany, puis prit un taxi pour l'*Ox*. Sa voiture était restée en rade à St Leonard, mais peu importe, il irait à pied au boulot le lendemain. Salty Dougary, un des habitués de Young Street, sortait juste de l'hôpital après un infarctus. Il avait été opéré, on lui avait fait une angioplastie ou un truc comme ça. Il était en train de donner les détails aux clients du bar. Pour une raison que Rebus n'arrivait pas à comprendre, l'opération avait apparemment commencé à l'aine.

— Le chemin du cœur, commenta Rebus en plongeant son nez dans un autre whisky.

Il les diluait avec de l'eau, mais sans les noyer. Il se sentait bien, pas ivre. Cool plutôt. Mais il savait que dès qu'il mettrait le pied dehors, il sentirait l'effet de l'alcool. Un bon prétexte pour rester tranquille, comme le personnage dans *Apocalypse Now* qui dit : « Ne quitte pas le bateau. » C'est seulement quand on quitte le bateau que les ennuis commencent. D'après l'expérience de Rebus, c'était pareil avec les pubs. C'est pourquoi il était encore à l'*Ox* à minuit et demi. Des musiciens, une douzaine ou plus, s'étaient installés dans l'arrière-salle, des guitares surtout, et du blues. Un barbu jouait de l'harmonica comme s'il se trouvait devant une foule au Madison Garden. Janis Joplin : *Buried Alive in the Blues*[1].

Rebus discutait avec George Klasser, un médecin de l'hôpital municipal. Celui-ci avait l'habitude de lever l'ancre de bonne heure, vers 19 heures plus ou moins. Quand il restait tard, c'était qu'il y avait de l'eau dans le gaz chez lui. Il avait démarré la soi-

1. « Enterrée vive dans le blues. »

rée en conseillant à Salty Dougary de réduire sa consommation d'alcool.

— C'est la paille dans l'œil du voisin ! l'avait rembarré Dougary.

Ce dernier avait plutôt l'air de rentrer de vacances que d'un séjour à l'hôpital. Le visage bronzé, il était passé de quarante clopes par jour à dix. Klasser avait des cernes sous les yeux, un léger tremblement dans la main quand il leva son verre. Rebus avait eu un oncle qui avait fumé un paquet par jour chaque jour de sa vie et avait vécu jusqu'à quatre-vingts printemps. En revanche, son père était mort jeune en ayant renoncé au tabac vingt ans plus tôt.

Allez savoir.

Ils n'étaient que quatre autour du bar, cinq avec Harry. Dougary, qui s'était saoulé dans tous les pubs de la ville, estimait qu'Harry était le barman le plus grossier. Ce qui en disait long, étant donné le niveau de la compétition.

— Allez, les mecs, dégagez, cassez-vous, répéta Harry pour la énième fois de la soirée.

— La nuit ne fait que commencer, Harry, répondit Dougary.

— Comment ça se fait qu'on vous a pas gardé aux soins intensifs ?

Dougary lui fit un clin d'œil.

— C'est pour les soins intensifs que je suis là, mon pote.

Il leva son verre pour montrer qu'il buvait à leur santé, puis le porta à ses lèvres. Vingt minutes plus tôt, Rebus avait parlé à Klasser de Darren Rough. À présent, ce dernier se tournait vers lui, les paupières lourdes.

— Tenez, il y a eu un meurtre célèbre. Au début du siècle, je crois. Un couple allemand est venu ici pour sa lune de miel, sauf que le marié était plus intéressé par l'argent de sa femme que par son amour. Il avait prévu de la tuer en faisant passer ça pour un suicide. Ils sont donc allés en balade à Arthur's Seat et il l'a poussée du haut des Crags.

— Mais il ne s'en est pas tiré comme ça ?

— Apparemment non, sinon il n'y aurait pas d'histoire.

— Alors comment il s'est fait prendre ?

Le toubib regarda fixement son verre.

— Je ne m'en rappelle pas.

Dougary éclata de rire.

— Çui-là, quand il raconte des blagues, il oublie toujours la chute.

— C'est toi qui vas faire une chute, si tu continues, Salty.

— Chacun son tour, commenta Harry.

Certains soirs, c'était comme ça à l'*Oxford Bar*. Quand les guitaristes plièrent bagage, Rebus prit sa veste. Dehors, la bise était humide, il avait encore plu, et le pavé était noir et luisant comme le dos d'un scarabée. Il avait eu l'intention d'appeler Janice, mais que lui aurait-il dit ? Il ne savait rien de neuf pour Damon. Il longea Princes Street en décidant qu'il préférait la ville ainsi, avec tous les touristes réfugiés sous la couette. Devant l'hôtel *Balmoral*, une rangée de Jaguar et de Rover étaient garées, les chauffeurs battant la semelle en attendant de pouvoir regagner leurs pénates. Un jeune couple le dépassa, ils partageaient une bouteille de cidre bon marché. Le garçon portait un blouson avec un badge proclamant : Stockholm Film Festival. Rebus n'en avait jamais entendu parler. Peut-être était-ce le nom d'un orchestre. On ne sait jamais de nos jours.

Il traversa North et South Bridges, et se pencha par-dessus la rambarde pour regarder Cowgate en contrebas. Des discothèques étaient encore ouvertes et des adolescents se répandaient sur la chaussée. Cowgate avait droit à divers surnoms dans la police à cette heure-là. C'était « Little Saigon », la « Banque du sang » ou l'« Enfer sur terre »... Même les voitures de patrouille s'y rendaient en tandem. Des cris de joie et des hurlements. Deux filles en minirobes. Un garçon était à genoux dans la rue, prêt à tout pour qu'on le remarque.

Pretty Things : *Cries from the Midnight Circus*[1].

À Édimbourg, c'était parfois minuit en plein midi.

Il ne savait pas où il allait ni ce qu'il faisait. S'il rentrait chez lui, il le faisait par étapes. Quand un taxi vint à passer, il le héla. Sur une brusque inspiration, il indiqua sa destination.

— Le *Shore*, s'il vous plaît.

1. « Des cris du cirque de minuit. »

29

C'était quoi, l'idée ?

L'idée, c'était de rester devant l'hôtel dans le froid glacial, d'appeler Oakes dans sa chambre sur son portable et de le faire descendre. Cette fois, pas question de se laisser assommer. Face à face. Mais il était bourré, c'est tout. Rebus savait qu'il ne le ferait pas. Oakes ne marcherait pas. Le dos au *Shore*, il regarda de l'autre côté, les lumières du *Clipper* avec un ange gardien à l'entrée. Rebus traversa le pont et se présenta. Le gardien s'épongea le visage. Rebus entendait des voix et des rires provenant de l'intérieur.

— Une fête ? s'enquit-il.

— Me dites pas que quelqu'un s'est encore plaint, grommela le planton avec l'accent de Liverpool. (À sa carrure, Rebus pouvait parier que c'était un fils de dockers.) Il manquerait plus que ça.

— Qu'est-ce qu'il se passe ?

— Ces cons ne veulent pas partir.

— Vous avez essayé de le leur demander gentiment ?

L'homme grogna.

— Personne pour vous filer un coup de main ?

— Quand on a arrêté la musique, on croyait que ça ne traînerait pas. Le DJ a plié et il est rentré chez lui. De même que M. Frost, mon patron. Il m'a dit que tout ce que j'avais à faire, c'était d'éteindre les lumières et de fermer la porte à clé.

— Vous êtes nouveau dans le métier, hein ?

— Ça se voit tant que ça ? demanda-t-il avec un sourire piteux.

— J'imagine que vous avez un portable sur vous. Pourquoi ne pas appeler M. Frost ?

— J'ai pas son numéro perso.

— Hmm, fit Rebus en se frottant le menton. Est-ce que ce M. Frost c'est *Archie* Frost ?

— Tout juste.

Rebus réfléchit un instant.

— Vous voulez que je leur parle ? (Il fit un geste en direction du bateau.) Voir si je peux les convaincre ?

Le gardien le regarda fixement. Il avait reçu une bonne éducation sur les règles de coexistence entre sa profession et celle de Rebus. On n'avait rien sans rien, tout se payait, et à service reçu, service rendu. Il se tourna vers le bruit. Un des fêtards se pointa sur le pont, prêt à pisser par-dessus bord.

— Pourquoi pas ? fit-il avec un soupir.

Et Rebus entra.

Un gars s'était écroulé sur le pont, une bouteille de champagne serrée contre sa poitrine. Son nœud papillon pendait à son cou, à son poignet une Rolex en or. L'invité qui prenait la baie pour une pissotière privée faisait du culbuto sur ses talons en fredonnant le refrain d'une chanson pop. En voyant Rebus, il lui décocha un sourire heureux. Sans un regard, Rebus prit l'escalier qui conduisait dans la partie principale du bateau, aménagée pour faire la fête, les chaises et les tables étant disposées en cercle autour de l'étroite piste de danse. Le bar à un bout, une estrade de fortune à l'autre. Il y avait un système d'éclairage, avec une boule miroitante au-dessus de la piste. Les stores du bar étaient descendus et fixés par un cadenas, qu'un autre ivrogne essayait de forcer avec un cure-dent en plastique. Deux tables étaient renversées ainsi qu'une douzaine de chaises. Des vêtements oubliés jonchaient le sol de même que des chips, des cacahuètes, des bouteilles vides, des morceaux de sandwich et des portions de quiche écrasées. L'action se concentrait autour de deux tables qu'on avait réunies. Quatorze ou quinze personnes étaient assises là, les femmes sur les genoux des hommes, et se roulaient des pelles sans vergogne. Quelques couples bavardaient en sourdine. Un ou deux individus dormaient à poings fermés. Un noyau dur — trois hommes, deux femmes — racontait des histoires d'une voix pâteuse, en détaillant les grands moments de la soirée qui tournaient surtout autour de boire, vomir et se peloter.

— Salut! lança Rebus à Ama Petrie. C'est votre œuvre?

Elle avait la tête sur l'épaule d'un jeune homme assis à ses côtés. Son mascara avait bavé, lui donnant l'air fatigué. Sa courte robe était un enchevêtrement de couches noires vaporeuses. Ses pieds nus reposaient sur les genoux de celui qui lui faisait face et qui jouait avec ses orteils.

— Ciel! s'exclama ce dernier, les paupières tombantes. Ils envoient la grosse cavalerie. Écoutez, mon brave, cette soirée a été payée... en liquide et à l'avance. Alors soyez gentil de dégager et...

— Oscar, espèce de pomme, c'est un policier, l'interrompit Ama Petrie, qui leva la tête vers Rebus. Ravie de vous voir.

Cela lui échappa par habitude, une formule qu'elle ne put s'empêcher de dire, même si elle n'en pensait pas un mot. En revanche, son regard posé sur

Rebus livrait franchement sa pensée. Elle était loin d'être enchantée.

— Ben alors, enchaîna Oscar en souriant à son auditoire, pour sûr, c'est un flag', chef, mais c'est pas ma faute, c'est la faute à la société. On m'a jamais donné ma chance.

Il se glissa naturellement dans la peau du personnage, déclenchant des rires autour de lui. Rebus regarda les têtes qui l'entouraient et reconnut une bonne partie des rejetons de la jeunesse dorée d'Édimbourg. Ils possédaient leurs propres appartements à New Town, cadeaux de parents à la coule. Ils avaient leurs fêtes et leurs soirées. Peut-être que le jour ils faisaient des courses, ou déjeunaient, ou assistaient à quelques cours à l'université. Leur vie était toute tracée, avec un job dans l'affaire familiale ou quelque chose d'« arrangé », une situation taillée sur mesure demandant un charme inné et un minimum d'effort. Ça leur tombait tout cuit, parce qu'ils étaient nés avec une cuiller en argent dans la bouche. Ou en or.

— Dommage qu'il ne soit pas en uniforme, hein, Nicky ?

— Qu'est-ce qu'on a fait, monsieur l'inspecteur ? interrogea un autre.

— Ma foi, vous avez abusé de l'hospitalité des lieux, répliqua Rebus. Mais ça n'est pas vraiment mon affaire. Puis-je vous demander qui a organisé cette fête ? ajouta-t-il à l'adresse d'Ama.

— Moi, en fait, rétorqua l'homme au cure-dent en se détournant du bar. (Il repoussa une épaisse tignasse blonde qui lui tombait sur le front. Un visage fin, des traits doux.) Je suis Nicol Petrie, le frère d'Ama.

C'était donc « Nicky ». *Dommage qu'il n'ait pas d'uniforme, hein ?*

Le jeune homme avait un peu plus de vingt ans et, conformément aux critères de la mode, une barbe de trois jours lui couvrait le menton de mille paillettes.

— Écoutez, j'embarque toute la bande et on va vider les lieux, promis. (Puis à ses amis :) On va chez moi, il y a de quoi picoler.

— Je veux aller au casino, geignit une femme. Tu as dit qu'on irait.

— Chérie, il ne l'a dit que pour que tu lui tailles une pipe.

Hurlements de rires, doigts pointés. Ama avait les yeux clos mais gloussait, les pieds pétrissant l'entrejambe de son compagnon.

Tout le monde semblait avoir oublié la présence du policier. Les conversations avaient repris. Il plongea la main dans sa poche et tendit deux photographies à Nicol Petrie.

— Il s'appelle Damon Mee. Il a quitté un night-club avec cette blonde. Nous pensons qu'ils venaient à une fête sur ce bateau organisée par votre sœur.

— Oui, dit Nicol Petrie, Ama m'en a parlé. (Il étudia les clichés et secoua la tête.) Je regrette, conclut-il en les lui rendant.

— Vous étiez à la soirée en question ? (Petrie fit signe que oui.) Tous ?

Ils regardèrent Ama qui leur précisa de laquelle il s'agissait. Un couple n'y était pas en raison d'autres engagements. Rebus fit circuler les tirages malgré tout. Ils firent le tour de la table sous l'œil distrait des convives pendant que les conversations allaient bon train.

— Je me taperais bien du saumon fumé.

— La fête d'Alison est vendredi prochain, tu y vas ?

— Les « extensions », ça te change carrément un visage…

— J'ai pensé à monter un consortium, à acheter une écurie de courses, à…

Ama Petrie fit passer les photos sans même leur accorder un regard.

— Désolé, fit le dernier de la bande qui rendit son bien à Rebus sans interrompre sa conversation.

Nicol Petrie prit l'air contrit.

— Je promets que nous allons bientôt partir et appeler des taxis.

— Entendu.

— Et je suis navré que nous n'ayons pu vous être utiles.

— Ne vous inquiétez pas.

— J'ai fait une fugue une fois…

— Nick, tu n'avais que douze ans, intervint Ama Petrie d'une voix traînante.

— Quand même, je sais combien ça a fait souffrir nos père et mère.

— Tu parles ! Ils ont à peine remarqué ton absence. (Elle leva les yeux.) C'est moi qui ai appelé la police.

— Que s'est-il passé ? interrogea Rebus.

— J'étais allé chez un ami, expliqua Nicol Petrie. Quand ses parents ont appris que j'étais censé avoir disparu, ils m'ont reconduit chez moi.

Deux ou trois amis rigolèrent.

— Ça va, enchaîna-t-il en élevant un peu la voix. Allez, on va chez moi. La nuit est jeune, et nous aussi !

Ses propos furent accueillis par des acclamations. Cela semblait être sa formule habituelle pour rameuter ses troupes, une sorte de rituel.

— Où est passé Alfie ? interrogea Ama.

— Il est allé pisser, lui répondit-on.

Rebus partit en direction des marches.

— Merci quand même, dit-il au frère de la jeune femme.

Nicol Petrie lui tendit la main, que Rebus serra. *Dommage qu'il ne soit pas en uniforme...* Qu'est-ce que ça voulait dire ? Une plaisanterie pour initiés ? Rebus remonta à l'air libre. L'homme qui s'était soulagé, Alfie, était affalé par terre sur le pont, jambes écartées. Il avait oublié de refermer sa braguette.

— On part bientôt ? demanda-t-il.

— Tout le monde va chez Nicky, annonça Rebus comme s'il faisait partie de la bande.

— Ce cher vieux Nicky...

— Vous êtes Alfie, non ?

Le jeune homme leva les yeux en essayant de situer Rebus.

— Je regrette, articula-t-il, je ne vois pas...

— John, répondit Rebus.

— Bien sûr, John, répéta-t-il en opinant énergiquement. Je n'oublie jamais une tête. Vous êtes dans la finance ?

— Côté pompe à finances, plutôt.

— Hein... ? J'oublie jamais une tête, marmonna-t-il de nouveau en essayant de se relever.

Rebus passa une main sous son bras pour l'aider. Dans l'autre, il tenait toujours les photographies.

— Tenez, dit-il, jetez un œil là-dessus.

Il les tendit sans ajouter un mot.

— Le photographe devait être bourré, critiqua Alfie.

— Elles ne sont pas terribles, hein ?

— Carrément ratées, tu parles. J'ai un ami photographe. Laissez-moi vous donner son numéro, bafouilla-t-il en cherchant dans sa poche.

— Mais vous connaissez sa tête, non ? insista Rebus en tapotant la photo de vacances.

Alfie scruta le tirage en plissant les paupières, l'approcha de son nez et l'orienta de manière à l'exposer au peu de lumière ambiante.

— Je me vante de ne jamais oublier un visage, répéta-t-il. Mais pour le gaillard d'avant, je ferai une exception. (Il leva les yeux, l'air enchanté de son jeu de mots.) La petite dame, en revanche…

— Alfie ! clama Ama Petrie, debout en haut de l'escalier, les bras croisés à cause du froid. Viens, on part.

— Super, Ama, fit Alfie en clignant des yeux si lentement que Rebus crut qu'il avait son compte.

— En ce qui concerne la blonde…, insista Rebus.

Ama s'était approchée et tirait Alfie par la manche. Celui-ci tapota le bras de Rebus.

— À tout à l'heure chez Nicky, mon vieux.

— Allez, Alfie, amène-toi…

Ama lui planta une bise sur la joue et l'entraîna vers les marches avec un rapide coup d'œil à Rebus par-dessus son épaule. L'air… quoi ? Furieuse ? Soulagée ? Un mélange des deux ? Quand ils eurent disparu, il retourna à terre.

— Ils sont en route, annonça-t-il au gardien.

— Youpi.

— Alors c'est donnant-donnant, lui rappela Rebus en attendant un signe d'assentiment. En échange, j'aimerais que vous me disiez ce qu'Archie Frost a à voir avec Billy Preston.

— C'est son patron, comme pour moi.

— Mais Frost gère le *Gaitano* pour Charmeur Mackenzie.

— Tout juste.

— Aucun conflit d'intérêt ?

— Pourquoi y en aurait-il ?

Rebus plissa les paupières.

— Alors Mackenzie possède ce bateau ?

Le gardien s'humidifia les lèvres.

— En partie, moitié-moitié avec M. Preston.

Ainsi Charmeur Mackenzie était propriétaire de la moitié du *Clipper*. Et le *Gaitano* lui appartenait. Damon était allé au *Gaitano* et, la dernière fois qu'on l'avait vu, c'était à proximité du *Clipper*. Rebus commençait à se demander si...

— Bon, alors on est quittes, déclara le jeune gardien tandis que les noceurs se dirigeaient vers la passerelle en dansant la conga.

Il regagna son appartement, mais ne put fermer l'œil. La couverture sous laquelle Darren Rough avait dormi était toujours pliée sur le canapé. Il ne pouvait se décider à la ranger. Il s'assit dans son fauteuil en attendant que ses fantômes reviennent. Peut-être que Darren serait du nombre désormais, à moins qu'il n'aille hanter d'autres âmes.

Mais les fantômes ne vinrent pas. Rebus s'assoupit et se réveilla en sursaut. En fin de compte, il serait mieux dehors. Il coupa à travers les Meadows et dépassa l'hôpital municipal. Celui-ci devait être transféré en dehors de la ville, au sud de Little France. Le bruit courait que l'espace libéré permettrait de construire des appartements haut de gamme ou peut-être un hôtel. Un emplacement de choix en plein centre-ville, mais qui avait envie de dormir à la place d'une salle d'op' ?

Il s'arrêta devant la statue de Greyfriars Bobby[1]. À la réflexion, Bobby n'était qu'un chien sans toit, il n'avait rien de mieux à faire. Rebus tapota la tête de la statue.

1. Ce petit terrier garda pendant quatorze ans la tombe de son maître au cimetière de Greyfriars avec la complicité des gens du quartier qui lui apportaient à manger.

— Tiens bon, lui dit-il en se dirigeant vers le pont George-IV.

Deux taxis draguaient et ralentirent à sa hauteur, mais il leur fit signe de passer leur chemin, et prit les Playfair Steps qui descendaient vers la National Gallery et la Royal Academy. Il dépassa deux clochards qui dormaient à la dure, contempla le château qui se profilait à nouveau sur le ciel comme la nuit cédait au matin. Il pensa à ses deux grands-pères, dont le nom était enfoui dans les Livres du souvenir conservés derrière les murailles de la forteresse. Il ne pouvait se rappeler dans quels régiments ils avaient servi. Les deux étaient morts à la guerre de 14, bien avant que les parents de Rebus ne se rencontrent.

Princes Street avait le même air biscornu que d'habitude. Les trottoirs de l'avenue semblaient larges quand ils étaient vides. Il fila du côté du Burger King et entra au Penny Black, qui ouvrait ses portes à 5 heures. Deux clients étaient déjà dans la place. Rebus commanda un whisky, qu'il arrosa d'une bonne quantité d'eau.

— Eh, mon vieux, vous le noyez, fit remarquer un buveur.

Rebus ne répondit pas que l'eau était son assurance-vie. La première édition du *Scotsman* traînait sur le comptoir. Rebus le feuilleta. Un article sur les derniers rebondissements au procès de Shiellion, plus la « mort suspecte » de Darren Rough et la disparition de Billy Horman. Il y avait une citation anonyme d'un membre du GAP qui attribuait en substance à Rough la disparition du gamin.

« Et nous sommes bien contents et soulagés qu'une vermine de cette espèce ait disparu de cette terre. Puissent les autres en faire autant. »

Van Brady, sur le mode incantatoire. On faisait

état de la création d'un comité des habitants du quartier, les nouveaux arrivants devant recevoir l'imprimatur des anciens. Il y aurait des discussions avec les îlotiers, des points de contrôle et même une espèce de clôture pour empêcher les «indésirables» d'entrer dans Greenfield et de le «défigurer».

Certes, l'Écosse s'apprêtait à retrouver son autonomie, mais là, c'était pousser le bouchon un peu loin.

— On a un ordinateur au foyer municipal, annonçait un porte-parole. Et maintenant on veut se brancher sur Internet pour demander des conseils aux Guardian Angels[1]. On espère gagner un logiciel à la loterie. Ce quartier le mérite grandement.

Si Greenfield se dotait d'une milice, Rebus se demanda qui était le mieux placé pour en prendre la tête. D'emblée, le nom de Cal Brady s'imposa.

Il vida son verre et décida de prendre son petit déjeuner à Leith, où il connaissait un bistrot qui ouvrait à 6 heures et servait de confortables portions sans faire de chichis. Il parcourut à pied Leith Walk, trouva le café et s'installa. Ayant déjà lu le journal du matin, il ne lui restait qu'à mastiquer son demi-toast en regardant par la vitre. Quand un taxi s'arrêta aux feux, devant le café, il entraperçut le client. Il essaya de mieux voir, mais le taxi était déjà reparti pour ramener Cary Oakes à son hôtel. Il releva le numéro d'immatriculation qu'il griffonna sur le dos de sa main. Une gorgée de thé brûlant l'aida à avaler le pain, puis il demanda à se servir du téléphone et appela une compagnie de taxis. Il voulait savoir si le taxi était enregistré chez eux.

1. Les «Anges gardiens», milice d'autodéfense créée à New York.

— Vous rigolez ? Vous savez combien on a de bagnoles ?

— Faites de votre mieux, d'accord ?

Il donna son numéro de portable, puis essaya d'autres compagnies. Elles semblaient trouver qu'il demandait la lune, mais en arrivant à St Leonard, il avait déjà un résultat. Ayant fait ses heures, le chauffeur était rentré à la base et Rebus put lui parler.

— Vous avez fait une course à Leith, au *Shore*, je suppose, il y a environ une heure.

— Ouais, c'était mon dernier client.

— Où vous l'avez pris exactement ?

— Sur Costorphine Way, juste avant le rond-point de Maybury. Qu'est-ce qu'il a fait ?

Costorphine, où habitait Alan Archibald. Rebus remercia le chauffeur et raccrocha. Il alla aux toilettes pour se laver et se raser, avant d'engloutir deux cachets de paracétamol avec un café. La salle d'enquête était vide, personne n'était encore au travail. Il examina les photographies sur le mur. La nièce d'Archibald avait été assassinée dans les collines. Darren Rough aussi. Y avait-il un rapport ? Il pensa à Cary Oakes qui déambulait dans la ville, libre comme l'air. Il prit un des téléphones et appela Patience.

— Mmonjour, marmonna-t-elle tout ensommeillée.

— C'est ton réveille-matin préféré.

Il l'entendait s'étirer, s'asseoir sur le lit.

— Quelle heure est-il ?

Il le lui dit.

— Comme je n'ai pas pu rentrer à temps pour le petit déj', je t'appelle.

— Où tu es ?

— À St Leonard.

— Tu as dormi à Arden Street ?

— J'ai réussi à piquer un roupillon.

— Je me demande comment tu fais. (Elle devait

repousser ses cheveux qui lui tombaient dans les yeux.) J'ai besoin de huit heures au minimum.

— On dit que c'est le signe d'une conscience tranquille.

— Ce qui en dit long sur la tienne, non ?

Elle savait qu'il ne répondrait pas et préféra lui demander s'ils se verraient pour le dîner.

— Certainement, dit-il. À moins que tu ne puisses pas, bien sûr.

— Bien sûr, dit-elle, puis elle ajouta : Comment va la tête ?

— Super.

— Menteur. Essaie un jour sans alcool, John, juste pour moi. Un jour seulement, et tu me diras si tu ne te sens pas mieux le matin.

— Je sais que je me sentirais mieux le matin. Le problème c'est que, dès que je bois, j'oublie.

— Ciao, John.

— Ciao, Patience.

Patience, la bien nommée.

30

Rebus et Gill Templer avec Cal Brady dans la salle d'audition B, la même où Rebus avait emmené Darren Rough. La même aussi où il avait rencontré Harold Ince pour l'enquête sur Shiellion. Ils s'entretenaient de nouveau avec Cal Brady parce que Templer voulait éclaircir certains points.

— C'est vous qui avez provoqué l'incendie, attaqua-t-elle.

— Ah bon ? demanda-t-il en faisant les yeux ronds. Alors il vaudrait peut-être mieux faire venir un avocat.

— N'essayez pas d'être drôle, monsieur Brady. Ce n'est pas une farce.

— C'est vous, les farceurs.

— On apprend la disparition de Billy Horman et, aussi sec, vous mettez le feu chez Darren Rough. Si j'en avais envie, je pourrais croire que vous aviez quelque chose à y gagner. (Elle déplaça les feuilles qui se trouvaient devant elle.) Ou à cacher.

— Comme quoi ? demanda Brady en s'adossant à sa chaise, les bras croisés.

— Justement, c'est la question que je me pose.

Il grogna et tourna son regard en direction de Rebus.

— Vous avez perdu votre langue ou quoi ?

Rebus ne broncha pas. Gill Templer était tout à fait à la hauteur pour mater des types comme Cal Brady.

— Tous les autres sont partis à la recherche de Billy, poursuivit-elle. Mais vous êtes resté derrière. Pourquoi, monsieur Brady ?

Il changea de position sur son siège.

— Pour m'occuper de la mère de Billy.

Templer fit mine de vérifier ses notes.

— Joanna Horman ? (Elle attendit que le jeune homme eût acquiescé.) C'est le rôle des femmes, d'habitude, non ? De tenir la main de la mère, de la réconforter avec un verre de rhum et de Coca ? On vous prenait pour un homme d'action, Calumn.

— Il fallait bien quelqu'un pour le faire.

— Mais pourquoi vous, c'est ce que j'aimerais savoir ? Peut-être qu'elle vous avait tapé dans l'œil. Peut-être que vous vous connaissiez... ? (Elle s'interrompit.) Ou alors, peut-être saviez-vous déjà que ce n'était plus la peine de chercher Billy Horman... ?

Brady donna un coup de poing sur le bureau.

— Ne jouez pas à ça ! (Une vraie soupe au lait, le fils de Van.) Tout le monde sait ce qui est arrivé à Billy Boy. Il a été kidnappé par Rough ou un de ses potes.

— Alors, où est-il ?

— Putain, comment je le saurais ?

— Et qui a tué Darren Rough ?

— Si c'était moi, il lui aurait manqué quelques parties.

— Et si je vous disais qu'il lui en manquait ? demanda Templer pour voir.

— Ah bon ? dit Brady, interloqué. Personne n'a dit...

Templer n'ajouta rien et considéra ses notes.

— Inspecteur principal Rebus, je crois que vous avez d'autres questions pour M. Brady.

Il en avait discuté avec elle avant l'audition en lui expliquant ce qui l'intéressait. Il s'approcha du bureau et posa le poing dessus.

— Comment se fait-il que vous connaissiez Archie Frost ?

— Archie ? répéta l'autre, les yeux sur Templer. Qu'est-ce que ça vient faire ici ?

— Une autre enquête, monsieur Brady. Sans lien avec les deux autres, à part vous, peut-être.

— Je ne pige pas.

— Vous le voulez, cet avocat, maintenant ?

Il réfléchit un instant et haussa les épaules.

— Je bosse pour lui.

— Pour M. Frost ?

— Exact. Je surveille la porte certains soirs.

— Vous êtes vigile ?

— Je veille à ce qu'il n'y ait pas de problèmes.

Rebus ressortit les photographies. Les coins cornés, les bords fripés, et maculées de traces de doigts.

— Vous vous souvenez que je vous ai interrogé à propos de ces gens ?

Brady jeta un œil sur les clichés.

— Je ne m'occupais pas de l'entrée cette nuit-là.

— Et c'était quelle nuit, déjà ? (Brady leva les yeux. Rebus souriait.) Je ne me souviens pas d'avoir précisé une date à M. Frost.

— Si j'avais travaillé ce soir-là, je l'aurais repéré. J'ai déjà eu un accrochage avec lui une fois. Il ne risquait pas de passer la porte quand j'étais de service.

— Tiens donc ? fit Rebus en plissant les yeux. Et quel genre d'accrochage ?

— Bof, pas grand-chose. Il était juste un peu bourré, il faisait trop de boucan. Je lui ai dit de se calmer et il ne l'a pas fait, alors deux d'entre nous l'ont reconduit à la porte.

Cette dernière phrase lui plaisait, elle le fit sourire. Une tournure qui avait un cachet officiel. Ça avait plus de classe que de dire qu'on vide quelqu'un.

— Il vous arrive aussi de surveiller l'entrée du *Clipper* ? (Brady fit signe que non.) Pourtant, vous travaillez pour le patron.

— M. Mackenzie est copropriétaire du bateau, c'est tout.

— Mais il fournit aussi les videurs.

— J'ai essayé une fois, mais ça ne m'a pas plu.

— Pourquoi ?

— Que des pétasses snobinardes et des fils à papa, qui croient qu'ils peuvent marcher sur les pieds des gens d'en bas parce qu'ils sont pleins aux as.

— Je comprends. (Brady leva les yeux vers lui, méfiant.) Si, si, vraiment, je les ai vus moi-même. (En fait, il pensait à l'altercation entre Brady et Damon Mee. Il avait cru que c'était la première fois que Damon allait au *Gaitano* et personne ne l'avait détrompé.) Le problème, Cal, c'est que Damon a disparu, et je suis un peu comme Gulliver dans les toilettes de Lilliput.

— Hein ?

— Ça déborde. (Gill Templer pouffa discrètement, pendant que Rebus comptait sur ses doigts.) J'ai Damon qui a disparu et qu'on a vu pour la dernière fois descendre de taxi avec une blonde devant le *Clipper*. Le bateau est en partie la propriété de Charmeur Mackenzie, qui est également le propriétaire du *Guiser*, qui est l'endroit où Damon et la blonde semblent s'être rencontrés. Vous voyez, le lien est là. Pour le moment c'est tout ce que j'ai à me mettre sous la dent et c'est pourquoi je ne lâcherai pas le morceau tant que je n'aurai pas trouvé des réponses… Mais vous n'avez aucune réponse à me proposer vous-même, c'est ça ?

Brady le fixa sans rien dire. Rebus se tourna vers Templer.

— Plus de questions, Votre Honneur.

— Très bien, monsieur Brady, dit-elle. Vous pouvez partir.

Brady se dirigea vers la porte, l'ouvrit et tourna la tête vers Rebus.

— Gulliver, c'est dans le dessin animé avec les petits personnages ? demanda-t-il.

— C'est ça, confirma Rebus.

Brady médita un moment.

— Bon, ben je pige toujours pas, fit-il en refermant la porte derrière lui.

Au déjeuner, Rebus s'assit dans sa voiture et s'assoupit une demi-heure avant de retourner au bureau avec un gobelet de soupe à la tomate et un sandwich au fromage et à la viande.

— On tient quelque chose, lui annonça Roy Framer. On a aperçu une berline blanche sortant de Holyrood Park au bout de Dalkeith Road. Un employé de l'entretien à la piscine du Commonwealth l'a remarquée. De très bonne heure, aucune circulation. Cette voiture fonçait à toute blinde et a brûlé un feu rouge. Comme le gars circule en vélo, c'est le genre de chose qui le frappe.

— Et c'est un citoyen modèle par-dessus le marché, je parie. Qui ne brûle jamais un feu avec sa bécane quand quelqu'un est en vue. (Rebus réfléchit un moment.) Un radar dans le coin l'aurait pris sur le fait ?

— Je vais vérifier.

— Demandez d'abord l'autorisation de l'inspecteur-chef Templer. C'est elle qui est aux commandes.

— Certainement, monsieur.

Frazer fonça à sa recherche. Rebus lui trouvait un air de ressemblance avec un épagneul, toujours en quête d'attentions et de compliments. Une berline blanche... Quelque chose le titillait. Il composa le numéro de Bobby Hogan au poste de Leith.

— Si je te dis « berline blanche », qu'est-ce que tu réponds ?

— Je te dis que mon frangin en a une, une Ford Orion.

— Je pensais à Jim Margolies.

— Quelque chose dans les notes ?

— Oui, je suis sûr qu'on y fait état d'une berline blanche.

— Je peux te rappeler ?

— Fissa.

Il raccrocha, griffonna des ronds dans des ronds sur son calepin, puis des traits partant du centre vers la circonférence. Il ne savait pas si ça ressemblait plutôt à une araignée ou à une cible, et dut admettre que ce n'était ni l'un ni l'autre. L'image informatique d'un objectif d'avion de guerre, peut-être ? Ou la coupe d'un tronc d'arbre ? Tout cela était possible, mais en fin de compte, ce n'était qu'un gribouillis informe. Et quand il repassa dessus avec son stylo, le résultat défia toute tentative d'interprétation.

Le téléphone sonna.

— C'est important ? demanda Bobby Hogan.

— Je n'en sais rien. Ça peut conduire à autre chose.

— Tu veux me dire quoi ?

— Toi d'abord.

Il parut soupeser le pour et le contre, puis commença à débiter ce qui figurait dans le dossier.

— Berline de couleur claire, peut-être blanche ou crème. Garée sur Queen's Drive.

— À quelle hauteur de Queen's Drive ?

Queen's Drive était la route qui faisait le tour de Holyrood Park.

— Tu connais le Hawse ?

— Jamais entendu ce nom-là.

— C'est au pied des Crags, à la hauteur du point de départ du sentier. Cette voiture était garée là, phares allumés, apparemment personne dedans. Quelqu'un est venu nous en parler en apprenant le suicide. Mais l'heure ne correspondait pas. On l'avait repérée vers dix heures et demie du soir. Elle était partie quand une patrouille a fait sa ronde à minuit. Margolies n'est allé là-haut que plus tard.

— D'après sa veuve.

— Ma foi, elle est bien placée pour le savoir, non ? Alors, tu vas me dire de quoi il retourne ?

— On a revu une berline blanche le matin où Darren Rough s'est fait buter. On l'a vue sortir en trombe de Holyrood Park.

— Qu'est-ce que ça a à voir avec le suicide de Jim ?

— Sans doute rien, marmonna Rebus qui repensait à son griffonnage. Peut-être que je m'imagine des trucs. (Il vit le Péquenot debout dans l'entrée qui lui faisait signe de le suivre.) Allez, merci quand même.

— John, si tu vois encore un éléphant rose, il y a des numéros verts pour ça.

Rebus raccrocha et alla à la porte.

— Dans mon bureau, grogna le surintendant Watson en s'éloignant avant que Rebus l'ait rejoint.

Une tasse de café attendait sur le bureau. Il en versa une autre pour l'inspecteur et la lui tendit.

— Qu'est-ce que j'ai encore fait ? demanda Rebus.

Il lui fit signe de s'asseoir.

— C'est l'éducateur de Darren Rough. Il vient de porter plainte.

— Contre moi ?

— Il pense qu'en révélant les penchants pédophiles de son client, vous avez tout déclenché. Il pose des questions sur le rapport que vous pourriez avoir avec la mort de Rough.

Rebus se frotta les yeux et eut un sourire las.

— Il a le droit d'avoir son opinion.

— Aucun risque qu'il trouve des preuves tangibles pour étayer ses dires ?

— Pas l'ombre d'une chance, monsieur.

— Ça ne va pas faire bonne impression quand même. Vous êtes la dernière personne à avoir été en contact avec lui.

— Si vous oubliez l'assassin. Est-ce que le légiste a trouvé quelque chose ?

— Seulement que l'assassin doit avoir un peu de sang de Rough sur lui.

— Et si je faisais une proposition ?

Le Péquenot prit un stylo qu'il scruta avec intérêt.

— Quelle sorte ?

— On pourrait convoquer de nouveau Cary Oakes. Je suis catégorique, c'est lui qui a piqué ma bagnole, ce qui le situe à Arden Street au moment où Darren Rough quittait les lieux. Qu'est-ce qu'il fichait là pour commencer ? Il surveillait l'endroit ? Auquel cas, il se trouvait là depuis un bout de temps, il nous a peut-être vus entrer et a pris Rough pour un de mes amis...

Le patron agita la tête.

— Non, non, si on convoque de nouveau Oakes, il faut qu'on ait du costaud.

— Et si on faisait ça à la masse ?

Le boss consentit un sourire.

— Le journal de Stevens dispose d'avocats, John.

Et vous l'avez dit vous-même, Oakes est un pro. Il va rester là sans desserrer les dents en attendant que son avocat le fasse sortir. Après quoi, leur torchon pourra publier un nouveau papier sur le harcèlement de la police.

— Moi qui croyais qu'on voulait justement le harceler.

Le stylo avec lequel le Péquenot jouait tomba par terre et il se pencha pour le ramasser.

— Nous avons déjà parlé de ça.

— Je sais.

— Autrement dit, on tourne en rond. Et pour couronner le tout, on a sur les bras une plainte émanant des services sociaux.

— Et dans l'intervalle, je devrai rester à l'écart de l'enquête.

— Il faut dire qu'autrement, ça ferait bizarre étant donné la situation. Qu'est-ce que vous avez d'autre sur le feu ?

— Officiellement, pas des masses.

— J'ai entendu dire que vous vous occupiez d'une personne disparue.

— J'y travaille sur mon temps libre.

— Alors consacrez-y un peu plus de temps. Mais — ceci reste entre nous, remarquez — maintenez le contact avec Gill et l'équipe. Vous avez l'air plus au courant que les autres en ce qui concerne Rough et Greenfield.

— En d'autres termes, vous avez besoin de moi, mais ne pouvez vous permettre d'être vu en ma compagnie ?

— Vous avez toujours eu votre façon à vous de tourner les choses, John. Bon, vous pouvez vous tirer maintenant. Vous savez, on boucle tôt le vendredi, avec le week-end. Profitez-en.

31

Janice Mee débarqua à Arden Street faute de mieux. Disposant de tout son temps, elle avait l'impression d'être inutile et de tourner en rond dans le Fife. Si elle restait chez elle, les motifs de la tapisserie se mettaient à tourner dans sa tête et le tic-tac de la pendule devenait assourdissant. Si elle sortait, elle se heurtait aux sempiternelles questions des voisins et des passants : « Alors, il n'est toujours pas rentré ? », « Où croyez-vous qu'il a bien pu aller ? » À cela s'ajoutaient des conseils, généralement pour l'exhorter à la patience ou à croiser les doigts, conseils auxquels il fallait répondre avec délicatesse. En revanche, elle avait l'impression, dès qu'elle débarquait à la gare de Waverley, que Damon était là, tout près. Ne possède-t-on pas un sixième sens quand un être cher est concerné ? Lorsque quelqu'un se faufile derrière vous, vous le sentez. Or chaque fois qu'elle mettait le pied sur le quai et s'arrêtait pour laisser passer les employés et les banlieusards venus faire leurs courses, qu'ils se hâtaient vers leurs occupations alors qu'elle… quand elle s'arrêtait, c'était comme si le monde cessait de tourner, et que tout devenait immobile et serein. Dans ces moments-là, quand la ville s'apaisait et que le sang chantait dans son cœur, elle pouvait l'entendre, sentir son odeur, tout. Sauf le toucher. Elle l'attirait contre elle, le grondait en couvrant son visage de baisers, et lui, devenu adulte, essayait de résister, mais heureux aussi de lui avoir manqué autant et d'être aimé autant, aimé comme personne au monde ne l'aimerait jamais.

Depuis sa disparition, elle dormait dans sa chambre. Au début, elle avait expliqué à Brian que Damon pouvait rentrer discrètement en pleine nuit pour chercher des affaires. De cette manière, elle serait là pour le surprendre, le piéger. Mais quand Brian avait parlé de s'installer lui aussi dans la chambre, elle avait souligné qu'il n'y avait qu'un lit à une place. Il avait alors voulu dormir par terre. Comme la discussion s'éternisait, elle avait fini par craquer et laissé échapper qu'elle voulait rester seule.

C'était la première fois qu'elle prononçait ces mots terribles.

— Franchement, Brian, je préfère être seule...

Le visage de Brian avait perdu sa rigidité, s'était refermé sur lui-même, et elle s'était sentie mal. Pourtant elle avait eu raison de prononcer ces mots et tort de les garder pour elle durant tous ces mois et ces années.

— C'est à cause de Johnny, n'est-ce pas ? avait-il eu la force de prononcer en détournant la tête.

Et, en un sens, il disait juste, même si ce n'était pas exactement comme il l'entendait. Seulement Johnny lui avait montré une autre voie qu'elle aurait pu suivre et, ce faisant, il lui avait révélé l'existence de toutes les autres routes restées inexplorées, ces lieux qu'elle n'avait pas connus et ne connaîtrait jamais. Des lieux qui avaient pour nom « émotion », « exaltation » et « allégresse ». Des lieux qui avaient pour nom « moi » et « liberté » et « conscience de soi ». Elle n'en avait jamais parlé à personne, car ces mots rappelaient ceux qu'on lisait dans les pages du courrier du cœur. Mais ça ne l'empêchait pas de sentir qu'ils disaient vrai. Enfant du pays, elle avait grandi et vécu presque toute sa vie au même endroit. Voulait-elle vraiment y mourir aussi ? Voulait-elle que les trente et quelques années de son existence se résument en cinq petites minutes pour un ami qu'elle n'avait pas revu depuis le lycée ?

Elle voulait plus que ça.

Elle voulait partir.

Certes, elle savait ce qu'on dirait. Pensez, vous êtes sous le coup de l'émotion, ma pauvre. Ça vous bouleverse, une chose pareille. Ce qui était vrai. Dieu du ciel, comment le nier ? Pourtant, elle se sentait moins désarmée et moins désemparée que d'habitude. Elle avait raconté son histoire dans tous les bureaux de bienfaisance, elle avait parlé aux chauffeurs de taxi, mais que restait-il ? Il devait y avoir quelque chose qu'elle n'avait pas tenté... Quoi qu'il en soit, c'était là qu'elle voulait être.

À présent qu'elle pouvait se repérer dans la ville, elle se rendit à pied à Marchmont. L'abrupte montée jusqu'à Cockburn Street, pleine de boutiques « alternatives », dont certaines avaient accepté ses prospectus. Ensuite High Street jusqu'au pont George-IV, puis elle longea les bâtiments des bibliothèques et les librairies jusqu'à la statue de Greyfriars Bobby. Elle dépassa l'université et les étudiants attroupés, leurs livres dans une main et leur vélo dans l'autre. Vinrent ensuite les Meadows, vaste étendue plate et verte, avec la butte de Marchmont qui s'élevait au loin. Elle aimait les boutiques aux alentours de l'appartement de Johnny, elle aimait l'immeuble et les rues du quartier. Les toits lui rappelaient des tourelles. D'après Johnny, le quartier était plein d'étudiants. Elle avait toujours cru que les étudiants habitaient dans des endroits miteux.

Elle ouvrit la porte d'entrée et grimpa au premier. Il y avait du courrier derrière la porte. Elle le ramassa et l'emporta au séjour. Ça semblait être des factures et de la pub, rien de sérieux. Pas de photos dans la pièce, des emplacements vides sur les éléments où elle aurait mis volontiers des bibelots. Les livres, jusque-là disséminés dans l'appartement, étaient empilés depuis son dernier passage. Il fut un temps où Brian n'aurait pas supporté qu'elle déplace ses affaires. Désormais, il ne s'en rendait même plus compte. Certes, Johnny l'avait remerciée d'avoir fait du rangement, mais elle n'était pas sûre que cela lui ait fait plaisir.

Elle emporta les tasses, les assiettes et le cendrier dans la cuisine et prit la couverture restée sur le canapé pour la poser sur le lit de la chambre d'amis. Quand tout fut selon ses vœux, elle se demanda que faire d'autre. Nettoyer les fenêtres ? Avec quoi ? Se faire chauffer de l'eau pour prendre un thé ? Écouter de la musique… depuis quand ne s'était-elle pas assise pour écouter de la musique ? Quand avait-elle pris le temps de le faire la dernière fois ? Elle passa en revue la collection de Johnny, en sortit un album. Un des premiers Rolling Stones. Cela semblait être le même disque qu'il avait quand ils sortaient ensemble. JLJ — *Janice Loves Johnny* — griffonné au dos à la plume. Elle l'avait écrit un soir pour voir s'il le remarquerait. Il aimait lire et relire le dos de ses pochettes de disque. Quand il avait remarqué le paraphe, il n'avait pas été vraiment ravi et avait essayé de gommer son message. On voyait encore la bavure.

Les étés au bistrot, de longues soirées avec le distributeur de Coca et le juke-box. Puis un sachet de chips au sel et au vinaigre. Peut-être un film certains soirs ou simplement une balade dans le parc. La maison des jeunes était tenue par la paroisse, ce qui n'était pas du goût de Johnny, lequel n'était pas très bigot. Pourtant il avait un exemplaire de la Bible, posé seul sur la cheminée. Et d'autres livres qui avaient l'air dans le même registre, tels *Les Confessions* de saint Augustin et *Le Nuage de l'inconnaissance*. Le titre de ce dernier lui plaisait, ça sonnait bien. Des tas de bouquins aussi, pourtant il n'avait pas l'air d'un grand lecteur et les livres paraissaient, pour la plupart, totalement neufs.

La chambre à coucher... elle y avait glissé un œil. Ce n'était pas très engageant : le matelas à même le sol, des vêtements empilés dans un coin attendant d'être relogés dans la commode. Des chaussettes dépareillées. Pourquoi les hommes ont-ils tous des chaussettes dépareillées ? On sentait que celui qui vivait dans cet appartement ne l'aimait pas, même si la salle de séjour avait été fraîchement repeinte. Son fauteuil, disposé derrière la baie, le téléphone au pied, posé à terre. Tout l'appartement semblait tourner autour de ce point d'ancrage. Dans les placards de la cuisine, des stocks de whisky, de brandy, de vodka et de gin. Encore de la vodka au congélateur, de la bière au réfrigérateur de même que du fromage, de la margarine et une tranche de corned-beef peu ragoûtant. Des bocaux de betteraves et de confiture de framboises sur le comptoir, une boîte à pain avec deux petits pains rassis et le quignon d'une miche.

La maison révèle l'homme, paraît-il. Celui-ci semblait mener une vie d'ermite, mais comment était-ce possible ? N'avait-il pas cette femme docteur, Patience machin-chose ?

La sonnette. Perplexe, se demandant qui ça pouvait être, elle alla ouvrir la porte sans même regarder par l'œilleton. Un homme attendait, souriant.

— Salut, dit-il. John est là ?

— Non, je regrette.

Le sourire disparut. L'homme vérifia sa montre.

— J'espère qu'il ne va pas me poser encore un lapin.

— C'est que, dans son métier...

— Oui, c'est vrai. Vous êtes bien placée pour le savoir, évidemment.

Elle se sentit rougir sous son regard.

— Oh ! je ne suis pas son amie ni rien.

— Ah ! non ? Et moi qui me disais qu'il avait une sacrée veine, ce vieux coquin.

— Non, je suis juste une amie.

— Juste de bons copains, hein ? (Il se tapota le nez.) Croyez-moi, je ne dirai rien à Patience.

Elle rougit encore plus.

— Nous étions à l'école ensemble, c'est tout. On s'est revus récemment.

Elle parlait trop et le savait, mais elle ne pouvait pas s'en empêcher.

— C'est charmant, des retrouvailles entre vieux amis. Des tas de choses à se dire, hein ?

— Oui, des tas.

— Je sais ce que c'est. Je suis resté sans contact avec John pendant des années, moi aussi.

— Ah bon ?

— Je travaillais aux États-Unis.

— Très intéressant. Combien de temps... ? (Elle se reprit.) Excusez-moi, je ne vais pas vous laisser sur le palier.

— Je commençais à me demander aussi.

Elle ouvrit la porte plus grande et recula d'un pas.

— Entrez donc. À propos, je m'appelle Janice.

— Vous allez rire quand je vais vous dire mon

nom. Tout ce que je peux dire, c'est qu'on ne m'a pas demandé mon avis.

— Pourquoi ? Comment vous vous appelez ? demanda-t-elle en riant pendant qu'il entrait dans le vestibule.

— Cary, dit-il. Comme l'acteur. Sauf que je n'ai jamais réussi à avoir sa classe.

Il lui fit un clin d'œil pendant qu'elle fermait la porte.

L'appartement était vide quand Rebus rentra, mais il sentit que quelqu'un était venu. Des objets avaient été déplacés, on avait fait de l'ordre. Janice... Il chercha un mot, mais elle n'en avait pas laissé. Il prit une bière dans le réfrigérateur puis alluma la hi-fi. Les Stones : *Goat's Head Soup*. Sur la pochette, David Bailey les avait photographiés, le visage maquillé recouvert d'un film diaphane, ce qui donnait à Jagger l'air plus efféminé que jamais. Rebus baissa le son et composa le numéro d'Alan Archibald. Personne ne décrocha et le répondeur se mit en route. Le message d'Archibald était énoncé d'un ton sec et distant.

« John Rebus à l'appareil. En deux mots : faites gaffe. Un chauffeur de taxi a ramassé Oakes près de chez vous. Je ne vois pas autrement pourquoi il serait allé dans ce secteur. Il est également venu dans ma rue. Je ne sais pas ce qu'il mijote, peut-être cherche-t-il seulement à nous déstabiliser. Bref, je tenais à vous prévenir. »

Il raccrocha. *Un homme averti en vaut deux*, se dit-il, en se demandant comment Alan Archibald allait réagir.

Il remonta le volume, s'installa près de la fenêtre et regarda l'immeuble d'en face. Les gamins étaient rentrés de l'école et jouaient à la table de la salle de séjour. Un jeu de cartes, apparemment. Une famille heureuse, peut-être. Ce n'était pas exactement son fort, il fallait le reconnaître. Quand il se retourna, il aperçut une forme dans l'entrée.

— Bon sang ! grogna-t-il en posant une main sur sa poitrine. Ne me refais jamais ça.

— Je m'excuse, dit Janice en souriant, et elle leva une brique de lait qu'elle tenait à la main. Tu n'en avais plus.

— Merci.

Il la suivit dans la cuisine et la regarda mettre le lait dans le réfrigérateur.

— Tu as oublié ton rendez-vous ? demanda-t-elle.

— Quel rendez-vous ? fit-il en croyant qu'elle parlait du docteur ou du dentiste.

— Tu as posé un lapin à ton ami. Il est passé il y a une heure. Je suis allée prendre un café avec lui, précisa-t-elle en claquant la langue pour lui reprocher d'être aussi tête en l'air.

— Je ne te suis pas.

— Un certain Cary, dit-elle. Vous deviez sortir prendre un pot.

Rebus sentit sa colonne se figer.

— Il est venu *ici* ?

— Oui, pour te chercher.

— Et tu es sortie avec lui ?

Elle essuyait le comptoir mais se tourna vers lui. Manifestement, il se passait quelque chose.

— Qu'est-ce qu'il y a ?

Il porta son regard vers les placards, en ouvrit un machinalement et fit semblant de vérifier son contenu, le temps de reprendre son sang-froid. Il ne pouvait rien lui dire. Elle en ferait une attaque. Il referma le placard.

— Vous avez bien discuté ?

— Oh ! il m'a parlé de son travail aux États-Unis.

— Tiens, lequel ? Il en a eu deux ou trois.

— Ah bon ?.... Eh bien, le seul dont il m'ait parlé, c'est gardien de prison.

— Évidemment, acquiesça Rebus. Je suppose que tu lui as dit, pour nous ?

Elle lui adressa un regard entendu. Elle avait rougi.

— Qu'y a-t-il à dire ?

— Je veux dire que tu lui as parlé de toi, comment on s'est connu...

— Oh ! oui, je lui ai tout raconté.

— Et le Fife ?

— Il avait l'air très intéressé par Cardenden. Je l'en ai dissuadé, il n'arrêtait pas de se payer la tête des gens.

— Non, non, Cary s'intéresse vraiment aux autres.

— C'est exactement ce qu'il a dit... tu es sûr que ça va ?

— Super. C'est juste... des histoires de boulot.

Autrement dit, Cary Oakes venait de faire entrer Janice dans son jeu. Un jeu dont Rebus, cœur de cible, ne connaissait toujours pas les règles.

— Tu veux du café ou autre chose ?

— Non, dit-il. Nous partons.

Nous ? Si Cary Oakes allait dans le Fife, mieux valait pour Janice qu'elle reste à Édimbourg. Mais où ? Démonstration faite, l'appartement de Rebus n'offrait plus guère de sécurité. Elle courrait moins de danger avec Rebus, mais Rebus avait un déplacement à faire.

— Où ?

— Dans le Fife. J'ai des questions à poser aux copains de Damon.

Et pour aller en reconnaissance, aussi, voir s'il relevait des traces du passage de Oakes. Elle le regarda dans les yeux.

— Tu as… tu es sur une piste ?
— Difficile à dire.
— Dis-moi quand même.
— Non, marmonna-t-il, je ne veux pas te donner de faux espoirs. Tu risquerais d'être déçue. (Il sortit de la cuisine.) Laisse-moi une minute pour faire mon sac.
— Ton sac ?
— C'est le week-end, Janice. J'ai pensé que je pourrais y passer la nuit. Il y a toujours un hôtel en ville ?
Elle hésita un instant.
— Tu peux descendre chez nous, tu sais.
— Un hôtel fera très bien l'affaire.
— Non, non, insista-t-elle. Je ne peux pas te donner la chambre de Damon, tu me comprends, mais il y a toujours le divan.
— C'est que je ne veux pas…, fit-il comme s'il était partagé. Bon, entendu.
Je veux y passer la nuit, songeait-il. *Je veux rester auprès d'elle.* Non pas pour des raisons évidentes — celles qu'il aurait pu s'avouer un ou deux jours plus tôt —, mais parce qu'il voulait savoir si Cary Oakes allait faire le déplacement à Cardenden pour surveiller la maison. Peu importe ce que Oakes concoctait, il avançait à grands pas. Donc s'il comptait s'en prendre à Janice, ce serait pendant le week-end.
Et quoi qu'il arrive, Rebus voulait être là.
— J'emballe quelques affaires, dit-il en filant dans sa chambre.

32

D'abord, Rebus emmena Janice chez Sammy. Il voulait juste prendre de ses nouvelles. Elle faisait des tractions aux barres parallèles pour se hisser sur les jambes, bloquait les genoux, puis se relâchait sur la chaise roulante. La porte d'entrée n'était pas fermée à clé quand Ned n'était pas à la maison. Rebus s'en était inquiété jusqu'à ce qu'elle lui explique son point de vue.

— J'ai pesé le pour et le contre, papa. D'un côté, je risque un cambriolage, mais de l'autre, je pourrais avoir besoin d'aide. Si je me retrouve paralysée sur le dos, je veux que de bons samaritains puissent voler à mon secours.

Elle portait un tee-shirt gris sans manches, le dos plus sombre à cause de la sueur. Il y avait une serviette sur ses épaules et ses cheveux étaient collés à son front.

— Je ne sais pas si ça fait du bien à mes jambes, dit-elle. Mais je commence à avoir des biceps de lanceur de poids.

— Et sans anabolisant, répondit-il en se penchant pour l'embrasser. Je te présente Janice, une vieille copine d'école.

— Bonjour, Janice, dit Sammy.

Son regard revint se poser sur son père, qui se sentit gêné sans savoir pourquoi.

— Son fils a disparu, expliqua-t-il. J'essaie de l'aider.

Sammy s'essuya la figure avec la serviette.

— Je suis navrée, dit la jeune femme, et Janice sourit.

— Janice habite toujours Cardenden, poursuivit Rebus. C'est là que nous allons, au cas où tu aurais l'idée de m'appeler ce soir.

— Entendu, répliqua-t-elle, la tête toujours enfouie sous la serviette.

Maintenant qu'il était là, il savait qu'il avait fait une bêtise. Sammy tirait des conclusions hâtives de sa visite et il ne voyait pas comment rétablir le tir sans mettre Janice dans l'embarras.

— Bon, à un de ces quatre, alors, dit-il.

— Moi, je ne bouge pas d'ici.

Elle en avait fini avec la serviette et contemplait les barres, qui marquaient les limites de son univers.

— Il faudra qu'on y aille ensemble un jour. Je te montrerai mon ancien terrain de chasse.

— C'est ça, approuva Sammy. Et on emmènera Patience aussi. Je suis sûre qu'elle n'aimerait pas rester en rade.

— Bon week-end, Sammy, dit-il en ouvrant la porte.

Elle ne prit même pas la peine de lui en souhaiter autant.

— Je vais juste appeler Patience, déclara-t-il en sortant le portable de sa poche.

Ils étaient ensemble dans la voiture et roulaient en direction de l'A90. Patience sortait généralement avec des amies le vendredi soir. C'était une habitude, elles prenaient un verre et allaient dîner, puis s'offraient le théâtre ou un concert. Trois autres femmes docteurs, dont deux divorcées, et une autre mariée et encore heureuse en ménage apparemment. Patience répondit à la quatrième sonnerie.

— C'est moi, annonça-t-il.

— Qu'est-ce que je t'ai dit concernant l'usage de cet engin quand tu es au volant ?

— Je suis coincé aux feux, mentit-il avec un clin d'œil complice à Janice qui eut l'air mal à l'aise.

— Tu as des projets ?

— Je dois aller dans le Fife, quelques interrogatoires dont je veux me débarrasser. J'y passerai sûrement la nuit. Et toi, tu sors ?

— Dans une vingtaine de minutes.

— Salue la bande pour moi.

— John... quand est-ce qu'on va se voir ?

— Bientôt.

— Ce week-end ?

— Presque à coup sûr.

— J'irai voir Sammy demain.

— Parfait, dit-il. (Et toc. Sammy allait lui parler de Janice. Patience saurait que Janice était dans l'auto quand il l'avait appelée.) Je vais passer la nuit chez des amis, Janice et Brian.

— Avec qui tu es allé à l'école ?

— C'est juste. Je ne savais pas que je t'en avais parlé.

— Non. Mais pour autant que je sache, tu ne t'es pas fait d'amis depuis.

— Ciao, Patience, dit-il en se glissant sur la voie de droite et en appuyant sur le champignon.

Le Dr Patience Aitken avait commandé un taxi. En arrivant, le chauffeur poussa le portail, descendit l'escalier à vis qui conduisait au jardin clos attenant à l'appartement, sonna à la porte et attendit en frottant les pieds sur les dalles. Il aimait ces logements en rez-de-jardin de New Town, le fait qu'ils soient en contrebas par rapport au niveau de la rue, avec des celliers dans le mur d'en face. Encore qu'on n'utilisait guère les celliers, ils étaient trop humides. Surtout pour la conservation du vin. Il avait emmené sa femme sur la Loire l'été précédent, de sorte que les vins n'avaient plus de secret pour lui. Il en avait trois cartons mélangés qu'il gardait dans le placard sous l'escalier. Les conditions étaient loin d'être idéales, dans un pavillon jumelé moderne à deux étages situé à Fairmilehead. L'air était trop chaud. Il lui faudrait un appartement comme celui-ci. Il pouvait jurer qu'il y avait à l'intérieur des placards parfaits pour stocker les bouteilles, secs et frais avec de solides murs en pierre.

Il remarqua que le docteur avait essayé d'aménager un semblant de jardin avec des paniers suspendus et des pots en terre cuite. Ça devait manquer de lumière ici, c'était ça le problème. Alors lui, à sa place, dès le départ, il aurait tout recouvert de dalles, sauf un carré de terre au milieu où il aurait planté deux ou trois rosiers. Et voilà le travail. L'entretien réduit au minimum.

La porte s'ouvrit et le docteur sortit en serrant un châle autour de ses épaules. Une bouffée de parfum l'accompagnait, mais rien de trop envahissant.

— Excusez-moi de vous avoir fait attendre, dit-elle en tirant la porte et en se dirigeant vers les marches.

— J'y installerais un verrou, si j'étais vous, conseilla-t-il.

— Hein ?

— Une serrure trois points, dit-il en indiquant la porte. Un gamin pourrait entrer en dix secondes.

Elle réfléchit puis haussa les épaules.

— Que serait la vie sans un peu de risques ?
— Tant que vous êtes assurée, convint-il, les yeux sur ses chevilles pendant qu'il grimpait derrière elle.

Jim Stevens était allongé sur son lit, une main sur les yeux, l'autre tenant le récepteur contre son oreille. Il écoutait Matt Lewin, qui venait de lui dire qu'il faisait un temps magnifique à Seattle. Stevens lui avait envoyé des extraits des « aveux » de Cary Oakes et Lewin lui disait ce qu'il en pensait.
— Ma foi, Jim, des passages semblent à peu près correspondre. L'histoire du routier est nouvelle et, franchement, je crois que ça ne vaut pas un clou. Pas la peine d'enquêter.
— Vous pensez que c'est du flan ?
— Ce n'est plus mon problème, Dieu merci. Je vais vous dire, Jim, avec tout le respect que je vous dois, je prendrais avec des pincettes chacune des paroles de ce fumier et je vous jure que ce n'est pas moi qui lui donnerais le plaisir de l'imprimer.
Un point de vue partagé par le patron de Stevens. Les huit épisodes prévus avaient été réduits à cinq.
— Je suis bien content qu'on en soit débarrassés et je vous jure que je ne vous envie pas, insista Lewin.
— Merci.
— Il vous donne du fil à retordre, hein ?
À quoi bon expliquer à Lewin que Oakes se montrait chaque jour plus difficile ? Il s'était de nouveau éclipsé cet après-midi-là, avait disparu pendant près de trois heures et refusait de dire où il était allé.
— On aura bientôt fini de toute façon, dit Stevens en passant une main sur son front.
— Alors bon débarras, si vous voulez mon avis.
— Comme vous dites.
Pourtant, Stevens ne pouvait s'empêcher d'être

inquiet. Il s'inquiétait de ce que Oakes comptait faire ensuite, quand il serait lâché dans la nature. Pas question que le journal lui file dix mille livres pour les miettes qu'il leur avait données en pâture. Stevens devait encore annoncer la nouvelle à son client.

Il s'inquiétait aussi pour lui-même. Faisant désormais partie de la sphère de Oakes, il espérait juste que celui-ci ne s'en prendrait pas à lui.

Et, bon Dieu, il avait l'impression que ça risquait d'être coton...

Cary Oakes regarda le taxi s'éloigner. Le Dr P., sans doute. Elle n'était plus de première fraîcheur, mais bon, vu l'état de Rebus, il n'avait pas à se plaindre. Un sous-sol par-dessus le marché, c'était parfait pour ce qu'il avait en tête. Il s'écarta de la voiture garée qui le dissimulait et regarda la rue, d'un côté et de l'autre. L'endroit était mort. La moitié d'Édimbourg lui semblait mort. On pouvait errer pendant une éternité dans cette ville sans se faire remarquer et encore moins éveiller les soupçons.

Voir en manchette un dossier sur les groupes d'autodéfense alors que l'histoire de Cary Oakes était reléguée dans les pages intérieures du canard avait mis Jim Stevens en rogne. D'après lui, c'était à cause du meurtre du pédophile.

— Encore ce foutu satané Rebus, avait-il fulminé, et Oakes lui avait demandé de s'expliquer.

D'après Stevens, c'était Rebus qui avait fait sortir Darren Rough du « placard », puis il avait lancé la meute à ses trousses. Et pour finir, quelqu'un avait pété les plombs. Plus Oakes entendait parler de l'inspecteur, plus celui-ci le fascinait.

— C'est quoi, son code de conduite, d'après vous ? demanda-t-il.

— Peuh, avait grogné Stevens, que ce soit le code de la route ou du morse, je m'en tape.

— Il y a des gens qui font leurs propres règles, avait avancé Oakes.

— Vous voulez dire comme votre tueur en série ?

— Hein ?

— Celui qui vous a pris en stop dans son camion, par exemple ?

— Oh ! lui... Oui, oui, bien sûr.

Stevens l'avait regardé. Et Cary Oakes n'avait pas cillé.

À présent, Oakes traversait la rue. Aucune maison n'était située en face de l'endroit où il allait travailler, juste une grille en fer forgé avec un talus herbeux derrière. Personne pour le repérer pendant qu'il allait vaquer à ses occupations.

Il comptait bien ne pas être interrompu.

Comme la batterie faiblissait et qu'il n'avait pas emporté le chargeur, Rebus jugea plus raisonnable d'éteindre son portable.

— Le week-end commence là, dit-il quand ils eurent franchi le Forth Road Bridge pour pénétrer dans le Fife.

— La route a changé, remarqua-t-il plus tard, comme ils quittaient la chaussée à deux voies à la hauteur de Kirkcaldy. Mais l'ancienne route de Kirkcaldy à Cardenden ne semblait guère différente. C'étaient les mêmes virages, les mêmes nids-de-poule et les mêmes cahots.

— Tu te souviens le jour où on a dû marcher jusqu'à Kirkcaldy pour aller au cinéma ? demanda Janice avec entrain.

— Tiens, j'avais oublié, reconnut Rebus avec un sourire. Pourquoi on n'a pas pris le bus, tout simplement ?

— Je crois qu'on était trop fauchés.

Il fronça les sourcils.

— On n'était que tous les deux ?

— Il y avait Mitch et sa copine aussi ; j'ai oublié qui il voyait à l'époque.

— Il faut dire qu'il se lassait vite.

— C'était peut-être elles qui en avaient marre de lui.

— Peut-être. (Ils restèrent silencieux un moment.) C'était quoi, le film ?

— Quel film ?

— Celui pour lequel on s'est tapé dix bornes à pied.

— Je ne crois pas en avoir vu beaucoup.

Ils échangèrent un coup d'œil et éclatèrent de rire. Brian Mee entendit la voiture et sortit les accueillir.

— Quelle surprise ! s'exclama-t-il en serrant la main de Rebus.

— J'ai besoin de parler aux copains de Damon, expliqua Rebus.

Janice effleura le bras de son mari.

— Il dit qu'il veut aller à l'hôtel.

— Tu rigoles, tu viens chez nous. La chambre de Damon…

— J'ai pensé au divan, intervint Janice.

Brian se reprit aussitôt.

— Oui, bien sûr, il est en bon état, on y dort très bien. Je suis bien placé pour le savoir, il m'arrive souvent de m'y endormir dans la soirée.

— Bon, voilà qui est réglé, trancha Janice qui se dirigea vers la porte, un homme de chaque côté.

Ils commandèrent des plats chez le traiteur chinois et débouchèrent quelques bouteilles de vin. Égrenant de vieilles histoires, des souvenirs revisités. Des noms à demi oubliés, les hauts faits de ceux qui avaient vieilli sur place, les changements dans le tissu de la ville. Rebus avait appelé les amis de Damon qui l'accompagnaient le soir de sa dernière virée au *Gaitano*, mais personne n'était là. Il avait laissé des messages pour signaler qu'il voulait les voir le lendemain matin.

— On pourrait aller boire un verre, proposa-t-il à ses hôtes sans quitter Janice des yeux. Ce serait la première fois qu'on irait au *Goth* depuis qu'on est en âge.

— Le *Goth* a fermé, John, dit Brian.

— Depuis quand ?

— On va en faire un centre d'accueil pour les chômeurs.

— C'était déjà le cas, non ?

Ainsi le *Goth* avait fermé ses portes. Le bistrot de son père, là où John Rebus avait payé sa première tournée.

— En revanche, la *Railway Tavern* marche toujours, ajouta Brian. Nous y allons demain pour le karaoké.

— Tu vas rester pour ça, non ?

— Je suis plutôt allergique à ce genre de choses, en fait.

Encore une fois, Rebus fut invité à s'asseoir au « coin du feu », comme lors de sa première visite. La télévision était allumée sans le son. Elle faisait l'effet d'un aimant et leurs yeux glissaient vers l'écran pendant qu'ils parlaient. Janice débarrassa, ils avaient mangé sur la table basse. Il l'aida à emporter la vaisselle dans la cuisine et vit qu'elle était trop petite pour y manger à trois. Il y avait une table devant la fenêtre du séjour, mais surchargée de bibelots et les rallonges repliées. On ne devait s'en servir que dans les grandes occasions car, avec les rallonges, elle remplissait sûrement la pièce. Ils mangèrent donc devant la télévision en posant leurs assiettes sur les genoux. Il les imagina tous les trois, la mère, le père, le fils, les yeux scotchés sur l'écran qui leur servait à meubler les silences interminables dans la conversation.

Après le café, Janice annonça qu'elle allait se coucher. Brian dit qu'il n'allait pas tarder. Elle descendit des couvertures et un oreiller pour Rebus et lui indiqua où se trouvait la salle de bains ainsi que l'interrupteur dans le vestibule. Elle précisa qu'il y avait des quantités d'eau chaude s'il voulait prendre un bain,

— À demain.

Brian tendit la main vers la télécommande et éteignit la télévision, puis se reprit.

— Il n'y a rien qui t'intéresse... ?

— Tu sais, fit Rebus, je ne suis pas un fan.

— Et que dirais-tu d'une gorgée de whisky ?

— C'est plus ma tasse de thé, à vrai dire, reconnut-il avec une grimace.

Ils dégustèrent l'alcool en silence. Ce n'était pas du malt. Peut-être du Teacher's ou du Grant's ? Brian noya le sien dans une bonne rasade d'eau, mais Rebus préféra l'avaler sec.

— Où tu crois qu'il est ? demanda enfin Brian en faisant tourner le liquide dans son verre. De toi à moi.

Comme si Janice ne pouvait pas entendre ce qu'il avait à dire. Comme s'il était plus solide qu'elle.

— Je n'en sais rien, Brian. J'aimerais bien le savoir.

— Mais d'habitude, ils vont à Londres.

— Oui.

— Et en général, ils se débrouillent ?

Rebus opina du chef Tout plutôt que de se laisser entraîner sur ce terrain. Qu'est-ce qu'il fichait là ? Brusquement il aurait donné cher pour être de retour chez lui avec son whisky, ses disques et ses bouquins. Mais Brian avait besoin de s'épancher. Le silence de Rebus ne le découragea pas.

— On se fait des reproches, tu sais.

— J'imagine que c'est le cas de la plupart des parents.

— Pour moi, il a dû sentir l'atmosphère de la maison et il en a eu ras-le-bol. (Il était assis au bord du canapé, les mains serrées autour du verre. Il parlait, les yeux fixés sur la moquette.) J'ai l'impression que Janice attendait juste que Damon s'en aille de la maison. Tu sais, qu'il ait un endroit à lui. C'est ce qu'elle attendait.

— Pourquoi faire ?

Brian lui lança un coup d'œil.

— Elle n'a plus de raison de rester maintenant. Chaque fois qu'elle va à Édimbourg, je me dis : ça y est, elle ne reviendra pas.

— Mais elle revient toujours.

— Tu parles, fit-il, ce n'est plus pareil. Elle revient pour le cas où Damon serait là. Rien à voir avec moi. (Il toussa, s'éclaircit la gorge et vida son verre.) Tu veux du rab ?.... Non, je m'en doutais. C'est l'heure d'aller au pieu, hein ? (Brian se leva et réussit à sourire.) Le bon temps de l'école, hein, Johnny ?

— Ah ! où est-il passé, hein, Brian ? renchérit Rebus.

Il vit une lueur s'allumer dans les yeux de Brian, puis s'éteindre à nouveau.

Rebus se brossa les dents dans la cuisine pour ne pas s'imposer à l'étage, surtout pendant que Brian se préparait à aller se coucher. Il étendit les couvertures sur le canapé, s'assit dessus, lumières éteintes, dans le noir, puis se leva et alla à la fenêtre pour regarder entre les rideaux. Dehors, les réverbères projetaient un halo orangé. La rue était vide. Il se faufila dans le vestibule et ouvrit sans bruit la porte d'entrée qu'il referma sans la verrouiller. Cinq minutes dehors lui suffirent pour savoir que Cary Oakes n'était pas dans les parages. Il rentra et éprouva le besoin d'aller aux toilettes. Comme l'évier de la cuisine ne lui parut pas souhaitable, il se posta au pied de l'escalier et tendit l'oreille. Il monta et fit ce qu'il avait à faire. La porte d'une des chambres à coucher était fermée, l'autre légèrement entrebâillée. Un foulard de l'équipe de football était épinglé dessus ainsi qu'une demi-douzaine de billets de concert oblitérés vieux de quelques années. Rebus passa la tête, aperçut le contour de posters, une penderie et une commode. Les rideaux étaient tirés. Un lit à une place, et Janice endormie, le souffle régulier.

Quand il redescendit à pas de loup, il eut l'impression d'être un cambrioleur.

33

Le lendemain matin, après le petit déjeuner, il avait rendez-vous avec les copains de Damon.

Ils vinrent à la maison pendant que Janice et Brian faisaient les courses. Joey Haldane était un grand escogriffe avec les cheveux décolorés coupés à ras et d'épais sourcils sombres. Il était vêtu de denim des pieds à la tête — jeans, chemise, blouson — avec des Doc Martens noires. Il avait la bouche perpétuellement ouverte comme s'il avait du mal à respirer par le nez.

Pete Mathieson était aussi grand que Joey mais beaucoup plus baraqué, le genre de fils dont un fermier devait tirer orgueil — et profit. Il portait un pantalon de jogging rouge et un sweat-shirt bleu, des tennis Nike aux semelles presque entièrement usées. Ils s'assirent sur le canapé. Les draps et l'oreiller de Rebus avaient disparu à l'étage avant le petit déjeuner, pendant qu'il se prélassait dans son bain.

— Merci d'être venu, déclara Rebus en guise de préambule.

Au lieu de s'enfoncer dans le moelleux d'un fauteuil rembourré, il planta une chaise au milieu de la pièce. Il dominait ainsi les deux garçons, affalés sur le canapé. Il avait retourné la chaise pour s'asseoir à califourchon, les bras sur le dossier.

— Je sais que nous nous sommes déjà parlé, Joey, mais j'ai besoin d'un complément d'information. C'est ce que je fais quand j'ai l'impression qu'on ne joue pas franc-jeu avec moi et ça a tendance à m'énerver.

Joey s'humecta les lèvres, Pete haussa une épaule, pencha la tête et s'efforça de paraître en train de compter les mouches.

— Écoutez, poursuivit l'inspecteur. Vous m'aviez dit que c'était la première fois que vous faisiez une virée à Édimbourg tous les trois. Or je crois savoir que ce n'est pas vrai. Je crois que vous y étiez déjà allés. Je crois que c'était peut-être dans vos habitudes, ce qui m'amène à me demander pourquoi vous m'avez monté un bateau. Qu'est-ce que vous cherchez à cacher ? N'oubliez pas, c'est une enquête sur une personne disparue. Pas moyen de vous en tirer, vous serez obligés d'accoucher.

— On n'a pas fait que dalle.

Ça, c'était Joey, dit avec l'accent rauque local, d'une voix qui grinçait comme le rabot du menuisier.

— Tu connais les doubles négations, Joey ?

— Pourquoi, je devrais ? grogna-t-il en soutenant le regard de Rebus un bref instant.

— Si tu dis que « j'ai pas fait que dalle », ça veut dire que tu as fait quelque chose. C'est ça, une double négation.

— Ben je vous l'ai dit, on n'a pas fait que dalle.

— Ouais... Donc ce que vous m'avez dit à propos de cette soirée, ce n'était pas du pipeau ? Vous n'aviez jamais fait de virée à Édimbourg avant ?

— Si, intervint Pete Mathieson, on y était allés avant.

— Bravo, Pete ! J'ai cru que tu avais perdu ta langue pendant une minute.

— Pete, fulmina Joey, putain de...

Mathieson lança un coup d'œil à son ami, mais quand il parla, ce fut en s'adressant à Rebus.

— Ben ouais, c'était pas la première fois.

— Au *Guiser* ?

— Et ailleurs aussi, des pubs, en boîte.

— Combien de fois ?

— Quatre ou cinq virées.

— Sans en parler à vos petites copines ?

— Elles nous croyaient à Kirkcaldy, comme d'habitude.

— Pourquoi le leur avoir caché ?

— Ben, ça aurait tout gâché, expliqua Joey comme si c'était une évidence.

Rebus croyait savoir ce qu'il voulait dire. Ça n'avait le goût de l'aventure que si on le faisait en douce. Les hommes aiment avoir leur jardin secret et dire de petits mensonges. Ils aiment sentir qu'ils franchissent un interdit, qu'ils brisent un tabou. Toutefois, il avait l'impression que ça allait plus loin. C'était à la façon dont Joey était renversé contre les coussins du canapé, bras croisés, chevilles croisées. À voir son air extasié, ces sorties nocturnes devaient avoir des charmes cachés...

— Étais-tu le seul à tricher, Joey, ou vous le faisiez tous ?

Le visage de Joey s'assombrit. Il se tourna vers son ami.

— J'ai jamais rien dit que dalle ! éclata celui-ci.

— Il n'en a pas eu besoin, Joey, intervint Rebus. Ça se lit sur ton visage.

Joey se tortilla sur son siège, brusquement moins décontracté. Il finit par se pencher en avant, les bras posés sur les genoux.

— Si Alice l'apprend, elle va me tuer.

Autant pour le frisson de l'interdit.

— Je serai muet comme une tombe, Joey. J'ai juste besoin de savoir ce qui s'est passé ce soir-là.

Joey lorgna Pete comme pour lui donner l'autorisation de parler.

— Ben, Joey a levé une fille, commença Pete. Trois semaines plus tôt, donc chaque fois qu'on y allait, il se tirait avec elle.

— Alors toi, tu n'étais pas au *Guiser* ?

— Non, reconnut-il. On est montés dans son appart pendant une heure.

— Le plan, c'était qu'on se retrouvait tous plus tard au *Guiser*, expliqua Pete.

— Tu n'étais pas là non plus ?

— Ben, on est d'abord allés dans un pub, on a bavardé avec une fille. Je crois que Damon a commencé à s'emmerder.

— Disons plutôt qu'il était jaloux, précisa Joey.

— Il est donc allé seul au *Guiser* ?

— En tout cas, quand moi je suis arrivé, il n'était plus là, dit Pete.

— Il n'était donc pas au bar pour chercher les consommations ? Vous avez inventé ça pour que personne ne sache que vous étiez occupés ailleurs ?

Il s'adressait à Joey, sourcils froncés.

— Plus ou moins, reconnut Pete. On s'est dit que ça ne changerait rien.

Rebus réfléchit.

— Et Damon ? Est-ce qu'il se faisait draguer aussi ?

— Il n'avait jamais de veine, il ne savait pas y faire.

— Ce n'est pas parce qu'il pensait à Helen ?

— Il était carrément nul avec les filles.

Ainsi il était allé seul au *Guiser*... en pensant à quoi ? Que sur les trois, il était le seul à ne pas savoir draguer une fille pour la soirée. Qu'il était « nul ». Mais en fin de compte, il avait pris un taxi avec la blonde mystérieuse...

— C'est important ? demanda Pete.

— Peut-être, qui sait ? Il faut que j'y réfléchisse.

C'était important parce que Damon était seul. C'était important parce que maintenant, Rebus n'avait aucune idée de ce qui lui était arrivé entre le moment où il avait laissé Pete au pub et celui où il se trouvait au bar du *Guiser* en attendant sa commande, une blonde à ses côtés. Ils avaient pu se rencontrer sur le trajet. Un événement avait pu se produire, dont Rebus ne savait rien. Au moment où l'image allait s'éclaircir, elle se déchirait en lambeaux.

Quand Janice et Brian rapportèrent leurs provisions dans la cuisine, Rebus congédia les deux jeunes. Toutefois, ils lui avaient appris un autre détail : Damon n'aurait pas été contre lever une fille pour la nuit. Que fallait-il en conclure sur ses relations avec Helen ?

— Ça va, John ? demanda Janice en souriant.

— Super, dit-il.

Après déjeuner, Brian l'invita au pub. C'était une habitude. Le samedi après-midi, commentaires du match de football à la radio ou à la télévision et quelques godets avec les copains. Mais Rebus refusa. Il prit pour prétexte que Janice lui avait proposé de l'emmener faire un tour en ville. Il préférait éviter de boire avec Brian au risque de nouer ou de renforcer leurs liens et d'être mis dans la confidence de secrets qu'il ne tenait pas à entendre.

Bien entendu, elle dormait peut-être seule à cause de Damon, parce qu'il lui manquait. Mais Rebus en doutait.

Brian se rendit donc au pub, tandis que Janice et

Rebus allèrent se promener. Il pleuvait, mais c'était plutôt de la bruine. Elle portait un duffle-coat rouge à capuche. Elle proposa à Rebus un parapluie qu'il refusa, expliquant que depuis qu'il avait vu quelqu'un se faire quasi énucléer d'un coup de baleine sur Princes Street, il considérait cet engin comme une arme offensive.

— Il n'y aura pas foule là où nous allons, répondit-elle pour le rassurer.

C'était juste. Les rues étaient vides. Les habitants allaient faire leurs achats à Kirkcaldy ou à Édimbourg. Quand Rebus était petit, ses parents n'avaient pas de voiture et les magasins de la grand-rue pourvoyaient à leurs besoins. À présent, les gens avaient de nouveaux besoins comme les vidéos et les plats préparés. Le *Goth*, avec sa vitrine condamnée, rappela à Rebus l'appartement de Darren Rough. Les appartements sur Craigside Road avaient été démolis, remplacés par de nouvelles constructions. Certaines appartenaient à une association favorisant l'accession à la propriété, d'autres étaient privées.

— Personne n'était propriétaire quand on était gosses, remarqua Janice. Allons bon, fit-elle en éclatant de rire, à m'entendre, on croirait que j'ai quatre-vingts ans.

— C'était le bon vieux temps, reconnut Rebus. Mais les lieux changent.

— C'est vrai.

— Les gens aussi ont le droit de changer.

Elle le regarda sans lui demander ce qu'il entendait par là. Peut-être le savait-elle déjà.

Ils gravirent la côte jusqu'aux Craigs, un escarpement sauvage qui surplombait Auchterderran et qu'ils suivirent jusqu'à ce qu'ils aperçoivent leur ancienne école.

— Encore que ce ne soit plus une école, indiqua

Janice. De nos jours, les gosses vont à Lochgelly. Tu te souviens du badge du lycée ?

— Si je m'en souviens !

Auchterderran Secondary School, autrement dit ASS[1]. Les gamins des autres établissements le braillaient pour se payer leur tête.

— Pourquoi tu regardes sans arrêt autour de toi ? demanda-t-elle. Tu crois qu'on nous suit ?

— Non, non.

— Ce n'est pas le genre de Brian, si c'est ce que tu crois.

— Non, non, rien...

— Il m'arrive de le regretter, d'ailleurs.

Elle le dépassa. Il prit son temps pour la rattraper. Ils revinrent en ville en passant devant un pub, le *Auld House*. À une certaine époque, il y avait quatre paroisses distinctes couramment désignées par ABCD : Auchterderran, Bowhill, Cardenden et Dundonald. Quand ils sortaient ensemble, Rebus habitait Bowhill et Janice, Dundonald. Il prenait cette route pour la raccompagner chez elle, ce qui était pour eux le chemin des écoliers. Ils traversaient la Ore par le vieux pont en dos d'âne, qui avait cédé la place depuis longtemps à une route bitumée. Parfois, en été, disons, ils coupaient par le parc et traversaient la rivière en amont à la hauteur d'une des grosses canalisations. Cette énorme tuyauterie servait à mettre à l'épreuve les gamins du coin. Rebus avait connu des garçons qui se figeaient à mi-parcours au point qu'il fallait aller chercher les parents. Il avait connu un garçon qui avait pissé de peur dans sa culotte, mais qui avait continué à bouger les pieds centimètre par centimètre sur le tuyau pendant que la rivière déferlait sous lui. D'autres

1. « Imbécile. »

effectuaient la traversée comme dans un fauteuil, les mains dans les poches, sans aucun problème d'équilibre.

Rebus faisait partie des prudents.

Le même tuyau parcourait le parc dans sa longueur avant de s'enfoncer dans les sous-bois. On pouvait le suivre jusqu'au terril, un monticule de scories et de poussier que la houillère avait déposé. Un feu allumé sur le terril pouvait couver pendant des mois, avec des volutes de fumée qui s'échappaient de la surface comme sur un volcan. Le temps aidant, des arbres et de l'herbe avaient poussé sur ses pentes de sorte que le terril ressemblait plus que jamais à une colline naturelle. Mais si on grimpait au sommet, on trouvait un plateau avec un paysage étrange, isolé derrière du barbelé par mesure de sécurité. On aurait cru un petit loch, avec sa surface huileuse pareille à une grosse croûte noire. Personne ne savait ce que c'était, mais on le respectait. On restait à distance et on jetait des pierres qu'on regardait lentement sombrer et disparaître, englouties sous la surface.

Les garçons et les filles s'enfonçaient en pleine nature au-delà du parc pour trouver des endroits secrets, des champs aplanis où ils se sentaient chez eux. Il fut un temps où Janice et Johnny en faisaient partie.

The Kinks : *Young and Innocent Days* [1].

À présent, l'endroit avait changé. Le terril avait disparu et le secteur était maintenant paysager. La houillère avait été démolie. Cardenden s'était développé avec le charbon, et les rues avaient surgi à la hâte dans les années vingt et trente pour héberger les mineurs qui débarquaient. Ces rues n'avaient

1. « Jours de jeunesse et d'innocence. »

même pas reçu de nom, juste des numéros. La famille de Rebus avait emménagé dans la 13e Rue. Elle avait ensuite été relogée dans un préfabriqué à Cardenden et, de là, dans une maison jumelée située dans une impasse à Bowhill. Mais à l'époque où Rebus allait au collège, le charbon était difficile à extraire. Les couches étaient fracturées, de sorte que la production de chaque gueule noire risquait de faiblir. L'exploitation avait perdu son intérêt économique. La sirène qui signalait chaque jour le changement d'équipe s'était tue. Les camarades de classe de Rebus, dont les pères et les grands-pères avaient travaillé à la mine, se demandaient ce qu'ils allaient devenir.

Rebus aussi s'était posé des questions. Mais avec l'aide de Mitch, il avait pris une décision. Ils avaient rejoint l'armée. Cela avait paru tellement simple, à l'époque...

— Est-ce que Mickey est toujours dans les parages ? demanda Janice.

— Il habite à Kirkcaldy.

— Un vrai poison, ton petit frère. Tu te souviens quand il fonçait au galop dans la chambre ? Ou qu'il ouvrait le trou de boules pour nous surprendre ?

Rebus éclata de rire. Le « trou de boules », une expression qu'il n'avait pas entendue depuis des lustres. C'était le passe-plats entre la cuisine et la salle à manger. Il revoyait Mickey, qui grimpait sur le comptoir de la cuisine pour essayer de surprendre Rebus et Janice quand ils étaient seuls dans l'autre pièce.

Il regarda de nouveau autour de lui. Cary Oakes n'était sûrement pas dans les parages. Dans une petite ville pareille, où tout le monde connaissait tout le monde, c'était difficile de passer inaperçu. Deux ou trois connaissances étaient déjà venues le saluer, comme s'ils s'étaient quittés la veille et non douze ou quinze ans plus tôt. Et Janice s'était fait arrêter par une demi-douzaine d'autres gens, des voisins ou des curieux qui avaient posé des questions sur Damon. Il était difficile d'y échapper. Chaque mur, chaque réverbère et chaque vitrine semblait afficher sa photo.

— Je suis venu ici il y a quelques années, dit-il à Janice. Au bureau de paris de Hutchy.

— Tu étais aux trousses de Tommy Greenwood, non ?

— C'est ça, et je suis tombé sur Cranny.

C'était le surnom qu'ils donnaient autrefois à Heather Cranston.

— Elle est toujours ici. Son fils aussi.

— Shug ? demanda-t-il après s'être creusé la tête un instant.

— Tout à fait, dit Janice. (Ils étaient de retour sur le trottoir devant le cimetière.) Si tu as de la chance, tu verras peut-être Heather ce soir.

— Ah bon ?

— Elle vient souvent au karaoké.

Rebus demanda s'ils pouvaient faire demi-tour.

— J'ai envie de voir le cimetière, dit-il.

Car, aurait-il pu ajouter, rebrousser chemin, comme on le lui avait appris dans l'armée, était un bon moyen pour savoir si l'on était suivi. Ils retraversèrent Bowhill et remontèrent la côte jusqu'au cimetière. Il pensait à toutes les histoires ensevelies au cimetière, les tragédies de la mine, une fille retrouvée noyée dans la Ore, un accident de voiture qui avait décimé toute une famille pendant des congés. Puis il y avait Johnny Thomson, le gardien de but du Celtic[1], mortellement blessé pendant un

1. Le Celtic FC, l'équipe catholique de football de Glasgow.

match local alors qu'il n'avait qu'une vingtaine d'années.

La mère de Rebus avait été incinérée, mais son père avait tenu à une « sépulture correcte ». Sa tombe se trouvait à l'extrémité de l'enceinte. Un mari affectueux... un père de... Et, au pied, les mots gravés : *Il n'est pas mort, il repose entre les bras du Seigneur.* Mais, en s'approchant, Rebus s'aperçut que quelque chose n'allait pas.

— Oh ! John, balbutia Janice.

De la peinture blanche avait été versée sur la pierre tombale et recouvrait la plus grosse partie des lettres.

— Les sales gamins ! ajouta-t-elle.

Il vit des traces de peinture dans l'herbe mais pas de pot de peinture vide.

— Ce n'était pas des gosses, répondit-il.

Il ne pouvait croire à une coïncidence.

— Alors qui ?

Il effleura d'un doigt la pierre. La peinture était encore gluante. Ainsi, Oakes était bien venu. Janice lui serra le bras.

— Je suis navrée.

— Allons donc, marmonna-t-il. Ce n'est que de la pierre. Ça s'arrange.

Ils burent un thé dans la salle de séjour. Rebus avait appelé l'hôtel de Oakes, la chambre de Stevens, le bar... Personne.

— Nous avons eu des appels, l'informa Janice.

— Des dingues ? demanda-t-il.

— Oui... pour nous dire que Damon est mort ou que nous l'avons tué. Le problème, c'est que ceux qui appellent... ils ont l'accent d'ici.

— Alors ce sont sans doute des gens d'ici.

— C'est complètement fou, non ? dit-elle en lui offrant une cigarette.

Ils étaient toujours assis dans le salon quand Brian rentra du pub.

— Je vais prendre une douche, dit-il.

Janice expliqua que c'était son habitude.

— Il met ses vêtements dans la panière à linge sale et prend sa douche. Je pense que c'est à cause de la fumée.

— Il n'aime pas ?

— Il déteste. C'est peut-être pour ça que j'ai commencé. (La porte d'entrée s'ouvrit de nouveau, c'était la mère de Janice.) Je vais te chercher une tasse, annonça-t-elle.

Mme Playfair salua d'un geste Rebus et s'assit en face de lui.

— Vous ne l'avez toujours pas retrouvé ?

— Ce n'est pas faute d'essayer, madame Playfair.

— Ça, je suis sûre que vous faites tout votre possible, fiston. C'est notre seul petit-enfant, vous savez. (Oui, Rebus le savait.) Un brave gamin, il ne ferait pas de mal à une mouche. Je peux pas croire qu'il se soit attiré des ennuis.

— Qu'est-ce qui vous fait croire qu'il a des ennuis ?

— Il ne nous ferait pas ça, sinon, observa-t-elle en le scrutant. Alors, que vous est-il arrivé, fils ?

— Que voulez-vous dire ? demanda-t-il en se demandant si elle lisait dans ses pensées.

— Je ne sais pas... qu'est-ce que vous êtes devenu ? Êtes-vous à peu près heureux ?

— Je n'y pense jamais, à vrai dire.

— Pourquoi ?

Il regarda la vieille dame.

— J'aime plonger dans la vie des autres. C'est ça, le travail d'un inspecteur.

— L'armée, ça n'a pas marché ?

— Non, répondit-il tout de go.

— Parfois les choses ne marchent pas, constata-t-elle tandis que Janice revenait dans la pièce. (Elle regarda sa fille verser le thé.) Un tas de couples se séparent.

— Vous croyez que Damon et Helen auraient tenté leur chance ?

Elle réfléchit longuement et accepta la tasse que lui tendait Janice.

— Ils sont jeunes, vous savez.

— Quelles chances vous leur donneriez ?

— Tu parles à la grand-mère de Damon, John, intervint Janice. Aucune fille au monde n'est assez bien pour Damon, hein, maman ? (Elle sourit pour que sa mère comprenne qu'elle plaisantait à demi. Puis, s'adressant de nouveau à sa mère :) Johnny vient de recevoir un choc.

Elle lui décrivit la tombe vandalisée. Brian arriva en se frottant la tête. Il s'était effectivement changé. Janice lui répéta l'histoire.

— Les petits salauds, gronda Brian. C'est déjà arrivé. Ils renversent les pierres et les cassent.

— Je vais te chercher une tasse, dit Janice qui s'apprêta à se relever.

— Ça va, assura Brian en lui faisant signe de rester assise. (Il regarda Rebus.) Alors tu n'as sûrement pas envie de dîner dehors ? On voulait t'inviter.

Après un moment de réflexion, Rebus dit :

— Ça me plairait, mais c'est moi qui invite.

— Tu paieras la prochaine fois, répondit Brian.

— À en juger par le passé, répliqua Rebus, ça devrait faire dans une trentaine d'années.

Rebus s'en tint à l'eau minérale avec son curry. Brian but une bière et Janice prit deux grands verres de vin blanc. M. et Mme Playfair, invités, avaient refusé de les accompagner.

— Nous vous laissons entre jeunes, avait déclaré Mme Playfair.

De temps en temps, quand Janice ne le voyait pas, Brian regardait dans sa direction. Il avait l'air inquiet, inquiet que sa femme le quitte et se demandait ce qu'il avait fait de mal. Voyant sa vie partir en lambeaux, il cherchait désespérément à comprendre.

Rebus se considérait comme un spécialiste des ruptures. Il savait qu'on pouvait parfois voir les choses sous un angle différent, un partenaire pouvait avoir des aspirations qui lui semblaient hors de portée tant qu'il serait marié. Cela ne s'était pas passé ainsi dans son propre couple. Là, cela se réduisait au fait qu'il n'aurait jamais dû se marier dès le départ. Quand son travail avait commencé à l'absorber, il n'était pas resté grand-chose pour Rhona.

— Un ange passe, l'interpella Janice en découpant un nan.

— Je pensais à faire nettoyer la pierre.

Brian dit qu'il connaissait un homme qui le ferait. Il nettoyait les graffiti sur les murs pour le compte du conseil municipal.

— Je t'enverrai l'argent, lui promit Rebus et l'affaire fut conclue.

Après le repas, il les ramena à Cardenden. La soirée karaoké se tenait dans une arrière-salle de la *Railway Tavern*. Le matériel se trouvait sur une estrade, mais les chanteurs restaient sur la piste, les yeux sur l'écran avec ses vidéos sirupeuses et les mots défilant au pied de l'écran. Des feuilles surgirent sur lesquelles étaient imprimés tous les titres. On écrivait son choix sur un bout de papier, qu'on remettait à l'animateur. Un skinhead se leva et chanta *My Way* [1]. Une femme d'âge mûr s'attaqua à *You to*

1. « Comme d'habitude. »

Me Are Everything[1]. Janice expliqua qu'elle optait toujours pour *Baker Street*[2], tandis que Brian balançait, selon l'humeur, entre *Satisfaction* et *Space Oddity*[3].

— Alors la plupart des gens choisissent la même chanson chaque semaine ? s'étonna Rebus.

— Ce type qui se lève maintenant, dit-elle en indiquant du menton le coin de la salle, où des gens changeaient de chaises pour laisser passer quelqu'un, il chante toujours du REM.

— Alors il doit se débrouiller à force ?

— Pas mal.

La chanson était *Losing My Religion*. Des consommateurs curieux quittaient le bar de devant et se postaient dans l'entrée pour voir. Il y avait un petit comptoir spécial pour le karaoké, un guichet tenu par un adolescent qui n'arrêtait pas de tripoter les boutons d'acné sur ses joues. Les clients semblaient avoir leur table attitrée. Janice, Brian et Rebus étaient assis près d'un haut-parleur. La mère de Brian était là, de même que M. et Mme Playfair. Un homme âgé vint leur parler. Brian se pencha vers Rebus.

— C'est le père d'Alec Chisholm, dit-il.

— Je ne l'aurais pas reconnu, avoua Rebus.

— Ils n'aiment pas lui parler. Il revient toujours sur combien de temps ça fait qu'Alec est parti.

En effet, les Playfair et Mme Mee gardaient un visage de marbre en écoutant Chisholm. Rebus se leva pour aller faire un tour. Il restait sonné en se rappelant le spectacle qui l'avait accueilli au cimetière. Oakes tenait à ce qu'il sache qu'il avait une tête d'avance, il en faisait une affaire personnelle.

1. « Tu es tout pour moi. »
2. Tube du chanteur écossais Gerry Rafferty (1978).
3. Chansons des Rolling Stones et de David Bowie.

Rebus y voyait une partie de l'épreuve, il savait que Oakes cherchait à le casser. Plus que jamais, il était résolu à tirer son épingle du jeu.

La mère de Janice buvait un Bacardi Breezes parfumé à la pastèque. Il doutait fort qu'elle ait jamais vu une pastèque de sa vie. Il aperçut Helen Cousins debout dans l'entrée avec des amies et alla lui dire bonjour.

— Du nouveau ? demanda-t-elle.

Il fit signe que non et elle eut un geste d'impuissance, comme si elle avait déjà fait son deuil de Damon. Autant pour le grand amour. Elle tenait une bouteille de Hooch, parfum citron. Toutes ces boissons sucrées étaient bien dans la nature de l'Écosse. Le goût des sucreries et du pep. En traversant la salle, il avait remarqué qu'on laissait sur le bar les boissons gazeuses destinées à couper l'alcool — limonade et Irn-Bru — pour que les clients puissent se servir librement. Peu de pubs le faisaient encore. Autre chose, de la bière bon marché. Une leçon en économie : dans une région en pleine dépression économique, la bière doit être à un prix abordable. Il avait repéré Heather Cranston de l'autre côté du bar, assise sur un tabouret, les yeux baissés pendant qu'un homme lui parlait à l'oreille, une main posée sur sa nuque.

Helen tendit sa bouteille à une de ses copines et annonça qu'elle allait aux cabinets. Rebus resta dans les parages. Les deux filles le regardaient fixement en se demandant qui il était.

— Ça doit la déprimer pas mal, dit-il.

— Quoi ? demanda celle au chewing-gum, fronçant le visage avec perplexité.

— La disparition de Damon.

— Bah, fit l'autre en haussant les épaules. C'est surtout vexant, commenta sa copine. Ça fout un coup au moral, non, d'avoir votre petit copain qui se fait la malle ?

— Sans doute. Je m'appelle John, à propos.

— Corinne, répliqua le chewing-gum.

Elle avait de longs cheveux noirs frisottés grâce à des bigoudis. Sa copine, Jacky, était petite avec des cheveux platine.

— Alors qu'est-ce que vous pensez de Damon ? demanda-t-il.

Il entendait en fait la disparition de Damon, mais ce n'est pas ainsi qu'elles le comprirent.

— Bof, ça va, un type correct, dit Jacky.

— Correct, sans plus ?

— Bon, vous savez, reprit Corinne. C'est un brave garçon, mais il est un peu lourd. Un peu lent, quoi.

Rebus hocha la tête comme si c'était aussi son impression. Mais à la façon dont la famille de Damon parlait de lui, il avait cru à un génie en herbe. Il se rendit compte brusquement à quel point son idée du jeune homme était superficielle, ne reposait sur rien. Jusque-là, il n'avait entendu qu'une version de l'histoire.

— Mais Helen l'aime bien quand même ? dit-il.

— J'imagine.

— Ils sont fiancés.

— C'est des choses qui arrivent, non ? dit Jacky. J'ai des copines qui se fiancent juste pour pouvoir faire la fête. (Elle regarda sa copine pour avoir confirmation, puis elle se pencha vers Rebus pour chuchoter confidentiellement :) Il leur arrivait d'avoir des superengueulades.

— À quel sujet ?

— La jalousie, tiens, j'imagine. (Elle attendit que Corinne confirme d'un mouvement de tête.) Elle le voyait zieuter quelqu'un ou il disait qu'elle s'était laissé draguer. Les trucs habituels, quoi. (Elle le regarda.) Vous croyez qu'il s'est tiré avec une autre ?

Derrière l'eye-liner, il y avait un regard vif, plein d'intelligence.

— C'est possible, dit-il.

Mais Corinne secouait le chef

— Non, il n'en aurait pas eu le cran.

En regardant dans le couloir, Rebus s'aperçut qu'Helen n'était pas allée aux toilettes. Adossée au mur, les mains derrière le dos, elle bavardait avec un garçon. Rebus demanda à Corinne et Jacky ce qu'elles buvaient. Deux Bacardi-Coca. Il les ajouta sur sa liste.

Quand il revint à la table, Janice montait en scène. Elle chanta *Baker Street* avec une émotion authentique, les yeux clos, sachant les paroles par cœur. Le visage peu expressif, Brian avait les yeux fixés sur elle. Il ne s'aperçut sans doute pas qu'il passa la chanson à déchirer un sous-verre en carton en morceaux de plus en plus petits qu'il empila sur la table avant de les répandre sur le sol quand elle eut fini.

Rebus sortit dehors et respira profondément l'air vif de la nuit. Il s'en tenait au whisky largement coupé d'eau. Il y avait des cris dans le lointain, l'hymne de l'équipe de football, le sigle UVF[1] bombé sur le mur latéral du pub. Un poivrot était en train de pisser dessous. Ensuite, il chancela vers Rebus et demanda une cigarette. Rebus lui en donna une et l'alluma.

— Courage, Jimmy ! bégaya l'ivrogne, puis il scruta le visage de Rebus. Je connaissais ton paternel, ajouta-t-il en s'éloignant avant que Rebus puisse l'interroger.

1. Ulster Volunteer Force : groupe paramilitaire protestant d'Irlande du Nord.

Il resta interdit. Il n'avait pas sa place ici, il le savait maintenant. Le passé est un lieu qu'on peut visiter, mais ça ne valait rien de s'y attarder. Il avait trop bu pour prendre le volant, mais demain à la première heure… à la première heure, il rentrerait. Cary Oakes n'était plus là. Il était venu juste le temps qu'il fallait pour déposer un message. Rebus était navré pour Janice et Brian, pour la façon dont les choses avaient tourné pour eux. Mais en cet instant, ils étaient le cadet de ses multiples soucis. Il s'était laissé dévier de son objectif et Oakes en avait tiré profit.

De retour à l'intérieur, personne n'essaya de lui mettre le micro dans la main. Entre-temps, tout le monde avait appris qui il était et la profanation dont avait fait l'objet la tombe de son père. Les nouvelles circulaient vite dans une petite ville comme Cardenden. N'est-ce pas ce dont l'histoire est faite ?

34

Il faisait encore nuit quand il se réveilla. Il s'habilla, plia les couvertures et laissa un mot sur la table de la salle à manger. Puis il traversa sans hâte excessive les rues tranquilles et la campagne plus tranquille encore jusqu'à la route à deux voies. Mais quand il roula vers le sud en direction d'Édimbourg, il appuya carrément sur le champignon.

Il trouva une place au coin d'Oxford Terrace et rentra à pied chez Patience. Il faisait encore trop noir pour distinguer la porte. Il parvint à situer à tâtons la serrure pour y glisser la clé. Le vestibule aussi était plongé dans l'obscurité. Marchant sur la pointe des pieds, il alla dans la cuisine et remplit la bouilloire. Quand il se retourna, Patience se tenait sur le seuil de la pièce.

— Où tu étais, bon sang ? l'interpella-t-elle.

La fatigue n'arrivait pas à atténuer son exaspération.

— Dans le Fife.

— Tu n'as pas appelé.

— Je t'ai dit où j'allais.

— J'ai essayé ton portable.

Il mit la bouilloire en route.

— Je l'avais éteint. (Il vit le chagrin crisper brusquement ses traits et il posa les mains sur ses épaules.) Qu'est-ce qu'il y a, Patience ?

Ses yeux brillaient de larmes. Elle renifla pour les ravaler, le conduisit dans le couloir, où elle alluma la lumière. Il vit des marques sur le sol, des traces qui conduisaient à la porte d'entrée.

— Que s'est-il passé ?

— De la peinture, dit-elle. Il faisait sombre, je n'ai pas vu que je marchais dedans. J'ai essayé de nettoyer.

Des empreintes de pied pareilles à la bave de l'escargot... Rebus pensa aux traces de peinture blanche conduisant à la tombe de son père. Il la regarda fixement, puis alla à la porte et l'ouvrit. Derrière lui, elle tendit la main pour pousser l'interrupteur et éclairer le patio. Et il vit la peinture. Des mots barbouillés en lettres de trente centimètres sur les dalles. Il inclina la tête pour lire.

TON POULET A TUÉ DARREN.

Le tout souligné d'un trait.

— Putain ! balbutia-t-il.

— C'est tout ce que tu trouves à dire ? demanda-t-elle d'une voix tremblante. J'ai passé le week-end à essayer de te joindre.

— J'étais... C'est arrivé quand ?

Il contournait le message.

— Vendredi soir. Je suis rentrée tard et je me suis mise au lit. Vers trois heures, je me suis réveillée avec un mal de crâne, je suis allée chercher de l'eau, j'ai allumé dans le vestibule... (Elle repoussait ses cheveux avec les mains, le visage tendu.) J'ai vu la peinture, je suis sortie ici et alors...

— Je suis navré, Patience.

— Qu'est-ce que ça veut dire ?

— Je n'en sais rien.

Oakes encore. Pendant que Rebus se trouvait dans

le Fife, Oakes se trouvait ici même et préparait son prochain coup. Il ne savait pas seulement pour Janice, il savait aussi pour Patience. Et il ne l'avait pas caché, puisqu'il avait dit à Rebus qu'il avait de la chance de connaître un médecin. Il n'avait pas eu besoin de cacher son jeu, puisque Rebus était incapable de décrypter le message.

— Tu mens ! s'écria Patience. Tu le sais. Tu sais pertinemment que c'est *lui*, n'est-ce pas ?

Il essaya de la prendre dans ses bras, mais elle le repoussa.

— J'ai appelé St Leonard, reprit-elle. Ils ont envoyé quelqu'un patrouiller. Deux jeunes en uniforme. Puis le lendemain matin, heureusement, Siobhan est venue. (Elle grimaça un sourire.) Elle m'a emmenée prendre le petit déjeuner dehors. Elle devait se douter que j'avais passé une nuit blanche. Brusquement, je me suis rendu compte à quel point cet endroit est mal protégé. Le jardin sur l'arrière, n'importe qui peut sauter le mur pour accéder au jardin ou forcer la porte. Qui le remarquera ? (Elle le regarda.) Qui je suis censée appeler ?

Il tenta de nouveau de la prendre dans ses bras. Cette fois, elle se laissa faire mais il sentit sa résistance.

— Je suis vraiment navré, répéta-t-il. Si j'avais su... s'il y avait eu un moyen...

Vendredi soir, il avait éteint son portable. Maintenant il se demandait pourquoi. Pour économiser la batterie ? C'était le prétexte qu'il s'était trouvé sur le coup, mais peut-être cherchait-il simplement à couper le Fife du reste de sa vie. Il était si occupé à penser à Janice que le reste était passé au second plan, lui faisant oublier le danger le plus évident. Il déposa un baiser sur les cheveux de Patience. Une vision faussée, donc les idées à côté de la plaque. Oakes était en train de gagner chaque round. Si le lien qui reliait Rebus à Janice était indéniable, il éprouvait surtout la nostalgie des occasions manquées. En revanche, ici et maintenant, c'était Patience, la femme de sa vie. C'était elle qu'il tenait dans ses bras et embrassait.

— Ça va aller, lui dit-il. Tout va s'arranger.

Elle s'écarta de lui et s'essuya les yeux avec la manche de sa robe de chambre.

— C'est drôle, on dirait que tu as pris l'accent du Fife.

Il sourit.

— Je vais préparer du thé. Allez, retourne te coucher. Si tu as besoin de moi, tu sais ce qu'il faut faire.

— Et c'est quoi ?

— Tu siffles, poupée.

— C'est signé Oakes, dit-il.

Il avait appelé Siobhan pour la remercier. Patience avait tenu à ce qu'il l'invite pour le déjeuner. Aussi, sous un beau soleil, ils étaient attablés dans le jardin clos. Les journaux du dimanche étaient empilés, intacts, dans un coin. Ils mangèrent un *scotch broth* [1], suivi d'un jambon braisé avec une salade et firent un sort aux deux bouteilles de vin.

— Tu sais ce qu'elle a fait hier soir ? demanda Patience, parlant de Siobhan et s'adressant à Rebus. Elle a appelé pour savoir comment j'allais. Elle m'a même proposé de venir dormir chez elle.

Un sourire langoureux, un peu ivre, puis elle se leva pour préparer le café. Rebus en profita pour faire part de ses soupçons à Siobhan.

1. Soupe de mouton à l'orge et aux légumes.

— Des preuves ? rétorqua-t-elle avant de finir son vin.

Deux verres au maximum, car elle conduisait.

— Je le sens dans mes tripes. Il a planqué devant mon appart. Il sait que je suis la dernière personne à avoir vu Rough vivant. Il a rendu visite à Janice et, maintenant, c'est le tour de Patience.

— Pourquoi il vous en voudrait, à vous ?

— Je n'en sais rien. Peut-être que ça aurait pu être n'importe lequel d'entre nous. J'ai tiré le mauvais numéro.

— Ça m'étonnerait. À vous entendre, il est plus calculateur que ça.

— C'est juste, admit Rebus en faisant rouler une tomate cerise sur le lit de laitue dans son assiette. Patience a eu une idée l'autre jour. Elle pensait que ça pouvait être une sorte de tactique pour détourner notre attention.

— Et de quoi ?

— C'est ce que j'aimerais bien savoir, soupira-t-il en scrutant sa salade. Vous vous souvenez quand on ne trouvait qu'une seule espèce de laitue, qu'une seule espèce de tomate ?

— Je suis trop jeune pour ça.

— Ouais... vous croyez qu'elle va s'en remettre ?

Il parlait de Patience.

— Ça ira.

— J'aurais dû être là.

— Elle m'a dit que vous étiez dans le Fife. Qu'est-ce que vous fabriquiez là-bas ?

— Je me penchais sur mon passé, dit-il en plongeant enfin sa fourchette dans la tomate.

Il passa le reste de la journée avec Patience. Ils firent une promenade dans les Jardins botaniques, puis passèrent voir Sammy. Patience n'y était pas allée le samedi, elle avait juste appelé pour dire qu'elle avait un empêchement, sans en dire plus. Elle avait préparé un mensonge, qu'elle avait expliqué à Rebus pour avoir son appui. Une autre promenade, cette fois avec Sammy en chaise roulante. Rebus se sentait encore emprunté quand il sortait avec sa fille en public. Elle le taquina.

— On a honte de se montrer avec une handicapée ?

— Ne parle pas comme ça.

— C'est quoi, alors ?

Mais il ne savait que répondre. Qu'est-ce qu'il avait ? Il l'ignorait lui-même. Peut-être que c'étaient les autres, leur façon de regarder. Il voulait leur dire : elle va s'en tirer, elle ne va pas rester là-dedans toute sa vie. Il voulait leur expliquer comment c'était arrivé et le courage dont elle avait fait preuve. Il voulait leur dire qu'elle était *normale*.

Sammy en fauteuil roulant... c'était comme si elle était retournée dans sa poussette, et il repérait à nouveau les creux et les bosses du bitume, le bord malcommode d'un trottoir et les passages pour piétons les plus sûrs. Il insistait pour qu'ils traversent au feu rouge, même si la rue était déserte.

— Papa, disait-elle, quelles sont les chances pour que j'aie de nouveau un accident, statistiquement parlant ?

— N'oublie pas que tout le monde nous donnait gagnants à Culloden[1].

Et elle riait.

Son ami Ned était avec eux, mais Sammy tenait à se débrouiller seule, se penchant en arrière pour jouer les équilibristes et démontrer son adresse. Ned

1. Situé près d'Inverness, Culloden a vu en 1746 la tragique défaite de Bonnie Prince Charlie, mettant fin pour plusieurs siècles aux espoirs d'indépendance de l'Écosse.

riait aussi et marchait à côté d'elle, les mains dans les poches. Patience glissa sa paume dans celle de Rebus. Une promenade dominicale, c'est comme ça.

Ensuite, de retour à l'appartement, ils mangèrent des gâteaux à la crème en buvant du darjeeling, regardèrent à la télévision les grands moments du match de football sans le son. Sammy énumérait à Patience son dernier régime d'exercices, tandis que Ned parlait à Rebus, et que Rebus n'écoutait pas. Les yeux mi-clos, tourné vers la fenêtre, il se demandait si Cary Oakes était là...

Ce soir-là, il dit à Patience qu'il devait rentrer à son appartement.

— Deux ou trois choses à prendre. Je reviens tout à l'heure. (Il l'embrassa.) Ça ira ou tu veux venir avec moi ?

— Je reste ici, décida-t-elle.

Rebus monta donc en voiture et partit. Non pour Arden Street, mais pour Leith. Il alla à l'hôtel et demanda à parler à Cary Oakes. La réception appela sa chambre : pas de réponse.

— Peut-être qu'il est au bar, suggéra la réceptionniste.

Cary Oakes n'était pas au bar, mais Jim Stevens, si.

— Laissez-moi vous commander un verre, proposa ce dernier.

Rebus accepta en remarquant qu'il descendait de grands verres de gin-tonic.

— Où est passé votre poulain ?

Stevens haussa les épaules.

— Je croyais que vous deviez l'avoir à l'œil, insista Rebus qui sentait la moutarde monter.

— Je m'y emploie, croyez-moi. Mais ce petit fumier est salement retors.

— Combien vous comptez encore en tirer ?

— Bof, fit Stevens avec un sourire désabusé. Il s'est passé une chose étrange et merveilleuse à la fois. Vous me connaissez, Rebus, je suis un vieux routier, autrement dit un type coriace, acharné et qu'on ne roule pas facilement.

— Et alors ?

— Je crois qu'il me raconte des salades, constata Stevens. Ce qu'il me donne n'est pas mauvais, comprenez-moi bien. Mais j'ai quoi pour confirmer ?

— Depuis quand ça vous gêne ?

Stevens inclina la tête pour montrer que son interlocuteur avait marqué un point.

— Certes, mais pour ma satisfaction personnelle, j'aimerais savoir, répondit-il. Et entre-temps, ce brave Cary a réussi à me tirer les vers du nez autant que je les lui ai tirés.

— Pensez donc ! Votre discrétion est légendaire.

— Écoutez, ça ne me dérange pas de raconter des bobards… des potins de bistrot. Mais Oakes… je ne sais pas, ce ne sont pas tant les histoires qui l'intéressent que ce qu'elles disent sur les gens concernés. (Il reprit son verre. Il y en avait déjà trois vides alignés à côté. Il avait transvasé toutes les tranches de citron dans le dernier.) Enfin, ça ne tient probablement pas debout. Et puis je m'en tape, je suis en congé.

— Alors vous en avez terminé avec lui ?

Stevens claqua les lèvres.

— Je dirais qu'on y arrive, mon cher. La question est plutôt : en a-t-il fini avec moi ?

Rebus alluma une cigarette et en offrit une au reporter.

— Il m'a filé, moi et des gens de mon entourage.

— Tiens, pourquoi faire ?

— Peut-être qu'il cherche de nouvelles idées pour

vous, avança Rebus qui se rapprocha. Dites, entre nous, de vous à moi, juste deux vieux de la vieille...

— Eh bien ? dit Stevens en clignant des yeux pour essayer de dissiper les vapeurs de l'alcool.

— A-t-il parlé de Deirdre Campbell ? (Stevens ne se souvenait pas de ce nom.) La nièce d'Alan Archibald.

— Ah ! oui... (Un mouvement de tête exagéré, le visage incliné vers le verre de gin-tonic, puis un froncement de sourcils dû à l'effort.) Il a parlé du taux de meurtres non résolus. Il a dit que c'est ce qui arrive quand on vous coince, on essaie de vous coller quelques affaires non élucidées sur le dos en les mettant dans votre dossier.

Rebus s'était perché sur un tabouret.

— Il n'a donné aucun détail ?

— Vous croyez que j'ai raté quelque chose ?

— Vous venez de le dire. Vous avez l'impression qu'il se sert de vous.

— En glissant des indices dans ses récits sans que je m'en rende compte ? Je ne suis pas naïf à ce point.

— Pour lui, c'est un grand jeu, articula Rebus entre ses dents. On n'existe pas pour lui en dehors de ce jeu.

— Moi, si, mon pote. Je suis son papa gâteau.

— Les papas gâteaux se font bourrer le mou comme les autres.

— John... (Il se redressa sur son siège et inspira profondément.) Cette histoire m'a remis en selle. C'est moi qui l'ai eu le premier. Moi, Jim Stevens, un vieux cheval de retour, bon à mettre au rancart. Même s'il se tirait ce soir, j'aurais de quoi publier un bouquin. (Il opina fermement, les yeux rivés au verre qu'il empoigna, mais Rebus restait dubitatif.) Vous voyez, quand je bois ces temps-ci, c'est toujours à la santé du gagnant, reprit Stevens en levant son verre. En ce qui me concerne, mon pote, vous pouvez tous vous payer un aller simple en enfer.

Il vida son verre jusqu'à la dernière goutte et commandait déjà le suivant quand Rebus franchit la porte.

35

Le lendemain matin, il partit pendant que Patience discutait dans le patio avec deux ouvriers pour voir comment nettoyer le dallage. Dès qu'il eut franchi le seuil de St Leonard et avant même qu'il fût entré dans la salle de brigade, il sut qu'il s'était passé quelque chose. Tout le monde s'activait et il y avait de l'électricité dans l'air. Siobhan Clarke le mit au parfum.

— L'ami de Joanna Honnan, annonça-t-elle. Il a un casier.

Rebus regarda la feuille. Le type s'appelait Ray Heggie. Il avait déjà fait de la prison pour cambriolage et divers actes de violence sous l'emprise de l'alcool. Il avait dix ans de plus que Joanna. Cela faisait six semaines qu'il vivait avec elle.

— Roy Frazer l'a emmené dans la salle d'audition.

— D'où ça vient ? demanda-t-il en lui rendant le rapport.

— Une ancienne petite amie de Heggie. Elle a appris que le gamin avait disparu et elle nous a appelés pour dire qu'il avait violé sa petite fille. C'est pour ça qu'ils ont rompu.

— Elle n'a pas pensé à nous en parler avant.

— Elle nous le dit maintenant, fit Clarke, c'est mieux que rien.

— Quel âge a la gamine ? grogna-t-il.

— Onze ans. Un membre de la Brigade de protection des mineurs est chez elle pour lui parler. (Elle leva les yeux sur lui.) Vous n'y croyez pas, c'est ça ?

— *Caveat emptor*[1], Siobhan. Je déciderai après l'alcootest.

Il lui fit un clin d'œil et s'en alla. Une ex-copine qui avait une dent contre lui, sans doute rien de plus, et qui avait trouvé là l'occasion de semer la pagaille... Peu importe, si Heggie était le genre violeur d'enfants, il connaissait peut-être Darren Rough. Rebus frappa à la porte de la salle d'audition.

— L'inspecteur principal Rebus entre dans la pièce, commenta Frazer pour que son arrivée soit enregistrée sur la bande.

Il suivait la procédure à la lettre en effectuant un double enregistrement, audio et vidéo. « Hi-Ho » Silvers avait pris place à côté de lui, bras croisés, l'air parfaitement blasé. C'était son rôle : se taire, mais mettre le suspect mal à l'aise. En face était assis un homme, la quarantaine, des cheveux noirs bouclés avec un début de calvitie marqué. Une barbe de deux jours lui couvrait les joues et il avait des cernes sous les yeux. Il portait un tee-shirt noir et passait les mains sur ses bras abondamment poilus.

— Plus on est de fous... ! lança-t-il en guise de salut.

La pièce était si exiguë que Rebus se colla au mur et attendit la suite.

1. En latin, « que l'acheteur prenne garde ». Autrement dit : « Prudence ! »

— Les habitants ont organisé une battue, reprit Frazer, et vous n'en avez pas fait partie, pourquoi ?

— Je n'étais pas là.

— Vous étiez où ?

— À Glasgow. Je suis allé boire un coup avec un pote et j'ai passé la nuit chez lui. Demandez-le-lui, il vous le dira.

— J'en suis sûr. Les copains sont faits pour ça, non ?

— C'est la vérité.

Frazer griffonna une note pour lui-même.

— Vous êtes allé boire, ce qui veut dire qu'il y a des témoins. (Il quitta des yeux son carnet.) Alors donnez-moi quelques noms.

— Lâchez-moi la grappe. D'accord, les pubs étaient fermés, alors on a acheté ce qu'il fallait et on est allé dans son appart. On a regardé des vidéos.

— Des choses intéressantes ?

— Le top, fit Heggie avec un clin d'œil complice, mais Frazer resta impavide.

— Du porno ?

— C'est ce que j'ai dit.

— Hétéro ?

— Je suis pas une tante, fit-il, et il arrêta de se frotter les bras.

— Bon, est-ce qu'il y avait des choses entre filles ?

— Possible.

— Du bondage, des animaux, des gosses ?

Heggie comprit où il voulait en venir.

— Je ne suis pas amateur de ces trucs, je vous l'ai dit.

— Votre ex n'est pas de cet avis.

— Cette pouffe dirait n'importe quoi. Attendez que je lui mette la main dessus…

— S'il lui arrive quoi que ce soit, monsieur Heggie, si elle attrape ne serait-ce qu'un rhume, vous êtes de retour ici *illico*. C'est clair ?

— Je ne le pensais pas. C'est une façon de parler, hein ? Mais elle m'a débiné, elle a raconté aux gens que j'avais le sida et je ne sais quoi. C'est par rancune. Je pourrais avoir un thé ?

Frazer considéra sa montre.

— Nous allons faire une pause dans cinq minutes. (Rebus étouffa un sourire, sachant qu'ils ne feraient une pause que lorsque Frazer en aurait envie.) Vous avez été condamné pour des actes de violence, monsieur Heggie. Alors voilà ce que je pense : vous vous êtes énervé avec le gamin, vous n'aviez pas l'intention de lui faire du mal, mais une soupape a sauté et avant que vous ayez compris ce qui se passait, il était mort.

— Non.

— Et vous avez dû cacher le corps.

— Non, je me tue à vous dire...

— Alors où est-il ? Comment se fait-il qu'il ait disparu alors que, d'après votre conduite passée, il est établi qu'il vous arrive de vous en prendre aux enfants ?

— Vous n'avez que la parole de Belinda pour le prouver ! (Belinda étant son ex.) Moi, je vous dis, allez chercher un toubib pour qu'il ausculte Fliss. (Fliss étant la fille de son ex.) Et si jamais il y a eu quelqu'un pour la tringler, c'était pas moi. C'est hors de question, putain. Demandez-lui.

Il se gratta le crâne d'une main.

— C'est ce que nous faisons, monsieur Heggie.

— Et si elle dit que j'ai fait quoi que ce soit, c'est sa mère qui le lui fait dire. (Il était de plus en plus agité.) Je délire, c'est pas possible. (Il secoua la tête.) Vous êtes allé raconter ça à Joanna. Qu'est-ce qu'elle va penser maintenant ?

— Pourquoi vous vous collez toujours avec des mères célibataires ?

Heggie leva les yeux au plafond.

— Mais c'est un cauchemar...

Frazer, qui avait les bras posés sur la table, se recula et adressa un coup d'œil à Rebus. C'était le signal que Rebus attendait. Cela voulait dire que Frazer avait fini pour le moment.

— Est-ce que vous connaissiez Darren Rough, monsieur Heggie ? demanda Rebus.

— C'est celui qui s'est fait buter, non ? (Rebus confirma d'un signe de tête.) Connais pas.

— Vous ne lui avez jamais parlé ?

— On n'habitait pas le même immeuble.

— Alors vous saviez où il habitait dans ce cas ?

— C'était dans tous les journaux. Un sale petit vicieux, celui qui l'a fait mérite une médaille.

— Pourquoi dites-vous qu'il était petit ? En effet, c'était le cas, il n'était vraiment pas grand. Mais ça, ce n'était pas dans la presse.

— C'est que... c'est une chose qu'on dit, façon de parler, non ?

— C'est en tout cas ce que vous avez dit. Ce qui me donne à penser que vous l'avez vu.

— Quand bien même. C'était pas bien sorcier.

— Non, c'est vrai, admit Rebus tranquillement. Tout le monde connaît tout le monde.

— Jusqu'à ce que la municipalité nous colle des enculés qu'ils pouvaient pas caser ailleurs.

— Donc, fit Rebus, il se peut que vous ayez vu Darren Rough ?

— Qu'est-ce que ça change ?

— C'est que lui aussi, il aimait les jeunes. Les pédophiles ont l'air d'avoir l'art de se repérer.

— Je ne suis pas un pédé ! brailla-t-il, hors de lui,

la voix tremblante quand il se mit debout. Je suis prêt à les tuer tous jusqu'au dernier.

— Vous avez commencé par Darren ?

— Hein ?

— Vous l'avez liquidé pour être un héros.

Un ricanement nerveux.

— Alors ça y est, j'ai pas seulement estourbi Billy, j'ai aussi buté le pédé ?

— C'est ce que vous nous dites ? demanda Rebus.

— Mais j'ai tué personne !

— Comment vous vous entendiez avec Billy, à propos ? Ça devait faire bizarre de l'avoir dans les parages quand vous auriez voulu avoir Joanna toute à vous.

— C'est un brave gosse.

— Asseyez-vous, monsieur Heggie, ordonna Frazer.

Il finit par se rasseoir, mais brusquement, il se releva d'un bond en pointant un doigt sur Rebus.

— Il essaie de me faire porter le chapeau !

Avec un sourire narquois, Rebus se détacha du mur.

— Je cherche juste la vérité, dit-il en s'apprêtant à quitter la pièce.

— L'inspecteur Rebus quitte la salle d'audition, commenta Frazer dans son dos.

Plus tard, Frazer s'arrêta à son bureau.

— Vous ne pensez pas sérieusement que c'est lui pour Darren Rough, si ?

— Est-ce que vous croyez que c'est lui pour l'enfant ? rétorqua Rebus.

— Peut-être, si la Brigade de protection des mineurs dégote quelque chose. D'après ce que j'en sais, la mère colle après la gamine comme de la glu, répond à sa place, lui met les mots dans la bouche.

— Ça ne veut pas dire obligatoirement qu'elle ment.

— En effet, convint Frazer. Mais Heggie n'a rien à foutre de Billy. Tout ce qui compte pour lui, c'est que Joanna va le foutre dehors. (Il plissa le front.) Des gens comme ça, on a du mal à les saisir, hein ?

— C'est sûr.

— Et impossible de les changer. (Il regarda Rebus.) C'est aussi votre avis, n'est-ce pas ?

— Bienvenue au club, Roy, conclut Rebus en décrochant le téléphone.

Il devait continuer à travailler. Il devait arrêter de laisser Cary Oakes occuper ses pensées. Il appela donc Phyllida Hawes au poste de Gayfield.

— Est-ce que votre personne disparue est revenue ? s'enquit-elle.

— Silence radio.

— Bon, ça peut être de bonnes nouvelles aussi. Ça veut dire qu'il est sans doute encore en vie.

— Ou que le corps est bien caché.

— J'adore les optimistes.

Un autre jour, Rebus aurait peut-être pu continuer à badiner.

— Dites, vous connaissez le *Gaitano* ? demanda-t-il en allant droit au but.

— Tout à fait, répondit-elle avec une pointe de curiosité, manifestement intéressée par ce qui allait suivre.

— Dont le propriétaire s'appelle Charmeur Mackenzie ?

— Celui-là même.

— Qu'est-ce que vous savez sur lui ?

Un instant de silence.

— Y a-t-il un rapport entre votre personne disparue et lui ?

— Je n'en suis pas sûr mais ça se pourrait, reconnut-il avant de lui parler du bateau.

— Oui, je savais ça, dit-elle. Mais c'est un accord strictement financier. Je veux dire, Mackenzie a une part, mais il ne se mêle pas de la gestion. Vous avez rencontré Billy Preston ? (Rebus dit que oui.) Charmeur lui laisse la bride sur le cou.

— Pas tant que ça. Le sous-directeur du *Gaitano*, un jeune type du nom d'Archie Frost, garde un œil sur le *Clipper*. Et en plus, il fournit les gros bras pour la porte.

— Tiens donc ?

Rebus l'entendit griffonner quelques notes.

— Est-ce qu'il a d'autres intérêts ? s'enquit-il.

— Si vous voulez un conseil, reprenez cette petite conversation avec le NCIS.

Le NCIS : ces initiales désignent la Section nationale du renseignement criminel. Rebus se pencha en avant sur son bureau.

— Ils ont quelque chose sur Mackenzie, d'après vous ?

— Oui, ils ont un dossier.

— Ah ! ah ! je vois. Propre sur lui, mais pas jusqu'au bout des ongles. Qu'est-ce qu'on a trouvé, exactement ?

— De la crotte, pour ce que j'en sais. Contactez le NCIS.

— D'accord, merci.

Rebus raccrocha, se connecta sur un des terminaux et entra le nom de Mackenzie. Au bas de l'écran apparurent un numéro de référence et le nom d'un fonctionnaire. Rebus appela le service et demanda à parler au détective Paul Carnett dont il venait d'apprendre le nom.

— Il y a une petite erreur sur notre site, répondit la standardiste. Ce n'est pas Paul, mais Pauline.

Elle le connecta, et une voix mâle lui dit que l'inspecteur Carnett était en conférence pour encore une heure, peut-être une heure et demie. Rebus regarda sa montre.

— Est-ce qu'elle est prise après ?

— Pas que je sache.

— Alors je voudrais faire une réservation, une table pour deux, au nom de l'inspecteur principal Rebus.

36

Le siège écossais du NCIS se situait à Osprey House dans Paisley, non loin de la M8. La dernière fois que Rebus était venu dans les parages, c'était pour déposer son ex-femme à l'aéroport de Glasgow. Elle était venue de Londres pour voir Sammy et tous les vols d'Édimbourg étaient pleins. Il ne se souvenait pas ce dont ils avaient parlé en chemin.

Osprey House, qui était censé représenter l'avenir d'une police haut de gamme en Écosse, réunissait la Brigade criminelle écossaise et l'administration des douanes et des impôts, ainsi que le NCIS et la Section écossaise du renseignement criminel. Osprey House avait donc pour fonction de centraliser le renseignement. Ayant commencé avec juste deux fonctionnaires, le NCIS en comptait à présent dix. Ils étaient mal perçus au moment où on avait ouvert le bureau du fait que l'équipe écossaise du NCIS ne rendait pas de compte au directeur de la police écossaise, mais au directeur de l'ensemble de l'opération pour la Grande-Bretagne basé à Londres, lequel était responsable devant le ministre des Affaires écossaises. Le NCIS s'occupait de la contrefaçon, du blanchiment d'argent, du crime organisé concernant la drogue et les trafics de véhicules, et — si Rebus avait bonne mémoire — des réseaux pédophiles. Il avait entendu traiter de « ringards » et de « cinglés de l'informatique » les fonctionnaires du NCIS, mais pas par des gens qui les avaient rencontrés.

— Ce n'est pas très régulier, remarqua Pauline Carnett quand Rebus lui eut expliqué les motifs de sa présence.

Ils étaient assis dans un bureau paysager, cernés par le bourdonnement incessant des ventilateurs des ordinateurs et les conversations en sourdine au téléphone. Entrecoupés de temps à autre par un envol de doigts sur un clavier. Des jeunes hommes en manches de chemise et en cravate, deux femmes en tailleur. Le bureau de Pauline était à l'opposé de la salle par rapport à l'autre femme. Rebus se demanda s'il fallait y voir un sens.

Pauline Carnett avait dans les trente-cinq ans et de courts cheveux blonds séparés par une raie médiane. Grande et les épaules carrées, elle avait une poignée de main plus ferme que la plupart des francs-maçons que Rebus connaissait. Elle avait un espace entre les deux dents de devant, ce qui semblait la gêner et donnait doublement envie à Rebus de la faire sourire.

Elle avait, comme les autres, un bureau en L, une partie étant destinée à l'ordinateur et l'autre à la paperasse. Tout le bureau partageait une imprimante qui crachait du papier à la chaîne et le jeune homme qui faisait le pied de grue à côté avait l'air de s'embêter ferme.

— Voilà donc le cœur du système, avait constaté Rebus en entrant dans la salle.

Carnett avait posé sa tasse sur un tapis de mousse maculé de dizaines de taches de café. Rebus avait posé la sienne sur le plan de travail.

— Pas régulier du tout, avait-elle répété comme

si cela pouvait suffire à le décourager. (Il s'était limité à hausser les épaules.) D'ordinaire les demandes nous sont adressées par téléphone ou par fax.

— J'ai toujours préféré le contact direct.

Il lui tendit le bout de papier sur lequel il avait griffonné le numéro de référence de Charmeur Mackenzie. Elle rapprocha sa chaise du bureau et martela les touches, comme si elle voulait obliger le clavier à rendre gorge. Puis elle fit glisser la souris sur le tapis, en évitant adroitement sa tasse, et cliqua.

Le dossier de Charmeur Mackenzie apparut. Rebus se rendit compte immédiatement qu'il était volumineux. Il rapprocha sa chaise de la sienne.

— Au départ, dit-elle, on dirait qu'on s'est intéressé à lui parce que la Brigade criminelle avait appris qu'il organisait des soirées privées pour un certain Thomas Telford.

— Je connais Telford, dit Rebus. J'ai fait en sorte qu'on le mette à l'ombre[1].

— Tant mieux. Telford se servait du club de Mackenzie pour des rencontres et il louait aussi un bateau dont Mackenzie possédait une part. Le bateau servait pour des fêtes. La Brigade criminelle l'a à l'œil parce qu'on ne sait jamais qui peut s'y trouver. Mais ça n'a pas été la joie, cela dit : opération suspendue. (Elle frappa sur la touche « Entrée » pour changer de page.) Ah ! nous y voilà, annonça-t-elle en se penchant sur l'écran. Un prêt financier.

— Par Mackenzie ?

Elle confirma d'un mouvement du menton. Rebus déchiffra par-dessus son épaule. Le NCIS soupçonnait Mackenzie de faire du business en sous-main, d'avancer l'argent pour des plans criminels — avec remboursement garanti, d'une manière ou d'une

1. Voir *Le Jardin des pendus*, *op. cit.*

autre. Mais aussi de prêter des sommes cash à des gens qui soit ne pouvaient se procurer l'argent ailleurs, soit avaient de bonnes raisons pour ne pas s'adresser à une banque ou à une société de crédit.

— À quel point cela est-il fiable ?

— Ça ne serait pas là si ça ne l'était pas à cent pour cent.

— Pourtant…

— Pourtant, ça ne suffit pas pour passer à l'action, sinon on l'aurait traîné en justice. (Elle plaça le curseur sur une icône au bas de l'écran.) Les notes de terrain sont allées chez le procureur, qui a décrété que c'était insuffisant pour engager des poursuites.

— Autrement dit, l'affaire suit son cours ?

— Absolument, la patience est une vertu, nous avons le temps. Nous restons aux aguets en attendant de remettre ça, le moment venu. (Elle lui adressa un coup d'œil.) Comme Robert Bruce[1], quoi.

Rebus ne quittait pas l'écran du regard.

— Vous avez des noms ?

— Vous voulez dire des gens qui lui ont emprunté des sous ?

— C'est ça.

— Minute. (Elle frappa sur le clavier en lisant les informations à mesure qu'elles apparaissaient à l'écran.) C'est sur papier, marmonna-t-elle enfin.

Elle se leva et l'invita à la suivre. Ils allèrent dans une réserve où étaient stockées les archives.

— Autant pour l'informatisation des bureaux, remarqua Rebus.

1. Robert Ier Bruce (1274-1329) : d'abord battu et exilé, il fut couronné en 1306, combattit victorieusement les Anglais à Bannockburn et signa le traité de Southampton en 1328, qui établit l'indépendance de l'Écosse.

— Je suis bien d'accord.

Elle trouva le classeur qu'elle cherchait, tira le tiroir supérieur et passa en revue les dossiers, dénicha enfin celui qu'elle voulait et le sortit. À l'intérieur du classeur vert se trouvaient environ trois douzaines de feuilles. Deux listaient ceux qu'on « suspectait » d'être les bénéficiaires des prêts de Charmeur Mackenzie.

— Aucune déposition.

— L'enquête n'a pas dû aller jusque-là.

— Je croyais que c'était votre affaire.

— Disons qu'on reçoit un tas de choses de la Brigade criminelle, des douanes ou d'ailleurs. Ça va dans la machine et dans un tiroir. Voilà mon job.

— Vous êtes documentaliste alors ? s'étonna Rebus. (Elle le fusilla du regard.) Excusez-moi, je voulais blaguer. (Il reprit le dossier.) Alors comment avez-vous obtenu ces noms ?

— Une ou deux personnes ont sans doute craché le morceau.

— Mais n'étaient pas des témoins fiables ?

— C'est ça. Les gens qui ont besoin de passer par ce genre d'escrocs sont rarement des citoyens soucieux du bien public.

Rebus reconnut un ou deux noms au passage, des cambrioleurs notoires. Peut-être en quête de fonds pour préparer un gros coup.

— D'autres figurant sur la liste ont pu se faire tabasser par Mackenzie et ses sbires, de sorte que la Brigade criminelle en aura eu vent, suggéra Carnett.

— Sans qu'il y ait personne pour passer à table ?

Elle fit signe que non. Rebus avait déjà été confronté à ce genre de situation, et elle aussi. C'était très bien de se faire assommer jusqu'à en voir trente-six chandelles, mais on était un zéro si on s'en ouvrait aux poulets. On vous bombait le mot « balance » ou « mouchard » sur votre porte. Rebus releva des noms et des adresses, sûr que cela ne servirait à rien. Mais puisqu'il avait effectué le déplacement, tant qu'à faire...

— Je peux vous le photocopier, proposa Carnett.

— Je suis une espèce de dinosaure, dit Rebus, j'ai besoin d'avoir l'essentiel dans mon petit carnet. (Il tapota une entrée dans la liste. Pas de nom, juste une rangée de chiffres.) Est-ce ainsi qu'on doit maintenant appeler Prince[1] ?

Elle sourit et recouvrit rapidement la ligne d'une main.

— On dirait une autre référence, dit-elle. Je vais vérifier à mon bureau.

Quand ils eurent réintégré les lieux, Rebus ingurgita son café froid en la regardant travailler.

— C'est intéressant, dit-elle enfin en se renversant dans son fauteuil. C'est notre façon de garder secrets certains noms. L'ordinateur n'est pas toujours à l'abri des rôdeurs.

— Le piratage informatique, quoi.

Elle le regarda avec un demi-sourire.

— Pas si dinosaure que ça, tout compte fait, nota-t-elle. Attendez-moi une minute.

Elle s'absenta en fait trois minutes, assez longtemps pour que l'économiseur d'écran s'active. Quand elle revint, elle tenait une unique feuille à la main, qu'elle tendit à Rebus.

— On utilise des numéros de code quand on considère qu'on a affaire à un dossier trop « sensible ». Ça veut dire qu'on ne veut pas que ça se sache. Vous voyez qui c'est ?

Rebus avait les yeux sur le nom imprimé. À part ce nom-là, la feuille était vierge.

1. Référence au chanteur Prince qui avait changé son nom en symbole.

— Parfaitement, dit-il enfin. C'est le fils d'un juge.
— Voilà qui s'explique, alors, commenta Pauline Carnett en levant sa tasse.

Nicol Petrie était le nom imprimé sur la feuille. Quand ils fouillèrent un peu plus loin, ils trouvèrent un rapport de la Brigade criminelle décrivant une agression. On avait retrouvé Nicol Petrie sans connaissance dans un coupe-gorge derrière Rose Street, à une centaine de mètres du *Gaitano*. Petrie avait été transporté en ambulance à l'hôpital, un agent en uniforme avait attendu pour lui parler. Mais quand il avait recouvré ses esprits, il n'avait rien eu à dire.

« Je ne me souviens de rien » était son leitmotiv. Il ne pouvait même pas dire si on lui avait volé quelque chose. Mais deux ou trois témoins décrivirent deux hommes quittant la venelle et qui rigolaient en s'allumant des clopes. L'un d'eux se plaignait même de s'être écorché les articulations. La police était allée jusqu'à organiser une présentation de suspects aux témoins, mais entre-temps, quelqu'un avait pris soin de calmer leurs ardeurs, de sorte qu'ils ne voulaient plus entendre parler de rien et refusèrent d'identifier quiconque.

Deux videurs du *Gaitano* figuraient dans le retapissage, et l'un d'eux s'appelait Calumn Brady.

Rebus passa en revue les déclarations des témoins. La description des agresseurs restait vague. Tout au plus pouvait-il imaginer que l'un d'eux, le plus petit, était Cal Brady. Mais qu'importe. Nicol Petrie n'était pas disposé à parler et, quant aux témoins, ils avaient subi des pressions, reçu de l'argent pour se taire ou bien ils avaient recouvré leurs esprits.

La Brigade criminelle considéra qu'il s'agissait d'un « avertissement » de la part de Mackenzie et s'en tint là. Une hypothèse : il n'y avait rien derrière. Mais Rebus n'était pas contre cogiter un peu. Tout de même... quelque chose ne collait pas.

— Le père de Nicol est juge, il est plein aux as. Pourquoi ne pas lui avoir emprunté à lui ?

Pauline Carnett n'avait pas de réponse. Plus tard, il demanda s'il pouvait parler à un fonctionnaire chargé de la lutte contre la pédophilie. On lui présenta une femme inspecteur, le sergent Whyte. Il l'interrogea sur Darren Rough. Elle entra les renseignements dans son micro.

— Qu'est-ce que vous voulez savoir ? demanda-t-elle.

— Ses relations.

Elle martela quelques touches et secoua la tête.

— C'était un solitaire. Pas de complices connus.

Rebus se gratta le menton.

— Et pour Ray Heggie ?

Elle tapa de nouveau.

— Pas de dossier, annonça-t-elle enfin. C'est un nom que je devrais connaître ?

L'inspecteur se contenta d'un geste évasif.

— Dans ce cas..., dit-elle en entrant le nom dans le système. (Elle y ajouta celui de Rebus.) Juste pour que je sache d'où je le tiens.

— Est-ce que vous avez suivi le procès du Shiellion ? s'enquit-il.

— Je sais que le jury délibère. Leur culpabilité ne devrait faire aucun doute.

— Sauf si Richie Cordover a son mot à dire.

— Il est très fort, mais j'ai déjà eu affaire au président Petrie et s'il y a une chose qu'il a en horreur, ce sont les pédophiles. À voir comment Petrie a récapitulé les débats, Ince et Marshall l'ont dans le chou.

— Ne vendez pas la peau de l'ours, rétorqua Rebus en se levant pour partir.

37

À son retour à Édimbourg, il apprit qu'on le demandait à Fettes. Le directeur adjoint de la police, pas moins.

Le directeur adjoint (division criminelle) avait la réputation d'être scrupuleux, correct et de n'avoir aucune patience envers les rigolos. Il avait un bon gros dossier sur Rebus qui lui disait que c'était un fonctionnaire « difficile mais utile ». Rebus avait fait carrière en accumulant les ennemis. Le directeur adjoint de la police, qui s'appelait Colin Carswell, aimait à ne pas se compter dans le nombre.

Il y avait une plaque à son nom sur la porte et, dessous, le numéro de son bureau : 278. La pièce était spacieuse avec moquette et rideaux réglementaires, ainsi qu'un bouquet de fleurs sur le rebord de la fenêtre. Peu d'autres éléments de décor. Grand et mince, une bonne toison poivre et sel avec moustache assortie, Carswell quitta son fauteuil juste le temps de serrer la main de Rebus. D'habitude, il ne restait pas derrière son bureau pour ses entretiens, qu'il menait dans deux sièges près de la fenêtre. C'était des fauteuils pivotants posés sur roulettes, de sorte que les policiers non avertis pouvaient se retrouver à faire un tour de cent quatre-vingts degrés ou à partir à reculons en direction du bureau. Après une entrevue de ce type, la plupart convenaient qu'ils préféraient nettement être reçus à l'ancienne.

Ce qui était précisément le but de l'exercice, aurait pu leur répondre le directeur adjoint.

Les cernes sous les yeux révélaient le manque de sommeil. Malgré le nombre des années, il venait d'être père pour la quatrième fois. Comme ses autres enfants étaient grands, chaque poste de police de la ville en avait conclu que cette naissance était accidentelle et qu'elle était sans doute le seul événement de la vie du directeur adjoint de la police qui n'avait pas été réglé comme du papier à musique.

— Comment ça va, John ?

— Pas mal, monsieur. Comment va le petit dernier ?

— Comme un charme. Écoutez, John... (Carswell ne se perdait jamais en préliminaires.) On m'a demandé d'examiner cette histoire de meurtre.

— Darren Rough ?

— C'est ça.

— L'éducateur de probation, c'est ça, monsieur ? demanda Rebus en posant les mains sur les accoudoirs.

— Un certain Andrew Davies. Il a plus ou moins porté plainte.

— Plus ou moins ?

— C'est formulé en termes assez ambigus.

— Il doit avoir une raison, monsieur.

Le directeur adjoint retint son souffle.

— Est-ce que j'ai bien entendu ?

— J'ai poursuivi Rough à travers le zoo sans raison valable, en donnant l'occasion à notre empoisonneur de frapper une nouvelle fois. Puis j'ai découvert que Rough habitait au-dessus d'un terrain de jeux et je l'ai fait savoir à qui voulait l'entendre.

Carswell joignit les mains comme s'il priait. Connaissant la réputation de Rebus, des aveux étaient certainement la dernière chose qu'il attendait.

— Vous l'avez dénoncé ?

— Oui, monsieur. Je voulais qu'il quitte mon territoire. À l'époque... (Rebus fit une pause.) Je n'avais pas réfléchi aux conséquences de mon acte. Plus tard, je l'ai aidé à s'enfuir de Greenfield. Du moins était-ce l'idée. Sauf que, quand il est parti de chez moi, il s'est fait assassiner. Mais tout à fait à la fin... j'ai vraiment essayé de me racheter.

— Je vois. Vous voulez que je répète ça à l'éducateur de réinsertion ?

— À vous d'en juger, monsieur.

— Mais vous, vous voulez quoi au juste ?

Rebus le regarda. Il faisait un temps éclatant dehors. C'était une autre ruse du directeur adjoint. Il avait tendance à se servir du système pivotant de son fauteuil quand il y avait du soleil. Rebus ne voyait de son supérieur qu'un halo lumineux.

— Pendant un moment, j'ai cru que je voulais me tirer. C'était peut-être ce que j'avais en tête quand je m'en suis pris à Rough. Autrement dit, si je lui collais aux basques, je me ferais peut-être virer, mais sans que je me sente dans mon tort.

— Mais ça ne s'est pas passé comme ça.

— Pas encore, monsieur.

Carswell parut méditer un instant.

— Comment vous vous sentez maintenant ?

Rebus plissa les paupières dans la lumière.

— Je ne sais pas trop. Crevé, surtout, dit-il en réussissant à sourire.

— Il y a longtemps, John — je sais que vous aimez tous croire que j'ai passé ma vie derrière un bureau —, mais il y a longtemps, il y a un homme qui s'est retrouvé pris dans une rixe à Leith. Un type bien mis, costume et tout, avec une femme et des gamins à la maison. Et il est entré dans un pub sur les quais, a repéré une armoire à glace, le mec qui avait la plus sale tête de tous, et il a commencé à lui chercher des noises. J'étais encore jeune à l'époque, c'est moi qu'on a envoyé l'interroger à l'hôpital. Il s'est trouvé qu'il avait voulu se suicider mais n'en avait pas le cran. Il était donc allé chercher quelqu'un pour qu'il fasse le boulot à sa place. Ça rappelle ce que vous avez cherché à faire avec Darren Rough : un suicide professionnel assisté.

Rebus sourit de nouveau, mais il pensait : *Encore le suicide... comme pour Jim Margolies. Un suicide professionnel assisté.*

— Je ne crois pas que je vais communiquer ça à nos amis des services sociaux, dit enfin le directeur adjoint. Je vais laisser traîner les choses. Peut-être qu'on pourra s'arranger pour présenter des excuses... ça dépendra de vous.

— Merci, monsieur.

— Eh John, ajouta le grand chef en se levant, la main déjà tendue, je vous suis reconnaissant de ne pas avoir essayé de tourner autour du pot.

— Je vous en prie, monsieur, répliqua Rebus, aussitôt debout lui aussi. Dans ce cas, avec votre respect, monsieur, peut-être y aurait-il un geste que vous pourriez faire...

Nicol Petrie habitait un appartement de West End qui occupait les deux derniers étages d'un édifice du XVIIIe siècle. Il y avait une entrée commune avec des guéridons et des tapis. Des vases et des bibelots étaient disposés sur les tables. On était loin de la cage d'escalier de l'immeuble où créchait Rebus.

Et il y avait un ascenseur, dont l'intérieur tapissé de miroirs était impeccable et l'encadrement en bois étincelant. À côté des boutons pour chaque étage figurait le nom imprimé des habitants. Il y avait deux Petrie : N et A. Probablement A pour Amanda.

L'ascenseur déposa Rebus sur un palier surmonté d'une coupole de verre. Il se trouva environné de plantes en pot. Et encore des tapis. Nicol Petrie ouvrit la porte et, d'un petit signe de tête, convia Rebus à entrer.

Il s'attendait à voir des meubles anciens et il fut déçu. Les murs étaient peints d'un blanc presque éblouissant et dépourvus de tableaux et d'affiches, les parquets nus et vitrifiés. On croyait mettre le pied dans un catalogue d'Ikea. Un escalier intérieur menait au dernier étage, mais Nicol le conduisit dans le séjour, une salle de plus de dix mètres de long, quatre mètres de haut, avec des doubles fenêtres à guillotine qui donnaient une vue ininterrompue sur Dean Valley et la Water de Leith. On devinait la côte du Fife dans le lointain. En entrant dans la pièce, comme il embrassait le tout d'un coup d'œil, il rata la poupée sur le sol, à laquelle il donna un coup de pied, ce qui lui fit faire un vol plané en direction de sa propriétaire.

— Oh, Jessica ! piailla la petite fille en fonçant à quatre pattes pour récupérer son bien qu'elle serra contre elle.

Elle retourna ensuite par le même moyen de locomotion vers sa dînette où un thé était servi. Rebus s'excusa, mais Hannah Margolies n'écoutait pas.

— Rebonjour, dit la mère de Hannah, assise sur le sofa blanc. Excusez-moi, Hannah laisse traîner ses jouets partout.

Elle semblait fatiguée. Rebus remarqua qu'elle était toujours en noir, encore que ce fût en robe courte et collants noirs. Un look d'enfer, un look qui fait un malheur : le look deuil.

— Je m'excuse, dit-il à Nicol Petrie. J'ignorais que vous aviez de la visite.

— Vous vous connaissez ? (Petrie pencha la tête en se rendant compte de la stupidité de sa question.) Oui, évidemment, par l'intermédiaire de Jim. Excusez-moi.

Rebus eut l'impression que, jusque-là, ils n'avaient fait qu'échanger des excuses polies. Katherine Margolies se mit brusquement debout d'un geste plein d'élégance.

— Allons, Hannah, c'est l'heure.

Sans discuter ni se plaindre, la fillette se leva et vint rejoindre sa mère.

— Nicky, merci encore une fois pour ton écoute, dit Katherine en l'embrassant sur les deux joues.

Nicol Petrie la serra contre lui, puis se pencha pour donner un baiser à l'enfant. Katherine Margolies prit le manteau de Hannah sur le dossier du canapé.

— Au revoir, inspecteur.

— Au revoir, madame Margolies. Au revoir, Hannah.

Hannah leva les yeux sur lui.

— Vous trouvez que j'aurais dû gagner, n'est-ce pas ?

Katherine caressa les cheveux de sa fille.

— Tout le monde pense que tu le méritais, ma chérie.

— Quelqu'un a volé mon papa, dit-elle sans quitter Rebus des yeux.

Nicol Petrie fut aux petits soins avec elle tandis qu'il raccompagnait la mère et la fille à la porte. Quand il revint, Rebus se tenait près d'une fenêtre et regardait la rue à ses pieds. Petrie commença à ranger les jouets dans un carton.

— Je vous présente de nouveau mes excuses, monsieur, si je vous ai dérangé, répéta Rebus sans mentir avec beaucoup de conviction.

— Ça ne fait rien. Kathy passe souvent à l'improviste. Surtout depuis… bon, vous savez.

— Et vous savez écouter les gens, monsieur Petrie.

— Pas plus que d'autres, je suppose. D'habitude c'est parce que je ne trouve rien à dire de bien utile, alors je me contente de boucher les trous par des questions.

— Dans ce cas, vous feriez un bon enquêteur.

— Alors là, dit-il en éclatant de rire, j'en doute, inspecteur.

Il ouvrit une porte, qui donnait sur un débarras avec des étagères à l'intérieur et plaça la boîte de jouets sur l'une d'elles. Tout était impeccable. Rebus aurait parié que le carton retournait toujours sur la même étagère, toujours au même endroit. Il avait connu des gens comme ça, des gens qui organisaient leur vie en compartiments. Siobhan Clarke en faisait partie. Si vous vouliez l'agacer, il suffisait de transférer quelque chose d'un de ses tiroirs dans un autre.

En contrebas, Katherine Margolies et sa fille sortirent de l'immeuble. La voiture avait un verrouillage télécommandé. C'était une Mercedes apparemment neuve. La plaque d'immatriculation portait le même numéro que celui inscrit au rouge à lèvres sur le mur de Leith.

Et elle était blanche.

Une Mercedes blanche.

— Ça l'a beaucoup éprouvée ? demanda-t-il en regardant toujours par la fenêtre.

— Carrément anéantie, je dirais.

— Et la petite ?

— Je ne suis pas sûr que Hannah ait tout à fait

compris. Comme elle dit, elle croit qu'on lui a volé son père.

— Elle a raison, en un sens.

— J'imagine. (Petrie s'approcha de la fenêtre et regarda lui aussi la voiture s'éloigner.) On ne peut qu'être bouleversé par ce qui s'est passé.

— Pourquoi a-t-il fait ça, d'après vous ?

Petrie le regarda.

— Je n'en ai pas la moindre idée.

— Sa veuve n'a rien dit ?

— Ça, ça reste entre elle et moi.

— Je regrette. C'était pure curiosité de ma part. Enfin, je veux dire, quelqu'un comme Jim Margolies... tout le monde se sent personnellement concerné, non ?

— Je sais ce que vous voulez dire, acquiesça Petrie en retournant dans la pièce. Si vous avez tout et que vous êtes malheureux quand même, à quoi ça sert ? (Il s'affala dans un fauteuil.) C'est peut-être typiquement écossais.

Rebus s'assit sur le canapé.

— Quoi ?

— On n'est pas censés tout avoir, n'est-ce pas ? On se doit de tirer gloire de ses échecs. Si on réussit, en revanche, on doit se montrer discrets. Ce sont nos ratages que nous avons le droit de crier sur les toits.

— Ce n'est pas mal vu, dut reconnaître Rebus, amusé.

— On le voit tout au long de notre histoire.

— Jusqu'à notre équipe nationale de football.

Ce fut à Petrie de sourire.

— Je manque à tous mes devoirs : puis-je vous offrir un verre ?

— Qu'est-ce que vous avez ?

— Je pensais à un verre de vin, peut-être ? J'ai

ouvert une bouteille pour Kathy; je croyais qu'elle était venue en taxi. Se garer par ici, c'est l'enfer.

Il quitta la pièce, Rebus sur les talons. La cuisine était longue, étroite et nickel. Le plan de cuisson semblait comme neuf. Petrie alla au réfrigérateur et en sortit une bouteille de sancerre.

— Charmant, votre appartement, le complimenta Rebus tandis que le jeune homme sortait deux verres d'un placard.

— Merci. Je m'y plais beaucoup.

— Quelle est votre profession, monsieur Petrie ?

— Je suis étudiant, en deuxième année de doctorat, dit son hôte en lui lançant un coup d'œil.

— Avez-vous passé votre premier cycle à Édimbourg ?

— Non, à St Andrews, répondit-il en remplissant le premier verre.

— Peu d'étudiants peuvent s'offrir des appartements aussi somptueux... mais je date peut-être ?

— Il n'est pas à moi.

— C'est celui de votre père, sans doute ?

— C'est ça, admit-il, en remplissant le deuxième verre d'un air moins serein.

— Il doit vous aimer beaucoup.

— Il adore ses enfants, inspecteur. J'imagine que c'est le cas de la plupart des parents.

Rebus songea à Sammy et lui.

— Pourtant, ce n'est pas toujours réciproque, n'est-ce pas ?

— Je ne sais pas de quoi vous voulez parler.

Rebus prit son verre.

— Santé. (Il avala une gorgée. Petrie, coincé à l'intérieur de l'étroite cuisine, ne pouvait sortir sans bousculer Rebus, lequel ne faisait pas mine de bouger.) Ce qui est drôle, c'est que si j'avais un père qui m'adore, qui a dépensé une fortune pour me loger dans le luxe, c'est à lui que je m'adresserais en premier pour me faire renflouer.

— Attendez voir, qu'est-ce que...

— Ben, si j'étais fauché, je n'irais pas trouver un escroc. (Rebus reprit une autre gorgée de vin.) Pas vous, monsieur Petrie ?

— Bon sang de bon sang, c'est donc pour ça que vous venez ? À cause de ces deux racailles qui m'ont passé à tabac ?

— Peut-être que ce n'était pas pour de l'argent. Après tout, c'est peut-être votre tête qui ne leur revenait pas.

Nicol Petrie, visage lisse, fins sourcils sombres, pommettes hautes. Un visage tellement parfait qu'on pouvait avoir envie de l'abîmer.

— Je ne sais pas ce qu'ils voulaient.

— Si. Vous le savez, soutint Rebus, le sourire sarcastique. Votre amnésie était providentielle, mais vous vous êtes coupé. Vous ne devriez pas savoir qu'ils étaient deux.

— La police l'a dit à l'époque.

— Deux sbires payés par Charmeur Mackenzie, chargés de vous flanquer les jetons et, croyez-moi, j'ai déjà eu affaire à eux, moi aussi. C'est un petit salaud, ce Cal Brady, non ?

— Qui ça ?

— Cal Brady. Vous avez bien dû le croiser.

— Non, fit l'autre. Je ne crois pas.

— Vos dettes se montaient à combien ? Je suppose que vous avez fini de rembourser maintenant. Et pourquoi vous n'avez pas demandé à votre papa de vous prêter ce pognon dès le départ ? Vous comprenez, je suis curieux, monsieur Petrie, et quand je commence à me poser des questions, j'ai tendance à ne pas lâcher le morceau tant que je n'ai pas trouvé les réponses.

Petrie reposa son verre sur le comptoir. Il parla sans regarder Rebus.

— Bon, c'est strictement confidentiel, d'accord ? Pas question que ça sorte d'ici.

— C'est de bonne guerre.

Petrie croisa les bras autour de lui, ce qui lui donna l'air plus frêle que jamais.

— J'ai effectivement emprunté de l'argent à Mackenzie. Ça se savait, parmi ceux qui fréquentaient le *Clipper*, qu'il prêtait de l'argent. Et il m'est arrivé d'en avoir besoin. Mon père peut se montrer généreux dans ses bons moments, inspecteur, mais j'avais réussi à gaspiller une somme assez rondelette. Je ne voulais pas qu'il le sache. Je suis donc allé trouver Mackenzie.

— Vous auriez sûrement pu négocier un découvert ?

— Sans doute, mais il y avait quelque chose..., dit-il en détournant les yeux. L'idée de m'arranger avec Mackenzie était beaucoup plus séduisante.

— Comment ça ?

— Le goût du danger, le côté crapuleux. Braver les tabous. (Il se retourna vers Rebus.) Vous savez combien la bonne société d'Édimbourg adore s'encanailler. Le diacre Brodie[1] n'avait pas besoin de jouer les truands, et pourtant, ça ne l'arrêtait pas. Sinon, comment les vieilles familles collet monté de la ville se donneraient-elles des frissons ?

Rebus le regarda fixement.

— Vous savez quoi, Nicky ? J'ai failli vous croire. Presque, mais pas tout à fait.

1. Respectable notable le jour, redoutable canaille la nuit, le diacre William Brodie fait partie des personnalités d'Édimbourg qui ont inspiré à Robert Louis Stevenson le personnage central de son roman *L'Étrange Cas du Dr Jekyll et de Mr Hyde*.

Il leva la main vers Petrie, qui sursauta, renversant un peu de son vin.

— Vous feriez mieux de nettoyer ça, lui conseilla Rebus en tournant les talons. Vous ne voulez pas qu'on voie une tache sur cette surface rutilante, non ?

38

Toujours aucun signe de Billy Horman.

Sa mère, Joanna, avait pleuré pendant sa conférence de presse, ce qui lui avait valu l'attention des journaux télévisés. Ray Heggie, son ami, était assis à côté d'elle sans dire un mot. Quand elle avait commencé à pleurer, il avait essayé de la consoler, mais elle l'avait repoussé. Rebus savait qu'il finirait par s'en aller, dans la mesure où il était innocent.

Le GAP ne désarmait pas. Ses membres manifestaient en silence devant la Haute Cour pendant que le jury s'était retiré pour délibérer sur l'affaire de Shiellion. Ils avaient allumé des bougies et attaché des pancartes sur les rampes du palais de justice. Les pancartes énuméraient le nom d'assassins d'enfants, ainsi que de pédophiles et de leurs petites victimes. La police avait reçu l'ordre de ne pas les faire circuler. Entre-temps, on apprit que des pédophiles venaient d'être libérés de prison. Le GAP envoya des membres dans les villes concernées. C'était devenu un mouvement, avec Van Brady en invraisemblable figure de proue. Elle tenait ses propres conférences de presse avec, accrochés au mur derrière elle, des agrandissements de Billy Horman et de Darren Rough.

« Le monde devrait être une verte prairie sans fin, avait-elle déclaré à un meeting, où nos enfants devraient pouvoir jouer sans risque et les parents les laisser faire sans crainte. C'est ça, le but et l'objectif du Green Field Project[1]. »

Rebus se demanda qui écrivait ses discours à sa place. Le GFP, le Green Field Project, offrait un nouveau départ pour le GAP, un programme de financement pour organiser des terrains de jeux avec patrouilles, caméras de sécurité et tout le tremblement. Pour Rebus, ce monde-là évoquait moins une verte prairie qu'un camp d'internement. Ils cherchaient à se procurer du cash à la loterie et auprès de la Communauté européenne. D'autres lotissements, qui avaient décroché des fonds dans le passé, donnaient un coup de main à Greenfield. Le GAP voulait quelque deux millions de livres. Rebus frémissait en pensant à Van et Cal Brady à la tête d'une telle somme.

Mais heureusement, ce n'était pas son problème.

Son problème à lui, comme il s'en aperçut en décrochant le téléphone qui sonnait, c'était Cary Oakes.

— Il a accepté, annonça Alan Archibald au bout du fil.

— Accepté quoi ?

— D'aller à Hillend avec moi. De marcher dans les montagnes.

— Il a reconnu quelque chose ?

— Ça revient au même, affirma la voix qui tremblait d'excitation.

— Mais il n'a rien dit de précis ?

— Une fois qu'on sera sur place, John, je sais qu'il parlera, d'une façon ou d'une autre.

1. Littéralement, « Projet verte prairie ».

— Vous allez le torturer, c'est ça ?

— Ce n'est pas ce que je veux dire. Mais quand il sera là, sur la scène du crime, je pense qu'il craquera.

— Je n'en serais pas aussi sûr à votre place. Et si c'était un piège ?

— John, nous en avons déjà discuté, vous et moi.

— Je sais, soupira Rebus. Et vous y allez quand même.

Brusquement, Archibald se calma et redevint l'homme posé que tout le monde connaissait.

— Il le faut, quoi qu'il arrive.

— Oui, dit Rebus. (Bien sûr qu'Archibald irait, c'était son destin.) Bon, alors j'en suis aussi.

— Je vais lui demander...

— Non, Alan, vous le lui dites. C'est nous deux ou rien.

— Et s'il...

— Il ne le fera pas, faites-moi confiance. Je pense même qu'il compte là-dessus.

La bande continuait à se dérouler, mais Cary Oakes n'avait rien dit depuis plusieurs minutes. Rien d'anormal : Jim Stevens avait l'habitude de ces longues pauses pendant que Oakes rassemblait ses idées. Il laissa s'écouler soixante secondes avant de demander :

— Rien d'autre, Cary ?

Oakes eut l'air surpris.

— Ça devrait ?

— Alors c'est tout ?

Néanmoins, Stevens laissa tourner le magnétophone. Oakes se contenta d'opiner, croisant les mains derrière le crâne. Terminé, la quille. Stevens vérifia sa montre, annonça l'heure pour l'enregistrement, puis pressa le bouton d'arrêt. Il glissa l'appareil dans la poche de poitrine de sa chemise mauve pâle. Elle était pâle parce qu'elle avait subi près de trois cents lavages en cinq ans depuis qu'il l'avait achetée. Il savait que les autres reporters croyaient qu'il avait forci depuis cinq ou six ans. La chemise aurait pu leur prouver le contraire, mais elle aurait prouvé aussi qu'il ne renouvelait pas souvent sa garde-robe.

— Content ? demanda Oakes en se levant, et il s'étira comme après une interminable journée dans la mine.

— Pas vraiment. Les journalistes ne le sont jamais.

— Pourquoi ?

— Parce que peu importe ce qu'on nous dit, on sait qu'on ne nous dit pas tout.

Oakes ouvrit les mains devant lui.

— Je t'ai donné du sang, Jim, de la chair et du sang. J'ai l'impression que je t'ai transfusé mon sang.

Et de nouveau ce sourire fendu jusqu'aux oreilles, totalement dépourvu de gaieté. Stevens écrivit la date et l'heure sur un ruban autocollant qu'il débarrassa de sa pellicule et colla sur le bord de la cassette. Il attribua le numéro onze à cet enregistrement. Onze heures de Cary Oakes. Cela ne suffisait pas pour un bouquin, mais ça pouvait lui valoir un contrat, et il pourrait gonfler l'habillage : comptes rendus d'audience, interviews, photographies.

Sauf qu'il ne pensait pas trouver d'éditeur. Il n'essaierait même pas.

— À quoi tu penses, patron ? demanda Oakes.

Il avait pris l'habitude de lui donner ce surnom, mais Stevens n'avait pas la naïveté de le prendre pour un compliment. Au mieux, c'était lourd d'ironie.

— Je... je ne pense à rien de particulier, dit Stevens. Juste que c'est fini, c'est tout.

— Bon, alors maintenant c'est l'heure de la paye pour ce brave Cary.

— Vous recevrez votre chèque.

— Qu'est-ce que je ferais d'un chèque ? J'ai dit que je voulais du cash, du pognon, du pèze, quoi. Pas un bout de papier.

— On est obligé de vous payer par chèque, insista Stevens, sinon notre comptabilité va piquer une crise de nerfs. Vous pourrez vous en servir pour ouvrir un compte en banque.

— Et traîner ici combien de temps avant de l'encaisser ?

Oakes arpentait nerveusement la pièce. Il s'approcha de la chaise de Stevens et se pencha sur lui pour plonger son regard dans le sien. Stevens fut le premier à céder, ce qui parut être une victoire suffisante pour son adversaire. Il se redressa et inclina la tête vers le plafond en laissant échapper un rire de hyène. Puis il se pencha de nouveau sur Stevens le temps de lui tapoter une joue, bien que celui-ci tentât de se dérober.

— Ça ira, Jimmy, vrai. Je n'avais pas vraiment besoin de ce pognon, en fait. Je voulais seulement te faire croire que tu me tenais la grappe.

— Voyons, Oakes, je n'aurais jamais pensé une chose pareille.

— Alors, on ne connaît plus mon prénom, hein ? Est-ce que je t'ai contrarié ou quoi ?

Stevens agita la cassette.

— Qu'est-ce qu'il y a de vrai là-dedans ?

— Qu'est-ce que t'en penses, ma poule ? demanda Oakes avec son large sourire.

— Justement, je n'en sais rien. C'est pourquoi je pose la question. (Oakes jeta un coup d'œil au réveil près du lit.) Vous allez quelque part ?

— Le boulot est fini. Rien ne me retient plus ici.

— Où vous allez ?

Sans savoir pourquoi, il avait remis le magnéto en marche pendant que Oakes rigolait. Comme il se trouvait dans sa poche de poitrine, il était difficile de savoir ce qu'il arriverait à enregistrer. Il entendait le grondement sourd du petit moteur et le sentait ronronner contre sa poitrine.

— En quoi ça t'intéresse ?

— Je suis journaliste. Je suis toujours en reportage.

— Dis-toi que t'as encore rien vu, mon chou.

Stevens s'humecta les lèvres. Il avait la bouche sèche.

— Je te fais peur, Jimmy ?

— Parfois, reconnut ce dernier.

— Tu es plus grand que moi, plus gros surtout. Tu pourrais me battre, non ?

— Ce n'est pas toujours une question de taille.

— Tout à fait, tout à fait. Quelquefois tout dépend de l'état de folie furieuse et de férocité de ton adversaire. Est-ce que j'ai un grain, d'après toi, Jimbo ?

Stevens confirma lentement d'un signe.

— Et aussi de la férocité, ajouta-t-il.

— T'as raison de le croire. (Oakes s'observait dans le miroir et passa les doigts dans ses cheveux ras.) Et en plus, c'est une folie vorace, insatiable, Jim. Qui me donne envie de dévorer les gens. (Un regard entendu.) Mais pas toi, ne te bile pas pour ça.

— Pourquoi je devrais me biler alors ?

— Tu l'apprendras bien assez tôt. (Il se contempla de nouveau dans la glace.) J'ai un rendez-vous avec le passé, Jim. Un rendez-vous avec le destin, comme vous diriez, toi et tes potes scribouillards. Avec quelqu'un qui n'a jamais rien voulu entendre. (Il souligna ses propos d'un geste du menton.) Une dernière chose, Jim. (Il se tourna, hilare, vers le journaliste.) Je savais en sortant que je raconterais mon histoire. J'ai eu tout mon temps pour la mettre au clair dans ma tête.

— La mettre au clair plutôt que dire la vérité ?

— Eh, t'es plus futé que t'en as l'air, Jimbo ! s'esclaffa Oakes.

Le cœur de Stevens battit plus vite. Il s'en doutait depuis quelques jours, mais ce n'était pas plus facile à encaisser.

— Il doit bien y avoir une partie de fiable quand même, parvint-il à articuler.

— Les Écossais sont des conteurs-nés, Jim, tu te souviens ? (Il lui tapota de nouveau la joue, puis se dirigea vers la porte.) Tout était bidonné, mon grand. N'oublie pas ça, jusqu'à ton dernier jour.

Après avoir fermé la porte derrière Oakes, Stevens se prit la tête entre les mains et resta immobile un long moment, soulagé que ce soit terminé, quelle que soit l'issue. Quand le téléphone sonna, il se souvint du magnéto dans sa poche. Il le sortit et l'arrêta, rembobina et le mit en marche pour l'écouter.

La voix de Oakes était devenue petite et grêle, mais tout aussi démoniaque. *Tout était bidonné, mon grand.* Il éteignit l'appareil et décrocha le téléphone. Il s'assit au bord du lit et se gratta la gorge avant de répondre.

— Allô ? coassa-t-il d'une voix rauque.

— Jim, c'est toi ? Peter Barclay à l'appareil.

C'était un confrère qui travaillait pour une feuille de chou concurrente.

— Qu'est-ce que tu veux, Peter ?

— Je tombe mal ? gloussa Barclay qui avait toujours une clope au bec, de sorte qu'on croyait entendre un ventriloque.

— Tu peux le dire.

— Ben je le dis. Tu sais que ton bonhomme ment

comme un arracheur de dents ? Il t'a fait avaler n'importe quoi.

— Quoi ? s'écria Stevens, qui arrêta de se frotter frénétiquement la nuque.

— Il a envoyé une lettre à tous tes concurrents préférés pour leur dire que son « autobiographie », c'était de la couillonnade en boîte. Tu as une réponse à faire, Jim ? Une réaction officielle, s'entend.

Stevens flanqua le récepteur sur son support, puis frappa à toute volée l'appareil posé sur la table de chevet qui atterrit par terre.

— La ligne est coupée ! beugla-t-il en balançant un coup de pied dans le téléphone pour faire bonne mesure.

39

La brume, qui flottait sur les Pentland Hills, diluait les couleurs du paysage et menaçait de couper Hillend et Swanston de la ville située au nord.

— Je n'aime pas ça, marmonna Rebus en se garant.

— Vous avez peur qu'on se perde ? susurra Cary Oakes, goguenard. Ce serait un rude coup pour l'humanité, pas vrai ?

Il était assis à la place du passager et Alan Archibald à l'arrière. Rebus ne voulait pas Oakes dans son dos, il préférait le garder dans son champ de vision. Avant de partir, il avait insisté pour fouiller Oakes et vérifier s'il n'avait pas d'arme. Celui-ci avait demandé si Rebus lui rendrait la pareille.

— Ce n'est pas moi l'assassin ici, avait rétorqué le policier, glacial.

— J'en conclus que c'est non, avait clamé Oakes en se tournant vers Archibald. Et moi qui croyais qu'il n'y aurait que nous deux. Ça faisait plus intime, minauda-t-il avant d'ajouter avec un geste vers Rebus : On n'a pas besoin d'étrangers, monsieur Archibald.

— Laissez tomber, vous n'irez nulle part sans moi.

Bref, à présent, ils étaient arrivés sur place. Archibald semblait nerveux. En sortant de la voiture, il laissa tomber sa carte d'état-major et ce fut Oakes qui la ramassa.

— Peut-être qu'on devrait semer des miettes de pain derrière nous pour retrouver notre chemin, proposa celui-ci en rigolant.

— Qu'on en finisse, riposta Archibald, les nerfs tellement à vif que l'irritation se faisait sentir dans sa voix.

Rebus regarda autour de lui. Pas d'autre voiture dans les parages, pas de randonneur, pas d'aboiement de chien en promenade.

— Ça vous glace les sangs, hein ? fit Oakes en enfilant un anorak vert bon marché.

La veste de Rebus avait une capuche intégrée. Il la défit mais sans la mettre, car elle ferait des œillères et il ne voulait pas être privé d'une partie de sa vision. Coiffé d'une casquette en tweed, Archibald portait des chaussures de randonnée. Ces deux accessoires semblaient absolument neufs. Ils devaient attendre ce jour depuis longtemps.

— Un petit coup ? offrit Oakes en sortant une flasque. (Rebus le fixa froidement, l'autre se mit à rigoler.) Vous comptez garder cette mine renfrognée toute la journée ? Il y a quelque chose qui vous travaille, peut-être ?

— Des tas de choses, grogna l'inspecteur en serrant les poings.

— Non, John, pas ici, implora Archibald. Pas maintenant.

Les yeux sur Rebus, Oakes tendit le flacon à Archibald, qui refusa d'un geste. Oakes renversa la bouteille contre sa bouche pour bien montrer que le liquide coulait. Il avala bruyamment et claqua des lèvres.

— Vous voyez, dit-il, pas de poison. (De nouveau

il la proposa à la cantonade et, cette fois, Archibald prit une gorgée.) Je l'ai fait remplir au bar. (Il reprit la flasque.) Et vous, inspecteur ?

Rebus prit le flacon, renifla un bon coup — bon sang, quel bouquet ! —, mais il le rendit intact.

— Du Balvenie, si je ne me trompe, commenta-t-il.

Oakes partit d'un éclat de rire et Archibald consentit un sourire.

— Je croyais que vous ne buviez pas, remarqua Rebus.

— En effet, mais une occasion pareille, ça s'arrose, non ?

Là, Archibald commença à déplier la carte et on passa aux choses sérieuses. Oakes scruta le secteur, sachant Rebus dans son dos.

— À mon avis, ça ne va pas nous servir à grand-chose, dit-il enfin, puis il regarda autour de lui. Je crois que je vais suivre mon flair. (Il lança un coup d'œil à Archibald.) Veuillez m'excuser.

— Conduisez-moi simplement là où elle a été tuée, dit le vieil homme.

— Peut-être que vous devriez nous montrer le chemin, suggéra alors Oakes. Après tout, je ne suis encore jamais venu ici, ajouta-t-il avec un clin d'œil narquois.

Ils se mirent en route.

— C'est un nouveau jeu, Oakes ? grogna Rebus au bout d'un moment.

Oakes s'arrêta pour reprendre son souffle.

— Vous connaissez la formule, inspecteur : pour danser la valse, il faut être deux. On ne pourra pas s'entendre si vous refusez de me faire confiance. En ce qui me concerne, nous faisons une balade au grand air. En outre, je suis curieux de voir où on a retrouvé le corps.

— Vous savez parfaitement où on l'a retrouvé, gronda Alan Archibald.

Oakes fit une moue et claqua la langue, comme pour apaiser un enfant. Rebus aurait voulu voir du sang couler de cette bouche, des dents cassées et le nez dégoulinant. Au lieu de quoi, ses ongles s'enfoncèrent un peu plus dans ses paumes.

— Vous l'avez tuée ? interrogea-t-il.

— Tuée quand ?

— L'avez-vous tuée ? répéta-t-il, la voix grimpant d'une octave.

Oakes agita l'index.

— Ça ne fait peut-être pas longtemps que je suis rentré au pays, mais n'allez pas croire que je ne connais pas les règles du jeu. Vous êtes deux. Si je dis quoi que ce soit, il y en aura un pour confirmer.

— Tout ça se passe entre nous, intervint Archibald. On a dépassé le niveau où j'aurais pu m'adresser à la police.

— Allons donc, fit Oakes d'un air bon enfant. Ça fait combien de temps que vous faites la chasse aux fantômes ? Si je vous dis que je l'ai tuée, vous croyez que vous pourrez dormir tranquillement sur vos deux oreilles ? (Archibald ne répondit pas.) Et vous, inspecteur, avez-vous des fantômes qui vous réveillent la nuit ?

Comme s'il savait... Rebus s'efforça de rester de marbre, mais Oakes branla du chef, content de lui.

— Et voilà ! Une carrière jonchée de cadavres et c'est moi qu'on coffre, qu'est-ce que vous dites de ça ?... Dites-moi une chose, poursuivit-il en croisant les bras, les yeux de nouveau sur Archibald. Comment l'assassin l'a-t-il attirée ici ? Ça fait une trotte pour transporter un cadavre.

— Elle était terrifiée.

— Et si elle ne l'était pas ? Si elle était consentante ? Après tout, elle avait bu, non ? Elle se sentait un peu pompette, un peu émoustillée...

— La ferme, Oakes.

— Je croyais que vous vouliez que je parle ? (Il écarquilla les yeux avec un air faussement candide.) Je ne fais qu'imaginer, mais admettons qu'il l'ait ramassée en voiture, qu'il l'ait conduite ici. Admettons qu'elle en ait eu envie justement. Je veux dire qu'elle est en voiture avec un total inconnu, mais ce soir-là, elle a envie de prendre des risques, elle a envie de se lâcher. Qui sait, c'est peut-être ça qu'elle veut.

Archibald se tourna vers lui, brandissant le poing.

— Je vous interdis de parler d'elle comme ça.

— Oh ! ce que j'en dis...

— Vous l'avez enlevée, assommée et traînée ici.

— Son corps portait des traces de lutte, Al ? Hein ? Est-ce que l'autopsie a montré qu'on l'avait traînée ?

— Vous savez pertinemment que non, rugit Archibald, furieux, et l'autre de se marrer.

— Eh non, Al, je ne sais rien de rien. J'imagine, c'est tout. Comme vous.

Oakes repartit de l'avant. Le vent se leva, leur soufflant du crachin dans la figure. Ils n'allaient pas tarder à être trempés. Rebus se retourna. Déjà, la voiture avait disparu.

— Ça va, lui dit Archibald, rassurant. Je note notre parcours à mesure.

Il avait plié le document et suivait au stylo une des courbes de niveau. Rebus lui prit le document pour vérifier. Il avait appris à lire les cartes dans l'armée. Archibald avait l'air d'être à son affaire. Rebus approuva d'un signe et lui rendit son bien. Mais l'expression dans les yeux d'Archibald, ce mélange de peur et d'espoir... Rebus lui tapota l'épaule.

— Allons, traînards, les apostropha Oakes, qui attendait qu'ils le rattrapent.

— Vous êtes allé trop loin, remarqua Rebus.

— Hein ?

— Oui, votre petite blague avec la benne, bon, ce n'est pas le pire. Mais le cimetière, le patio... là, ça craint, et ça, vous ne l'emporterez pas au paradis.

— Et votre retour de flamme, alors, ça compte pour du beurre ? l'apostropha Oakes sur le mode jubilatoire. (Ils n'étaient qu'à un pas ou deux l'un de l'autre.) J'ai parlé à votre ancienne julie, vous vous souvenez ? Pourquoi ne figure-t-elle pas sur votre petite liste noire ? Elle qui espère que vous vous remettrez peut-être ensemble. Allons, allons... ne me dites pas que vous allez la laisser tomber ? Ce qu'elle va être déçue !

Rebus lui envoya un coup oblique. D'abord, c'est à peine s'il lui effleura la joue, car Oakes s'était arc-bouté en arrière sur la pointe des pieds. Il était vif, d'une vivacité diabolique. Sans reculer d'un poil, tellement il était sûr de lui et de sa supériorité physique. Archibald ceintura Rebus, mais celui-ci se dégagea.

— Ça va, marmonna-t-il d'une voix dépourvue d'émotion.

— Eh, tu veux profiter de l'occasion ? demanda Oakes en ouvrant les bras. Si ça te soulage, je suis là, mec.

Il avait la joue écorchée, mais n'y prêtait pas attention. Rebus savait qu'il ne pouvait pas se permettre de perdre son sang-froid, il devait rester calme. Mais Oakes le crispait, il faisait tout pour lui taper sur les nerfs. Maintenant, il se payait sa tête en posant une main sur son visage d'une façon théâtrale.

— Ouille ! Ça pique, fit-il en se marrant, puis il repartit de l'avant.

Ce fut au tour d'Archibald de tapoter l'épaule de Rebus.

— Ça va, répéta l'inspecteur en emboîtant le pas à Oakes.

Un peu plus tard, Oakes s'arrêta. On ne voyait guère qu'à une trentaine de mètres, peut-être moins.

— Où est le village de Swanston à partir d'ici ? s'enquit-il.

Il semblait avoir oublié la présence de Rebus. Archibald vérifia sur la carte et pointa le doigt. Il indiquait une volute de fumée. Le néant.

— On se croirait dans ce putain de *Brigadoon* [1], grogna Rebus en allumant une cigarette.

Oakes sortit une tablette de chocolat de sa poche, qu'il offrit à la ronde.

— Vous savez, je suis étonné que vous me fassiez confiance. Si, si… Oh ! pas vous, monsieur Archibald, vous n'avez pas le choix. Mais l'inspecteur, là… vous êtes quelqu'un de difficile à comprendre, remarqua-t-il en fixant le policier de ses yeux noirs et interrogateurs.

— Et vous, vous êtes un sac à merde.

— John, je vous en prie…

Archibald posa une main apaisante dans le dos de Rebus. Malgré ses vêtements, il avait l'air frigorifié, fatigué et semblait avoir pris dix ans. Rebus se rendit compte brusquement de l'enjeu que cette expédition représentait pour lui. Il était suspendu à cette réponse. Soit Oakes avait assassiné sa nièce — et dans ce cas le deuil pourrait enfin commencer —, soit c'était quelqu'un d'autre — et dans ce cas il

1. Comédie musicale de Vincente Minnelli (1954), qui tient son nom d'un village fantastique situé dans les Highlands.

avait perdu toutes ces années à bâtir une hypothèse erronée, alors que le meurtrier courait toujours.

— Ça ira, Alan.

Ils étaient là, tous les trois. Un vieil homme, un cinglé, le crâne tondu et l'œil perçant, et ce sacré Johnny Rebus. Oakes était à la fête et Archibald paraissait aussi friable que la tablette de chocolat. Quant à Rebus ? Il faisait son possible pour empêcher le tueur d'ajouter une nouvelle victime à son palmarès.

Oakes proposa sa bouteille à Archibald, qui en prit une gorgée avec reconnaissance. Rebus refusa et l'homme revissa le bouchon.

— Vous n'en prenez pas ? interrogea Rebus.

Oakes ne releva pas et tendit le chocolat. De nouveau, Rebus refusa.

— Alors, où on va exactement ? s'enquit Oakes.

— Ce n'est plus très loin, assura Archibald.

Oakes s'aperçut que Rebus l'observait.

— Vous avez des questions à me poser, John ? Quelques cas non élucidés que vous avez envie de me coller sur le dos ?

— Il y a quelque chose en particulier que vous aimeriez que je vous demande ?

— Bien tourné, monsieur. Je sais par exemple qu'on a tué Darren Rough.

— Vous étiez devant chez moi, ce soir-là.

— Ah bon ?

— Vous avez pris la voiture... Vous avez vu Rough partir.

— Ah ! ça, mec, ce que j'étais occupé, ce soir-là ! (Rebus le regarda fixement. Oakes s'approcha, se pencha vers lui comme pour lui parler à l'oreille. Rebus s'écarta.) Eh ! je ne mords pas.

— Dites ce que vous avez à dire.

— Oh ! si c'est comme ça, je ne sais pas si j'en ai

encore envie, prétendit Oakes en boudant. Mais je vais le faire quand même, se reprit-il avec un large sourire. Je l'ai vu partir de chez vous, je l'ai même filé un moment. C'était trop tentant, hein? Je me suis demandé qui c'était, et je ne l'ai découvert que plus tard en voyant sa tronche dans le journal.

— Que s'est-il passé?

— Je vous l'ai dit, je l'ai perdu de vue. Vous comprenez, il a coupé par les Meadows. Impossible de le suivre en bagnole, ajouta-t-il avec un clin d'œil narquois.

— C'est encore un de vos petits...

— Ne le dites pas! s'écria Alan Archibald d'une voix stridente. Ne dites pas que c'est un jeu! Ça n'a rien d'un jeu, en tout cas pas pour moi!

Il tremblait. Rebus pointa le doigt sur Oakes, mais c'est au vieux policier qu'il s'adressait.

— Attention, c'est exactement ce qu'il cherche. Vous avez cru qu'en le conduisant ici vous auriez le dessus. Vous ne croyez pas qu'il le savait et qu'il joue là-dessus? Regardez-le donc, Alan, il rigole, il se paie votre tête. Il se paie notre tête à tous!

— Je ne rigole pas. (Et c'était vrai. Le visage de marbre, Oakes regardait Archibald. Il s'approcha de lui et lui toucha le bras.) Excusez-moi, dit-il. Venez, vous avez raison... nous avons du pain sur la planche.

Il reprit sa route. Archibald fit mine de s'excuser, mais Rebus l'en découragea d'un geste. Oakes avançait d'un pas alerte, comme décidé à en finir. Cet air qu'il avait... Rebus ne savait comment le déchiffrer. Il y avait quelque chose, comme un semblant de compassion. Mais en dessous, il croyait détecter quelque chose de plus sauvage mêlé d'une sorte de curiosité scientifique face à une réaction inattendue.

La visibilité faiblissait à mesure qu'ils prenaient de l'altitude.

— Vous avez joué un petit jeu avec moi, n'est-ce pas, Al ?

— Que voulez-vous dire ?

— Allons donc, le chemin que vous nous avez fait prendre. On a déjà dépassé l'endroit où elle a été tuée. Je parie que vous avez si bien calculé votre coup qu'on va tourner en rond tout autour. Vous voulez voir si je vais craquer, c'est ça ? Eh bien, vous en serez pour vos frais.

— Comment vous savez où elle a été tuée ? intervint Rebus.

— J'ai tous les journaux. En plus, Al n'a pas cessé de me bombarder d'infos, n'est-ce pas, Al ?

— Vous avez dit que vous ne les lisiez pas, articula Archibald en essayant de reprendre son souffle.

— Ben j'ai menti. En fait, je commence à avoir une image dans ma tête... Ils ont fait l'amour plus haut sur la butte. Puis elle a paniqué, elle est repartie en courant. C'est là qu'il l'a frappée. Mais là où ils ont fait l'amour... il a laissé quelque chose.

— Quoi ?

— C'est caché.

— Quoi ?

— Alan, il est...

— La ferme ! fit-il entre ses dents en se tournant vers Rebus.

— Je vois trois petites hauteurs, poursuivit Oakes. S'il y a une rangée de collines dans les parages, ça m'intéresse.

— Des monticules... ? (Archibald partit au pas de course sur les talons de Oakes. Il tenait la carte devant lui pour mieux se repérer.) Peut-être juste à l'ouest.

Cela faisait un bout de temps qu'il n'avait rien relevé sur sa carte.

— Quelle est notre position, Alan ?

Mais Archibald ne l'écoutait plus.

— Peut-être en montant aux trois quarts de la pente, suggéra Oakes. Une rangée de trois... peut-être quatre... mais trois affleurements distincts, de même hauteur.

— Attendez une minute, ordonna Archibald. (Son ongle parcourut la carte. Il la replia en plus petit, la rapprocha de son visage et cligna des yeux pour mieux voir.) Oui, juste un peu à l'ouest. Dans cette direction, à une centaine de mètres.

Il se mit à grimper, Oakes derrière lui et Rebus fermant la marche. Il regarda derrière lui. On ne distinguait strictement rien. C'était un paysage hors du temps. Des guerriers en kilt auraient pu surgir du brouillard sans qu'il en soit étonné. Il contourna un pied de fougère et poursuivit son chemin, les articulations douloureuses et une légère brûlure dans la poitrine. Archibald avançait d'un pas rapide, il avait la fièvre du possédé. Rebus aurait voulu lui dire : si vous avez une carte, qu'est-ce qui nous dit que Oakes n'en a pas acheté une, lui aussi ? Qu'est-ce qui nous dit qu'il ne l'a pas étudiée en quête de certaines caractéristiques ? Il est peut-être même venu en reconnaissance. Il avait suffisamment faussé compagnie aux équipes qui faisaient le pied de grue devant l'hôtel.

— Alan, attendez ! appela-t-il en accélérant le pas.

— John ! lui cria Archibald, dont la forme fantomatique se détachait plus haut. Passez par là, nous allons prendre les deux autres !

Autrement dit, Rebus devait explorer l'affleurement le plus à l'est.

— Est-ce qu'il faudra creuser ? cria-t-il à son tour,

et un rire strident lui répondit, le rire de Oakes, d'autant plus déstabilisant que l'homme était à peine visible.

— C'est nécessaire ? demanda Archibald à Oakes.

— Oh ! non, je ne crois pas, répliquait ce dernier. On n'aura qu'à laisser les corps là où ils tomberont.

Rebus se demandait encore s'il avait bien entendu quand il entendit un bruit sourd et un grognement lointain.

— Oakes ! rugit-il en accélérant le pas.

Il distinguait l'ombre de celui-ci dans la brume. Une pierre dans la main, prêt à frapper de nouveau, il était penché sur Archibald, lequel gisait à terre.

— Oakes ! répéta-t-il à pleins poumons.

— Eh, ça va, j'entends ! gueula l'autre en cognant une deuxième fois sur le crâne de sa victime.

À présent, Rebus était presque sur lui. Oakes jeta la pierre et s'humecta les lèvres quand Rebus fut à sa portée.

— Vous ne saurez jamais le plaisir que c'est, dit-il. Une puce m'a démangé depuis des années et je viens enfin de l'écraser. Sous l'ongle.

Il glissa une main dans sa ceinture et en sortit un couteau à cran d'arrêt.

— Étonnant ce que peut cacher le corps humain, pas vrai ? déclara-t-il en se fendant la pêche. Une pierre pouvait suffire pour ce vieux bonhomme, mais je me suis dit que vous méritiez quelque chose de plus... tranchant.

Il plongea le bras, Rebus fit un saut en arrière, perdit pied et dérapa le long de la pente. Au-dessus de lui, Oakes se lança à sa poursuite en bondissant comme un cabri.

— Je m'éclate, mon vieux, tu ne peux pas imaginer ce que c'est ! criait l'autre en dégringolant vers lui.

Rebus continua à rouler sur lui-même jusqu'à ce que des fougères le bloquent. Il se remit sur pied, ramassa une pierre et la lança. Il avait mal visé et Oakes évita sans peine le projectile. Il n'était plus qu'à dix mètres et ralentit son allure.

— Hep, tu as déjà écorché un lapin ? demanda Oakes, le souffle pesant, la sueur dégoulinant sur son crâne.

— Vous faites exactement ce que je voulais, grinça Rebus entre ses dents.

— Hein ? demanda Oakes, faisant semblant d'être étonné. Dites voir ?

— Vous êtes en infraction. Maintenant je peux vous arrêter en flagrant délit.

— Tu veux m'arrêter ? s'exclama l'autre, hilare, tellement près de Rebus que celui-ci reçut des postillons dans la figure. Mon vieux, tu manques pas d'air. Au moins tu as des couilles, toi, ajouta-t-il en agitant son couteau. Profites-en tant qu'il est encore temps.

— Tous vos petits jeux, hein ? poursuivait Rebus. Il y a autre chose derrière, n'est-ce pas ? Quelque chose que vous ne voulez pas qu'on sache. Vous cherchiez surtout à amuser la galerie pour détourner l'attention.

— Sans blague ?

— Alors, c'est quoi ?

Mais Oakes brandissait la lame, obnubilé par son idée fixe. Rebus repartit en courant et l'autre s'élança à sa poursuite en bondissant par-dessus les fougères avec des cris de joie. Rebus regardait autour de lui, mais il ne voyait que le flanc de la colline et un tueur fou brandissant un couteau. Il trébucha, s'arrêta et fit face à son poursuivant.

— Gagné, cria Oakes. Je te tiens.

Rebus était à bout de souffle.

— Tu sais ce que vous êtes pour moi, vous deux ? clama Oakes. Vous êtes ma récré, mon pote, c'est tout. Point barre.

Tout en reculant, Rebus sortit sa chemise de sa ceinture sous l'œil déconcerté de Oakes. En relevant les pans de celle-ci, l'inspecteur fit apparaître un minuscule micro scotché sur sa poitrine. Rebus soutint le regard de son adversaire braqué sur lui, médusé. Puis Oakes se retourna pour regarder autour de lui, scrutant les alentours. Des voix s'approchaient à toute allure.

— Je vous remercie pour les cris, précisa Rebus. Ça vaut tellement mieux que les miettes de pain par un temps pareil.

Avec un rugissement de bête furieuse, Oakes se jeta sur lui une dernière fois. Rebus esquiva d'un pas de côté, de sorte que son attaquant le dépassa en courant. D'abord il suivit la pente, puis il changea d'avis et partit en arc de cercle, remonta, s'enfonçant plus loin dans les hauteurs. Les premiers agents émergèrent de la brume et Rebus leur indiqua la direction à suivre.

— Attrapez-le ! cria-t-il.

De son côté, il repartit vers le sommet pour retourner auprès d'Alan Archibald. Celui-ci était conscient, mais il avait perdu du sang. Il s'accroupit auprès de lui pendant que d'autres bleus passaient en courant.

— Envoyez un message radio pour demander de l'aide ! cria-t-il.

Un des hommes se retourna.

— Inutile, monsieur. Vous l'avez déjà fait.

Rebus considéra le micro sur sa poitrine et comprit.

— D'où vient la cavalerie ? interrogea Archibald d'une voix faible.

— C'est une fleur de la part du directeur adjoint de la police, expliqua Rebus. Il m'a également promis un hélico, mais là, il aurait fallu qu'il marche aux rayons X.

La remarque arracha un sourire au blessé.

— Dites-moi, John, vous croyez que…, réussit-il à articuler.

— Je regrette, Alan, c'étaient des conneries, voilà ce que je pense. Il voulait juste ajouter deux scalps à son palmarès.

Archibald tâta son front de ses doigts tremblants.

— Il a bien failli en avoir un, murmura-t-il en fermant les yeux pour économiser ses forces.

Alan Archibald partit pour l'hôpital tandis que Rebus s'en allait en quête de Jim Stevens. Il ne l'avait pas trouvé à son hôtel et il n'était pas au journal non plus. Il finit par retrouver sa trace aux *Hébrides*, un petit bar pouilleux derrière la gare de Waverley. Stevens était assis seul dans un coin avec pour toute compagnie un cendrier débordant et un verre à moitié vide.

Rebus prit un whisky et de l'eau qu'il descendit d'un trait et en commanda un autre avant de le rejoindre.

— Vous venez vous payer ma tête ?

— À quel sujet ?

— Cette petite fripouille m'a roulé dans la farine, expliqua-t-il avant de déballer ce qui lui était arrivé.

— Alors je suis un ange tombé du ciel.

— Qu'est-ce que vous entendez par là ? demanda Stevens en clignant des yeux.

— J'apporte la bonne nouvelle. Ou plus précisément, une bonne histoire et je dirais que vous avez une longueur d'avance sur la meute.

Rebus n'avait jamais vu un homme décuiter aussi vite. Stevens sortit son carnet de sa poche et l'ouvrit. Le stylo au garde-à-vous, il regarda Rebus.

— Il me faudra quelque chose en échange, le prévint Rebus.

— J'ai besoin de cette histoire, dit le journaliste.

Rebus hocha la tête et lui raconta ce qui était arrivé.

— Et j'aurais été le suivant s'il avait pu y arriver, conclut-il.

— Bon sang de bois, s'exclama Stevens en avalant une gorgée de whisky pour se remettre de ses émotions. Il y a sans doute des tonnes de questions que je devrais vous poser, mais pour le moment, je n'en vois aucune. (Il sortit son portable.) Ça vous ennuie si je passe l'info ?

— Du tout, fit Rebus, le geste large. Ensuite, on cause.

Tandis que Stevens lisait ses notes en formant des phrases et des paragraphes, Rebus écoutait, hochant la tête pour confirmer quand on le lui demandait. Stevens écouta pendant qu'on lui relisait son papier. Il opéra quelques modifications, puis mit fin à l'appel.

— Je vous dois une fière chandelle, conclut le journaliste en reposant son téléphone. Qu'est-ce que ce sera pour vous ?

— Un autre whisky, répondit Rebus, plus de quoi éclairer un peu ma lanterne.

Une demi-heure plus tard, des écouteurs sur les oreilles, il se passait la bande de la dernière interview de Oakes.

— « Un rendez-vous avec le passé », répéta-t-il en retirant les écouteurs. « Un rendez-vous avec le destin... »

— C'est Archibald, n'est-ce pas ? Archibald l'asticotait depuis des années.

Rebus repensa à Alan Archibald... tel qu'il était quand on l'avait soulevé pour le transporter dans l'ambulance. Il avait l'air épuisé et sonné comme si on lui avait retiré son bien le plus précieux. C'est facile de voler à quelqu'un un rêve, un espoir. Exactement ce que Cary Oakes avait fait.

Après quoi, il s'était tiré.

— Alors on ne l'a pas pris ? redemanda Stevens pour la énième fois.

— Il est parti dans les collines, il peut être n'importe où.

— C'est une région épouvantable à fouiller, concéda Stevens. Qu'est-ce qui vous a amené à demander des renforts ?

Rebus fit une mimique. Que dire ?

— Vous savez, John, il fut un temps où vous n'auriez pas pensé que vous en auriez besoin.

— Sans doute, Jim. Les choses changent.

— Ouais, renchérit Stevens. Sans doute.

Rebus rembobina la bande et écouta de nouveau la deuxième partie.

— *Un rendez-vous avec le destin, comme vous diriez toi et tes potes scribouillards. Avec quelqu'un qui n'a jamais rien voulu entendre...*

Cette fois, quand la bande se tut, il fronçait les sourcils.

— Vous savez, dit-il. Je ne suis pas sûr qu'il parle d'Archibald et moi. Il m'a dit qu'on était sa récré.

Stevens éclusa son verre.

— Ça serait qui d'autre ?

Rebus se gratta le crâne.

— Il lui fallait une bonne raison pour rentrer au bercail.

— Exact, moi et mon chéquier.

— Quelque chose de plus. Plus que la possibilité de jouer à cache-cache avec Alan Archibald...

— Alors quoi ?

— Je n'en sais rien, avoua-t-il en regardant Stevens. Mais vous pourriez le trouver.

— Moi ?

— Vous connaissez la ville comme votre poche. Ça fait partie de son passé, ça remonte à avant son départ pour l'Amérique.

— Eh, mon vieux, je ne suis pas archéologue.

— Ah tiens ? Pensez à toutes ces années que vous avez passées à fouiller dans la boue. Alan Archibald sait un tas de choses sur Oakes, plus que ce fumier ne vous en a donné.

Le journaliste grogna, puis il sourit.

— Pourquoi pas, après tout ? murmura-t-il, songeur. Ça serait une façon de me venger.

— Ben tiens, approuva Rebus. Il vous a filé un tissu de mensonges, vous répliquez en balançant des vérités à la pelle.

— La vérité sur Cary Oakes, prononça Stevens en considérant le titre. Je vais le faire, décida-t-il enfin.

— Et tout ce que vous trouverez, vous le partagez avec moi. Tenez, dit-il en prenant le calepin du reporter, je vous donne mon numéro de portable.

— Jim Stevens et John Rebus formant équipe, on aura tout vu, commenta-t-il, le sourire large.

— Je tiendrai ma langue si vous tenez la vôtre.

40

Il y avait des messages pour Rebus. Janice avait appelé trois fois et le directeur de la banque de Damon une seule. Rebus rappela d'abord ce dernier.

— Nous avons une opération sur le compte, l'informa cet homme.

— Quoi, quand et où ? demanda Rebus en prenant papier et stylo.

— À Édimbourg. Une billetterie sur George Street. Un retrait de cent livres.

— Aujourd'hui ?

— Hier après-midi, à une heure quarante exactement. C'est une bonne nouvelle, non ?

— Je l'espère.

— Enfin, ça prouve qu'il est en vie.

— Ça prouve seulement que quelqu'un a utilisé sa carte. Ce n'est pas tout à fait pareil.

— Je vois, fit le directeur un peu moins emballé. Vous avez raison, il faut rester prudent.

Rebus eut une idée.

— Dites-moi, cette billetterie, elle ne serait pas sous surveillance, par hasard ?

— Je peux me renseigner.

— Si ça ne vous ennuie pas.

Rebus raccrocha et appela Janice.

— Quoi de neuf ? s'enquit-il.
— Oh, rien... C'est juste que tu t'es enfui si tôt l'autre jour. Je me demandais si on y était pour quelque chose...
— Tu n'as rien à y voir, Janice.
— Non ?
— J'avais juste besoin de rentrer.
— Oh..., fit-elle. Bon, j'étais inquiète, voilà tout.
— Pour moi ?
— Que tu disparaisses de nouveau de ma vie.
— Je ferais ça ?
— Je n'en sais rien, John. Tu le ferais ?
— Janice, je sais que les choses sont un peu difficiles entre Brian et toi en ce moment...
— Oui ?
Il sourit, les yeux clos.
— C'est tout, en fait. Je ne suis pas vraiment un bon conseiller conjugal.
— Je n'en cherche pas.
— Écoute, enchaîna-t-il en se frottant les yeux, j'ai du nouveau concernant Damon.
Un silence plus long.
— Est-ce que tu avais l'intention de me le dire ?
— Je viens de te le dire.
— Juste pour changer de sujet.
Il avait l'impression d'être sur le ring, coincé dans les cordes.
— On a utilisé son compte en banque.
— Il a fait un retrait ?
— Quelqu'un s'est servi de sa carte.
Il entendit sa voix devenir plus aiguë, remplie d'espoir.
— Mais personne d'autre ne connaît son code. Ça ne peut être que lui.
— Il y a des moyens de frauder avec les cartes.
— John, n'essaie pas de me retirer cet espoir !

— Je veux juste t'empêcher de souffrir.

De nouveau, il vit le visage d'Alan Archibald, cet air vaincu, anéanti, face à l'ultime défaite.

— C'était quand ? demanda Janice, refusant de l'écouter.

— Hier après-midi. J'en ai été averti il y a une dizaine de minutes. C'était une banque sur George Street.

— Il est donc toujours à Édimbourg, affirma-t-elle avec conviction.

— Janice…

— Je le sens, John. Il y est, je sais qu'il y est. À quelle heure est le prochain train ?

— Je doute qu'il soit toujours du côté de George Street. C'était un retrait de cent livres. Ça pouvait être pour voyager.

— Je viens quand même.

— Je ne peux pas t'en empêcher.

— Exactement.

Elle avait à peine raccroché que le téléphone sonna. C'était le directeur de la banque de Damon.

— Oui, annonça-t-il. Il y a une caméra.

— Braquée sur la machine ?

— Oui. J'ai fait la demande et l'enregistrement vous attend. Demandez Mlle Georgeson.

Comme il venait de raccrocher, George Silvers lui apporta une tasse de café.

— Je vous croyais rentré chez vous, dit-il.

C'était sa façon de montrer qu'il se sentait concerné.

— Merci, George. Pas trace du gosse, pour le moment ?

Silvers fit signe que non. Rebus considéra la paperasse qui encombrait son bureau. Un tas d'affaires dont il se souvenait à peine. Des noms flottaient devant ses yeux, qui attendaient qu'il ait ficelé son rapport.

— On l'aura, assura Silvers. Ne vous inquiétez pas.

— Vous avez toujours été un réconfort pour moi, George, répondit Rebus en lui rendant la tasse. Et un de ces jours, vous vous rappellerez que je le bois sans sucre.

Il alla parler à Mlle Georgeson. Une petite dame rondelette, la cinquantaine, qui lui rappela une employée de la cantine de l'école avec laquelle il était sorti une fois. Elle lui avait préparé la bande vidéo.

— Vous voulez la voir ici ? demanda-t-elle.

— Si ça ne vous ennuie pas, j'aimerais l'emporter au poste avec moi.

— À vrai dire, dans ce cas, je devrais faire une copie…

— Je n'ai pas l'intention de la perdre, mademoiselle Georgeson. Et je vais vous la rapporter.

Il quitta la banque en tenant fermement la cassette à la main, vérifia l'heure et partit en direction de Waverley. Il s'assit sur l'un des bancs du hall pour boire un café au lait — ou *caffe latte*, comme l'avait appelé le vendeur — en gardant l'œil ouvert. Il avait fourré la bande dans la poche de son imper. Pas question de la laisser dans la voiture. Il feuilleta le journal du soir. Rien concernant Cary Oakes. Cela devait sortir en exclusivité le lendemain dans la première édition du journal de Stevens, lequel répondrait ainsi à ses détracteurs par un bras d'honneur vigoureux.

Un rendez-vous avec le destin…

Qu'est-ce que ça voulait dire, putain ? Oakes les lançait-il encore sur une fausse piste ? Rebus l'en croyait capable. Il avait feinté Stevens, Archibald et lui-même comme s'il était un Zidane millésimé et, eux, des bleus de l'équipe du dimanche.

Finalement, il l'aperçut. Les trains de fin d'après-midi pour Édimbourg n'étaient pas bondés, car le gros du trafic allait dans l'autre sens. Elle marchait à contre-courant de la foule quand elle sortit du quai. Il lui emboîta le pas sans qu'elle le remarque.

— Taxi, ma petite dame ? demanda-t-il.

Elle eut l'air surpris, puis méfiante.

— John, dit-elle. Qu'est-ce qui t'amène ici ?

En guise de réponse, il lui tendit la vidéo.

— Une offre de paix, dit-il en l'entraînant vers sa voiture.

Ils s'assirent dans la salle de brigade. Là aussi, c'était calme, la plupart des policiers étant rentrés chez eux. Ceux qui restaient essayaient de finir leurs rapports ou de se mettre à jour. Personne n'était d'humeur à traîner. Le magnétoscope était relégué dans un coin. Rebus rapprocha deux chaises. Il avait apporté du café. Janice paraissait à la fois excitée et anxieuse. Cela lui rappela de nouveau l'expression qu'il avait vue sur le visage d'Alan Archibald dans les montagnes.

— Écoute, Janice, si ce n'est pas lui..., voulut-il la mettre en garde.

— Si ce n'est pas lui, dit-elle avec un geste d'impuissance, tant pis. Je ne te ferai pas de reproche pour ça.

Elle lui adressa un sourire encourageant et il alluma l'appareil. Mlle Georgeson lui avait dit que c'était une caméra sensible au mouvement, qui ne se mettait en route qu'à l'approche d'une personne. À la banque, Rebus avait jeté un œil sur le distributeur. La caméra était positionnée au-dessus et filmait de derrière une des vitrines de la banque. Quand le premier visage apparut sur la bande, ils le virent d'en haut. Le compteur indiquait 8 h 10. Rebus prit la télécommande pour avancer en accéléré.

— On cherche deux heures moins vingt, expliqua-t-il.

Janice était assise au bord de sa chaise et tenait sa tasse à deux mains. Voilà comment tout avait démarré, se dit-il. Une séquence de la sécurité, des images qui avaient du grain. Il y avait une bonne longueur de bande à faire défiler. Les queues interminables à l'heure du déjeuner, mais à 13 h 30, c'était un peu plus calme. Le compteur indiquait 13 h 40.

— Oh ! mon Dieu, le voilà, dit Janice.

Elle posa sa tasse par terre et porta les mains à son visage. Rebus regarda. Le visage était penché vers le clavier de l'appareil. Puis il se détourna, comme s'il regardait vers la rue. Les doigts tapotaient impatiemment l'écran de la machine. La carte fut retirée, une main s'approcha de la fente pour récupérer les billets. En deux temps trois mouvements, sans attendre le reçu. Le client suivant s'approchait déjà.

— Tu en es sûre ?

Une larme coulait sur la joue de Janice.

— Catégorique, dit-elle en confirmant d'un vigoureux mouvement de tête.

Pour Rebus, c'était difficile à dire. Tout ce qu'il connaissait du garçon, c'était des photos de vacances et la séquence du *Gaitano*. Il ne l'avait jamais rencontré. Les cheveux semblaient être les mêmes… le nez aussi, peut-être, la ligne du menton. Mais ils n'avaient rien de très caractéristique. Le client suivant ressemblait à s'y méprendre au précédent. Mais Janice se mouchait, elle n'en demandait pas plus.

— C'est lui, je pourrais le jurer. (Elle vit le doute

sur son visage.) Je ne le dirais pas si ce n'était pas le cas.

— Bien entendu.

— Ce n'est pas seulement le visage, les cheveux, les vêtements... c'est sa façon de se tenir, son comportement. Ces petits gestes d'impatience. (Elle prit un coin du mouchoir pour s'essuyer les yeux.) C'est lui, John, c'est lui.

— Entendu, dit Rebus.

Il rembobina la bande, repassa les instants qui avaient précédé le moment clé. Il observait l'arrière-plan pour voir s'il pouvait repérer Damon s'approchant de l'appareil. Il voulait savoir s'il était seul. Mais celui-ci surgissait brusquement sur l'image et par le côté. De nouveau ce coup d'œil en direction de l'endroit d'où il était arrivé. N'y avait-il pas un infime signe de tête... un signe à quelqu'un se trouvant juste hors champ ? Rebus rembobina et regarda de nouveau.

— Qu'est-ce que tu cherches ? demanda Janice.

— S'il était accompagné.

Mais il n'y avait rien. Il laissa donc la cassette se dérouler et fut récompensé une ou deux minutes plus tard par des jambes qui traversaient le haut de l'image, juste derrière le nouveau client. Deux paires, l'une mâle, l'autre femelle. Rebus appuya sur pause, mais ne put stabiliser l'image correctement. Il revint donc en arrière et recommença en suivant les pieds avec le doigt.

— Tu reconnais son pantalon, ses chaussures ?

— C'est trop flou. (C'était vrai.) Ça pourrait être n'importe qui, ajouta-t-elle.

Et c'était vrai aussi. Elle se leva.

— Je vais sur George Street, annonça-t-elle. (Il voulut dire quelque chose, mais elle le coupa.) Je sais qu'il n'y sera pas, mais il y a des magasins, des pubs... Je peux au moins leur montrer sa photo. (Elle s'agrippa à son bras avec force.) John, il est toujours là. C'est déjà quelque chose.

Comme elle partait, elle tint la porte ouverte pour laisser entrer quelqu'un. Siobhan Clarke.

— Alors, on a retrouvé sa trace ? demanda-t-il.

Siobhan se laissa tomber sur une chaise.

— Qui ça, Billy Horman ?

— Non, grogna-t-il. Cary Oakes.

Elle étira le cou, il l'entendit craquer.

— Encore un jour de tiré, commenta-t-il.

— Je ne travaille pas sur Oakes, dit-elle. Je suis sur Billy Boy.

— Ça avance ?

— Allons donc ! On aurait besoin d'une douzaine de policiers en plus. Voire deux.

— J'imagine ce que ça coûterait.

— Peut-être que si on virait quelques ronds-de-cuir...

— Attention, Siobhan. Vous tenez des propos anarchistes.

Elle sourit.

— Et vous, comment ça va ? J'ai appris que Oakes a bien failli vous refroidir tous les deux.

— Le grand frisson est passé, dit-il. Je vous paie un verre ?

— Pas ce soir. J'ai rendez-vous avec un bain chaud et un repas à emporter. Et vous ?

— Je rentre directement chez moi, comme vous.

— Bon, alors..., dit-elle en se levant péniblement comme s'il lui en coûtait. À demain.

— Bonsoir, Siobhan.

Elle agita les doigts par-dessus l'épaule en partant.

Rebus tint presque parole, mis à part un arrêt qu'il fit en chemin. Il grimpa l'escalier de Cragside

Court. L'obscurité tombait, mais il y avait encore des enfants qui jouaient dehors, sous la surveillance d'un des membres du GAP. Chaque jour plus organisés, ceux-ci portaient des tee-shirts avec un logo imprimé devant. La femme au tee-shirt l'avait dévisagé, sachant qu'elle l'avait déjà vu quelque part sans qu'il fasse partie des locataires.

Il contempla Greenfield un moment. D'un côté, Holyrood Park. De l'autre, Old Town et l'emplacement du nouveau Parlement écossais. Il se demanda si le lotissement serait autorisé à rester. Si la municipalité voulait raser le quartier, elle agirait en sous-main. On commencerait par faire traîner en longueur ou bâcler les réparations. Puis on déclarerait les logements insalubres, on relogerait les habitants, les portes et les fenêtres seraient condamnées et cadenassées. Les choses se détérioreraient lentement, afin d'amener les locataires à changer d'avis. D'autres encore déménageraient. L'état des barres deviendrait un « objet d'inquiétude » pour les autorités. Les médias crieraient au scandale devant des conditions aussi déplorables. La municipalité interviendrait avec des propositions concrètes, autrement dit une offre de transfert pour les derniers locataires, ce qui coûterait moins cher qu'une remise en état des lieux. Et pour finir, l'endroit désert serait voué à la démolition, offrant un terrain sur lequel surgiraient bientôt des immeubles neufs. Des pied-à-terre de luxe pour parlementaires, par exemple. Ou des bureaux et des boutiques triées sur le volet. C'était un site de choix, pas de doute là-dessus.

Quand à Salisbury Crags... il y aurait bien des amateurs pour bâtir là-haut, si on les laissait faire. Mais pas avant un bout de temps. En dépit de siècles d'évolution, le parc n'avait guère changé de physionomie. Sans se formaliser pour les constructions qui l'environnaient, il siégeait, dominant le paysage. Quant à ceux qui en foulaient le sol, ils ne représentaient guère qu'une irritation passagère, étant morts au bout de soixante-dix ans, tout au plus. Ils ne laissaient pas d'empreinte, surtout face aux millénaires.

À présent, Rebus se tenait devant le logement de Darren Rough. Darren était rentré pour témoigner contre deux sales individus. Comme récompense, on l'avait harcelé, voué aux gémonies et enfin tué. Rebus ne se sentait pas fier d'avoir joué le premier rôle, chronologiquement parlant. Il espérait qu'un jour Darren le lui pardonnerait. Ce fut tout juste s'il ne s'en ouvrit pas à la forme fantomatique à l'extrémité du passage, mais quand elle s'approcha, il vit que c'était un être de chair et de sang, parfaitement en vie.

La mine renfrognée, c'était Cal Brady.

— Qu'est-ce que vous voulez ?

— Je jette un œil.

— Je vous ai pris pour un autre pédé.

Rebus pointa le menton en direction du portable dans la main de Brady.

— La gardienne du terrain de jeux vous a prévenu ? Vous avez monté là une jolie petite opération. Vous en tirez quoi, au juste ?

— Je fais mon devoir civique, clama l'autre en se haussant du col.

Rebus s'approcha d'un pas, les mains dans les poches.

— Cal, le jour où des individus de votre espèce décideront de ce qu'est le bien et le mal, tout se barrera en couilles. C'est gai.

— Eh, vous me traitez de tapette ? piailla Cal Brady.

Mais déjà, Rebus l'avait dépassé et prenait l'escalier.

41

— Parle-moi de Janice, dit Patience.

Ils étaient assis dans la salle de séjour, une bouteille de vin rouge entre eux sur le tapis. Patience était allongée sur le canapé. Un roman en édition de poche ouvert reposait sur sa poitrine. Elle l'avait mis là depuis un certain temps et, les yeux perdus dans le vague, écoutait la musique sur la hi-fi. Nick Drake, *Pink Moon* [1]. Rebus était dans le fauteuil, les jambes sur l'accoudoir. Il avait envoyé balader chaussures et chaussettes et regardait les résultats du football dans son quotidien.

— Quoi ?

— Janice… j'aimerais que tu m'en parles.

— On a été sur les bancs de l'école ensemble. (Il arrêta de lire.) Elle est mariée et n'a que ce seul fils. Elle a enseigné. J'allais en classe avec son mari aussi. Il s'appelle Brian.

— Tu es sorti avec elle ?

— Au lycée, oui.

— Vous avez couché ensemble ?

Il leva un œil méfiant.

— On n'est pas allés jusque-là.

1. « Lune rose. »

— Mais tu te demandes comment ça aurait été ?

Il eut une moue dubitative et se tut.

— Je pense que moi, je me poserais la question.

Son verre était vide et elle se pencha en avant pour le remplir. Le livre glissa par terre, mais elle n'y fit pas attention. Rebus n'avait pas encore fini son premier verre de rioja, mais la bouteille était presque vide.

— N'importe qui croirait que c'est toi qui picoles, pas moi, dit-il en évitant de sourire.

Elle se réinstalla confortablement. Une goutte de vin éclaboussa le dos de sa main, qu'elle lécha.

— Non, mais j'aime dépasser un peu la limite de temps à autre. Alors, est-ce que tu as pensé à coucher avec elle ?

— Bon sang, Patience...

— Ça m'intéresse, c'est tout. Sammy dit que Janice avait un air spécial.

— Quel genre d'air ?

Patience fronça les sourcils, comme si elle essayait de se rappeler exactement les mots.

— L'air affamé. Affamé et un peu désespéré, je crois. Comment marche le mariage ?

— Chancelant, reconnut-il.

— Et ta visite dans le Fife... ça a aidé ?

— Je n'ai pas couché avec elle.

Patience agita l'index.

— Ne te défends pas avant d'être accusé. Tu es inspecteur, tu sais que ça fait mauvaise impression.

Il la fusilla du regard.

— Est-ce que je suis suspect ?

— Non, John, tu es un homme, c'est tout, constata-t-elle avant de prendre une autre gorgée.

— Je ne veux pas te faire de mal, Patience.

Elle sourit, tendit une main comme pour prendre la sienne, mais il était trop loin.

— Je le sais, mon chéri. Mais le problème, c'est que tu ne penserais même pas à moi à ce moment-là, de sorte que l'idée de me faire du mal ou non n'entrerait pas en ligne de compte.

— Tu es si sûre de toi.

— John, je le vois chaque jour. Des femmes viennent en consultation pour demander des antidépresseurs. Elles veulent n'importe quoi pour arriver à supporter le mariage abominable dans lequel elles sont coincées. Elles me racontent des choses, ça sort tout seul, ça déborde. Certaines se mettent à boire ou se droguent, d'autres se coupent les veines. C'est curieux de voir combien peu tournent les talons et claquent la porte. Et celles qui s'en vont sont généralement les femmes battues. (Elle le regarda.) Tu sais ce qu'elles font ?

— Elles finissent par revenir ?

Elle le scruta en plissant les paupières.

— Comment tu sais ça ?

— Je les récupère, moi aussi, Patience. Les problèmes de violence conjugale, avec les voisins qui se plaignent des cris et des coups, c'est aussi pour nous. Les mêmes femmes que tu reçois, mais un peu plus tard. Elles refusent de porter plainte. On les met dans des centres d'accueil. Et plus tard, elles retournent vers la seule vie qu'elles ont connue.

Elle ravala ses larmes.

— Pourquoi ça doit être comme ça ?

— J'aimerais le savoir.

— Et qu'est-ce que ça nous apporte ?

— Un salaire, dit-il en souriant.

Elle ne le regardait plus. Elle ramassa son livre et reposa son verre.

— L'homme qui a écrit ce message... Qu'est-ce qu'il essayait de faire ?

— Je n'en sais rien. Peut-être qu'il voulait que je sache qu'il était venu.

Elle avait retrouvé sa page et regardait les mots, le regard fixe.

— Où est-il maintenant ?

— Perdu dans les montagnes où il pèle de froid.

— Tu le crois vraiment ?

— Non, admit-il. Quelqu'un comme Oakes... ce serait trop facile.

— Il va venir te chercher ?

— Je ne suis pas sa priorité.

Pas tant qu'Alan Archibald était encore en vie. Les radios avaient montré la présence d'une fracture du crâne. Archibald allait rester hospitalisé encore quelque temps. Il avait un agent de police auprès de lui.

— Il va venir ici ? demanda-t-elle.

Le CD était fini. Le silence envahit la pièce.

— Je n'en sais rien.

— S'il essaie de nouveau de saloper ma terrasse, je lui fous une trempe de première.

Rebus la regarda, puis il éclata de rire.

— Qu'est-ce que ça a de drôle ?

— Rien, rien, dit-il. Je suis content de t'avoir de mon côté, c'est tout.

Elle porta de nouveau le verre de vin à ses lèvres.

— Comment pouvez-vous en être aussi sûr, inspecteur ?

Il leva son verre à sa santé, heureux de réaliser que Janice n'avait pas effleuré son esprit de la soirée avant que Patience mentionne son nom. Il pressa la touche « Replay » de la télécommande.

— Ce type a l'air plutôt mal en point, constata Patience à propos de la musique.

— C'est juste, répondit-il. Il a fait une overdose.

(Elle leva les yeux et il haussa les épaules.) Une autre victime.

Plus tard, il sortit pour griller une sèche. Le message était toujours visible sur la terrasse : TON POULET A TUÉ DARREN. Les ouvriers devaient se mettre au boulot le lendemain. Oakes disait avoir suivi Darren mais avoir perdu sa trace. Dans ce cas, quelqu'un l'avait retrouvée. Rebus n'allait pas se le reprocher. Sa clope allumée, il grimpa les marches. Il y avait une voiture de patrouille garée devant la maison, un message pour Cary Oakes si jamais il se sentait d'humeur à traîner dans les parages. Rebus échangea quelques mots avec les deux agents assis à l'intérieur, il finit sa cigarette et rentra retrouver Patience.

42

— Une course vous tente ? lui proposa Siobhan Clarke.

— J'imagine que cette « course » s'entend « en bagnole » ?

— Ne vous inquiétez pas, je ne vous prends pas pour un champion du jogging.

— Toujours aussi perspicace. Où allez-vous ?

C'était le matin à St Leonard. Le temps s'était éclairci sur les Pentlands et Rebus s'était assuré que l'hélicoptère était sorti pour passer le secteur au peigne fin à la recherche de Cary Oakes. Les villages et les fermes sur les contreforts avaient été prévenus de rester sur leurs gardes. « N'essayez pas de le coincer. Prévenez-nous si vous le voyez », tel était le message.

Et, jusque-là, personne n'avait appelé.

Rebus avait l'impression d'être un poids mort. Il avait préparé le petit déjeuner pour Patience — un jus d'orange et deux sachets d'aspirine — et reçu des compliments tant pour son diagnostic que pour ses talents de garde-malade. Elle se sentait en état d'assurer ses consultations.

— Pourvu que personne ne me demande de m'occuper des âmes en peine aujourd'hui.

À présent, Rebus se trouvait dans la salle de brigade avec un café et une barre de Mars.

— Le petit déjeuner des coronaires, commenta-t-il en voyant l'air dégoûté de Siobhan.

— On aurait aperçu Billy Boy. Mais c'est sûrement un coup pour rien, une perte de temps.

— Et vous préférez le perdre avec moi ? rétorqua-t-il en rigolant. Je suis touché !

— Bon, tant pis, lança-t-elle en tournant les talons.

— Oh ! la la ! Minute ! Vous vous êtes levée du pied gauche ce matin ou quoi ?

— Disons plutôt que je n'ai même pas réussi à me mettre au lit, répliqua-t-elle sèchement. (Puis elle se radoucit.) C'est une longue histoire.

— Alors c'est parfait pour un trajet en voiture, dit-il. Venez, vous m'avez convaincu.

Ce qui lui était arrivé ? La machine à laver de ses voisins du dessus avait eu une fuite. Ils étaient sortis sans rien remarquer. Et elle ne s'en était rendu compte qu'en allant se coucher.

— Leur machine à laver est au-dessus de votre chambre à coucher ?

— C'est une autre pomme de discorde. Bref, j'ai remarqué une tache au plafond et quand j'ai touché le lit, il était trempé. En fin de compte, j'ai passé la nuit sur le canapé dans un vieux duvet qui empestait.

— Ma pauvre. (Il songeait à toutes les nuits qu'il avait passées dans son fauteuil, mais bon, c'était un choix de sa part. Il jeta un coup d'œil dans le rétroviseur pendant qu'ils se traînaient vers l'ouest dans les bouchons.) Dites-moi une chose : pourquoi on va à Grangemouth ? Le commissariat local ne peut pas s'en occuper ?

— Je n'aime pas déléguer.

Il sourit, car c'était là une de ses répliques à lui.

— Autrement dit, vous ne faites confiance à personne pour assurer le boulot correctement ?

— Plus ou moins, dit-elle en lui glissant un coup d'œil. J'ai eu un bon professeur.

— Siobhan, il y a belle lurette que je n'ai plus rien à vous apprendre.

— Merci.

— Mais c'est parce que vous n'écoutez plus rien.

— Cela ne nous amuse pas, comme dit la reine. (Elle tendit le cou.) Qu'est-ce qui bloque comme ça ?

Les véhicules devant eux avançaient à une allure d'escargot.

— C'est la nouvelle politique de la municipalité. Rendre les conditions de circulation infernales pour que les automobilistes arrêtent de venir en ville et de foutre la pagaille.

— Ils veulent un village préservé ?

— C'est ça, avec cinq cent mille villageois.

Ils finirent par avancer. Grangemouth se situait à l'ouest de l'estuaire du Forth. Rebus n'était pas venu dans la ville depuis des années. Comme ils approchaient, il eut l'impression qu'ils s'étaient égarés sur le plateau de *Blade Runner*[1]. Un vaste complexe pétrochimique dominait la ligne d'horizon, projetant vers le ciel des cheminées déchiquetées et d'étranges configurations de tuyaux. Le complexe avait l'air d'une forme de vie venue d'ailleurs, bizarroïde et envahissante, sur le point de jeter ses innombrables tentacules mécaniques autour de la ville pour l'étreindre jusqu'à ce que mort s'ensuive.

En fait, c'était le contraire. Le complexe et ce qui en faisait partie procuraient de l'emploi à Grangemouth. Les rues qu'ils finirent par atteindre étaient

1. Film de science-fiction de Ridley Scott (1982).

sombres et étroites, avec une architecture datant de la première moitié du siècle.

— Deux mondes qui se heurtent, marmonna Rebus en embrassant la scène.

— Pour le concours des villages préservés, je crains qu'ils aient raté le coche.

— Je suis sûr que les habitants sont inconsolables. (Il plissait les paupières pour déchiffrer les noms des rues.) Voilà, on y est.

Ils se garèrent devant une rangée de maisons dans le genre cottage, qui avaient toutes un toit surélevé avec fenêtres pour chambres mansardées.

— Le numéro onze, indiqua Siobhan. La femme s'appelle Wilkie.

Mme Wilkie les attendait. C'était le genre de voisine qui empoisonnait la vie de tout le monde, d'une curiosité frisant l'indiscrétion. Dans son cas, cela pouvait être un atout, mais Rebus aurait parié que ses voisins ne l'entendaient pas de cette oreille.

Sa salle à manger était une boîte à bonbons, minuscule et surchauffée avec, à la place d'honneur, une grande maison de poupée décorée. Quand Siobhan manifesta un semblant d'intérêt par pure politesse, ils eurent droit à un laïus de dix minutes sur son histoire. Rebus aurait pu jurer qu'elle n'avait pas repris son souffle une seule fois pour ne pas laisser à ses prisonniers l'occasion de changer de sujet.

— N'est-ce pas charmant ? s'extasia Siobhan avec un coup d'œil en direction de Rebus. (Elle dut se mordre les joues pour ne pas éclater de rire devant son air exaspéré.) Alors, madame Wilkie, à propos de ce garçon que vous avez aperçu... ?

Ils s'assirent et la pipelette leur débita son histoire. Elle avait vu la photographie du gosse dans le journal et, alors qu'elle rentrait de faire ses courses vers 14 heures, elle l'avait aperçu jouant au football dans la rue.

— Il envoyait son ballon contre le mur du garage Montefiore. Il y a un muret en pierre autour du... de... (Elle fit des gestes avec les mains.) Comment on appelle ça ?

— De la station-service ? avança Siobhan.

— C'est cela, approuva-t-elle, ravie. Je parie que vous êtes rudement douée pour les mots croisés, avec une tête pareille.

— Vous avez parlé au garçon, madame Wilkie ?

— En fait, c'est *mademoiselle* Wilkie. Je ne me suis jamais mariée.

— Vraiment ? intervint Rebus en feignant la surprise.

Siobhan toussota dans sa main, puis tendit des clichés de Billy Horman à Mlle Wilkie.

— Ma foi, c'est tout à fait lui, confirma la vieille demoiselle en passant en revue les tirages. (Elle en sortit une du lot.) Enfin, sauf celle-ci.

Siobhan prit la photo qu'on lui montrait et la colla dans son dossier. Rebus savait qu'elle avait glissé un instantané d'un autre enfant pour éprouver la vigilance de son témoin. Mlle Wilkie avait passé l'épreuve.

— Pour répondre à votre question, reprit la demoiselle, non, je ne lui ai rien dit. Je suis revenue ici et j'ai regardé de nouveau dans le journal. Puis j'ai téléphoné au numéro indiqué et j'ai parlé à un jeune homme charmant au poste de police.

— Cela s'est passé hier ?

— C'est exact et je n'ai pas revu le gosse aujourd'hui.

— Et vous ne l'avez aperçu qu'une seule fois ?

— Absolument. Il jouait tout seul. Il avait l'air si seul, le pauvret. (Elle rendit les photos à Siobhan et se leva pour regarder par la fenêtre.) Les étrangers se remarquent dans une rue comme celle-ci.

— Je suis sûr que rien ne vous échappe, remarqua Rebus.

— Oh, avec toutes ces voitures, de nos jours... je suis étonnée que vous ayez pu vous garer.

Les deux policiers échangèrent un regard, remercièrent Mlle Wilkie et partirent. Dehors, ils regardèrent à droite et à gauche. Il y avait un garage qui faisait le coin à l'extrémité de la rue. Ils partirent dans cette direction.

— Qu'est-ce qu'elle voulait dire pour les voitures ? demanda Siobhan.

— À mon avis, il y a toujours quelqu'un qui se gare sous ses fenêtres. Ce qui doit lui boucher la vue.

— Je suis impressionnée.

— Encore que je ne parle pas d'expérience, entendons-nous.

Mais dans le pavillon, Rebus s'était senti brusquement déprimé. Lui aussi passait des heures à observer par la fenêtre. Toutes les nuits qu'il passait, assis dans son fauteuil, lumières éteintes, à observer dehors... En vieillissant, peut-être deviendrait-il une autre Mlle Wilkie. La bignole du quartier...

Le garage Montefiore comprenait une unique rangée de pompes à essence, un magasin et un atelier d'entretien avec deux ponts. Un homme en salopette bleue, la tête à peine visible au ras du sol, se trouvait dans une des fosses, une Polo au-dessus de lui. Un autre, plus âgé, était posté derrière le comptoir du magasin. Rebus et Siobhan s'arrêtèrent sur le trottoir.

— On peut toujours leur demander s'ils l'ont vu, proposa Siobhan.

— Tant qu'on y est, marmonna Rebus sans beaucoup d'entrain.

— C'est sûrement un coup pour rien, je vous ai prévenu.

— C'est peut-être le gosse d'un voisin. Une famille qui vient d'arriver, qu'elle ne connaît pas encore.

— Il était 14 heures quand elle l'a vu. Il aurait dû être à l'école.

— C'est juste, acquiesça-t-il. Elle semblait si sûre d'elle, n'est-ce pas ?

— Il y a des gens comme ça. Ils veulent se rendre utiles, au risque d'inventer une histoire.

— Tss, tss, la réprimanda Rebus. Ce n'est pas de moi que vous tenez ce cynisme. (Il considéra le parking surencombré de voitures garées pare-chocs contre pare-chocs.) Je me demande...

— Oui ?

— Il jouait au ballon depuis le muret de devant.

— Oui ?

— Il ne pouvait pas le faire s'il y avait toutes ces voitures ici. Le trottoir n'est pas assez large.

Siobhan regarda le muret et le trottoir.

— Peut-être qu'il n'y avait pas de voitures.

— D'après Mlle Wilkie, ce serait exceptionnel.

— Je ne comprends pas où vous voulez en venir.

Rebus montra l'espace des pompes à essence.

— Et s'il était là ? Il y a tout l'espace qu'on veut tant que les voitures ne viennent pas faire le plein.

— Ils l'auraient chassé. (Elle le regarda, l'air interrogateur.) Non ?

— Allons leur poser la question.

Ils entrèrent dans la boutique d'abord et se présentèrent à l'homme derrière le comptoir.

— Je ne suis pas le propriétaire, je suis son frère, dit-il.

— Vous étiez ici hier ?

— Ça fait dix jours que je suis là. Eddie et Flo sont en congés.

— Un endroit agréable ? demanda Siobhan pour faire comme s'ils discutaient le bout de gras.

— La Jamaïque.

— Vous vous souvenez d'un jeune garçon ? intervint Rebus. (Siobhan sortit une des photographies.) Il s'amusait au ballon devant les pompes à essence.

— Ouais, fit l'autre. Le neveu de Gordon.

Rebus s'efforça de parler d'une voix égale.

— Gordon comment ?

— Gordon Howe[1], répondit l'autre en se gondolant.

Il leur épela le nom et ils rirent avec lui.

— Je parie qu'on ne doit pas arrêter de le charrier, dit Siobhan en essuyant une larme imaginaire. Une idée où nous pouvons le trouver ?

— Jock le sait sûrement.

— Ah oui ? Et qui est Jock ?

— Ah oui, excusez-moi. Jock, c'est mon collègue.

— Celui sous la Polo ? demanda Rebus, et l'homme confirma.

— Alors M. Howe travaille pour le garage ?

— Oui, il est mécanicien. Il a pris sa journée aujourd'hui. Bon, on n'est pas très débordés et comme il doit s'occuper du petit Billy…

Il agita la photographie de Billy Horman.

— C'est Billy ? demanda Siobhan, qui n'en revenait pas.

Une minute plus tard, ils ressortaient et Siobhan utilisait le portable de Rebus pour joindre St Leonard et demander si Billy Horman avait un oncle appelé Gordon Howe. Tandis qu'elle écoutait la réponse,

1. Jeu de mots. En anglais, *how* signifie « comment ».

elle hochait la tête pour faire savoir à Rebus ce qu'elle entendait. Ils retournèrent dans l'atelier.

— On a deux mots à vous dire, c'est possible ? cria-t-il en direction de la fosse.

Leurs cartes étaient prêtes quand Jock, le mécanicien, s'extirpa de sous la Polo et commença à s'essuyer les mains sur un affreux chiffon noir imbibé d'huile de moteur.

— Qu'est-ce que j'ai fait ?

Il avait les cheveux roux, qui frisottaient sur la nuque, et une longue boucle d'oreille qui pendouillait. Il avait le dos des mains tatoué et Rebus remarqua qu'il lui manquait le petit doigt de la main gauche.

— Où peut-on trouver Gordon Howe ? demanda Siobhan.

— Il habite sur Adamson Street. Qu'est-ce qu'il y a ?

— Il est chez lui en ce moment, d'après vous ?

— Comment je le saurais ?

— Il a pris sa journée, dit Rebus en faisant un pas en avant. Peut-être qu'il vous a dit ce qu'il comptait faire ?

— Sortir Billy, répondit le mécanicien dont le regard passait de l'un à l'autre.

— Billy étant… ?

— Le gosse de sa sœur. Elle ne va pas bien, genre famille monoparentale et tout. Soit Billy devait être confié à l'assistance pendant sa maladie, soit Gordy s'occupait de lui. C'est Billy alors ? Il a fait des bêtises ?

— Vous croyez que c'est le style ?

— Pas du tout, répondit le mécano en souriant. Un gosse très calme, en fait. Il ne veut pas parler de sa mère…

— Il refuse de parler de sa mère, répéta Siobhan

tandis qu'ils se dirigeaient vers la maison dans Adamson Street.

C'était un pavillon des années soixante sur un lotissement en bordure de la ville. Du logement social en majeure partie. On reconnaissait aux nouveaux encadrements de fenêtres et aux portes de meilleure qualité les maisons dont les locataires s'étaient portés acquéreurs. Mais elles avaient toutes le même crépi gris.

— Ça doit plaire à l'oncle Gordon, j'imagine.

Ils sonnèrent à la porte et attendirent. Rebus crut détecter un mouvement derrière une fenêtre de l'étage. Il fit un pas en arrière, mais ne vit rien.

— Recommencez, dit-il en ouvrant la boîte aux lettres pendant que Siobhan pressait la sonnette.

Il y avait une porte entrebâillée au bout du couloir. Il aperçut deux ombres au-delà et referma la boîte.

— Par-derrière, dit-il en courant vers le côté de la maison.

Quand ils arrivèrent dans le jardin, un homme disparaissait par-dessus une haute clôture de bois brut.

— Monsieur Howe ! cria Rebus.

En guise de réponse, l'homme cria : « File ! » au gamin qui était avec lui. Rebus laissa Siobhan escalader la clôture. Il fit demi-tour et repartit en courant dans la rue en se demandant où les deux fugitifs étaient passés.

Brusquement, ils furent devant eux. Howe boitait, la main agrippée à une jambe. Le gamin filait comme une flèche, l'homme dans son sillage. Mais quand le gosse se retourna et vit la distance croissante qui les séparait, il ralentit l'allure.

— Non, Billy, continue, cours ! Continue de courir !

Mais le garçon ne l'écouta pas. Il s'arrêta carrément et attendit que l'homme le rattrape. Siobhan surgit à son tour avec un accroc au genou de son pantalon. À cet instant, Howe se rendit compte qu'il était coincé et il leva les mains.

— Ça va, dit-il, ça va.

Il regarda d'un air désespéré Billy qui revenait vers lui.

— Billy, tu n'écouteras donc jamais ?

Comme Gordon Howe tombait à genoux, le gamin lui passa les bras autour du cou. L'homme et l'enfant s'embrassèrent.

— Je leur dirai, dit Billy en sanglotant. Je leur dirai que c'était bien.

Rebus les observait, il vit les tatouages sur les bras nus de Gordon Howe : Pas de capitulation !, UDA[1], la Main rouge de l'Ulster. Les propos de Tom Jackson lui revinrent en mémoire : *Il s'est tiré en Ulster pour rejoindre les troupes paramilitaires...*

— Alors c'est vous, le père de Billy, conclut Rebus. Bienvenue au pays.

1. Ulster Defence Association : section de l'armée britannique en Irlande du Nord.

43

Sur le trajet de retour vers Édimbourg, Rebus s'assit derrière avec Howe, pendant que Billy occupait la place du passager à côté de Siobhan.

— Vous avez entendu parler de Greenfield par le journal, c'est ça ? demanda Rebus, et Gordon Howe acquiesça. Quel est votre vrai nom ?

— Eddie Mearn.

— Depuis combien de temps vous êtes rentré d'Irlande du Nord ? s'enquit Siobhan.

— Trois mois. (Il tendit la main et ébouriffa les cheveux de son fils.) Je voulais récupérer Billy.

— Sa mère est au courant ?

— Ce chameau ? C'était notre secret, hein, Billy ?

— Oui, papa, dit Billy.

Mearn se tourna vers Rebus.

— Je venais le voir en douce. Si sa mère l'avait su, elle m'en aurait empêché. Mais on n'a rien dit.

— Puis vous avez lu l'article sur Darren Rough ? ajouta Rebus.

— Ouais, ça paraissait trop beau pour être vrai. Je savais que si je l'emmenais, on croirait que ce branleur l'avait pris, au moins pour un moment. Ça nous laissait le temps de nous organiser. On s'entendait bien, hein, Billy ?

— Super, renchérit son fils.

— Ta maman était folle d'inquiétude, Billy, signala Siobhan.

— Je déteste Ray, affirma Billy en enfonçant le menton dans son cou. (Ray Heggie était l'amant de Joanna Honnan.) Il la bat.

— Pourquoi vous croyez que je voulais sortir Billy de là ? enchaîna Mearn. Ce n'est pas normal qu'un gamin ait à supporter ça. Ce n'est pas normal. (Il se pencha pour déposer un baiser sur le crâne de son fils.) On avait tout bien combiné, hein, Billy Boy ? On se serait débrouillé.

Billy se retourna sur son siège, essaya de prendre son père dans ses bras mais la ceinture l'en empêcha. Les yeux sur le rétroviseur, Siobhan regardait fixement Rebus. Ils savaient tous les deux ce qui allait arriver. Billy retournerait à Greenfield, Mearn serait sans doute poursuivi. Aucun des deux policiers n'était emballé par cette perspective.

Comme ils regagnaient le centre-ville, Rebus demanda à Siobhan de faire un détour par George Street. Il n'y avait pas trace de Janice.

— Vous savez quoi ? demanda Rebus à Mearn.

Ils se trouvaient dans la salle d'audition à St Leonard. Mearn avait une tasse de thé devant lui. Un docteur avait examiné sa jambe. Une simple foulure.

— Quoi ?

— Vous avez dit que vous saviez qu'on accuserait Darren Rough pour la disparition de Billy et que ça vous donnerait le temps de vous retourner.

— C'est juste.

— Mais je vois un meilleur système, un plan pour qu'on arrête carrément les recherches.

— Ah ? fit Mearn, l'air intéressé. Comment ça ?

— Si Rough était mort, annonça Rebus tranquillement. Dans ce cas, nous poursuivons les recherches encore quelque temps, même si on s'attend à ne retrouver qu'un corps sans vie caché je ne sais où. Mais on finirait bien par laisser tomber.

— Ouais, j'ai pensé à ça aussi.

— Ah bon ? demanda Rebus, intéressé.

— Bien sûr, reconnut Mearn. Vous savez, quand j'ai lu dans le journal qu'on l'avait buté, je me suis dit que nos prières avaient été exaucées.

— Voilà, approuva Rebus. Et c'est pourquoi vous l'avez fait ?

— Hein ? s'étonna Mearn, sourcils froncés. J'ai fait quoi ?

— Vous avez tué Darren Rough.

Les deux hommes se mesurèrent du regard. Puis une expression d'horreur envahit le visage de l'ancien combattant.

— Oh n-n-non, martela-t-il. Pas question, pas question… (Ses mains agrippèrent le rebord de la table.) Pas moi, ce n'est pas moi…

— Ah non ? fit Rebus, l'air surpris. Mais vous aviez un motif taillé sur mesure.

— Bon Dieu, je commençais une vie nouvelle. Comment pourrais-je l'envisager si j'avais buté quelqu'un ?

— Un tas de gens le font, Eddie. J'en vois ici plusieurs fois par an. J'aurais pensé que c'était une chose facile pour quelqu'un qui a suivi un entraînement paramilitaire.

Il éclata de rire.

— D'où vous tenez cette idée-là ?

— C'est ce qu'on dit dans la cité. Quand Joanna s'est trouvée enceinte de Billy, vous avez pris la fuite pour rejoindre les terroristes.

Mearn se calma et regarda autour de lui.

— Je crois que vais prendre un avocat, dit-il tranquillement.

— Il y en a un qui est en route, expliqua Rebus.

— Et pour Billy ?

— On a téléphoné à sa mère, elle aussi ne va pas tarder. Elle est sans doute en train de se bichonner pour la conférence de presse.

Mearn serra les paupières avec force.

— Et merde..., murmura-t-il. Je regrette, Billy. (Il refoula ses larmes en regardant Rebus.) Pourquoi ça a foiré ?

Une vieille demoiselle trop curieuse et une rangée de voitures garées sur un parking, aurait pu lui dire Rebus. Mais le cœur lui manqua.

Il y avait des caméras et des micros devant St Leonard. Tant et si bien que les journalistes se répandaient sur la chaussée. Les voitures et les fourgonnettes klaxonnaient à tout va, de sorte qu'on avait du mal à entendre Joanna Horman parler de ses retrouvailles émues avec son fils. Pas trace de Ray Heggie : Rebus se demanda si elle l'avait flanqué dehors. Et pas beaucoup de signes d'émotion de la part du jeune Billy Boy. Sa mère ne cessait de le serrer contre elle, au risque de l'étouffer, tandis que les photographes réclamaient un autre cliché. Elle lui cribla le visage de rouge à lèvres. Comme elle s'apprêtait à répondre à une autre question, Billy tenta de s'essuyer la figure.

Au milieu des reporters se trouvaient des badauds, passants ou curieux. Une femme en tee-shirt du GAP essayait de distribuer des prospectus : Van Brady. De l'autre côté de la rue, un gamin était juché sur sa bicyclette, une main posée sur un réverbère pour garder l'équilibre. C'était le cadet de Van. Sans prospectus ni tee-shirt. Rebus s'en étonna. Le garçon était-il moins facile à embrigader que le reste des troupes ?

« Et je tiens à dire merci à la police pour tout le mal qu'elle s'est donné », déclarait Joanna Horman. (Il n'y a pas de quoi, se dit Rebus en se frayant un chemin à travers la mêlée pour traverser la rue.) « Mais plus que tout, je voudrais remercier tous les membres du GAP pour leur soutien. »

Van Brady poussa un rugissement enthousiaste.

— Tu t'appelles Jamie, n'est-ce pas ?

— Ouais, dit le gamin sur son vélo. Et vous, vous êtes le flic qui cherchait Darren.

Darren, le prénom seulement. Rebus sortit une cigarette, en offrit une à Jamie, qui refusa. Il l'alluma et prit une bouffée.

— Je suppose que tu voyais assez souvent Darren ?

— Il est mort.

— Mais avant… avant toutes ces salades.

Il hocha la tête, le regard méfiant.

— Est-ce qu'il a jamais essayé quelque chose ?

— Non, non, affirma Jamie en secouant vigoureusement la tête. Il disait bonjour en passant, c'est tout.

— Il traînait autour du terrain de jeux ?

— Jamais vu.

Il ne quittait pas des yeux la scène sur l'autre trottoir.

— On dirait que Billy tient la vedette, non ? demanda Rebus, qui eut l'impression que le gamin était jaloux mais ne voulait pas le montrer.

— Ouais.

— Je suis sûr que tu es content de le revoir.

Jamie se tourna vers lui.

— Cal s'est mis avec sa mère.

Le policier prit le temps de tirer une taffe.

— Alors elle a flanqué Ray à la porte ?

Jamie acquiesça d'un geste.

— Et elle a pris ton frangin à la place? (Il eut l'air impressionné.) Elle n'a pas perdu de temps. Vite fait bien fait.

Jamie grogna pour toute réponse. Rebus sauta sur l'occasion.

— Tu n'as pas l'air à la fête. Ton frère va te manquer?

— Je m'en fiche, fit-il en haussant les épaules.

Mais ce n'était pas vrai. Son frère était parti, sa mère s'occupait du GAP et maintenant, il n'y en avait plus que pour Billy Boy Horman.

— Il t'est arrivé de voir Darren avec quelqu'un? Je ne veux pas dire des gosses mais des visiteurs.

— Pas vraiment.

Rebus se pencha pour que Jamie soit obligé de le regarder en face.

— Tu n'as pas l'air d'en être sûr.

— Quelqu'un est venu le demander.

— Quand ça?

— Quand toutes ces salades ont commencé avec le GAP.

— Un ami à lui?

— Il l'a pas dit.

— Alors qu'est-ce qu'il a dit, Jamie?

— Il a dit qu'il cherchait le type qui était dans le journal. Il avait le journal avec lui.

Sous-entendu, le récit révélant dans la presse les penchants pédophiles de Darren Rough.

— C'est ce qu'il a dit exactement: «Le type qui est dans le journal»?

— Non, je crois qu'il a dit le «garçon», corrigea Jamie avec un sourire.

— «Le garçon»?

— C'est ça, confirma Jamie qui mima l'accent

snobinard du bourgeois : « Le garçon qu'on voit dans le journal. »

— Donc ce n'était pas quelqu'un du quartier ?

Le gamin laissa échapper un rire hésitant.

— Comment il était ?

— Vieux, assez grand, une moustache. Les cheveux gris, mais la moustache noire.

— Bravo, tu ferais un bon enquêteur, Jamie.

Jamie plissa le nez avec dégoût. Sa mère, qui avait repéré la conversation, s'apprêtait à traverser la rue pour les rejoindre.

— Jamie ! cria-t-elle en essayant de se glisser entre les voitures.

— Qu'est-ce que tu lui as dit, Jamie ? le pressa Rebus.

— Je lui ai indiqué l'appart de Darren. Je lui ai dit que je savais que Darren n'était pas là.

— Et qu'est-ce qu'il a fait ?

— Il m'a filé un biffeton, indiqua-t-il en jetant un œil furtif autour de lui. Je l'ai suivi quand il est retourné à sa bagnole.

— Dis donc, fit Rebus avec un sourire. Tu ferais un sacré détective.

Autre haussement d'épaules.

— C'était une grosse voiture blanche. Je crois que c'était une Mercedes.

Rebus battit en retraite quand Van Brady les rejoignit.

— Qu'est-ce qu'il t'a raconté, Jamie ? demanda-t-elle, fusillant Rebus du regard, mais Jamie la toisa avec un air de défi.

— Rien, dit-il.

Elle regarda Rebus, qui eut un geste d'ignorance. Quand elle se tourna vers son fils, Rebus lui fit un clin d'œil et Jamie laissa échapper l'ombre d'un sourire. Pendant quelques instants, il avait été, lui, le centre d'intérêt de quelqu'un.

— Je lui posais juste une question sur Cal, dit-il à la mère. J'ai appris qu'il s'était mis avec Joanna.

— Ça vous regarde? fit-elle en lui faisant face. Est-ce que je m'occupe de vos oignons?

Il fit un signe en direction des prospectus dans sa main.

— Vous en avez un pour moi?

— Si vous faisiez votre boulot correctement, ricana-t-elle, on n'aurait pas besoin du GAP.

— Et qu'est-ce qui vous fait croire qu'on en a besoin quand même? demanda-t-il en tournant les talons.

Rebus se mit sur l'ordinateur et décida d'assurer ses arrières en parlant à tous les concessionnaires Mercedes de la région. Il connaissait déjà quelqu'un qui conduisait une Mercedes blanche, c'était la veuve Margolies. Rebus tapota son stylo sur le bureau et commença à passer ses appels. Il eut de la chance avec le premier numéro.

— Oh! oui, le Dr Margolies est un de nos clients. Il n'achète que des Mercedes depuis une éternité.

— Je m'excuse, mais je parle d'une Mme Margolies.

— Oui, c'est sa belle-fille. Le Dr Margolies a également payé cette voiture-là.

Le Dr Joseph Margolies.

— Il en a acheté une pour son fils et sa belle-fille?

— C'est exact. L'an dernier, je crois.

— Et pour lui?

— Il aime le système de la reprise: il garde le modèle un an ou deux, puis il l'échange contre du neuf. De cette façon votre véhicule se dévalorise moins.

— Alors, qu'est-ce qu'il a en ce moment ?

Le directeur commercial devint méfiant.

— Pourquoi ne pas lui poser la question vous-même ?

— Je vais peut-être le faire, dit Rebus. Et je n'oublierai pas de lui dire que vous auriez pu m'éviter la démarche.

Il écouta son interlocuteur pousser un soupir exaspéré.

— Ne quittez pas. (Il entendit des doigts sur un clavier, puis une pause.) Une 2200, achetée il y a six mois. Content ?

— Comme un gosse le matin de Noël, répliqua Rebus en griffonnant les détails. Et la couleur ?

— Pfff.. (Un autre soupir.) Blanche, inspecteur. Le Dr Margolies achète toujours du blanc.

Comme Rebus raccrochait, Siobhan Clarke s'approcha. Elle s'appuya contre le coin du bureau.

— On dirait que quelqu'un a eu un poil dans la main, annonça-t-elle.

— Que voulez-vous dire ?

— À propos d'Eddie Mearn. Pour l'enquête, il était toujours en Irlande du Nord. Quelqu'un a passé un coup de fil à Lisburn et l'a pris pour argent comptant quand on lui a dit que Mearn était toujours là-bas.

— Qui a passé l'appel ?

— Roy Frazer, je dois dire.

— Ça lui servira de leçon.

— C'est sûr. On apprend toujours de ses erreurs, c'est ça ?

— Ben tiens, fit-il en souriant. C'est pourquoi je ne commets jamais deux fois la même. Toujours une autre.

— Dites, demanda-t-elle en croisant les bras. Vous croyez que Mearn avait tout prémédité ?

— C'est probable, fit-il en se renversant contre son dossier. Il est rentré de Lisburn, c'est peut-être vrai qu'il n'a prévenu personne là-bas de son départ. Il s'est trafiqué une nouvelle identité à Grangemouth, situé à une certaine distance d'Édimbourg. Pourquoi avoir menti sur son identité ? Je ne vois pas d'autre raison que celle d'enlever Billy. Une nouvelle vie pour tous les deux.

— Est-ce que ça aurait été si mal que ça ? demanda Siobhan.

— Ça n'aurait sûrement pas été pire pour Billy, convint Rebus en levant les yeux. Mais attention, Siobhan. Vous risquez de vous dire que la loi est un attrape-couillon. Et de là à établir vos propres règles, il n'y a qu'un pas.

— Comme vous le faites vous-même, constata-t-elle sur le ton de l'évidence.

— Comme je le fais moi-même, fut-il obligé de reconnaître. Et regardez où ça m'a mené ?

— Où ?

— À voir des voitures blanches partout, dit-il en tapotant ses notes.

44

Une voiture blanche avait été repérée la nuit où Jim Margolies avait fait son vol plané du haut de Salisbury Crags. C'était dans l'ordre des choses, puisque Jim possédait lui-même une automobile blanche. Mais d'après sa femme, la voiture était restée au garage. Il était monté à pied en haut de la falaise. Était-ce vraisemblable ? Rebus n'en savait rien.

Une autre voiture blanche avait été aperçue à Holyrood Park vers le moment où Darren Rough avait été matraqué à mort. Et avant cela, quelqu'un en voiture blanche était à la recherche de Darren.

Rebus raconta à Siobhan son histoire et elle rapprocha une chaise pour qu'ils puissent passer en revue quelques scénarios.

— Vous croyez que c'est toujours la même voiture ? demanda-t-elle.

— Tout ce que je sais, c'est qu'elles sont dans le parc quand se produisent deux morts apparemment sans rapport.

Elle se gratta le crâne.

— Je ne vois rien. Y a-t-il d'autres propriétaires de Mercedes blanches ?

— Autrement dit, y a-t-il un tueur en série qui en

a acheté ou loué une récemment ? (Elle sourit.) Je vérifie, poursuivit Rebus. Jusqu'ici, le seul nom qu'on m'ait donné est celui de Margolies.

Il réfléchit. Jane Barbour conduisait une voiture de couleur crème. Une Ford Mondeo...

— Mais il y a d'autres Mercedes blanches en circulation, non ?

— Sans doute. Cela dit, la description que Jamie a faite de l'homme qui cherchait Darren ressemble étrangement au père de Jim.

— Vous l'avez vu aux funérailles ?

Il confirma. Et à un concours de beauté pour les enfants, aurait-il pu ajouter.

— C'est un médecin à la retraite.

— Accablé de douleur par le suicide de son fils, il décide de devenir vigile ?

— Et de délivrer le monde de la corruption pour protester contre l'iniquité de la vie.

— Bon, dit Siobhan avec un grand sourire. Vous n'y croyez pas ?

— Non, pas du tout. (Il lança son stylo sur le bureau.) À vrai dire, je ne crois plus rien. Autrement dit, il est temps de faire une pause.

— Un café ? proposa-t-elle.

— Je pensais à quelque chose de plus fort, déclara-t-il, mais en voyant son air furieux, il se reprit : Bon, un café fera l'affaire en attendant.

Il alla sur le parking pour griller une cigarette, mais finalement sauta dans la Saab et partit en direction du Pleasance, traversa High Street et dépassa la gare de Waverley. Là, il continua vers l'ouest par George Street, puis fit demi-tour en dépit du code. Janice était assise au bord du trottoir, la tête dans les mains. Les gens la regardaient, mais personne ne s'arrêtait pour proposer de l'aide. Il se gara près du trottoir et la fit monter.

— Je sais qu'il est là, répétait-elle. Je le sens.

— Janice, ce que tu fais là n'est bon pour personne.

Elle avait les yeux injectés de sang, rouges d'avoir pleuré.

— Qu'est-ce que tu en sais ? Tu as déjà perdu un enfant ?

— J'ai failli perdre Sammy.

— Mais tu ne l'as pas perdue ! (Elle se détourna de lui.) Tu n'as jamais été bon à rien, John. Bon sang, tu n'as pas même été capable d'aider Mitch et il était censé être ton meilleur ami. Ils ont failli le rendre aveugle.

Elle n'avait pas fini de déverser sa bile. Il la laissa parler, les mains posées sur le volant. À un moment, elle essaya de descendre, mais il la retint.

— Allez, dit-il. Continue. Je t'écoute.

— Non ! fulmina-t-elle. Tu sais quoi ? Je te jure, j'ai l'impression que tu aimes ça !

Cette fois, quand elle ouvrit la portière, il ne fit rien pour la retenir. Elle tourna à gauche en direction de New Town. Rebus fit de nouveau demi-tour, prit à droite sur Castle Street et à gauche dans Young Street pour s'arrêter devant l'*Oxford Bar*, où il entra. Doc Klasser se tenait à sa place habituelle. Les clients de l'après-midi étaient là. La plupart d'entre eux partiraient vers 17 ou 18 heures, l'heure de la sortie des bureaux, quand l'endroit se remplirait d'employés. Harry le barman aperçut Rebus et leva une tasse. Rebus fit oui de la tête.

— Avec un whisky, Harry, précisa-t-il. Et tu ferais mieux de m'en servir un grand.

Il s'assit dans l'arrière-salle. Personne à part l'écrivain, celui avec un sac de livres. Il semblait prendre l'endroit pour son bureau. Deux ou trois fois, Rebus lui avait demandé des conseils. Il avait acheté les bouquins indiqués, mais sans les ouvrir. Aujourd'hui, ni l'un ni l'autre ne semblait souhaiter de la compagnie. Rebus était assis avec son verre et ses pensées. Il ruminait trente ans de son existence, à partir de la fête du lycée. Sa propre version de l'histoire...

Mitch et Johnny avaient un plan. Ils allaient s'engager, connaître la grande aventure. Mitch avait demandé par correspondance des renseignements, puis s'était rendu au centre d'orientation professionnelle de l'armée à Kirkcaldy. La semaine suivante, il avait emmené Johnny avec lui. Le sergent recruteur leur avait raconté des blagues et des anecdotes sur son temps « sur le terrain ». Il leur dit que la période d'entraînement se faisait les doigts dans le nez. Il avait une moustache et une brioche, et leur assura qu'il y aurait de quoi « baiser et picoler à gogo » :

— Deux beaux gosses comme vous, ça va vous sortir par les oreilles.

Johnny Rebus n'était pas sûr de comprendre, mais Mitch s'était frotté les mains en rigolant avec le sergent.

Dans la poche. Il ne resta plus à Johnny qu'à annoncer la nouvelle à son père et à Janice.

En fin de compte, son père ne fut pas emballé. Il avait servi en Extrême-Orient pendant la Seconde Guerre mondiale. Il avait des photographies et une écharpe de soie noire avec le Tâj Mahal cousu dessus. Il avait une cicatrice au genou qui n'était pas vraiment la trace d'une balle, même s'il avait prétendu le contraire.

— Ce n'est pas pour toi, avait dit son père. Ce qu'il te faut, c'est un vrai boulot.

Ils s'étaient renvoyé la balle un moment. Puis la dernière réplique de son père avait été :

— Et que va dire Janice ?

Janice n'avait rien dit. Rebus ne cessait de reculer le moment de cracher le morceau. Et un jour, elle avait appris par sa mère, qui avait parlé au père de Johnny, que celui-ci pensait à s'en aller.

— Ce n'est pas comme si je partais pour toujours, avait-il argumenté. J'aurai plein de permes.

Elle avait croisé les bras, le même geste que sa mère quand elle savait qu'elle était dans son droit.

— Et moi, je suis censée rester à t'attendre ?

— Tu fais ce que tu veux, avait répondu Johnny en donnant un coup de pied dans un caillou.

— C'est bien mon intention, avait-elle répliqué en tournant les talons.

Plus tard, ils s'étaient réconciliés. Il alla chez elle, monta dans sa chambre, car c'était le seul endroit où ils pouvaient discuter. Sa mère avait apporté du jus de fruits et des biscuits et leur avait laissé dix minutes avant de monter voir s'ils avaient besoin d'autre chose. Johnny avait déclaré qu'il était navré.

— Est-ce que ça veut dire que tu as changé d'avis ? avait demandé Janice.

Il avait haussé les épaules, hésitant. À qui voulait-il faire faux bond : Janice ou Mitch ? Le soir du bal, il avait choisi. Mitch partirait seul. Johnny resterait, trouverait un boulot quelconque et épouserait Janice. Ce ne serait pas mal. Il y en avait plein avant lui qui l'avaient fait. Il allait le dire à Janice, le lui annoncer au bal. Et à Mitch aussi, bien sûr.

Mais d'abord, ils avaient picolé. Mitch avait des bouteilles et un décapsuleur. Ils s'étaient faufilés dans le cimetière près de l'école, avaient bu chacun deux cannettes et s'étaient allongés dans l'herbe avec les pierres tombales dressées autour d'eux. On se sentait bien, c'était cool. Johnny ravala ses aveux. Ça pouvait attendre, il n'allait pas gâcher ce moment. C'était comme si les problèmes allaient enfin s'arranger et tout rentrer dans l'ordre. Mitch parlait des pays qu'ils allaient visiter, des choses qu'ils allaient voir et faire.

— Et ils l'auront tous dans le baba, tu vas voir. (Sous-entendu : tous ceux qui restaient à Bowhill, leurs amis qui allaient partir en fac ou descendre dans le puits ou s'embaucher comme dockers.) On va voir le monde entier, putain, Johnny. Et tout ce qu'ils verront, eux, c'est ce trou paumé. (Et Mitch avait écarté les bras jusqu'à toucher du bout des doigts la surface rugueuse de deux tombes.) Tout ce qu'ils pourront espérer, c'est ça...

Ils étaient invulnérables en arrivant dans la cour. Un professeur et le proviseur adjoint étaient à la porte pour contrôler.

— Je sens la bière, constata le proviseur adjoint, les prenant au dépourvu, puis il ajouta avec un clin d'œil : Vous auriez pu en garder une pour moi.

Johnny et Mitch rigolaient en entrant dans la salle des fêtes ; ils étaient des adultes à présent. Il y avait de la musique, des gens dansaient. Des boissons sans alcool et des sandwiches sur des tables à claire-voie dans la salle à manger. Des chaises autour de la salle, des petits groupes qui bavardaient, jetant partout des regards furtifs. On eut l'impression — l'espace d'un instant — que tous les yeux étaient fixés sur les nouveaux venus... fixés sur eux et les enviaient. Mitch donna une tape sur le bras de Johnny et fila droit sur sa copine, Myra. Johnny savait qu'il ne lui annoncerait la nouvelle qu'après le bal.

Il chercha Janice et ne put la trouver. Il devait lui parler, trouver les mots. Puis quelqu'un lui dit qu'il y avait du whisky dans les toilettes et il décida de faire un crochet par là. Deux habitacles côte à côte, trois garçons dans chacun et qui se repassaient la bouteille par-dessus la cloison. Sans bruit pour ne pas se faire prendre. Le liquide brûlait comme du feu. Ses vapeurs emplissaient les narines de Johnny. Il était ivre, il planait, rien ne pouvait l'arrêter.

Quand il regagna la salle des fêtes, c'était aux jeunes filles de choisir leur cavalier. Une certaine Mary McCutcheon l'invita. Ils s'accordèrent bien pour danser. Mais le *reel*, le quadrille écossais, lui fit tourner la tête, il dut s'asseoir. Il n'avait pas remarqué la présence de nouvelles têtes, trois garçons de son niveau, qui étaient devenus avec le temps les ennemis jurés de Mitch. Leur chef, Alan Protheroe, s'était mesuré seul à seul avec Mitch, lequel l'avait éclaté. Johnny ne les vit pas fixer leur attention sur Mitch, il ne pensait pas que le dernier bal du lycée était le moment pour régler des comptes, pour mettre un point final aux choses comme pour les commencer.

Parce que maintenant, Janice était dans la salle, assise à côté de lui, et ils s'embrassaient, même quand Mlle Dysart se plaça devant eux en se grattant la gorge pour les avertir de sa présence. Quand Janice finit par s'écarter, Johnny se leva et la fit se lever aussi.

— J'ai quelque chose à te dire. Mais pas ici, déclara-t-il. Viens.

Et il l'avait emmenée dehors, derrière le vieux bâtiment où les abris à bicyclettes — à présent largement négligés — se trouvaient encore. Le « coin des fumeurs », l'appelait-on. Mais c'était aussi un endroit pour les amoureux, pour se bécoter vite fait à l'heure du déjeuner. Johnny s'assit sur un banc avec Janice.

— Tu ne me dis pas que je suis jolie ce soir ?

Il la dévora des yeux. C'était vrai qu'elle était jolie !

La lumière des fenêtres du lycée faisait irradier sa peau et ses yeux étaient deux lacs sombres. Sa robe froufroutante avait plusieurs épaisseurs qui vous donnaient envie de l'effeuiller. Il l'embrassa de nouveau. Elle essaya de se détacher, lui demanda ce qu'il avait à lui dire. Mais bon, ça pouvait attendre. La tête pleine de rêves et de désir, il avait le vertige. Il lui toucha la nuque, sa peau nue à la hauteur des épaules. Sa main descendit sur son dos, glissa sous l'étoffe. Sa mère lui avait cousu sa robe, il savait que cela avait pris des heures. Quand il serra plus fort, il sentit les points de la fermeture à glissière céder. Janice retint son souffle et le repoussa.

— Johnny, espèce d'empoté... (Elle tordait le cou pour essayer de voir les dégâts.) Regarde ce que tu as fait.

Il avait les mains sur les jambes de la jeune fille et retroussait la robe au-dessus des genoux.

— Janice...

Elle se leva. Il se leva aussi, la tenant serrée contre lui pour un autre baiser. Elle se détourna. Il risqua le tout pour le tout, remonta le long des jambes, glissa autour de son cou et redescendit dans son dos... Il savait qu'il empestait la bière et le whisky, savait qu'elle n'aimait pas ça. Quand elle sentit sa main qui essayait de lui écarter les cuisses, elle le repoussa plus fort et il chancela. Quand il retrouva l'équilibre, il n'avait pas tant un sourire qu'un regard égrillard en repartant à l'attaque.

Alors elle leva la main, ferma le poing et lui balança un bon coup, ce qui faillit en même temps lui démonter le poignet. Elle se frotta les articulations en réprimant un cri de douleur. Mais lui s'était écroulé par terre, complètement groggy. Elle se rassit sur le banc en attendant qu'il revienne à lui, puis elle entendit du vacarme et se dit qu'elle préférait aller voir ce qui se passait plutôt que de rester là à poireauter.

C'était une bagarre. Un vrai massacre, en fait. La bande des trois avait réussi à attirer Mitch à l'écart. Ils étaient à l'extrémité du terrain de sport, avec les Craigs qui se dessinaient derrière eux. Le ciel était bleu foncé, couleur d'ecchymose et de chairs meurtries. Peut-être que Mitch avait cru que, ce soir-là ou jamais, il pourrait les avoir tous les trois. Peut-être qu'ils avaient demandé une revanche en promettant qu'ils se battraient chacun leur tour. Mais ce fut à trois contre un et Mitch était à quatre pattes pendant que les coups de pied pleuvaient sur son visage et ses côtes. Janice courut à la rescousse, mais un petit mec, sec et nerveux, fonça dans le tas, tête baissée, bouche ouverte, les jambes et les bras frappant dans tous les sens comme un tourniquet, donnant des coups de boule dans tel ou tel nez non protégé. Sidérée, elle avait reconnu Barney Mee, la tête de Turc de tout le monde. Ce qui lui manquait en élégance et en précision, il le compensait amplement par son cran. On aurait dit une machine. Ça ne dura qu'une minute, moins peut-être, et à la fin, il était éreinté, mais les trois silhouettes regagnaient l'ombre grandissante en traînant les pieds, tandis que Barney s'affalait par terre, sur le dos, et regardait la lune et les étoiles.

Mitch avait réussi à se redresser, une main sur la poitrine, l'autre recouvrant un œil. Il avait les deux mains barbouillées de son sang, la lèvre éclatée et le nez qui saignait. Quand il cracha, une demi-dent était attachée au filet de salive épaisse. Janice se tenait debout au-dessus de Barney Mee. Il ne semblait plus si petit, étendu sur le sol. Il paraissait... trapu, mais héroïque. Il ouvrit les yeux et la vit, et il lui décocha un de ses sourires tout en dents.

— Allonge-toi, lui dit-il. Il y a quelque chose que tu devrais voir.
— Quoi ?
— Tu ne le verras pas en restant là. Il faut que tu t'allonges.
Elle ne le croyait pas, mais elle se coucha quand même. Qu'est-ce que ça pouvait faire si elle salissait sa robe ? Elle était déjà décousue dans le dos. Elle avait le visage à quelques centimètres du sien.
— Qu'est-ce que je suis censée regarder ? demanda-t-elle.
— Là-haut, dit-il en lui montrant.
Et elle regarda. Le ciel n'était pas noir, c'était la première chose étrange. Certes, il était sombre mais zébré de blanc à cause de la Voie lactée et des nuages. Et une lune énorme et orange plutôt que jaune.
— C'est surprenant, non ? dit Barney Mee. À chaque fois que je la regarde, je ne peux pas m'empêcher de dire ça.
— C'est toi qui es surprenant, dit-elle en se tournant vers lui.
Il accepta le compliment avec le sourire.
— Qu'est-ce que tu vas faire ?
— Tu veux dire après les cours ? (Elle haussa les épaules.) Je n'en sais rien. Sans doute chercher du boulot, je suppose.
— Tu devrais aller à la fac.
— Pourquoi ? demanda-t-elle en le regardant plus attentivement.
— Tu ferais une bonne instit'.
— Ah tiens ? dit-elle en éclatant de rire. Qu'est-ce que tu en sais ?
— Je t'ai observée en cours, tu es bonne, je sais de quoi je parle. Les gamins t'écouteraient. (Il la regardait maintenant.) Moi, je t'écouterais.

Mitch cracha le sang qui lui encombrait l'arrière-gorge.

— Où est Johnny ?

Janice haussa les épaules. Mitch retira la main de son œil.

— Je suis complètement aveugle, putain, dit-il. Et ça fait mal. (Il se pencha en avant et se mit à pleurer.) J'ai mal à l'intérieur du crâne.

Janice et Barney se levèrent et l'aidèrent à en faire autant. Ils trouvèrent un professeur, qui le conduisit à l'hôpital. Quand Johnny Rebus revint à lui, le spectacle était fini. Il ne remarqua même pas que Janice dansait avec Barney Mee. Il voulait juste trouver une voiture pour le conduire à l'hôpital.

— J'ai quelque chose à lui dire.

Finalement, les parents de Mitch arrivèrent et transportèrent Johnny à Kirkcaldy.

— Qu'est-ce qui s'est passé, grands dieux ? s'enquit la mère de Mitch.

— Je n'en sais rien, je n'y étais pas.

Elle se tourna vers lui.

— Tu n'étais pas là ? (Il était péteux.) Alors comment tu t'es fait ce bleu... ?

De la pommette au menton, une longue marque violette. Et pas question d'expliquer comment il s'était fait ça.

L'attente à l'hôpital avait été longue. On parla de radios, de côtes cassées.

— Quand je saurai qui a fait ça..., gronda le père de Mitch, les poings serrés.

Et plus tard, les mauvaises nouvelles. Un décollement de la rétine, peut-être pis. Mitch allait perdre la vision d'un œil.

Quand Johnny reçut enfin l'autorisation de voir son copain — avec des recommandations de ne pas prolonger sa visite pour ne pas le fatiguer —, Mitch connaissait la nouvelle. Il était en larmes.

— Bon sang, Johnny, je vais être borgne, tu te rends compte ?

Il portait un cache sur l'œil en question.

— Pour une putain de gueule de pirate, c'est une putain de gueule d'enculé de pirate ! (Un des patients dans la salle commune toussota devant la grossièreté du juron.) Et toi aussi, enculé, fous le camp, barre-toi, dégage !

— Putain, Mitch, avait murmuré Johnny, et Mitch lui avait saisi le poignet, l'avait serré très fort.

— C'est toi maintenant et toi seul, tu comprends... pour nous deux.

Johnny s'était humecté les lèvres.

— Qu'est-ce que tu veux dire ?

— On ne va plus vouloir de moi si je suis borgne. Je regrette, mec, tu sais à quel point.

Johnny tremblait, il essayait de trouver un moyen de s'en dépêtrer.

— Bien, bien, bredouilla-t-il.

Et comme ce fut tout ce qu'il trouva à dire, il n'arrêta pas de répéter la même formule.

— Mais tu reviendras nous voir, hein ? disait Mitch. Tu me raconteras tout, hein ? C'est ça qui me plairait, comme si j'étais avec toi.

— Bien, bien.

— Tu vas devoir vivre ça pour moi, à ma place, Johnny, comme si j'y étais.

— Bien, bien.

— Merci, mon pote, dit Mitch avec un pauvre sourire.

— Penses-tu, répondit Johnny. C'est la moindre des choses.

C'est ainsi qu'il s'engagea. Janice ne fit pas d'histoires, elle s'en fichait apparemment. Mitch vint sur le quai pour lui dire au revoir, et voilà, ce fut aussi simple que ça. Il écrivit à Mitch et à Janice, sans rien recevoir en échange, silence radio. Plus tard, il découvrit que Mitch avait pris la fuite sans que personne ne sache où ni pourquoi. Johnny avait une vague idée du pourquoi. Ses lettres, ses visites pendant ses permissions, autant de choses qui rappelaient à Mitch la vie qu'il ne connaîtrait jamais.

Puis son frère Mickey lui avait écrit pour lui dire que Janice avait dit de lui dire qu'elle sortait avec Barney Mee. Après ça, Johnny n'avait plus remis les pieds chez lui pendant un bout de temps, il avait trouvé d'autres endroits où aller en permission en racontant des salades à son père et à son frère qui ne se doutaient de rien. Peu à peu il en vint à considérer l'armée comme son foyer, sa famille, le seul endroit où on pouvait le comprendre.

Et c'est ainsi qu'il s'éloigna de plus en plus par la pensée de Cardenden et des amis qu'il avait eus, et des rêves que naguère il avait cru être à sa portée...

45

Il faisait sombre et Cary Oakes avait faim, mais la partie n'était pas finie.

En prison, il avait reçu un tas de conseils judicieux sur comment réussir son évasion, qu'il tenait tous de types qui s'étaient fait prendre. Il devait changer d'apparence, ce à quoi il parvint sans peine en allant dans une boutique de fripes appartenant à un réseau de bienfaisance. Sa nouvelle mise, avec veste, pantalon et chemise, lui coûta moins de 20 livres, complétée par une casquette en tweed. Après tout, il ne pouvait pas faire brusquement pousser ses cheveux. Quand il vit son portrait dans le journal, il procéda à quelques rectifications en se rasant avec soin dans des toilettes publiques. Il dénicha des sacs en plastique qu'il remplit de détritus. En s'examinant dans une vitrine, il vit un chômeur, un peu amer mais ayant encore assez d'argent pour faire des courses.

Il trouva les lieux où les sans-abri passaient leur temps, les centres d'accueil de Grassmarket, le banc près des toilettes de Tron Kirk, au pied du Mound, autant d'endroits où il ne risquait rien. On y partageait une canette et une clope, et on n'y posait pas de questions auxquelles il ne pouvait pas trouver de réponse.

Il frissonnait et il avait mal partout, son séjour à l'hôtel l'avait ramolli. La nuit venteuse dans les montagnes avait réduit ses forces. La partie ne s'était pas jouée comme il l'avait espéré. Archibald était toujours en vie. Deux esprits devaient être évacués de sa vie. Il allait y mettre bon ordre.

Et Rebus ? L'inspecteur s'était révélé plus retors que l'électron libre que lui avait décrit Jim Stevens. D'après les propos du journaliste, Oakes s'était attendu à voir Rebus venir sans défense à la bataille. Or celui-ci avait amené toute une putain d'armée avec lui. Il avait réussi à leur échapper grâce au hasard et au mauvais temps. Ou parce que les dieux voulaient qu'il accomplisse sa mission.

Ce serait plus difficile maintenant. Au centre-ville, il pouvait rester anonyme, mais en dehors, il risquait d'être repéré. Dans les faubourgs d'Édimbourg, les étrangers ne passaient pas longtemps inaperçus. C'était comme si les gens, assis dans leur fauteuil, montaient la garde derrière leur carreau. Pourtant une de ces banlieues était sa destination ultime. Elle l'avait toujours été.

Il aurait pu prendre un bus, mais pour finir, il s'y rendit à pied. Il lui fallut une bonne heure. Il dépassa le pavillon d'Alan Archibald, une construction de style années trente avec une fenêtre en saillie et des murs au crépi blanc. Il n'y avait pas signe de vie à l'intérieur. Archibald était hospitalisé et, d'après un des journaux, sous surveillance policière. Pour le moment, Oakes le laisserait de côté. Peut-être que le vieil imbécile allait crever de toute façon... Il grimpa la côte et prit une autre route en lacet qui pénétrait dans East Craigs. Il n'était venu ici que deux fois auparavant, sachant que les gens auraient des soupçons s'il se mettait brusquement à fréquenter le secteur. Deux expéditions, une la nuit, l'autre le jour.

Les deux fois, il avait pris un taxi au pied de Leith Walk et s'était fait déposer à quelques rues de sa destination pour que les chauffeurs n'en sachent rien. En pleine nuit, il avait marché jusqu'aux murs du bâtiment et touché, les doigts tremblants, la maçonnerie en essayant de sentir dans la pierre la force vitale de celui qu'il cherchait.

Il savait qu'il était là.

Il ne pouvait s'empêcher de trembler.

Il savait qu'il était là parce qu'il s'était renseigné par téléphone en se faisant passer pour le fils d'une amie. Il avait demandé qu'on ne dise pas qu'il avait appelé, il voulait que sa visite soit une surprise.

D'ailleurs, il se demandait si ce serait une surprise.

À présent il était au niveau du parking. Il poursuivit d'un pas nonchalant, l'allure de l'ouvrier qui rentre chez lui, fatigué. Du coin de l'œil, il vérifia la présence de voitures de police. Même si cela était peu probable, il n'allait pas sous-estimer Rebus encore une fois.

Il remarqua alors une voiture qu'il crut reconnaître. Il s'arrêta et posa ses sacs en faisant semblant de changer de main comme s'ils étaient lourds. Il en profita pour observer la voiture. Une Vauxhall Astra, la même plaque. Oakes grimaça un sourire et siffla tout bas. Là, ça dépassait les bornes. Ces fils de pute avaient bien l'intention de lui mettre des bâtons dans les roues.

Une chose s'imposait donc. Il tâta le couteau dans sa poche parce que, cette fois, il allait devoir passer à l'acte.

Débarrassé de ses sacs en plastique, il était allongé sous la voiture quand il entendit des pas. Il tourna la tête pour voir s'approcher les pieds du propriétaire. Comme il était resté étendu plus d'une heure et demie sur le bitume, il avait le dos gelé et il frissonnait de nouveau. Quand il entendit le déclic sourd des serrures, il sortit de sa cachette et tira sur la portière du passager. En le voyant, le chauffeur fit mine de ressortir, mais Cary Oakes avait le couteau dans sa main droite tandis que l'autre agrippait déjà la manche de Jim Stevens.

— Et moi qui croyais que tu serais content de me revoir, Jimbo, susurra Oakes. Maintenant ferme la portière et décolle.

Il retira sa veste, qu'il jeta sur la banquette arrière.

— Où on va ?

— Te bile pas, ma poule, roule.

La chemise suivit.

— Qu'est-ce que vous faites ? demanda Stevens.

Mais Oakes ne daigna pas répondre. Il retira son pantalon et le jeta derrière aussi.

— C'est un peu soudain pour moi, Cary.

— Tiens, on a envie de blaguer ?

Comme ils quittaient le parking, Oakes se rendit compte qu'il était assis sur quelque chose : le carnet et le stylo du journaliste.

— Alors, on bosse, mon pote ?

Il ouvrit le bloc et s'aperçut, dépité, que Stevens écrivait en sténo.

— Pourquoi tu es allé le voir ? demanda Oakes en commençant à déchirer en quatre chaque page du carnet.

— Voir qui ? Je suis allé rendre visite à un de mes vieux voisins...

Le couteau plongea en arc de cercle dans le flanc de Stevens. Il lâcha le volant et la voiture vira vers le trottoir. Oakes redressa la direction.

— Appuie sur le champignon, Jim ! Si cette voiture s'arrête, tu es un homme mort.

Stevens regarda sa paume, elle était ensanglantée.

— L'hôpital, fit-il d'une voix rauque, le visage tordu de douleur.

— Tu iras à l'hosto quand tu auras répondu à mes questions, tu piges ? Qu'est-ce qui t'a amené à aller le voir ?

Stevens se plia en deux sur le volant en reprenant le contrôle de la voiture. Oakes crut qu'il allait tourner de l'œil, mais il tint bon.

— Je vérifiais des détails.

— C'est tout ? insista-t-il en déchirant une autre page.

— Qu'est-ce que je ferais d'autre ?

— Ben, c'est ce que je te demande, coco. Et si tu ne veux pas un autre coup de couteau, tu as intérêt à être convaincant.

Oakes poussa le chauffage à fond.

— C'est pour le bouquin.

— Le bouquin ? demanda Oakes, les paupières mi-closes.

— Je n'ai pas assez de matière avec les interviews.

— Tu aurais dû me demander d'abord, insista Oakes qui se tut un instant.

— Où on va ? demanda Stevens, une main sur le volant, l'autre pressée contre sa blessure.

— Tourne à droite au rond-point pour sortir de la ville.

— La route de Glasgow ? Mais j'ai besoin d'aller à l'hôpital.

Oakes n'écoutait pas.

— Qu'est-ce qu'il a dit ?

— Hein ?

— Qu'est-ce qu'il a dit sur moi ?

— Probablement ce à quoi vous vous attendez.

— Alors il a toute sa tête ?

— Plutôt.

Oakes descendit la vitre pour jeter les bouts de

papier. Quand il se retourna, Stevens tâtonnait par terre d'une main.

— Qu'est-ce que tu fous ? demanda-t-il en brandissant son poignard.

— Des mouchoirs en papier. Je croyais avoir une boîte par ici.

— Bof, fit Oakes en regardant son œuvre. De toi à moi, Jim, je ne crois pas que des mouchoirs en papier serviront à grand-chose.

— Je me sens mal, j'ai besoin de m'arrêter.

— Surtout pas !

— Regardez si elle est derrière, marmonna-t-il, les paupières lourdes.

— Quoi ?

— La boîte de mouchoirs.

Oakes se tourna donc sur le siège et repoussa ses vêtements.

— Non, non, il n'y a rien...

Pendant ce temps, Stevens farfouillait dans ses poches.

— Elle doit bien être quelque part...

Il finit par trouver un grand mouchoir en coton qu'il fourra à l'intérieur de sa chemise.

— Prends la sortie pour l'aéroport, ordonna Oakes.

— Vous nous quittez, Cary ?

— Moi ? répliqua l'autre avec un large sourire. Quand je commence juste à m'éclater ?

Il éternua en aspergeant le pare-brise de postillons.

— Dieu vous bénisse !

Le silence s'installa dans la voiture, puis les deux hommes éclatèrent de rire.

— C'est trop drôle, fit Oakes en s'essuyant un œil. Toi, me bénir !

— Cary, je pisse le sang.

— Pas de panique, Jimbo, ça baigne. J'ai vu déjà des gens se vider de leur sang. Tu en as pour des heures, va. (Il se renversa contre son dossier.) Alors tu es allé là tout seul, pour vérifier les infos ? Qui a su que tu venais ici ?

— Oh, personne !

— Pas même ton rédac' chef ?

— Non.

— Ni John Rebus ?

— Et pourquoi je le lui dirais ? grogna le journaliste.

— Parce que tu as une dent contre moi, mon gros, dit Oakes en sortant sa lèvre inférieure comme s'il boudait. À propos, je regrette, tu sais.

— C'était vraiment que des conneries ?

— Ça, mon vieux, c'est entre moi et ma conscience.

La voiture heurta une bosse et Stevens fit une grimace.

— Tu sais ce qu'on dit de la douleur, Jim ? On dit qu'on voit la couleur comme on ne l'a jamais vue. Ça rend tout plus *vif*.

— C'est sûr que le sang a l'air très vif.

— Il n'y a rien de tel, déclara Oakes. Rien au monde.

Ils arrivaient à un autre rond-point. Sur leur gauche se trouvait Ingliston Showground, désert la majeure partie de l'année. Et désert ce soir-là.

— L'aéroport ? demanda Stevens.

— Non, tourne à gauche.

Stevens s'exécuta et vit qu'il s'approchait d'un immeuble en construction. On bâtissait un nouvel hôtel pour désengorger celui situé à la sortie de l'aéroport. Des champs à perte de vue, les habitations rares et distantes. Il n'y avait aucune lumière visible, pas même venant d'avions à l'atterrissage ou au décollage.

— Il n'y a pas d'hôpitaux par ici, grogna Stevens, brusquement submergé de terreur.

— Gare-toi.

Stevens obéit.

— Il y a sûrement un médecin à l'aéroport, déclara Oakes. J'ai besoin de ta bagnole, vieux, mais tu peux y aller à pied.

— Ce serait mieux si vous m'y déposiez, articula Jim Stevens en humectant ses lèvres desséchées.

— Ou mieux encore...

Cary se tourna vers lui, leva le bras et le poignard plongea. Encore et encore, tandis que les paroles du journaliste n'étaient plus que des sons informes, gargouillants, où se mêlaient terreur, résignation et souffrance.

Oakes sortit le corps, qu'il abandonna derrière un monticule de terre. Il fouilla les poches du journaliste et trouva le magnétophone. Malgré la lumière faiblarde, il parvint à l'ouvrir pour en extraire la bande. Il laissa l'appareil mais conserva son contenu. Le portefeuille n'était pas bien garni. Quant aux cartes de crédit, il ne voulait pas courir le risque de s'en servir ni d'être pris en leur possession. Il se pencha de nouveau et essuya le magnéto sur la veste de Stevens pour effacer ses empreintes.

Le vent était cinglant. S'il essayait de planquer le corps, il allait crever d'hypothermie. Il fonça vers la voiture, s'assit à la place du chauffeur et démarra. Le chauffage était au maximum. Le sang poisseux collait sous son slip, il le sentait sur sa peau. Pas question de se rhabiller pour le moment, ses vêtements devaient rester propres. Il n'allait pas se trimballer dans Édimbourg avec des vêtements maculés de sang.

Encore une combine de prison. Somme toute, ses codétenus n'étaient pas si bêtes que ça.

Sur le trajet du retour, il fit un détour par le parking désert d'un supermarché et balança la cassette dans une poubelle, puis il rentra en ville. Il se passerait au moins une nuit avant qu'on ne trouve le corps. Une nuit pour laquelle il aurait un abri, grâce à la voiture de Jim Stevens.

46

Tout ce qui se situait à l'ouest aboutissait à Torphichen, mais les nouvelles circulaient vite. Roy Frazer conduisit Rebus sur la scène du crime. Sur tout le trajet, Rebus ne dit qu'une seule chose au jeune homme.

— Vous vous êtes planté pour Eddie Mearn, ça arrive. Vaut mieux que ça arrive quand on est jeune, comme ça, ça vous servira de leçon. Sinon on finit par se croire infaillible, ce qui, traduit en langage maison, fait de vous un bêcheur, un casse-couilles, un chieur et j'en passe.

— Oui, monsieur, dit Frazer en fronçant les sourcils comme s'il voulait mémoriser chaque parole que venait de prononcer son chef

Puis il mit la main dans sa poche. Il avait un message du sergent Clarke.

Il le lui remit. Rebus déplia le papier. Au début, il ne comprit rien, ça refusait d'entrer. Il avait déjà le cerveau surchargé, plein à ras bord. Mais finalement, les mots lui parvinrent avec la force d'une décharge électrique.

J'ai un peu fouiné. Joseph Margolies n'est pas un simple médecin, il a travaillé pour la municipalité à un moment donné, il avait la responsabilité des

foyers d'accueil. Je ne sais pas si ça peut vous aider, mais j'ai l'impression que vous l'aviez pris pour un généraliste. Bon courage, S.

Il relut le message une demi-douzaine de fois. Il n'était pas sûr que ça *pouvait* l'aider. Mais il voyait se former des liens indiscutables. Et des liens, ça s'exploite.

Shug Davidson était l'inspecteur principal de Torphichen. Il esquissa un sourire quand Rebus mit pied à terre.

— On dit que l'assassin revient toujours sur le lieu de son crime.

— Très drôle, Shug.

— D'après ce que j'en sais, ce n'était pas exactement l'amour fou entre le défunt et toi.

— Sauf peut-être vers la fin, rectifia Rebus. On l'a déjà déplacé ?

Davidson fit signe que non. Les travaux étaient arrêtés. Il y avait des têtes derrière les fenêtres des baraques de chantier. D'autres ouvriers, coiffés de casques rigides, tournaient autour en buvant du thé de leur thermos. Le contremaître se lamentait qu'ils avaient déjà deux semaines de retard.

— Alors quelques heures de plus ou de moins, ça ne changera rien, non ? dit Davidson.

Rebus était passé sous le ruban de police. On avait constaté le décès et on photographiait le mort. Les techniciens de la scène de crime avaient fini d'isoler le périmètre. Les agents s'en éloignaient à la recherche d'indices. Davidson avait la situation bien en main.

— Des idées ? demanda-t-il à Rebus.

— Une assez grosse.

— Oakes ? (Rebus regarda Davidson qui grimaça un sourire.) Moi aussi, je lis les journaux, John. Un ami d'un ami m'a dit que Oakes avait débiné Stevens et, sur quoi, Oakes est en fuite après avoir agressé Alan Archibald. (Il s'interrompit.) Comment va-t-il, à propos ?

— Il s'en tire mieux que ce pauvre type, remarqua Rebus en s'approchant du corps.

Le Pr Gates était accroupi — ou plutôt à croupetons, comme Gates aimait à dire — à la tête du mort. Il salua Rebus d'un signe de tête, sans interrompre néanmoins ses premières constatations. Un des techniciens lui tendit un sachet en plastique transparent dans lequel on introduisit les biens de Jim Stevens.

— Pas de clés de voiture ? intervint Rebus, et la femme fit signe que non.

— Pas de voiture non plus, précisa Davidson.

— Stevens conduit une Vauxhall Astra.

— Je sais, John, on est à sa recherche.

— Il a fallu qu'il vienne jusqu'ici en bagnole et Oakes n'en a pas.

— Il a dû perdre beaucoup de sang en route, remarqua Gates. Sa chemise et son pantalon sont imbibés, mais il n'y en a pas tant que ça sous lui.

— Vous pensez qu'il a été poignardé ailleurs ?

— C'est mon point de vue, confirma Gates en se retournant vers la femme. Faites voir l'appareil à l'inspecteur Rebus.

Elle sortit une petite boîte métallique d'un sac. Rebus l'observa de près en se gardant bien d'y toucher.

— C'est son magnéto.

— Oui, confirma Gates. Et dans sa poche droite, loin des blessures et du sang.

— Et pourtant il y a du sang dessus, remarqua Rebus.

— Mais pas de bande à l'intérieur, ajouta le médecin.

— L'assassin a emporté la bande ?

— Ou elle était suffisamment importante pour que le défunt prenne son temps pour la retirer, bien qu'il ait déjà été poignardé à ce moment-là et sans doute bientôt en état de choc.

Rebus se tourna vers Davidson.

— On l'a retrouvée ?

— C'est précisément ce qu'on cherche, indiqua Davidson en s'avançant vers les policiers. John, est-ce que tu sais sur quoi bossait Stevens ?

— La dernière fois que je lui ai parlé, il devait se rancarder sur le passé de Oakes.

— Je me demande ce qu'il a découvert.

— L'arrestation de Oakes devient prioritaire.

— Elle l'est déjà depuis qu'il t'a agressé.

Rebus regarda le corps sans vie du journaliste, lui qui avait été si longtemps l'ombre de Rebus et n'était rentré dans sa vie que récemment.

— On commençait juste à sympathiser, remarqua-t-il. C'est ce qui est drôle. (Il regarda son collègue.) J'ai l'impression que la partie n'est pas finie, Shug. Loin s'en faut.

Un des hommes de Davidson vint vers eux en courant.

— On a retrouvé la voiture, cria-t-il.

— Où ça ? demanda Rebus.

Le policier s'arrêta net, clignant des yeux.

— Ça ne va pas vous plaire…

L'Astra était garée sur une bande jaune dans une rue appelée St Leonard's Bank, juste au coin du poste de police de St Leonard. St Leonard's Bank se glorifiait de posséder une unique rangée de maisons en tous genres, qui faisaient face à la grille ouvragée derrière laquelle se situaient Holyrood Park et Salisbury Crags. La voiture était garée devant une maison à deux pignons et trois étages peinte en fuchsia, la clé de contact sur le tableau de bord. C'était en fait ce qui avait mis la puce à l'oreille des résidents. Ils étaient allés demander à leurs voisins s'ils avaient oublié la clé dans leur voiture. Cherchant à en savoir plus, ils s'étaient rendu compte que les portières n'étaient pas verrouillées et, en ouvrant du côté du chauffeur, ils avaient remarqué combien le siège semblait taché et humide. Ayant pressé les doigts contre le tissu, ils les avaient retirés rouges et gluants...

— Il se fout de notre gueule ou quoi ? demanda Roy Frazer.

Les badauds de St Leonard s'étaient rassemblés, plus par curiosité, semblait-il, que mus par le désir d'aider. Rebus en chassa la plupart. Il avait amené avec lui trois des techniciens, les autres suivraient quand ils en auraient fini sur le chantier. Le surintendant Watson vint baguenauder, et s'assurer aussi qu'on « avait la situation bien en main ».

— C'est l'enquête de Shug Davidson, à vrai dire, monsieur, lui fit savoir Rebus. Il ne va pas tarder.

— Ça va de soi, John, approuva le Péquenot. Mais faisons déplacer la voiture presto, ne serait-ce que sur notre parking. La radio des Lowlands en a déjà parlé. Sinon, on va bientôt pouvoir vendre des tickets pour le spectacle.

En effet, la foule autour de l'auto grossissait à vue d'œil. Rebus reconnut quelques têtes de Greenfield. La cité n'était qu'à un jet de pierre. Roy répéta sa question.

— Ouais, il se paie notre tête, confirma Rebus, et il alla voir comment avançaient les techniciens.

— On a trouvé ça sous le siège du chauffeur, dit l'un.

À l'intérieur du sac en plastique, il y avait une cassette non étiquetée. Une unique empreinte de pouce était clairement visible sur le boîtier.

— J'en ai besoin, dit Rebus.

— Il faut qu'on relève l'empreinte.

Rebus secoua la tête.

— Inutile. Elle appartient à la victime.

L'inspecteur eut un demi-sourire. *Jim, vieille fripouille,* songeait-il. *Il n'a pas trouvé ta bande...* Du moins l'espérait-il.

— Il y a ça aussi, ajouta un autre technicien en indiquant à Rebus une nuée de petites taches sur le pare-brise. Elles sont à l'intérieur. D'après la disposition de... on dirait que quelqu'un a toussé ou éternué. Si c'était l'assassin...

— Il y en a assez pour l'ADN ?

— Ça ne sera pas du gâteau, mais on ne sait jamais. Et je ne sais pas si ceci a un rapport...

Il indiquait à présent un carnet par terre du côté du passager. C'était un carnet à spirale. Des morceaux de papier étaient restés accrochés au métal, prouvant que des pages avaient été arrachées. Rebus tapota l'épaule de l'homme. Il n'avait pas envie de dire : *Ça n'a pas d'importance, je sais qui l'a tué... je sais peut-être même pourquoi...* Quand il se retourna, la cassette dans son petit sac en plastique, il ressemblait à un gosse portant solennellement un poisson rouge gagné à la fête foraine.

Parce qu'on y était plus tranquille, Rebus prit une des salles d'audition. Il glissa la bande dans un des magnétophones en veillant à la tenir par les bords. Il valait mieux ne pas détruire d'indices. Il avait mis des écouteurs et étalé devant lui le contenu du dossier de Cary Oakes, ainsi que les coupures de presse de ses récentes interviews. Il avait téléphoné au patron de Stevens pour qu'on lui faxe les portions inédites de la transcription. De temps à autre, un policier passait la tête par la porte pour lui passer les derniers feuillets, de sorte que la table était jonchée de papier.

Siobhan Clarke alla jusqu'à lui apporter une tasse de café et un sandwich avec bacon, laitue et frometon, mais n'en fit pas plus, ce qui était exactement ce qu'il voulait. Son esprit était tourné vers autre chose que l'interview qu'il écoutait.

« Ce petit con a débarqué chez nous avec sa mère, la sœur de ma femme, en fait. C'était une espèce d'avorton. »

La voix d'un vieil homme asthmatique, qui soufflait comme une forge.

« Vous ne vous entendiez pas bien avec lui ? »

La voix de Jim Stevens lui donna la chair de poule. Rebus regarda autour de lui, mais le fantôme du journaliste n'était pas visible, pas encore... Des bruits de fond, quelqu'un qui tousse, des voix, la télévision. Un public... non, des spectateurs. Des spectateurs de ce qui semblait être un match de football. Rebus se rendit dans la salle de brigade et fouilla dans les corbeilles à papier, vérifia les journaux pliés et oubliés sur le bord des fenêtres jusqu'à ce qu'il en trouve un de la veille. À 19 h 30 se disputait la coupe de l'UEFA. Cela semblait faire l'affaire. Il déchira la page du programme de la télévision, l'emporta avec lui dans la salle d'audition et remit le magnéto en marche.

« Franchement, je le détestais. Il m'emmerdait, soyons clair. Enfin, on se débrouillait gentiment, ma femme et moi, une petite vie bien réglée, sans histoire... et voilà ces deux-là qui nous tombent du ciel. On ne pouvait pas décemment les jeter dehors... la famille, vous comprenez... mais j'ai fait en sorte qu'ils sachent que ça ne me plaisait pas. Oh ! la la ! je veux regarder ça ! »

Quelqu'un avait changé de chaîne. Des rires en

boîte. Rebus vérifia le programme : une sitcom sur la BBC. De nouveau le bruit de la foule et le commentateur.

« On a eu quelques prises de bec homériques, lui et moi.

— À quel sujet ?

— Tout. Il rentrait tard, il volait… L'argent n'arrêtait pas de disparaître. J'ai tendu quelques pièges, mais je n'ai jamais réussi à le prendre la main dans le sac, il était trop malin.

— Est-ce que certaines bagarres ont été physiques ?

— Je dirais que oui. Il était petit mais costaud, je dois le lui reconnaître. Vous me voyez tel que je suis aujourd'hui, mais à l'époque, j'étais dans la fleur de l'âge, en pleine forme. (Il toussa, une toux sonore qui donnait l'impression qu'il allait cracher ses poumons.) Passez-moi ce verre d'eau, s'il vous plaît. (Le vieil homme prit une gorgée d'eau et lâcha un gaz.) Bref, reprit-il sans prendre la peine de s'excuser, j'ai fait ce qu'il fallait pour qu'il sache qui commandait. C'était chez moi, sous mon toit, n'est-ce pas ? »

Comme si Stevens l'avait accusé.

« C'était à vous de commander, le rassura celui-ci de bonne grâce.

— Je le lui ai fait comprendre une fois pour toutes, croyez-moi sur parole.

— Et si vous l'avez cogné, c'était juste pour que ça lui entre dans le crâne.

— Exactement. Et ce n'était pas un ange, vous pouvez me croire. Remarquez, essayez de dire ça à des femmes.

— Sa mère et la sœur de celle-ci ?

— Ma femme, oui, ma pauvre Aggie. Elle ne voyait jamais le mal. Mais je dois dire que, déjà à cette époque, je savais qu'il était de la mauvaise graine. C'était déjà ancré en lui.

— Vous avez essayé de le corriger.

— Oh ! il m'aurait fallu un marteau piqueur pour ça, mon garçon. D'ailleurs, il m'est arrivé de me servir d'un marteau, une fois. Ce petit salopard était déjà costaud, capable de vous rendre la monnaie de votre pièce. »

Le poison passe d'une génération à l'autre, songea Rebus. *Pour le viol comme pour les autres formes de violence...*

« Il avait une bande ?

— Une bande ? Personne n'aurait voulu de lui, mon garçon. Comment vous vous appelez, déjà ?

— Jim.

— Et vous travaillez pour les journaux ? J'ai parlé à certains d'entre vous quand on l'a mis sous les verrous.

— Qu'est-ce que vous leur avez dit ?

— Qu'il méritait la chaise électrique. On pourrait faire nettement pire que revenir à la pendaison.

— Vous croyez que c'est dissuasif ?

— Quand ils sont morts, mon garçon, ils ne recommencent pas, c'est tout. Quelle autre preuve vous faut-il ? »

On entendit le bruit d'une tasse de café ou de thé qu'on apportait à Stevens.

« Oui, ils sont gentils ici avec moi. »

Une maison de retraite... l'oncle de Cary Oakes. Comment s'appelait-il ? Rebus le trouva dans les notes : Andrew Castle. À côté se trouvait le nom d'une maison de retraite. Rebus trouva le numéro et appela.

— Vous avez un résident qui s'appelle Andrew Castle ?

— Oui.

— Il a reçu une visite hier soir ?

— Oui, c'est exact.

— Avez-vous vu la personne repartir ?
— Excusez-moi, mais qui est à l'appareil ?
— L'inspecteur principal Rebus. Le visiteur de M. Castle a été retrouvé mort et nous essayons d'établir son emploi du temps.
On frappa à la porte. Shug Davidson entra. Rebus lui fit signe de s'asseoir.
— Bonté divine ! soupira la femme de la maison de retraite. Vous parlez du reporter ?
— C'est ça. À quelle heure est-il parti ?
— Il devait être... (Elle s'interrompit.) De quoi est-il mort ?
— Poignardé, madame. Alors à quelle heure est-il parti ?
Assis en face de Rebus, Davidson tourna quelques feuilles du fax vers lui pour les lire.
— Juste avant l'heure du coucher. Disons neuf heures.
— Il était en voiture ?
— Il me semble, oui. Il était garé devant.
— A-t-on vu quelqu'un traîner dans les parages ?
— Oh ! non, fit-elle, désemparée. Je ne crois pas.
— Vous n'avez rien remarqué de bizarre depuis un ou deux jours ?
— Bonté divine, inspecteur, de quoi s'agit-il ?
Rebus la remercia d'avoir pris le temps de lui répondre et lui dit que quelqu'un viendrait prendre sa déposition. Puis il raccrocha et vérifia l'adresse de la résidence dans l'annuaire.
— Shug, dit-il, j'ai découvert que Stevens s'est rendu dans une maison de retraite près du rond-point de Maybury, sans doute entre sept heures et demie environ et neuf heures hier soir.
— Maybury est sur la route de l'aéroport.
— Exact. Je pense que Oakes s'y trouvait déjà.
— Où ça ?

— À la maison de retraite.
— Qui Stevens est-il allé voir ?
— L'oncle de Oakes. Les questions que Jim pose sur la bande... Je pense qu'il avait déjà parlé à l'oncle, qu'il avait déjà sa petite idée.
— Qu'est-ce que tu entends par là ?
— Les questions sont orientées de telle manière que l'oncle apparaît comme un sadique.
— Tu veux dire que cet oncle a fait de Cary Oakes un psychopathe ?
— C'est toi qui le dis, pas moi. Ce que je pense, moi, c'est que Oakes avait une dent contre lui. (Il réfléchit un moment. *J'ai un rendez-vous avec le passé. Un rendez-vous avec le destin... avec quelqu'un qui n'a jamais rien voulu entendre.* Les paroles de Oakes à Stevens à la fin de leur dernière interview.) Alan Archibald vit dans les parages. (Il rouvrit l'annuaire, indiqua la rue d'Archibald, puis l'impasse où se situait la maison de retraite. Il y avait à peine une demi-douzaine de rues entre les deux.) Je croyais que Oakes y allait pour observer Alan Archibald.
— Et tu as changé d'idée ?
— Quand il est revenu à Édimbourg, c'était pour régler ses comptes. Et le premier du lot, c'est son oncle. (Il leva les yeux sur Davidson.) Il va essayer de le tuer.
Davidson se frotta la mâchoire avec la paume.
— Et Jim Stevens ?
— Il était au mauvais endroit au mauvais moment. Si Oakes a cru que Jim a vu clair dans son jeu, il devait s'en débarrasser. Oakes a sorti la bande du magnéto, mais Jim avait changé la cassette. Puis Oakes a déchiré les pages de son carnet pour qu'on ne sache rien.
— Mais nous ne pouvions manquer de découvrir où Stevens était allé.

— À un moment donné, convint Rebus. Mais sans ça (son index tapota le magnéto), ça nous aurait pris du temps.

— Ouais, fit Davidson en se mettant debout. Assez longtemps pour qu'il puisse mettre son projet à exécution, j'imagine.

— Autrement dit, c'est pour bientôt. Pas de temps à perdre, ajouta Rebus en se levant à son tour.

Tandis que Davidson fonçait sur le téléphone, Rebus quittait la pièce au pas de course.

47

Ils avaient des agents planqués sur les lieux. C'était difficile de passer inaperçu, étant donné que la majorité du personnel était composée de femmes entre deux âges : des hommes jeunes, l'œil aux aguets et la coupe de cheveux réglementaire, ça faisait décalé. Ils appartenaient à la Brigade criminelle écossaise. Andrew Castle était cantonné dans sa chambre avec deux hommes. L'un jouait aux cartes avec lui, les paris étant plafonnés à deux pence — pendant que l'autre était assis dans le coin d'où il surveillait la porte et la fenêtre. La fenêtre avait des rideaux. Un autre agent se trouvait dehors, assis dans une voiture.

— Se peut-il qu'il essaie de tirer à distance ? avait demandé quelqu'un pendant le briefing.

Rebus en doutait. Oakes n'était pas censé disposer d'une arme à feu et, en outre, c'était pour lui une affaire personnelle. Il fallait donc que son oncle sache qui le tuait et pourquoi avant l'exécution.

Un autre policier arpentait le couloir en poussant un balai à franges. Bref, Rebus et Davidson étaient satisfaits.

Autre question soulevée au cours du briefing : « Et si jamais il nous échappe et arrive à se tirer ? »

Réponse de Rebus : « Alors on aura au moins sauvé la vie d'un vieil homme… en attendant mieux. »

Après avoir écouté encore une fois la bande, il ne doutait pas que l'oncle de Oakes avait été — et était toujours — pourri jusqu'à l'os, malgré son âge et sa fragilité présente. Là quelques questions s'imposaient. *Si* Cary s'était trouvé dans un foyer aimant, tout aurait-il été différent ? Est-on programmé à la naissance pour tuer, ou bien les autres — et un enchaînement de circonstances — concourent-ils à faire de vous un assassin, transformant un potentiel présent chez la plupart d'entre nous en quelque chose de plus tangible ?

Ces questions n'étaient pas nouvelles, surtout pas pour lui. Il pensait à Darren Rough, le violé devenu violeur. Toutes les victimes de violences sexuelles ne suivent pas ce chemin, mais beaucoup le font… Et Damon Mee ? Qu'est-ce qui l'avait poussé à partir de chez lui ? Le mariage chancelant de ses parents ? La peur de se marier ? Ou s'était-il trouvé contraint, l'avait-on empêché par la force de rentrer ?

Et pourquoi Jim Margolies était-il mort ?

Et Cary Oakes tomberait-il dans le piège ?

Une araignée, sur le plancher…

Oakes avait tissé sa toile trop longtemps, ça ne pouvait plus durer.

Rebus fit un saut à l'hôpital pour voir comment allait Alan Archibald. On n'avait pas besoin de lui à la maison de retraite. En fait, comme l'avait exprimé succinctement un des fonctionnaires de la Brigade criminielle écossaise, il était un « obstacle positif ». Autrement dit, comme Oakes le connaissait, sa présence sur les lieux risquait de tout gâcher.

— Dès qu'il y a du nouveau, on vous prévient.

Rebus lui avait fait écrire son numéro de portable

au dos de sa main, et lui avait remis sa carte de visite par-dessus le marché — sait-on jamais.

— Juste au cas où vous vous laveriez les mains par erreur.

Archibald était à l'extrémité d'une salle commune, isolé par un écran autour de son lit. Bobby Hogan de la PJ de Leith était installé à son chevet et feuilletait un exemplaire de *Mass Hibsteria*[1].

— Ton équipe est nase, Bobby, dit Rebus.

— Eh, fit l'autre en agitant le magazine de foot. C'est pas à moi, quelqu'un l'a laissé là.

Les deux hommes se serrèrent la main et Rebus alla chercher une autre chaise. La tête posée sur trois oreillers, Alan Archibald ronflotait paisiblement.

— Comment va-t-il ? s'enquit Rebus.

La tête du blessé était enveloppée de bandages et il avait un pansement sur une oreille.

— Mal au crâne. Ça lui cogne dans la tête.

— Faut dire qu'on lui a effectivement cogné sur la tête.

— On a fait des examens, il va se remettre, ajouta Hogan avec un sourire. On a vérifié sa mémoire, mais comme dit Alan, à son âge, il a de la veine de se rappeler quel jour on est, même sans recevoir de coups sur la cafetière.

— Tu le connais alors ?

— On a bossé ensemble il y a des années. C'est pour ça je lui ai posé la question.

— Tu étais avec lui quand sa nièce a été assassinée ?

Hogan regarda fixement la silhouette assoupie.

— Ça l'a complètement anéanti, comme s'il avait eu les accus à plat après ça.

1. Jeu de mots sur *mass hysteria* (« hystérie collective ») et les Hibs, l'équipe de football catholique d'Édimbourg.

— Il voulait que ce soit Cary Oakes.

— Je pense que, pour Alan, quiconque aurait fait l'affaire. Mais Oakes, ça tombait sous le sens.

— C'est encore le cas, non ?

— Ben, pas d'après Alan.

— Je ne crois pas un mot de ce que dit Oakes. Il vit dans un monde complètement tordu.

— Mais puisqu'il croyait qu'il allait tuer Alan… pourquoi lui mentir ?

— Pour rigoler, répondit Rebus en croisant les jambes. C'est apparemment ce qu'il a fait dès l'instant où il a mis le pied dans cette ville en embobinant tout le monde…

Et maintenant, Rebus était de trop, réduit à l'inactivité. D'autres policiers allaient serrer Cary Oakes.

— Est-ce que tu as trouvé quelque chose sur le suicide de Jim ?

— J'étais sur le point, constata Rebus sombrement. Mais j'ai été pris ailleurs.

— Alors qu'est-ce que tu peux me dire ?

Alan Archibald grogna et commença à bouger les lèvres comme s'il dégustait quelque chose. Il ouvrit lentement les yeux, regarda sur sa gauche et vit ses visiteurs.

— On a retrouvé sa trace ? demanda-t-il d'une voix cassée.

Hogan lui versa de l'eau.

— Vous voulez un calmant, Alan ?

Archibald tenta de secouer la tête, mais la douleur lui fit serrer les paupières avec force.

— Non, articula-t-il péniblement.

Comme Hogan lui donnait à boire doucement, l'eau coula sur le côté du gobelet et lui dégoulina sur le menton. Hogan l'essuya avec une serviette en papier.

— Il ferait une bonne infirmière, n'est-ce pas ?

plaisanta le blessé avec un clin d'œil à Rebus, qui se demanda quel genre d'analgésique on lui avait donné. Alors, on ne l'a pas repris ?

— Pas encore.

— Mais il n'est pas resté les bras croisés, hein ?

Rebus ne savait pas si c'était le flair ou sa façon de parler qui lui avait mis la puce à l'oreille. Il expliqua à Archibald ce qui était arrivé à Stevens et lui parla de la maison de retraite où séjournait l'oncle de Oakes.

— Je m'en souviens, dit Archibald. Je l'ai interrogé il y a un bail. Je crois qu'il haïssait Oakes encore plus que moi.

— Vous n'en avez pas parlé à Oakes, par hasard ?

Archibald réfléchit un moment.

— Pas sur le coup. Mais j'ai pu le mentionner dans une des lettres que je lui ai écrites, possible... (Archibald écarquilla les yeux.) Mais comment a-t-il su où le trouver ? Bon sang, vous croyez que je... (La douleur bouleversa ses traits.) J'aurais dû le savoir. Mais je ne raisonnais pas en flic, c'est tout. J'étais poussé par des motifs personnels. L'oncle ne m'intéressait pas, ce qui m'intéressait, c'était Oakes. J'avais constamment cette seule et unique question derrière la tête... et cette question m'obsédait.

— Je comprends, dit Rebus.

— Tout ce que j'ai appris pendant ma formation, je l'ai jeté par la fenêtre, balbutiait le vieil homme, les yeux noyés de larmes.

— Vous n'avez rien à vous reprocher, assura Hogan en lui touchant l'épaule.

Mais Archibald regardait derrière lui la silhouette de John Rebus.

— Si c'est lui ou pas... je ne le saurai jamais vraiment, en fin de compte, n'est-ce pas ?

Des larmes coulaient sur ses joues et son menton. Bobby les essuya avec la serviette déjà humide.

— Toutes ces années sans savoir… fallait-il être idiot pour croire que je…

Il ferma les yeux en sanglotant doucement. Dans les autres lits, personne ne broncha. Pleurer dans la nuit n'était peut-être pas si rare en ces lieux. Bobby Hogan avait pris les deux mains du vieil homme dans les siennes. Archibald avait l'air de les serrer de toutes ses forces.

Alan Archibald était hospitalisé parce qu'il était obsédé par une idée fixe. Sachant ce qu'il savait maintenant, Rebus se demandait si Jim Margolies aussi avait cédé à une obsession. N'ayant rien d'autre à se mettre sous la dent, il repartit en direction de St Leonard. Au bout de deux heures, plusieurs coups de fil et beaucoup d'acharnement pour vaincre de multiples réticences, il arriva à ses fins.

Assis à son bureau, il passait en revue divers points de son carnet. Les employés des affaires sanitaires et des services sociaux auxquels il s'était adressé lui avaient systématiquement demandé s'il pouvait rappeler le lendemain. Rebus avait assuré que non.

« C'est une enquête pour homicide », telle était sa ligne d'attaque. Quand il avait été obligé d'entrer dans les détails, il avait dit qu'il ne pouvait rien ajouter « dans l'état actuel des choses » en s'efforçant de prendre le ton de l'inspecteur-bureaucrate qu'ils s'attendaient à entendre : le parfait fonctionnaire, celui qui se plie à une procédure préétablie, sans trêve ni repos, pas même la nuit.

Après quoi, il dut prendre la voiture pour se rendre en personne dans les divers bureaux afin de récupérer les renseignements qu'il avait demandés. À chaque fois, il eut affaire au responsable auquel il avait parlé au téléphone. Ils le regardèrent tous d'un air excédé et mécontent, mais ils lui remirent les documents. Pour finir, il ne lui resta plus qu'à réintégrer St Leonard pour potasser ce qu'il avait récolté sur le compte du Dr Joseph Margolies.

Le Dr Margolies, né à Selkirk, avait passé son enfance dans les Borders et à Fettes. Il avait obtenu son diplôme à l'université d'Édimbourg et effectué des missions en Afrique pour une œuvre de charité chrétienne. Il était devenu généraliste, puis s'était spécialisé en pédiatrie. Pour finir, comme le spécifiait une note de Siobhan, il avait été chargé de « s'occuper » des maisons d'enfants du Lothian gérées par la municipalité, un poste qui l'amenait à visiter également les centres privés sous licence, tels que ceux que possédaient et géraient les Églises et les bonnes œuvres.

Son travail consistait en fait à vérifier que les enfants n'étaient pas maltraités et à les convoquer pour les ausculter dans l'éventualité d'une plainte pour maltraitance. En outre, certains enfants étant considérés comme « des cas difficiles », il lui incombait d'établir un diagnostic. Il pouvait conseiller un suivi psychiatrique ou un placement dans un autre type d'institution, prescrire un traitement et une médication. Son pouvoir était presque sans limites. Sa parole avait force de loi.

À mi-chemin de sa lecture, Rebus commença à se sentir gagné par la nausée. Il n'avait rien mangé depuis des heures, mais il était sûr que ça n'avait rien à voir. Néanmoins, il s'obligea à aller respirer à l'air frais, se rendit chez Brattisani pour se payer un menu de poisson avec du pain beurré et un thé. Il s'absenta donc du commissariat pendant près d'une heure, mais fut incapable de se souvenir de rien, ni des visages ni des voix. Il avait la tête ailleurs.

Il se rappelait une affaire récente, où un prêtre s'était rendu coupable d'abus sexuels répétés pendant des années. Les enfants étaient confiés à des religieuses et, quand certains se plaignaient, ils étaient corrigés par les sœurs, qui les traitaient de menteurs et les envoyaient à confesse... où le même prêtre qu'ils accusaient de viol les écoutait.

Il savait que, souvent, les pédophiles étaient capables de dissimuler leur véritable nature pendant des mois, voire des années, tandis qu'ils exerçaient des professions qui les mettaient en contact avec des jeunes en centres d'accueil ou d'autres organisations. Ils réussissaient à passer avec succès les examens et les tests, le masque ne tombant que beaucoup plus tard. Ils pouvaient se donner énormément de mal pour satisfaire leur libido. Et certains, parfois, auraient pu ne pas passer à l'acte s'ils n'avaient croisé sur leur chemin un frère, un semblable, chacun encourageant l'autre.

Tels Harold Ince et Ramsay Marshall. Rebus pouvait imaginer que, laissé à lui-même, aucun n'aurait eu la force d'organiser cette série de viols systématiques. Mais ensemble, formant équipe, leurs pulsions et leurs appétits s'étaient conjugués pour connaître une croissance exponentielle, rendant le passage à l'acte d'autant plus effroyable.

Rebus repassa en revue toute la paperasse qu'il avait sous les yeux jusqu'au moment où il fut sûr de ce qu'il tenait.

En bref, à l'époque du scandale de Shiellion, Margolies était affecté aux maisons d'enfants placées sous l'égide de la municipalité. Il s'était retiré peu après — une retraite anticipée — pour « raisons de santé ». Ceux qui avaient travaillé avec lui le considéraient comme un homme courageux en raison de la façon dont il avait tenu le coup après le suicide de sa fille.

Rebus ne trouva pas grand-chose sur la fille. Elle s'était tuée à quinze ans sans laisser de message. C'était une enfant tranquille, effacée. L'adolescence ne l'avait pas gâtée. Elle était soucieuse pour ses examens. Son frère Jim avait été anéanti par sa mort.

Elle ne s'était pas jetée dans le vide, mais s'était tailladé les veines dans la salle de bains familiale. Son père avait ouvert la porte d'un coup de pied et l'avait trouvée à l'intérieur. On pensait qu'elle avait commis cet acte au milieu de la nuit. Son père était toujours le premier levé.

Rebus passa un coup de fil à Jane Barbour. À force de pieux mensonges et d'obstination, il obtint son numéro de portable. Quand elle décrocha, il entendit à l'arrière-fond de la musique qui gueulait et des cris.

— C'est la fête ?

— Qui est-ce ?

— Inspecteur principal Rebus.

Une autre vague d'acclamations retentit.

— Une minute, je vais emporter le téléphone dehors. (Le son faiblit et Barbour soupira bruyamment. Elle avait l'air pompette.) On est au club de la police.

— Vous fêtez quoi ?

— Devinez.

— Le verdict. Coupable ?

— Pour tous les deux. Pas un seul juré ne les a suivis.

— Félicitations, dit Rebus en se renversant dans sa chaise.

— Merci.

— Cordover doit bouillir.

— Qu'il aille se faire foutre. Petrie rend sa sentence demain. Il va les coffrer pour l'éternité et un jour.

— Eh bien, encore toutes mes félicitations. C'est super.

— Pourquoi vous ne venez pas nous rejoindre ? Il y a amplement de quoi boire...

— Merci, mais sans façon. Figurez-vous, c'est une coïncidence, je vous appelais justement au sujet d'Ince et Marshall.

— Tiens ?

— Enfin, indirectement. Le Dr Joseph Margolies.

— Oui ?

— Vous savez qui c'est ?

— Oui.

— On l'a invité à déposer ?

— Non, non... Oh ! l'air est si doux ce soir.

Rebus se demanda si elle avait pris autre chose que du whisky. Elle planait complètement.

— Pourquoi ne l'a-t-on pas convoqué ?

— En raison du contenu de l'enquête. Il est vrai que quelques gamins de Shiellion avaient lancé des accusations à l'époque, mais ils n'avaient pas été pris au sérieux.

— Pourtant il y avait eu un contrôle médical.

— Bien sûr, lequel avait été effectué par le Dr Margolies. Je l'ai entendu plusieurs fois. Mais les garçons avaient la réputation d'être homos dans la mesure où il leur arrivait de se prostituer à l'occasion autour de Calton Hill. S'ils fuguaient de Shiellion, on savait qu'on les retrouverait là. Alors vous comprenez, les signes d'un rapport anal n'auraient pas suffi à prouver un abus sexuel, et je cite là les propos du procureur. De mon point de vue, ces gamins étaient mineurs et en maison d'accueil, et quiconque avait des rapports avec eux était coupable de viol. (Elle fit une pause.) Fin du laïus.

— Plus vite vous serez débarrassée de cette affaire, mieux ce sera.

— Alors, pourquoi remettre cette histoire sur le tapis ?

— J'essaie de me faire une idée du Dr Margolies.

— Pourquoi ?

— Quand vous lui avez parlé, il s'est montré coopératif ?

— Autant que possible. Il m'a dit qu'on avait déjà pris les garçons en flagrant délit de mensonge, alors qui allait les croire ? Et nombre de plaintes portaient sur des fellations et des actes de masturbation... il n'y a pas foule d'examens médicaux pour ça, inspecteur.

— En effet, admit Rebus. Il n'a donc pas déposé ?

— Pas au tribunal. Le procureur a estimé que ce serait une perte de temps. Ça aurait même pu nous nuire en jetant le doute dans l'esprit du jury.

— Auquel cas Cordover aurait pu citer le docteur comme témoin ?

— Exactement, mais ça n'a pas été le cas, et je n'allais pas lui en donner l'idée. (Elle s'interrompit.) Vous pensez que Margolies a pu aider à étouffer l'affaire ?

— Qu'est-ce qui vous fait dire ça ?

— Je me suis posé la question. Quand même, on peut imaginer que les gens qui travaillaient à Shiellion se doutaient bien de ce qui se passait. Mais personne n'a voulu se mouiller.

— Par peur du scandale ?

— Ou sur les recommandations de l'Église. Ça s'est déjà vu, vous savez. Bien sûr, on peut penser à un scénario encore pire.

Malade à vomir, Rebus s'obligea à lui demander lequel.

— Eh bien, voilà. Les gens savaient ce qui se passait, mais n'en avaient rien à cirer. Maintenant, si ça ne vous fait rien, je vais retourner à l'intérieur pour me payer une supercuite.

Rebus la remercia et raccrocha. La tête dans les mains, il regardait fixement son bureau.

Les gens savaient... mais n'en avaient rien à cirer.

48

Comme durant leur procès, Ince et Marshall étaient détenus à la prison de Saughton. Avec une différence cependant : ils n'étaient plus en préventive. À présent, leur culpabilité reconnue, ils étaient condamnés. En tant que détenus préventifs, ils étaient autorisés à porter leurs propres vêtements, à commander leur nourriture à l'extérieur et à vaquer à leurs propres affaires. Désormais, ils devaient s'habituer aux vêtements de la prison et à tous les autres aspects du régime carcéral proprement dit.

Ils se trouvaient dans des cellules séparées avec une cellule vide entre eux pour les empêcher de communiquer. Rebus se demanda pourquoi on se donnait tout ce mal : ils finiraient sans doute dans le même groupe de travail pour délinquants sexuels. Un choix difficile s'offrait à lui : Ince ou Marshall ? Bien sûr, si ça ne marchait pas avec l'un, rien ne l'empêchait de tenter sa chance avec l'autre en lui posant les mêmes questions, en jouant le même cinéma. Mais en faisant le bon choix, il s'épargnerait cette peine.

Il opta pour Ince. Son raisonnement : c'était le plus vieux, avec le QI le plus élevé. Et même s'il était évident qu'au début de leurs relations, il était le meneur, l'élève avait bientôt dépassé le maître. À l'audience, c'était Marshall qui jetait des regards mauvais, grognait et jouait pour la galerie. C'était lui qui faisait comme si le procès ne le concernait pas.

Lui qui ne manifestait aucune honte, même pendant les récits des victimes.

Lui qui avait chuté deux ou trois fois dans l'escalier en regagnant sa cellule.

Certes, Marshall avait appris beaucoup de Harold Ince, mais il avait ajouté des éléments de son cru. Il était plus barbare, plus amoral, moins repentant. Lui croyait que c'était le problème de la société, pas le sien. Au procès, il avait tenté de citer Aleister Crowley[1] en ce sens qu'il avait seul le droit de juger de ses actes, en bien ou en mal.

La cour n'avait guère apprécié.

Rebus s'assit au parloir et alluma une cigarette. Il avait appelé Patience, dont le répondeur conseillait de l'appeler sur son portable. Ce qu'il fit. Elle était chez une amie, une femme médecin, en congé prénatal.

— Je vais peut-être rester pour la nuit, lui dit Patience. Ursula me le propose.

— Comment elle va ?

— Mal.

— Merde...

— Ne te méprends pas. Ça la rend malade de ne pas pouvoir boire. Pas grave, je bois pour deux.

Ça le fit sourire.

— Bon, dans ce cas, j'irai à Arden Street, dit-il. Si tu rentres, préviens-moi.

1. Adepte des sciences occultes vivant en Écosse à la fin du XIXe siècle, il prônait un ésotérisme selon lequel « chacun fait sa propre loi ». Il est l'un des inspirateurs de la scientologie.

— D'après toi, il vaut mieux que j'évite de rentrer ?
— Ça peut être une idée.
Sous-entendu, jusqu'à ce qu'on ait coincé Cary Oakes. Quand il raccrocha, il appela St Leonard, qui confirma que la voiture de patrouille stationnait à présent devant chez l'amie de Patience.
— Dormez tranquille, la police veille.
Ainsi était-il assis au parloir à griller sa clope sous l'œil du panneau accroché au mur, en faisant tomber sa cendre sur la moquette. Le gardien fit entrer Harold Ince. Rebus le remercia et lui dit d'attendre derrière la porte. Encore que Rebus ne s'attendît à aucune violence de la part du prisonnier, ni à une tentative d'évasion. Il semblait résigné à son sort. Depuis que Rebus l'avait vu au procès, il avait le visage plus long et plus mince, la peau blafarde et flasque. L'estomac faisait saillie mais la poitrine semblait plus creuse, comme si on lui avait retiré le cœur. Rebus savait qu'une victime d'Ince au moins s'était suicidée. Une odeur émanait du prisonnier, un mélange de soufre et de Germolène.
Rebus lui proposa une cigarette. Ince s'affala sur la chaise et refusa d'un geste.
— Vous avez témoigné au procès, non ? demanda-t-il d'une voix flûtée.
Rebus confirma et fit tomber sa cendre.
— Votre avocat a essayé de m'éreinter.
— Je m'en souviens maintenant. (Un bref sourire.) Ça n'a pas marché, hein ?
— Eh bien, vous voilà condamné.
— C'est pour remuer le couteau dans la plaie que vous êtes venu ? demanda Ince dont le regard croisa un fugitif instant celui de Rebus.
— Non, monsieur Ince, je suis venu vous demander votre aide.
Ince grogna en croisant les bras.

— Ben tiens, je suis tout à fait d'humeur à aider les flics.

— Je me demande s'il a déjà pris une décision, s'interrogea Rebus tout haut.

— Hein ? fit Ince en plissant le front. Qui ça ?

— Le juge Petrie, c'est un vieux coriace.

— À ce qu'on m'a dit.

Mais tendre avec ses enfants, songea Rebus tout bas. *À moins que… ?*

— Je mise sur Peterhead pour vous deux et vous en aurez pour un sacré bail. C'est là qu'on envoie les délinquants sexuels. (Rebus se pencha en avant.) C'est là aussi qu'on boucle beaucoup des criminels les plus endurcis, ceux pour qui les pédés sont un chouïa plus bas que l'amibe sur l'échelle de l'évolution.

— Ha ! grommela Ince en s'adossant à sa chaise. Nous y voilà. Vous êtes venu pour me foutre la trouille. Vous pouvez économiser votre salive. Les gardiens au procès ont pris soin de m'annoncer le programme des réjouissances, et peu importe la taule où j'irai. Deux ou trois m'ont dit qu'ils viendraient assister personnellement au spectacle. (Autre coup d'œil.) N'est-ce pas délicat ?

Derrière le bluff, on le sentait terrifié. Terrifié par l'inconnu. Tout aussi terrorisé que devaient l'être les mouflets à chaque fois qu'ils l'entendaient s'approcher.

— Je ne cherche pas à vous faire peur, monsieur Ince. J'ai besoin de votre aide. Mais je ne suis pas idiot, je sais que je dois vous proposer un marché.

— Et de quoi s'agit-il, inspecteur ?

Rebus se leva et s'approcha de l'endroit où se trouvait la caméra vidéo qui visait la pièce.

— Vous remarquerez que je n'enregistre rien, précisa-t-il. Il y a une bonne raison à ça. Ma démarche n'a rien d'officiel, monsieur Ince. Tout ce que vous me direz est destiné à satisfaire ma propre curiosité. Il est hors de question d'engager des poursuites. Si jamais j'essayais de m'en servir, ce serait ma parole contre la vôtre, ce serait donc irrecevable.

— Je connais la loi, inspecteur.

Rebus se tourna vers lui.

— Moi aussi. Ce que je veux dire, c'est que ceci est destiné à rester entre nous. Je pourrais avoir des problèmes rien que pour vous avoir fait une offre.

— Quelle offre ? demanda l'autre, l'air enfin intéressé.

— Peterhead, je connais quelques-uns des malfrats qui s'y trouvent. Et qui ont une dette envers moi.

Il y eut un silence, le temps qu'Ince comprenne ce que cela impliquait.

— Vous pourriez intervenir en ma faveur ?

— C'est juste.

— Mais il se peut qu'ils ne veuillent pas en tenir compte.

Rebus se rassit, les bras posés au bord de la table. Il attendit.

— C'est le mieux que je puisse faire.

— Et je n'ai que votre parole que vous allez quand même essayer ?

— C'est ça, vous avez ma parole, confirma-t-il.

Ince scrutait le dos de ses mains, ses doigts agrippés de l'autre côté de la table.

— Ma foi, je dois reconnaître que c'est une offre on ne peut plus généreuse, ironisa-t-il enfin.

— Ça peut vous sauver la vie, Harold.

— Et ça peut aussi ne rien m'apporter... Qu'est-ce que vous voulez savoir ? demanda-t-il au bout d'un moment.

— J'ai besoin de savoir qui était le troisième homme.

— Ce n'était pas Orson Welles[1] ?

Rebus consentit un semblant de sourire.

— Je parle de la nuit où Ramsay Marshall a conduit Darren Rough à Shiellion.

— Ça fait un bail. J'étais cuité.

— Vous avez bandé les yeux de Darren.

— Ah bon ?

— À cause de ce troisième homme. C'était peut-être son idée à lui, de peur que le gamin le reconnaisse. (Rebus alluma une autre cigarette.) Vous aviez bu, peut-être avec cet homme, bavardé de choses et d'autres. Et pour finir vous lui aviez avoué votre secret. (Rebus scruta le visage du prisonnier.) Parce que vous aviez cru voir quelque chose…

Le regard tendu, Ince s'humecta les lèvres.

— Quoi ? articula-t-il si bas qu'on aurait pu croire un chuchotement, et Rebus, à son tour, baissa la voix.

— Vous avez pensé qu'il était comme vous. Il y avait une possibilité et, plus vous parliez, plus ça se confirmait. Vous lui avez dit que Marshall devait aller chercher un gosse, vous lui avez peut-être proposé de rester.

— Vous brodez, non ?

— Oui, reconnut Rebus. Dans la mesure où je ne peux rien prouver, j'invente.

— Cette possibilité que vous évoquiez... je prétendrais qu'elle est en chacun de nous. (Les yeux dans les yeux maintenant, le regard durci. Et il ne cilla pas.) Vous avez des enfants, inspecteur ?

— J'ai une fille, admit Rebus, qui savait pourtant que moins Ince en saurait sur sa vie privée, sur ses

1. Référence au filin de Carol Reed avec Orson Welles, *Le Troisième Homme* (1949).

pensées, mieux cela vaudrait ; mais Ince n'était pas Cary Oakes. Elle est adulte.

— Je parie qu'à un moment de vos relations avec elle, vous vous êtes demandé comment ce serait de coucher avec elle, de lui faire l'amour. Non ?

Rebus sentit la pression du dégoût derrière ses paupières, la colère et la révulsion. Assez fort pour le faire cligner des yeux.

— Je ne crois pas, articula-t-il.

— Allons donc, s'esclaffa Ince. C'est ce que vous voulez croire. Mais je suis sûr que vous mentez, même si vous ne le savez pas. C'est une question d'instinct, il n'y a pas de quoi avoir honte. Elle avait peut-être quinze ans, douze ans, ou dix à l'époque.

Rebus se leva. Il devait bouger, sinon il allait cogner la tête d'Ince contre la table. Il voulut allumer une autre clope, mais celle-ci n'était consumée qu'à moitié.

— Il ne s'agit pas de moi, dit-il d'une voix qui parut faiblarde à ses propres oreilles.

— Non ? Peut-être...

— Il s'agit de Darren Rough.

— Ah... (Ince se renversa contre son dossier.) Pauvre Darren. Il figurait sur la liste des témoins, mais il n'a pas été convoqué. Pourtant j'aurais aimé le revoir.

— Pas possible. Il a été assassiné.

— Quoi ? Avant le procès ?

— Non, pendant le procès. J'ai essayé de trouver un motif, mais maintenant je pense que je cherchais dans la mauvaise direction. (Il posa la main sur la table et se pencha de nouveau vers le détenu.) J'ai jeté un œil sur le dossier de l'accusation, sur les témoignages. Juste Marshall et vous. Aucune autre victime ne mentionne un troisième auteur de sévices. Était-ce arrivé seulement ce soir-là ? Quelqu'un qui a essayé juste cette fois-là... ? (Rebus recula sur sa chaise. Sa sèche était finie, il en alluma une autre avec le mégot. À la chaîne.) Je suis tombé sur Darren au zoo. J'ai trouvé où il habitait. Quelqu'un a prévenu les journaux qui en ont parlé. Ce troisième homme... il savait que vous n'alliez pas parler de lui à l'audience. Je ne sais pas pourquoi, mais je m'en doute. Sa seule crainte, c'était Darren. Ce qui n'était pas un problème — pour autant qu'il sache, Darren Rough était à l'ombre. Et voilà qu'il apprend que Darren est de retour et il devine pourquoi : Darren aide la police dans l'affaire de Shiellion. Il y a un risque infime qu'il ait vu ou entendu quelque chose, même sans le savoir. Il y a un risque infime que la photo de notre troisième homme se retrouve à la une des journaux après le procès et que Darren le reconnaisse... Alors brusquement, il se sent en danger, il doit frapper. (Rebus souffle une fine colonne de fumée vers Ince.) Nous savons tous les deux de qui je parle. Mais pour ma propre satisfaction, j'aimerais vous entendre dire ce nom.

— C'est pour ça que Darren est mort ?

— Je le pense.

— Mais vous n'avez pas de preuve ?

— Non, reconnut le policier. Et il est peu probable que j'en trouve. Avec vous ou sans vous.

— J'aimerais une tasse de café, annonça Harold Ince. Un café au lait avec deux sucres. Si c'est vous qui passez la commande, je l'aurai peut-être *sans* salive.

— Bon... Vous voulez manger quelque chose ?

— J'ai un faible pour le curry de poulet *korma*, avec des nans, et comme accompagnement, pas de riz, plutôt des pommes de terre, et un *sag aloo*.

— Je peux commander par téléphone.

— Je répète, je préfère mon plat intact, non frelaté.

Sa voix avait de l'assurance. Il avait pris sa décision.

— Et entre-temps, nous allons parler ? demanda Rebus.

— Pour votre tranquillité d'esprit, inspecteur... oui, nous allons parler.

49

Rebus était assis dans l'obscurité de son living et sirotait un whisky à l'eau. Dans la rue régnait le calme nocturne, interrompu de temps à autre par le chuintement sourd des pneus sur les pavés. Il ne savait pas depuis combien de temps il était assis là, peut-être deux, trois heures. Il avait mis un CD, mais n'avait pas pris la peine de se lever pour le changer. Il était repassé en automatique trois ou quatre fois. Jamais *Stray Cat Blues* ne lui avait paru aussi sordide. Ça l'atteignait plus que *Sympathy for the Devil*, plus cultivé et plus correct, qui avait quelque chose de désespéré[1]. Il n'y avait aucun désespoir dans *Stray Cat Blues*, juste l'affirmation de rapports sexuels avec des mineurs.

Quand le téléphone sonna, il mit du temps à répondre. C'était Siobhan, qui lui transmettait un message. On avait forcé la porte de l'appartement de Patience.

— On a arrêté quelqu'un ?

1. « Le Blues du chat errant » et « Sympathie pour le diable », deux chansons des Rolling Stones figurant sur l'album *Beggar's Banquet* (1968).

— Non. Deux agents de police sont sur place. Ils attendent qu'on vienne couper l'alarme.

Rebus appela St Leonard et une voiture de patrouille vint le chercher pour le conduire à Oxford Terrace. Le chauffeur renifla l'odeur du whisky dans l'haleine de Rebus.

— Vous faisiez la fête, monsieur ?

— Faire la noce, c'est tout moi, répliqua-t-il d'un ton qui lui évita une autre question émanant du siège avant.

L'alarme sonnait toujours. Rebus descendit les marches et poussa la porte d'entrée. Les deux bleus se tenaient dans la cuisine, à distance du bruit. Ils s'étaient préparé du thé et cherchaient des biscuits dans le placard.

— Avec du lait et sans sucre, leur lança Rebus, puis il retourna dans l'entrée et se servit de sa clé pour déconnecter l'alarme.

Un des policiers lui tendit une tasse.

— Je vous remercie d'avoir arrangé ça. Le bruit nous rendait fous.

Rebus se trouvait près de la porte d'entrée qu'il examinait.

— Du bon boulot, dit un des flics. On croirait qu'ils avaient une clé.

— Il a vraisemblablement crocheté la serrure, répondit Rebus en retournant dans l'entrée. Mais il n'a pas pu crocheter le système d'alarme...

Il alla d'une pièce à l'autre.

— Il manque quelque chose, monsieur ?

— Oui, mon garçon : de l'eau chaude dans la bouilloire, deux sachets de thé et un nuage de lait.

— L'alarme l'a peut-être fait fuir.

— S'il a crocheté la serrure, pourquoi pas l'alarme ?

Rebus réfléchit, mais il connaissait la réponse. Le

simple fait que l'alarme soit branchée avait appris quelque chose à l'intrus.

Cela lui avait appris qu'il n'y avait personne à la maison.

Or il voulait trouver quelqu'un, Rebus ou Patience. C'était le but de l'opération. Cary Oakes n'avait pas forcé la porte dans l'intention de cambrioler. Il avait d'autres idées en tête.

Quand ils partirent, Rebus reconnecta l'alarme et s'assura que la serrure de sécurité était solidement verrouillée. Dans le métier, on appelait ça fermer la cage quand l'oiseau s'est envolé.

Il se fit reconduire chez lui par la voiture de patrouille en faisant un crochet chez Sammy. Sans la déranger, il voulait juste s'assurer que tout allait bien. Elle ne devait pas être seule, Ned devait dormir à côté d'elle. Encore que Ned ne poserait pas beaucoup de problèmes à Oakes.

— Rendez-moi un service, demanda Rebus au chauffeur. Faites en sorte qu'une voiture fasse une ronde par ici toutes les heures jusqu'au matin.

— Je m'en occupe, monsieur ; vous croyez qu'il va refaire une tentative ?

Il ne savait même pas si Oakes avait l'adresse de Sammy. Il ne savait pas si Stevens l'avait. Il utilisa le talkie-walkie de la voiture pour entrer en contact avec la maison de retraite.

— Aussi calme qu'un tombeau, ici, lui dit-on.

À l'hôpital, il obtint un employé de nuit, qui lui assura que quelqu'un se trouvait aux côtés de M. Archibald et que la personne était tout à fait réveillée. D'après le signalement, Rebus devina qu'il s'agissait de Bobby Hogan.

Tout le monde était en sécurité. Tout le monde était sous protection.

La voiture de patrouille le déposa et il grimpa à

son appartement. En tournant la clé dans la serrure, il crut entendre un bruit dans l'escalier derrière lui. Il regarda par-dessus la rampe mais ne vit rien. Le chat tigré de Mme Cochrane, sans doute, qui avait fait cliqueter la chatière en passant.

Il referma la porte derrière lui sans prendre la peine d'allumer dans l'entrée. Il connaissait les lieux. Il alluma dans la cuisine et brancha la bouilloire. Il avait la gueule de bois à cause du whisky. Il se prépara un thé, qu'il emporta dans le séjour. Mais c'était trop tard pour écouter un disque. Il s'approcha de la fenêtre et resta là à souffler sur son thé.

Une forme bougea sur le trottoir d'en face, une silhouette. Il se protégea les yeux de ses mains et colla le visage contre la vitre en essayant de ne pas se laisser éblouir par la lueur du réverbère.

C'était bien Cary Oakes. Il se balançait un peu, comme s'il écoutait de la musique. Et se fendait la poire jusqu'aux oreilles. Rebus se détourna de la fenêtre et chercha son téléphone du regard. Disparu, impossible de mettre la main dessus. Il chercha, renversa des livres. Bon sang, où était-il fourré ?

Son portable alors ? Où se trouvait-il ? Il avait oublié de l'emporter en partant. Il était sans doute dans la poche d'une veste. Il fouilla dans le placard de l'entrée : introuvable. Dans la cuisine ? Rien. La chambre à coucher ? Pas l'ombre.

En jurant, il se précipita vers la fenêtre pour voir si Oakes était parti. Non, il était toujours là, mais les mains en l'air, comme s'il se rendait. Puis Rebus distingua deux petits objets noirs dans ses mains. Il comprit aussitôt. C'étaient son sans-fil et son portable.

— Fumier ! rugit-il.

Oakes était entré chez lui. Il avait crocheté la serrure de l'immeuble et celle de son appartement.

— Fumier ! répéta-t-il entre ses dents.

Il courut à la porte qu'il ouvrit. Il était à mi-chemin de l'escalier quand il entendit geindre la porte d'entrée de l'immeuble. Était-elle bien fermée ? Si oui, elle n'avait pas résisté longtemps.

Soudain, Oakes se trouva au pied de l'escalier, éclairé de dos par une applique murale. Les murs étaient d'un jaune pisseux qui lui donnait un air mauvais. Il montrait les dents, la bouche ouverte pour lui tirer la langue. Il laissa tomber les téléphones par terre et porta la main à sa ceinture.

— Tu te souviens de ça ?

Il tenait son couteau. D'un pas déterminé, les yeux rivés sur le policier, il commença à monter les marches. Ses pieds crissaient tel le papier de verre sur le bois. Rebus fit demi-tour et courut.

— Où tu vas, Rebus ?

Il rigolait sans s'inquiéter de baisser la voix. Les voisins étaient des étudiants et des retraités. Il misait carrément sur la chance.

Mme Cochrane avait un téléphone. Rebus tambourina sur sa porte au passage, bien qu'il sût pertinemment combien son geste était futile. Elle était sourde comme un pot. Les étudiants sur son palier, avaient-ils le téléphone ? Seraient-ils seulement rentrés ? Il fonça vers sa porte qu'il referma sur lui. La serrure de sûreté cliqueta, mais il faudrait plus que ça pour retenir Oakes. Il fixa la chaîne, sachant qu'un bon coup de pied la ferait céder en même temps que la serrure. Où était donc la clé de la porte d'entrée ? Elle était habituellement sur la serrure. Il regarda par terre et comprit que Oakes l'avait prise. Il examina le mécanisme. La serrure encastrée le retiendrait… Il colla son œil sur le trou, le visage de Oakes apparut de l'autre côté. Il l'entendit chantonner: «*Petits cochons, petits cochons, laissez-moi entrer*[1].»

Extrait de *The Shining*.

Rebus fonça dans la cuisine, ouvrit le tiroir des couverts et trouva un Sabatier de vingt centimètres de long avec un manche noir à rivets qui devait être neuf. Il passa le pouce sur la lame et se coupa. Bon, ça irait.

Ce n'était pas la première fois qu'il se trouvait en face d'un poignard, mais la plupart du temps, il était parvenu à raisonner son agresseur. Pour les autres, il avait réussi à... Bon, c'était autrefois et là, ça n'avait rien à voir. De retour dans l'entrée, il se dit qu'il préférait un face-à-face. Le couteau à découper à la main, il retira la chaîne et ouvrit la porte. Il s'attendait à ce que l'autre se jette sur lui, mais il ne se passa rien. Il tendit le cou. Oakes n'était pas sur le palier.

«Le petit cochon est allé se promener...»

La voix de Oakes, descendu à mi-étage. Rebus sortit et avança sans se presser en essayant de garder son sang-froid. Le regard planté dans celui de Oakes, le couteau de celui-ci dans son champ de vision.

— Oh! la la!, il est maousse! ricana Oakes, qui descendait l'escalier à reculons, sûr de lui. Réglons ça dehors, Rebus. Faisons ça en plein air.

Il fit demi-tour et sortit en courant de l'immeuble. Rebus se tâta. Ses téléphones étaient là, il ferait mieux de ramasser son portable pour passer un appel et faire venir des policiers, presto. Puis il pensa à Alan Archibald, à Patience et à Janice... et à la tombe de ses parents. À Jim Stevens aussi. Il était

1. En référence à la chanson *Qui a peur du grand méchant loup?*

temps d'en finir. Il ne devait pas lâcher Oakes d'une semelle. Cette fois, il ne devait pas s'échapper.

Il ramassa son portable, le glissa dans sa poche et se dirigea vers la porte.

Oakes l'attendait sur le trottoir.

— Ça c'est bien. Juste nous deux.

Il se mit à marcher, Rebus le suivit. Ils avançaient d'un pas alerte. Oakes gardait la tête à demi tournée vers son poursuivant. Il avait l'air content de la tournure que prenaient les choses. Rebus ne comprenait pas sa logique, mais il était sur ses gardes. Jusque-là, Oakes n'avait rien fait sans raison. Sous son crâne tournaient les mots : *Finis-en une fois pour toutes ! C'est le dernier round...*

— Une petite balade matinale, rien de tel pour les artères. Ça permet de compenser le régime écossais. J'ai jeté un œil dans ton frigo, mec. J'avais plus de bouffe dans ma foutue taule de Walla Walla. Avec quand même du whisky près du fauteuil dans le salon, je te l'accorde. (Il se marra.) T'es qui, en fin de compte, Sam Spade[1] ou quoi ?

Rebus s'abstint de répondre. Oakes était beaucoup plus jeune que lui et plus en forme aussi. Il préférait économiser ses forces.

Ils traversèrent Marchmont Road en longeant Sciennes et dépassèrent l'hôpital des Enfants malades. Rebus se maudit de vivre dans un quartier aussi tranquille. Les pubs étaient vides, les friteries avaient fermé leurs portes. Pas de discothèques, pas même un salon de massage. Puis, sur le trottoir d'en face, deux jeunes hommes qui rentraient chez eux, les genoux chancelants, à peine capables de tenir debout. La fin d'une sacrée virée. L'un d'eux était aux prises avec un kebab. Ils regardèrent l'étrange duo. Oakes

1. Personnage de détective privé créé par Dashiell Hammett.

tenait son poignard dans sa poche, tandis que Rebus brandissait le sien.

— Appelez la police ! hurla ce dernier.

Oakes rigola, comme si son copain beurré voulait plaisanter et qu'il fouettait l'air avec une dague en caoutchouc. Un des hommes eut un sourire béat, l'autre, celui avec du jus de kebab sur le menton, les regarda fixement en continuant à mastiquer.

— Je ne rigole pas ! gueula Rebus qui s'en fichait de réveiller les bourgeois. Appelez les flics !

Il n'avait pas le temps de leur montrer sa carte, il ne voulait pas risquer de perdre Oakes de vue. Celui-ci pouvait faire d'autres victimes ici. Pas question de le quitter des yeux.

Ils continuèrent donc d'avancer et laissèrent les jeunes gens à leurs affaires.

— Avant qu'ils soient rentrés chez eux, ils auront tout oublié, assura Oakes. Ils prendront des canettes au frigo et regarderont Jerry Springer à la télé. C'est comme ça que ça se passe, de nos jours, Rebus. Tout le monde s'en tape.

— Tout le monde sauf moi.

— Tout le monde sauf toi. Tu t'es déjà demandé pourquoi ?

Il fit signe que non. Oakes pouvait bien continuer à blablater. Ce faisant, il gaspillait son énergie.

— Tu n'y as jamais réfléchi ? C'est parce que tu es un foutu dinosaure, mon pote. Et tout le monde sait ça, y compris toi, tes boss et tes collègues. Même sans doute ta copine docteur. C'est quoi, son problème ? C'est ton côté homme de Cro-Magnon qui la fait fantasmer ? (Il se bidonna.) Au cas où tu te poserais la question, j'ai gardé la forme pendant que j'étais au trou. Je peux soulever ton gros cul et je peux continuer au pas élastique toute la sainte journée et la nuit si tu veux. Mais toi, mon pote ? Tu as l'air aussi en forme qu'une espèce en voie de disparition.

— Parfois, c'est juste une question d'attitude.

Ils coupèrent par des venelles pour aboutir sur Causewayside.

— On va où ?

— On y est presque, Rebus. Je ne tiens pas à t'éreinter… à ce que tu sois schlass, comme on dit.

Il rigola encore. Des voitures circulaient sur Causewayside. Rebus tint son couteau bien en évidence. Peut-être qu'un automobiliste aurait l'idée de s'arrêter à un téléphone public ou de héler une voiture de patrouille. Mais c'était peu probable, il n'y avait pas beaucoup de voitures de police dans les parages. Ni de patrouilles à pied d'ailleurs. Sans doute les gens rentreraient-ils chez eux et ensuite, peut-être, téléphoneraient-ils pour signaler ce qu'ils avaient vu.

Et là, alors, peut-être que quelqu'un viendrait de St Leonard pour patrouiller.

Ce serait trop tard. Peu importe ce qui se jouait ici, il avait l'impression qu'on approchait du dernier acte. Pour une raison ou une autre, cela avait à voir avec… non, il savait où ils se trouvaient. À l'extrémité de Salisbury Place : ils étaient au croisement avec Minto Street.

— C'était là, non ? interrogea Oakes en s'arrêtant parce que Rebus avait stoppé net. Elle voulait traverser sans doute ?

Sammy… qui traversait à cet endroit quand un chauffard l'avait renversée. À vingt mètres du carrefour. Rebus lorgna Oakes.

— Pourquoi ?

Un geste désinvolte, pas de réponse. Rebus s'efforça de nouveau de fixer son attention sur ce qui se passait sous ses yeux, ici et maintenant. C'était ce qui comptait. Il penserait à Sammy plus tard. Oakes devait cesser d'être le maître du jeu.

— Elle a fait un vol plané, hein ? insista Oakes. Les mains dans les poches, comme s'ils bavardaient le bout de gras. Rebus ne se rappelait plus dans quelle poche il avait mis le couteau. Le sien pendait au bout de sa main droite, inutile. Elle avait voulu traverser et... il ne lui avait pas laissé une chance.

Il se rendit compte brusquement qu'il n'était pas revenu là depuis le jour de l'accident. Il avait évité le coin.

Mais Oakes avait su l'effet que l'endroit aurait sur lui. Rebus cligna des yeux et essaya de se clarifier les idées.

— Alors, tu es passé la voir ? demanda Oakes.

— Quoi ?

— Ben, tu es allé chez ta copine, tu as su que j'y étais passé. Aussitôt après tu as foncé chez ta fille. Mais tu n'es pas entré chez elle, n'est-ce pas ?

Rebus avait l'impression de regarder le diable dans les yeux.

— Comment tu le sais ?

— Tu ne serais pas là, sinon.

— Et pourquoi ?

— Parce que j'y suis allé, Rebus. Avant toi.

— Tu mens.

La voix de Rebus était sèche, la gorge rêche. *C'est pour te démonter, pour que tu baisses la garde. Comme Archibald.*

Oakes haussa les épaules. Ils étaient au coin. En diagonale par rapport à eux, deux voitures s'étaient arrêtées côte à côte à un feu rouge. Un taxi sur la file du milieu, et un jeune en voiture de sport qui emballait son moteur. Le chauffeur de taxi observait la scène : une bagarre sur le point d'éclater. Du déjà-vu.

— Tu mens, répéta Rebus.

Il plongea sa main libre dans sa poche et sortit son portable. Du pouce, il pianota sur les touches en tenant le téléphone devant lui pour le voir sans quitter Oakes des yeux.

— De toute façon, elle n'avait pas besoin de ses jambes, hein ? disait Oakes. (Le téléphonait sonnait.) Personne ne répond, je suppose.

La sueur coulait dans les yeux de Rebus. Mais s'il secouait la tête pour disperser les gouttes, Oakes croirait qu'il répondait à sa question. La sonnerie cessa.

— Allô ? fit la voix de Ned Farlowe.

— Ned ! Est-ce que Sammy est là ? Elle va bien ?

— Quoi ? C'est vous, John ?

— *Est-ce qu'elle va bien ?*

Il connaissait la réponse, mais avait besoin de l'entendre.

— Évidemment qu'elle va…

Oakes se jeta sur lui, le couteau jaillissant de la poche droite. Il rata la poitrine de Rebus de quelques centimètres. Rebus recula et laissa tomber le téléphone. Il avait une allonge supérieure. Le chauffeur de taxi avait baissé sa vitre.

— Basta, vous deux ! Taillez-vous !

— C'est sûr, je vais le tailler en pièces, couina Oakes entre ses dents. Le tailler en cubes et puis en tranches. (Il fit un geste large avec la lame. Rebus essaya de la faire sauter d'un coup de pied et faillit perdre l'équilibre. Oakes se marra.) Dis donc, t'es pas Noureïev, mon gars.

Le couteau plongea dans le bras du policier, qui sentit l'engourdissement gagner le membre atteint.

Le prélude de l'agonie. *Finissons-en une fois pour toutes.*

Rebus effectua un pas en avant, fit une feinte avec le couteau de sorte que Oakes dut changer de position. Au bord du trottoir maintenant. Rebus vit changer les feux derrière Oakes. Celui-ci se pencha en avant et visa sa poitrine. Sa chemise céda avec un léger chuintement. La chaleur du sang sur son bras, du sang coula encore de la nouvelle blessure. Du rouge au rouge ambré.

Au vert.

Rebus chargea avec le pied en avant et frappa Oakes en pleine poitrine avec sa semelle. Oakes fut propulsé dans la rue, où, indifférent à la bagarre, le type en voiture de sport, la radio à fond et le bras de sa copine sur ses épaules, faisait une démonstration de la puissance d'accélération de son engin. La bagnole percuta Oakes, l'envoya en l'air, lui fracturant la hanche et quelques os supplémentaires pardessus le marché, du moins Rebus l'espérait-il. La voiture freina en faisant crisser les pneus, la tête du jeune homme apparut à la vitre. Il vit les couteaux. Il retira le pied de l'embrayage et remit les gaz.

Rebus ne prit pas la peine de relever le numéro d'immatriculation. Il avait un pied sur la main de Oakes pour l'obliger à écarter les doigts, puis il ramassa le couteau et l'empocha. Le chauffeur de taxi se trouvait toujours aux feux.

— Appelez pour demander l'aide de la police! lui cria Rebus qui tenait son bras blessé contre sa poitrine.

Oakes roulait sur le sol, la main sur la cuisse et le flanc, un rictus non plus d'ironie mais de souffrance lui retroussant les lèvres. Rebus se redressa, recula d'un pas et lui balança un coup de pied dans les parties. Comme Oakes grognait de douleur avec un haut-le-cœur, Rebus lui balança un autre coup, puis il se plia de nouveau en deux.

— J'aimerais vous dire que ça, c'était pour Jim Stevens, gronda-t-il. Mais pour être tout à fait franc, c'était réellement pour moi.

Rebus passa une heure au service des urgences et reçut quatre points de suture pour le bras, huit pour la poitrine. La blessure du bras était la plus profonde, mais les deux étaient propres. Oakes était dans les parages et se faisait soigner pour une flopée de fractures de gravité diverse. Six membres de la fine fleur de la Brigade criminelle étaient venus en détachement.

Une voiture de patrouille ramena Rebus à son domicile, où il récupéra son téléphone sans fil avant qu'un des étudiants ne l'empoche, et s'offrit une rasade de whisky. Puis une autre pour faire bonne mesure.

Il passa le reste de la nuit à St Leonard à taper son rapport d'une main, qu'il compléta par un résumé oral à l'intention du surintendant Watson, qu'on avait tiré du lit pour la circonstance et dont les cheveux en épi sur le front s'agitaient quand il bougeait la tête.

Il y avait peu de chances que Oakes soit inculpé pour le meurtre de Jim Stevens. Tout dépendait des conclusions du labo : empreintes, fibres, salive. La cassette de Stevens avait été placée dans une pochette en plastique qu'on avait remise à la brigade en blouse blanche.

— Mais il va tomber pour m'avoir agressé de même qu'Alan Archibald ? demanda Rebus à son supérieur.

— Pour l'agression à Pentland, oui, confirma le Péquenot.

— Et pour la tentative d'homicide qui a eu lieu il y a trois heures ?

Le Péquenot farfouilla dans ses papiers.

— Vous l'avez dit vous-même, la plupart des témoins vous ont vu, vous, tenir un couteau, pas lui.

— Mais le chauffeur de taxi...

— Bien sûr, son témoignage sera essentiel. Espérons qu'il va mettre de l'ordre dans son histoire.

Rebus comprit où son patron voulait en venir.

— Dites, monsieur, vous me croyez quand je dis que j'ai agi en état de légitime défense ?

— Bien entendu, John, ça va sans dire, assura le patron en détournant les yeux.

Rebus tenta de trouver quelque chose à ajouter, mais il y renonça. À quoi bon ?

— La Brigade criminelle en a ras la cafetière, ajouta le surintendant avec un sourire contrit. Ils détestent quand la fin n'est pas à la hauteur des moyens.

— Même si je n'en ai pas l'air, à l'intérieur, ils me font pleurer, grommela Rebus en tournant les talons pour sortir.

— Ne retournez pas à l'hôpital, John, l'avertit le Péquenot. Je ne veux pas qu'il tombe du lit et qu'il dise qu'on l'a poussé.

Rebus grogna et dévala l'escalier pour rejoindre le parking. Le jour n'allait pas tarder à se lever. Il avala à sec quelques antalgiques, alluma une cigarette et regarda en direction de Holyrood Park. Ils étaient bien là, Arthur's Seat, Salisbury Crags, sauf qu'on ne pouvait pas toujours les voir. Mais ça ne voulait pas dire qu'ils n'étaient pas là.

C'est facile de perdre pied dans le noir... Facile de s'approcher par-derrière...

Rebus quitta le parking et partit vers St Leonard's Bank. On avait transporté la voiture de Stevens à

Howdenhall pour la passer au peigne fin. Au bout de la rue, il y avait un trou dans la clôture qui donnait un accès direct au pare. Rebus descendit la pente en direction de Queen's Drive, qu'il traversa, puis il se mit à grimper. Loin des réverbères de la rue, ses pas devenaient plus hésitants. Il sentit plus qu'il ne vit le point de départ de Radical Road au-dessus duquel se dessinait l'escarpement rocheux des Crags. Sans prendre le sentier, Rebus continua son escalade jusqu'au sommet de la falaise, avec la ville étendue en contrebas dans un enchevêtrement de sodium orange et d'halogène blanc-jaune. La bête sortait lentement de son sommeil, des voitures entraient dans la ville. En se retournant, il vit que le ciel avait un ton de noir moins profond que le rocher. Certains disaient qu'Arthur's Seat évoquait un lion accroupi, prêt à bondir. Mais il n'avait jamais bondi. Il y avait également un lion sur le drapeau écossais. Pas accroupi mais rampant.

Jim Margolies avait-il grimpé ici dans l'intention délibérée de sauter ? Rebus croyait connaître la réponse. Et il la connaissait à cause du dîner où les Margolies étaient invités ce soir-là, de l'autre côté du parc.

Mais aussi à cause de la berline blanche.

50

Le Dr Joseph Margolies et sa femme habitaient un pavillon à Gullane avec vue ininterrompue sur le green de Muirfield. Rebus ne jouait pas au golf. Il s'y était essayé dans son enfance, se traînant avec une demi-série de clubs sur le parcours local, perdant cinq ou six balles à Jamphlars Pond. Certains de ses collègues s'étaient mis à jouer dans l'idée que ça servirait leur carrière, et en prenant soin de plier devant leurs supérieurs.

Ce jeu-là n'était pas fait pour lui.

Siobhan Clarke gara la voiture et interrompit les informations. Il était 10 heures du matin. Rebus avait réussi à roupiller deux heures dans son appartement d'Arden Street et avait appelé Patience pour lui faire savoir que Cary Oakes était sous les verrous.

— Restez dans la bagnole, dit-il à Clarke en s'extirpant de l'auto.

L'opération n'était pas facile avec un bras en écharpe et la douleur à la poitrine qui se réveillait à chaque fois qu'il se redressait.

Mme Margolies répondit à son coup de sonnette. De près, elle ressemblait à son fils. Le même menton aplati, les mêmes yeux étirés. Et le même sourire. Il se présenta et demanda s'il pouvait échanger quelques mots avec son mari.

— Il est dans la serre. Y a-t-il un problème, inspecteur ?

Il la rassura d'un sourire.

— Mais non, madame, aucun. Juste deux ou trois questions, c'est tout.

— Je vais vous y conduire, dit-elle en le laissant passer.

Elle avait regardé son bras, mais s'abstint de tout commentaire. Il y a des gens comme ça, qui n'aiment pas poser de questions. Comme il la suivait dans le couloir, il jeta un œil par les portes entrebâillées et aperçut des scènes de la vie familiale : un tricot sur un fauteuil, des magazines dans un porte-revues, des bibelots dépoussiérés, des vitres étincelantes. La maison datait des années trente. Dehors, la façade était ornementée d'avant-toits et de pignons. Il demanda depuis combien de temps ils habitaient là.

— Plus de quarante ans, répondit Mme Margolies avec fierté.

C'était donc là que Jim Margolies avait grandi, de même que sa sœur. D'après les notes de terrain, Rebus savait qu'elle s'était suicidée dans la salle de bains familiale. Souvent, dans ce genre de situation, les familles préfèrent vendre et déménager. Mais il en connaissait d'autres qui avaient choisi de rester parce que la maison conservait en quelque sorte la mémoire du disparu, qu'ils perdraient à jamais en partant.

La cuisine était trop impeccable aussi, pas même une tasse ou une soucoupe à sécher sur l'égouttoir. Une liste à provisions était fixée sur le réfrigérateur à l'aide d'un aimant en forme de théière. Mais la liste était vide. Mme Margolies lui proposa un thé.

— Non, ça ira, merci quand même.

Toujours avec le sourire, mais en l'observant. Il songea : *Souvent la femme sait*... Il songea : *Il y a des gens qui ne posent jamais de questions*...

Près de la porte de la cuisine se trouvait une petite entrée avec deux placards de plain-pied, ouverts pour exposer des outils de jardin, et la porte de derrière, également grande ouverte. Ils sortirent et allèrent dans le jardin clos, visiblement objet de beaucoup de sollicitude. Il y avait un jardin de rocaille entouré de massifs. Ceux-ci étaient séparés d'un potager formant une longue et étroite plate-bande par une étendue de gazon. Le fond du jardin était occupé par des arbres et des buissons avec, cachée dans un coin, une petite serre à l'intérieur de laquelle une silhouette se déplaçait. Rebus se tourna vers son guide.

— Merci, je saurai me débrouiller maintenant.

Et il traversa la pelouse. On aurait cru fouler les luxueux tapis de la Savonnerie. Il se retourna pour voir que Mme Margolies le suivait des yeux. Dans un jardin avoisinant, quelqu'un faisait un feu de joie. La fumée blanche et âcre tourbillonnait par-dessus le mur. Rebus la traversa pour s'approcher de la serre. Un labrador noir pointa les oreilles à son approche, puis se hissa sur son postérieur pour émettre un jappement peu convaincu. La truffe et les moustaches étaient grises. Il avait l'air bichonné, gavé même, et manquait manifestement d'exercice. La porte de la serre s'ouvrit et un homme d'un certain âge regarda son visiteur par-dessus ses demi-lunes. Grand, les cheveux gris, la moustache noire. Point pour point la description que Jamie Brady avait faite de l'homme qui était venu voir Darren Rough à Greenfield.

— Oui ? Que puis-je pour vous ?

— Docteur Margolies, je suis l'inspecteur principal John Rebus.
— Vous m'excuserez de ne pas vous serrer la main, dit Margolies en montrant ses doigts noircis de terre.
— Moi de même, dit Rebus en indiquant son bras.
— Ça a l'air sérieux. Que s'est-il passé ?
Il ne partageait pas la réserve de sa femme. Mais elle avait peut-être passé la moitié de sa vie à ravaler ses questions. Rebus se pencha pour gratter la tête du labrador. Sa lourde queue frappa le sol avec satisfaction.
— Une bagarre, expliqua Rebus.
— Les risques du métier, hein ? Nous nous sommes déjà rencontrés, je crois.
— Au concours de Hannah.
— Ah, oui. (Il hocha la tête lentement.) Vous vouliez parler à Ama.
— Oui, je l'ai fait.
— Est-ce que cela la concerne ?
Le vieil homme rentra dans la serre et, l'ayant suivi, Rebus vit qu'il rempotait des semis. Il faisait chaud sous la verrière malgré un temps couvert. Le docteur demanda à Rebus de fermer la porte.
— Pour conserver la chaleur, précisa-t-il.
L'inspecteur s'exécuta. La plupart de l'espace disponible était occupé par des plans de travail, sur lesquels étaient alignées des rangées de plateaux de semis. Un sac de terreau béait sur le sol. Le Dr Margolies plongeait dedans un pot à fleur en plastique noir.
— Qu'est-ce qu'on ressent dans la peau de l'assassin, auteur d'un crime impuni ?
— Pardon ? demanda Margolies en prenant une pousse qu'il introduisit dans le pot.
— C'est vous qui avez assassiné Darren Rough.

— Qui ça ?

Rebus retira le pot de la main de Margolies.

— Ça sera l'enfer si on cherche à le prouver. En fait, je ne crois pas qu'on le fera. Je crois sincèrement que vous allez vous en tirer.

Margolies le regarda dans les yeux et tendit la main pour reprendre le pot.

— Je regrette, je n'ai pas la moindre idée de ce dont vous parlez.

— On vous a vu à Greenfield. Vous avez demandé des renseignements sur Darren Rough. Puis vous êtes reparti dans votre Mercedes blanche. Une berline blanche a été aperçue à Holyrood Park au moment où Darren a été tué. Je pense qu'il y est allé pour y trouver refuge, mais ça vous a paru un endroit parfait pour un meurtre.

— Ces devinettes, inspecteur... Vous savez qui je suis ?

— Je sais exactement qui vous êtes. Je sais que vos deux enfants se sont suicidés. Je sais aussi que vous faisiez partie du montage de Shiellion.

— Je vous demande pardon ?

Un léger tremblement dans la voix maintenant. Un plant s'échappa de ses doigts parcheminés.

— Ne vous faites pas de bile, Harold Ince respectera ses engagements. Il m'a parlé, mais ce ne serait pas recevable, et il ne parlera à personne d'autre. Il m'a dit que vous étiez à Shiellion ce soir-là. Ince avait souvent discuté avec vous, il en était venu à vous connaître. Il vous avait raconté ce qu'il faisait aux gamins dont il avait la charge. Il savait que vous ne diriez rien, parce que vous vous ressembliez. Il savait combien cela lui serait utile si un médecin, celui-là même qui auscultait les enfants, faisait partie de l'entreprise. (Rebus se pencha vers l'oreille de Margolies.) Il m'a tout raconté, docteur. Tout.

Les verres qu'on boit tard dans la soirée, le médecin qui se lâche. Puis l'arrivée de Ramsay Marshall avec de la chair fraîche, Darren Rough, un petit nouveau. Le gamin auquel on bande les yeux, à la demande expresse du docteur, qui craint d'être reconnu. Le docteur qui transpire et qui tremble, sachant que cette nuit va tout changer.

Ensuite, le dégoût de soi peut-être, sinon juste la peur d'être découvert. Aussi, incapable d'affronter, il avait prétendu des problèmes de santé et opté pour une retraite anticipée.

— Mais vous n'avez jamais pu vous libérer de l'emprise d'Ince. Il vous a fait chanter, vous et Marshall, les deux. (La voix de Rebus était à peine plus qu'un murmure, ses lèvres effleurant presque l'oreille du vieil homme.) Vous savez quoi ? Putain, je suis rudement content qu'il vous ait pompé votre fric pendant toutes ces années, chuchota-t-il avant de se reculer.

— Vous ne savez rien de rien, affirma Margolies, le visage écarlate et la respiration devenue laborieuse sous la chemise écossaise.

— Je ne peux rien prouver, mais ce n'est pas exactement pareil. Je le sais, et c'est ça qui compte. Je pense que votre fille l'a découvert et que la honte l'a tuée. Vous étiez le premier à vous lever le matin, et elle savait que vous seriez celui qui la trouverait. Puis Jim l'a découvert à son tour et il n'a pas pu le supporter, lui non plus. Comment se fait-il que vous, docteur Margolies, vous arriviez à vivre avec ce poids sur la conscience ? Comment se fait-il que vous arriviez à supporter la mort de vos deux enfants et le meurtre de Darren Rough ?

Margolies souleva une fourche qu'il tint contre la gorge de Rebus. Son visage crispé reflétait un mélange de colère et de dépit. Des gouttes de sueur coulaient sur son front. Et dehors, les tourbillons de fumée semblaient les isoler du reste du monde.

Le vieil homme ne répondit pas, mais il grinçait des dents. Rebus resta là, la main dans la poche.

— Quoi ? dit-il. Vous voulez me tuer aussi ? (Il prit un air dubitatif.) Réfléchissez. Votre femme m'a vu entrer, une voiture de police m'attend devant chez vous, un policier au volant. Comment voulez-vous vous en tirer cette fois ? Non, docteur, vous n'allez pas me tuer. Comme je viens de vous le dire, je ne peux rien prouver de ce que j'avance. Ça reste entre vous et moi.

Rebus sortit la main de sa poche et écarta la fourche. Le labrador noir observait par la porte et semblait sentir que quelque chose n'allait pas. Il regardait Rebus en plissant le front, l'air déçu.

— Que voulez-vous ? bredouilla le médecin, les mains agrippées au plan de travail.

— Je veux que pour le reste de votre vie, vous sachiez que je sais, annonça Rebus. C'est tout.

— Vous voulez que je me tue ?

Rebus éclata de rire.

— Je ne crois pas que vous en soyez capable. Vous êtes un vieil homme, vous mourrez bien assez tôt. Et quand vous serez mort, peut-être qu'Ince et Marshall oseront parler. Votre réputation ne s'en remettra pas.

Margolies se tourna vers lui et à présent, on pouvait lire dans ses yeux une haine claire, nette et sans mélange.

— Bien sûr, dit Rebus, si jamais une preuve se présente, soyez sûr que je serai de retour ici vite fait. Peut-être serez-vous en train de fêter une nouvelle décennie, vous recevrez votre carte de vœux de la reine, et alors vous me verrez franchir la porte.

(Il sourit.) Je ne serai jamais très loin, docteur Margolies.

Il ouvrit la porte de la serre, contourna le chien et partit.

Il n'éprouvait pas vraiment un sentiment de triomphe. À moins que quelque chose se présente, justice ne passerait pas pour Darren Rough, il ne fallait pas compter sur un procès. Mais il avait fait ce qu'il pouvait. Mme Margolies se trouvait dans la cuisine où elle faisait semblant de s'occuper en attendant son retour.

— Tout va bien ? s'enquit-elle.

— Très bien, madame, répondit-il en traversant le vestibule en direction de la porte d'entrée avec elle sur ses talons.

— Ah bon, je me posais juste la question…

Rebus ouvrit la porte et se tourna vers elle.

— Pourquoi ne pas la poser à votre mari ?

Souvent la femme sait, mais elle ne posera jamais la question.

— Une seule chose, madame Margolies…

— Oui ?

Votre mari est un assassin. Il ouvrit la bouche et la referma, mais aucun mot n'en sortit. À quoi bon ? Il quitta de la maison.

Clarke le conduisit chez Katherine Margolies dans le quartier de The Grange, à Édimbourg. C'était une maison jumelée de style XVIIIe à trois étages dans une rue dont la moitié des habitations avait été transformée en chambres d'hôtes. La Mercedes blanche était garée devant la grille. Rebus se tourna vers Clarke.

— Je sais, dit-elle. « Attendez-moi dans la voiture. »

Katherine Margolies parut loin d'être ravie de sa visite.

— Que voulez-vous ? demanda-t-elle sans faire mine de l'inviter à entrer.
— C'est à propos du suicide de votre mari.
— Et alors ?
Elle avait un visage dur, des mains longues et fines comme des couteaux de boucher.
— Je crois que je sais pourquoi il l'a commis.
— Et qu'est-ce qui vous fait croire que je veux le savoir ?
— Vous le savez déjà, madame Margolies, répliqua-t-il en prenant une profonde inspiration. (Ma foi, si ça ne la dérangeait pas de parler de ça sur son palier…) Quand a-t-il découvert que son père était un pédophile ?
Elle écarquilla les yeux. Une femme sortit de la maison voisine pour aller promener son jack russell terrier.
— Vous feriez mieux d'entrer, dit précipitamment la jeune femme en jetant des coups d'œil furtifs dans la rue.
Quand il fut à l'intérieur, elle referma la porte et s'y adossa, les bras croisés.
— Alors ?
Il regarda autour de lui. L'entrée avait un sol de marbre gris veiné de noir. Un escalier en pierre conduisait à l'étage. Il y avait des tableaux sur les murs, qui n'avaient pas l'air d'être des reproductions. Elle ne fit aucune remarque sur son bras, il ne l'intéressait pas.
— Hannah n'est pas là ? demanda-t-il.
— Elle est à l'école. Écoutez, je ne sais pas ce qui…
— Alors je vais vous le dire. Ça me rongeait, la mort de Jim. Et je vais vous dire pourquoi. Ça m'est arrivé à moi aussi d'aller là-haut, de me tenir debout tout en haut de la falaise en me demandant si j'au-

rais le cran de sauter. (Le visage de la femme s'adoucit un peu.) En général, c'est quand je suis imbibé que je fais ça, poursuivit-il. Ces jours-ci, je crois que c'est un aspect que je maîtrise. Mais j'ai appris deux choses. Primo, il faut être incroyablement courageux pour le faire. Deuzio, il faut vraiment avoir une bonne raison pour ne pas continuer à vivre. Vous voyez, quand on est au pied du mur, continuer à vivre est la solution la plus facile. Je ne voyais pas pour quelle raison Jim se serait suicidé, absolument aucune. Mais il fallait qu'il y en ait une. C'est ce qui m'a obsédé. Il fallait qu'il y en ait une.

— Et maintenant vous croyez l'avoir trouvée ?

Elle avait des yeux limpides dans la fraîche pénombre de l'entrée.

— Oui.

— Et vous avez trouvé que ça valait la peine de partager ça avec moi ?

Il hocha la tête.

— Tout ce que je vous demande, c'est de me confirmer que j'ai vu juste.

— Après quoi, vous aurez satisfaction ? (Elle attendit qu'il opine.) Et de quel droit, inspecteur Rebus ? Qu'est-ce qui vous donne le droit de bien dormir la nuit ?

— Oh ! moi, vous savez, je suis un insomniaque chronique, madame Margolies.

Il avait l'impression — mais c'était peut-être un effet lumineux — de la voir au bout d'un long tunnel noir, de sorte que si elle se détachait clairement, tout ce qui se trouvait entre eux et autour d'eux se noyait dans une masse informe, un brouillard. Et des choses bougeaient et se rassemblaient sur le pourtour : les fantômes. Ils étaient tous là, formant un public choisi. Jack Morton, Jim Stevens, Darren Rough… et même Jim Margolies. Ils lui semblaient si vivants qu'il avait du mal à croire que Katherine Margolies ne les remarquait pas.

— La nuit de la mort de Jim, reprit-il, vous étiez sortis dîner avec des amis à Royal Park Terrace. J'ai beaucoup pensé à ça... De Royal Park Terrace à The Grange.

— Eh bien, quoi ?

L'air de s'ennuyer ferme. Rebus se dit que c'était de la frime.

— Le plus facile, c'est de couper par Holyrood Park. Est-ce par cette route que vous êtes rentrés chez vous ?

— J'imagine.

— Dans votre Mercedes blanche ?

— Oui.

— Et Jim a arrêté la voiture, il est descendu...

— Non.

— Quelqu'un a vu la voiture.

— Non.

— Parce que sa vie était devenue un enfer depuis qu'il avait découvert quelque chose au sujet de son père...

— Non.

Rebus fit un pas vers elle.

— Il tombait des seaux, cette nuit-là. Il ne serait pas sorti à pied. C'est votre version, madame Margolies : au milieu de la nuit, il s'est levé, s'est habillé et il est parti à pied. Il a marché sous la pluie jusqu'à Salisbury Crags uniquement dans l'intention de sauter. (Il secoua la tête.) Ma version est plus plausible.

— Pour vous, peut-être.

— Je ne vais pas aller le crier sur les toits, madame Margolies. J'ai juste besoin de savoir que c'est ce qui s'est passé. Il avait parlé avec une des victimes de Shiellion. Il a découvert que son père était impliqué dans les maltraitances d'enfants et il a eu peur que ça se sache, peur de la honte qui rejaillirait sur lui.

— Bon sang, vous n'avez rien compris, explosa-t-elle. Vous êtes complètement à côté. Ça n'avait rien à voir. Qu'est-ce que vient faire Shiellion là-dedans ?

Rebus se reprit.

— Expliquez-moi.

— Mais vous ne comprenez pas ? cria-t-elle en larmes. C'était Hannah.

— Quoi ? bougonna-t-il. Hannah ?

— C'était le nom de sa sœur. Notre fille a reçu le nom de sa sœur. Jim l'a fait pour se venger de son père.

— Parce que le docteur Margolies avait... (Il ne pouvait pas prononcer le mot.) Avec Hannah ?

Elle frotta son visage avec le dos de sa main et se barbouilla de mascara.

— Il avait eu des rapports avec sa propre fille. Dieu sait combien de fois. Peut-être que ça a duré des années. Quand elle s'est tuée...

— Elle l'a fait en sachant qui la trouverait en premier ?

— Oui. Jim savait ce qui s'était passé... il savait pourquoi elle l'avait fait. Mais bien sûr personne n'en a jamais parlé. (Elle leva les yeux vers lui.) Ça ne se fait pas, n'est-ce pas ? Pas dans la bonne société, chez les gens bien. Il a donc essayé de le chasser de son esprit en se disant qu'il n'y avait plus rien à faire.

— Je ne suis pas sûr de comprendre.

Mais si. Brusquement, il venait de comprendre pourquoi Jim avait passé à tabac Darren Rough. Il avait servi d'exutoire à sa colère. Ce n'était pas Rough qu'il frappait, mais son père.

Elle se laissa glisser à terre, les bras serrés autour

de ses genoux. Rebus s'accroupit, s'assit sur la dernière marche de l'escalier et essaya de comprendre : Joseph Margolies avait violé sa propre fille... mais qu'est-ce qui avait pu le porter vers un garçon comme Darren Rough ? L'insistance d'Ince, peut-être. Ou simplement par vice ou par curiosité, le goût du fruit défendu...

Katherine Margolies avait retrouvé son calme.

— Je pense aussi que Jim est entré dans la police pour faire passer un message à son père, pour lui dire qu'il n'oublierait ni ne pardonnerait jamais.

— Mais s'il l'a toujours su pour son père, pourquoi s'est-il tué ?

— Je vous l'ai dit ! À cause de Hannah.

— Sa sœur ?

Elle eut un rire dément, un rire sans joie.

— Bien sûr que non... Notre fille, inspecteur. Je parle à présent de Hannah, notre fille. Jim avait... il était soucieux depuis quelque temps, il avait peur. (Elle reprit son souffle.) J'avais remarqué qu'il ne dormait plus. Je me réveillais la nuit et il était allongé dans le noir, les yeux ouverts à fixer le plafond. Une nuit, il m'a parlé. Il pensait que j'avais le droit de savoir.

— Qu'est-ce qui le préoccupait ?

— Il sentait qu'il devenait comme son père. Il craignait qu'il y ait une cause génétique à ça, qu'il ne pourrait pas se maîtriser.

— Vous voulez parler de Hannah ?

— Oui, chuchota-t-elle tout bas. Il faisait tout pour chasser ces pensées, mais elles venaient quand même. Il la regardait et ce n'était plus sa fille qu'il voyait. (Ses yeux fixaient un motif sur le plancher.) Il voyait autre chose, autre chose qu'il désirait...

Enfin, Rebus comprit. Il comprit les peurs de Jim Margolies, le passé qui l'avait hanté toute sa vie et la peur que ce soit un mal récurrent. Il comprit pourquoi il s'était tourné vers de jeunes prostituées, il comprit la terreur du passé. *On ne parle pas de ces choses-là dans la bonne société.* Si ces gens-là, les Margolies et les Petrie, représentaient la bonne société, Rebus préférait carrément ne pas en être.

— Il était resté silencieux toute la soirée, poursuivit Katherine Margolies. Une fois ou deux, je l'ai surpris les yeux sur Hannah et j'ai vu à quel point il était terrifié.

Elle posa ses paumes sur ses paupières et renversa la tête vers le plafond, l'air d'implorer un réconfort qu'elle ne pouvait attendre de la corniche et du plafonnier. Le bruit qui s'échappa de sa gorge évoquait un animal en cage.

— Sur le chemin du retour, il a arrêté la voiture et il est parti en courant. Au début, je n'ai pas compris qu'on était au bord des Crags. Il a dû m'entendre. En moins d'un instant, il avait disparu, comme englouti. On aurait cru un tour de prestidigitateur, un canular. Et puis j'ai compris ce qui s'était passé. Il avait sauté. Je me suis sentie... oh, je ne sais pas ce que j'ai ressenti. J'étais hébétée, trahie, sous le choc. (Elle agita la tête, incapable encore en cet instant de dire ce qu'elle éprouvait pour celui qui avait préféré se tuer plutôt que de céder à ses pulsions les plus bestiales.) Je suis retournée à la voiture. Hannah m'a demandé où était son père. J'ai dit qu'il était allé se promener et j'ai ramené la voiture à la maison. Je ne suis pas allée l'aider. Je n'ai rien fait. Dieu seul sait pourquoi.

À présent, elle passait ses doigts dans ses cheveux. Rebus se leva et ouvrit une porte. Elle donnait dans une salle à manger classique. Des carafes sur un buffet ciré. Il en renifla une et versa dans un grand verre une bonne rasade de whisky qu'il emporta dans l'entrée et offrit à Katherine Margolies. Puis il retourna s'en chercher un pour lui. Maintenant il voyait la succession des événements, un enchaînement diabolique : Jane Barbour annonce à Jim que Rough est attendu en ville. Jim ressort le dossier, est intrigué par le troisième homme. Il sait que son père a travaillé dans des maisons d'enfants. Il veut savoir, presse Darren Rough, son monde qui s'effondre...

— Vous savez, reprenait sa veuve, Jim n'avait pas peur de mourir. Il disait qu'il y avait un cocher.

— Un cocher ?

— Un cocher qui vous conduit là où on va quand on meurt. (Elle leva les yeux vers lui.) Vous connaissez cette légende ?

— Oui, acquiesça Rebus. Une vieille histoire de fantômes, une légende d'ici, rien de plus.

— Vous ne croyez pas aux fantômes alors ?

— Je ne dirais pas nécessairement ça. (Il leva son verre.) À Jim, déclara-t-il, et, quand il regarda autour de lui, il n'aperçut aucun fantôme.

51

Une semaine plus tard, Rebus reçut un coup de fil de Brian Mee.

— Quoi de neuf, Brian ? demanda Rebus qui, au ton de son interlocuteur, se doutait de la réponse.

— Et merde, John, elle m'a quitté.

— J'en suis navré, Brian.

— Vraiment ? s'esclaffa-t-il avec une pointe d'incrédulité.

— Absolument, je suis vraiment navré.

— Mais elle t'a parlé, non ?

— D'une façon détournée, je dirais. (Rebus fit une pause.) Alors tu sais où elle est ?

— Arrête ton char, John. Elle est chez toi.

— Hein ?

— Tu m'as entendu. Elle habite chez toi.

— Première nouvelle.

— Elle ne connaît personne d'autre là-bas.

— Il y a les chambres d'hôtes, les hôtels et...

— Alors tu ne l'héberges pas ?

— Tu as ma parole.

Il y eut un long silence.

— Bon sang, je m'excuse. Je disjoncte à force de me faire de la bile.

— Ça peut se comprendre, Brian.

— Tu crois que ça vaut la peine que j'aille la chercher ?

Il laissa échapper un long soupir.

— Qu'est-ce que tu en penses ?

— Je pense qu'elle m'a aimé.

— Mais c'est fini ?

— Elle ne m'aurait pas quitté sinon.

— C'est probable.

— Même si elle retrouve Damon, je ne pense pas qu'elle revienne.

— Donne-lui un peu de temps.

— Ouais, bien sûr. (Brian Mee renifla.) Tu sais quoi ? Ça me plaisait bien qu'on m'appelle Barney. Je sais pourquoi on m'a appelé comme ça, tu sais ?

— Tu m'as dit que tu ne le savais pas.

— Oui, mais je le sais quand même. Barney Rubble. On trouvait que je lui ressemblais. Quelqu'un l'a dit un jour : au lieu de « Barney », il a dit « Barney Rubble ».

— Mais tu aimais bien ce nom quand même ? demanda Rebus en souriant.

— Je n'ai pas dit ça. J'ai dit que ça me plaisait d'avoir un surnom. C'était une sorte d'identité, quoi. Et c'était mieux que rien.

Le sourire de Rebus s'élargit. Il se rappelait Barney Mee, le petit dur qui avait foncé dans le tas pour défendre Mitch. Les années séparant le présent de cet événement lointain parurent s'évanouir. C'était comme si les deux pouvaient coexister, le passé étant à jamais l'écho fantomatique du présent. Rien ne se perd, rien ne s'oublie, la rédemption reste toujours possible.

Mais si c'était vrai, comment expliquer que le Dr Margolies ne comparaîtrait pas devant un tribunal et que ses crimes ne seraient connus que d'un petit nombre ? Et comment expliquer que le procureur ne semblait pouvoir poursuivre Cary Oakes que pour tentative de meurtre sur la personne d'Alan Archibald ? Les preuves relevées lors de l'expertise médico-légale en relation avec le meurtre de Jim Stevens n'étaient pas concluantes. Des empreintes et des fibres dans la voiture de Stevens ? Oakes était souvent monté avec Stevens. Bon sang, trois policiers l'avaient vu quitter l'aéroport dans cette même putain de bagnole. On n'allait pas clore le dossier, mais on suspendait l'enquête. Tout le monde savait qui était l'assassin. Mais à moins d'avoir des aveux, ils étaient réduits à l'impuissance.

— Mettons tous les atouts de notre côté, avait dit le procureur adjoint.

Autrement dit, on élimine l'agression contre Rebus aussi, même si le chauffeur de taxi était prêt à témoigner.

— Trop d'arguments possibles pour la défense, avait-il ajouté.

Rebus essaya de ne pas se sentir visé. L'accusation était un jeu ayant ses propres règles, où le meilleur joueur pouvait perdre et l'escroc prospérer. Il savait que le travail de la police était d'enquêter et d'exposer les faits. Le travail des avocats tels que Richie Cordover consistait alors à tout déformer afin de convaincre les jurés et les témoins que les fans du club catholique Celtic chantaient l'hymne du club protestant et que Cowdenbeath était un lieu de villégiature paradisiaque.

— Eh, John ? reprenait Brian Mee.

— Oui, Barney ?

Brian rigola.

— Et si tu descendais un week-end, juste toi et moi ? Un duo au karaoké et on verrait si on est encore capables de draguer.

— J'avoue que c'est tentant, Barney. Je te passe un coup de fil un de ces jours.

Ils savaient tous les deux qu'il ne le ferait pas.

— Super, je te prends au mot.

— Salut, Barney.

— Bye, John, c'était sympa de bavarder...

Un autre pédophile venait d'être remis en liberté, à Glasgow cette fois. Le GAP avait loué un bus et s'était rendu à Renfrew, où il était censé se terrer. Certains des jeunes mâles du groupe avaient fait une virée en ville dans la soirée, ce qui s'était soldé par une castagne généralisée dans les rues.

On espérait, au moins dans certains quartiers, que la publicité négative à laquelle cela avait donné lieu sonnerait le glas de l'association. Van Brady continuait de distribuer des interviews à tour de bras et d'avoir sa photo dans les journaux tout en tirant les sonnettes pour trouver des fonds. Les journalistes aimaient ses petites phrases lapidaires, même s'il fallait les atténuer avant publication.

Il y eut un service à la mémoire de Jim Stevens. Rebus s'y rendit. Il suspectait que Stevens avait sans doute rompu au fil du temps avec les trois quarts de l'assistance. Mais en présence des éloges et des mines sombres, il ne put s'empêcher de penser que le journaliste n'aurait pas voulu de ça. Ensuite, il fit sa petite veillée perso dans l'arrière-salle de l'*Oxford Bar* avec trois ou quatre des clients les plus grossiers et les plus drôles qui étaient là. Ils burent jusqu'à minuit passé, leurs rires couvrant presque la musique du groupe écossais installé dans le coin.

Il repartit d'un pas chancelant en direction d'Oxford Terrace, jeta ses vêtements dans le panier à linge sale et prit une douche.

— Tu empestes encore, lui dit Patience comme il se mettait au lit.

— Je défends les traditions, répondit-il. Édimbourg ne sent pas la rose, c'est bien connu.

Il trouvait bizarre que Cal Brady ait envie de lui parler. Cal était en liberté provisoire et attendait son procès pour divers délits plus ou moins graves commis dans la nuit de la descente à Renfrew. Son appel ce matin-là était tellement inattendu que Rebus quitta le poste sans dire à quiconque où il allait. Ils se rencontrèrent sur Radical Road. Cal voulait un endroit pas trop éloigné de chez lui, mais pas l'antenne de police. Un endroit où il pourrait parler sans être entendu.

Le vent soufflait et lui picotait les oreilles. Il y avait des intervalles ensoleillés quand les nuages qui filaient à toute allure se déchiraient avant de reboucher le trou presque aussitôt. Cal Brady avait les deux yeux au beurre noir et une lèvre éclatée. Sa main droite arborait un bandage et il semblait boitiller un peu en marchant.

— C'est du sérieux, hein ? demanda Rebus.

— Ces pieds plats de Glasgow, soupira Cal en secouant la tête.

— Je croyais que c'était Renfrew ?

— Renfrew, Glasgow, du pareil au même, mec. Des malades, tous autant qu'ils sont. Leur idée d'une bagarre honnête, c'est de vous déchirer la figure avec les dents.

Il frémit et resserra son blouson en jean autour de lui.

— Vous pourriez le boutonner, dit Rebus.

— Hein ?

— Votre blouson... si vous avez froid.

— Ouais, mais ça fait débile, non ? Les Levi's

n'ont l'air cool que quand on les porte ouverts. (Rebus ne trouva rien à répondre.) On m'a dit que vous aviez dérouillé, vous aussi.

Rebus regarda son bras. Il n'était plus en écharpe, juste une compresse et du sparadrap. Dans une semaine, les fils se résorberaient.

— À quel sujet vous vouliez me voir, Cal ?

— Ces foutues accusations.

— Eh bien ?

— Je vais sans doute me retrouver au trou, avec mon casier.

— Alors ?

— Alors je m'en passerais bien. (Il eut un haussement d'épaules.) Vous pourriez me tirer de là ?

— Vous voulez dire glisser un mot en votre faveur.

— Ouais.

Rebus enfonça les mains dans ses poches comme s'il se détendait. En fait, il était sur ses gardes depuis la minute où il était arrivé au lieu de rendez-vous, cinq minutes avant Brady, et avait exploré les lieux à la recherche de pièges ou d'un éventuel guet-apens. Une leçon tirée de la fréquentation de Cary Oakes.

— Et pourquoi je ferais ça ? demanda-t-il.

— Bon, je ne suis pas un putain de mouchard, lança-t-il, et Rebus approuva d'un signe de tête puisque l'autre semblait y tenir. Mais j'entends des choses... J'essaie de l'éviter, mais quelquefois, je ne peux pas faire autrement.

— Par exemple ?

— Alors vous allez intervenir pour moi ?

Rebus s'arrêta de marcher. Il semblait admirer le panorama.

— Je pourrais leur dire que vous bossez pour moi. Je pourrais vous faire passer pour quelqu'un d'important.

— Mais je ne deviendrais pas un indic, hein ? C'est le point crucial.

— Entendu, mais vous avez quelque chose à vendre ? s'enquit Rebus.

Cal regarda autour de lui comme si, même ici, il avait peur d'être entendu. Quand il baissa la voix, Rebus dut s'approcher pour l'entendre à cause du vent.

— Vous savez que je bosse pour M. Mackenzie ?

— Vous êtes son vigile.

Brady se hérissa.

— Quelquefois on lui doit du fric. Ça arrive dans beaucoup de boulots.

— Bien sûr.

— Moi, je fais en sorte que ses débiteurs sachent les risques qu'ils prennent.

— C'est une jolie façon de le tourner, commenta Rebus en rigolant.

Brady jeta de nouveau un regard circulaire.

— Petrie, dit-il, comme si ce nom expliquait tout.

— Je sais, répondit Rebus. Nicky Petrie devait du pognon à Charmeur et on l'a tabassé pour lui rafraîchir la mémoire.

— Non, non, le reprit l'autre en secouant la tête. C'était sa sœur qui avait des dettes.

— Ama ?.... Alors pourquoi cogner sur Nick ?

Brady grogna.

— C'est une sacrée salope, une dure à cuire. Vous ne l'avez peut-être pas remarqué, mais elle aime son petit frère. Elle adore son petit Nicky...

— C'était donc une façon de lui faire passer le message ? (Rebus réfléchit. Il se rappela les propos d'Ama au concours de beauté : *À qui dois-je de l'argent ?*) Pourquoi ne demande-t-elle pas du fric à son paternel ?

— En fait, elle ne lui demanderait pas l'heure et

il ne la lui donnerait pas même s'il avait une montre à chaque poignet.

— Je ne comprends toujours pas ce que je viens faire là-dedans.

— Leur appart.

— Oui, eh bien ?

— C'est là qu'elle crèche, la blonde que vous recherchiez.

Rebus le regarda fixement.

— Elle se trouve dans cet appartement ? (Brady confirma d'un geste.) Comment elle s'appelle ?

— Je crois que c'est Nicola.

— Comment vous savez ça ?

— Peuh, ils ne savent pas tenir leur langue, dans cette petite bande à la con.

Rebus pensa à une scène sur le bateau. Ce type ivre qui était sur le point de parler avant qu'Ama Petrie surgisse pour l'en empêcher.

— Ils sont au courant pour cette Nicola ?

— Ils sont tous au courant.

Ce qui voulait dire qu'ils avaient tous menti… y compris le frère et la sœur. Nicky et Ama.

— C'est la petite amie de Nicky ?

Brady haussa les épaules.

— Ou celle d'Ama, alors ?

— Je ne m'en mêle pas, répondit Brady en agitant la main comme pour mettre fin à la discussion.

— Et vous, Cal ? Vous habitez toujours avec Joanna ?

— Ça ne vous regarde pas.

— Comment va Billy Boy ? Vous ne croyez pas qu'il serait mieux chez son père ?

— Ce n'est pas ce que veut Joanna.

— Quelqu'un a demandé à Billy ce qu'il veut, lui ?

— Ce n'est qu'un môme, fit Brady d'une voix

plus aiguë. Comment il pourrait savoir ce qui est mieux pour lui ?

— Je parie que quand vous aviez son âge, vous saviez ce que vous vouliez.

— Peut-être bien, concéda Brady au bout d'un moment. Mais il y a gros à parier que je ne l'ai pas eu. (Il rit.) Et peut-être que je ne l'ai toujours pas. Vous savez ce que j'en pense ?

— Quoi ?

— Regardez-moi.

Et quand Rebus regarda, Cal Brady ouvrit sa braguette, sortit son membre et se mit à pisser par-dessus le bord de Radical Road. Resté à l'écart, Rebus avait l'impression qu'il arrosait Holyrood, Greenfield et St Leonard, en dessinant un gigantesque arc de cercle au-dessus de la ville.

Et si Rebus l'avait osé, en cet instant précis, il en aurait fait autant.

52

En rentrant à St Leonard avec Siobhan Clarke après une urgence, Rebus fit un détour par New Town. Clarke savait ne pas poser de questions : il lui dirait ce qu'il avait en tête quand il en aurait envie et pas avant.

C'était en fin d'après-midi et il resta là, au bord du trottoir, clignotants allumés, à s'interroger sur Nicky Petrie. Lui rendre visite ou pas ? La copine serait-elle là ? Petrie lui concocterait-il un nouveau cocktail de mensonges et de semi-vérités ? Clarke était sur le point d'ouvrir la bouche pour dire quelque chose quand elle vit ses mains se serrer sur le volant.

Une femme descendait les marches de l'immeuble de Petrie. Rebus s'aperçut alors qu'un taxi attendait. Elle monta à l'intérieur. Il n'avait pu que l'entrevoir : grande, souple, cheveux blonds coupés à la Jeanne d'Arc. Robe et collants noirs sous un manteau de laine ondulant, également noir. Rebus éteignit ses clignotants et se prépara à filer le taxi en expliquant la situation à Clarke.

— Où vous pensez qu'elle va ?

— Il n'y a qu'une seule façon de le savoir.

Le taxi se dirigea vers Princes Street, qu'il traversa, et remonta le Mound. Il passa les feux en haut de la côte et tourna à droite sur Victoria Street. Il allait vers Grassmarket. Nicola régla sa course et descendit. Elle regarda autour d'elle, l'air hésitant. Son visage était figé, pareil à un masque.

— La main un peu lourde sur le maquillage, nota Clarke.

Rebus essayait de trouver une place pour se garer. N'en trouvant aucune, il laissa sa voiture à cheval sur une bande jaune. S'il se payait un PV, celui-ci irait rejoindre les autres dans la boîte à gants.

— Où elle est allée ? demanda-t-il en mettant pied à terre.

— Par Cowgate, je pense, dit Clarke.

— Qu'est-ce qu'elle va foutre par là ?

Si Grassmarket s'était embourgeoisé, le quartier immédiatement à l'est était toujours l'auberge espagnole : un lieu que les déshérités de la ville pouvaient, pour un temps encore, considérer comme leur fief. Les choses seraient sans doute différentes quand les politiciens débarqueraient dans le coin. Ils se tenaient au coin des rues ou s'asseyaient sur les marches d'églises désaffectées, pantalon informe et barbe hirsute, le sourire édenté et le dos voûté. Comme Rebus et Clarke parvenaient au coin de la rue, ils virent que la femme marchait avec une lenteur exagérée au milieu d'une cohorte d'admirateurs, dont un petit nombre seulement lui demandait de la monnaie et des cigarettes.

— On aime parader, remarqua Clarke.

— Et pas trop difficile sur le public.

— Il y a une seule chose qui me chiffonne, monsieur...

Mais Nicola s'était retournée en entendant quelqu'un la siffler et ce faisant, elle les vit. Elle fit alors rapidement volte-face et accéléra l'allure en serrant contre elle son sac rayé à bandoulière.

— Côté filature, on n'est pas champion, constata Clarke.

— En tout cas, elle nous connaît, lança Rebus entre ses dents.

Ils se mirent à foncer, coururent sur le trottoir sous le pont George-IV. Elle portait des talons plats et courait malgré l'ampleur de son long manteau. Elle profita d'un trou dans la circulation pour traverser la rue comme une flèche. Sur Cowgate, c'était l'horreur : un étroit défilé entre deux rangées d'immeubles. Quand la circulation bouchonnait, les gaz d'échappement n'avaient pas la place de s'échapper. Les points de suture sur son thorax ralentissaient Rebus.

— Guthrie Street, dit Clarke.

C'était la destination de Nicola. Cela la conduirait jusqu'à Chambers Street, où elle pourrait semer ses poursuivants plus facilement. Mais quand elle s'engouffra dans une venelle abrupte, elle se cogna contre un passant. Le choc la fit tourner sur elle-même. Quelque chose tomba à terre, mais elle continua à courir. Rebus s'arrêta pour ramasser l'objet : une courte perruque blonde.

— Bon sang de bonsoir… ?

— C'est ce que j'ai essayé de vous dire, monsieur, répondit Clarke.

Devant eux, Nicola marquait le pas. Elle montait la pente en se tenant au mur pour s'aider. Et elle boitait, s'étant foulé la cheville dans la collision. Pour finir, comme elle arrivait sur Chambers Street, avec ses courts cheveux clairs dépouillés de la perruque blonde, elle renonça et se tint, dos au mur, le souffle court. La sueur coulait sur son maquillage. Derrière le masque, Rebus voyait quelqu'un qu'il ne connaissait que trop bien.

Au lieu de Nicola, c'était Nicky. Nicky Petrie.

Les paroles de Petrie : *Sinon, comment les vieilles familles collet monté se donneraient-elles des frissons ?*

Le cœur de Rebus était près d'éclater quand il s'arrêta devant lui. Il pouvait à peine articuler.

— Il est temps de vider votre sac, monsieur Petrie.

Il flanqua la perruque sur la tête de Nicky Petrie. Avec une expression de dégoût, celui-ci la retira et la porta à son visage. Il était difficile à présent de distinguer la sueur des larmes.

— Mon Dieu, mon Dieu, mon Dieu, murmurait-il inlassablement.

— Où est Damon Mee ?

— Mon Dieu, mon Dieu, mon Dieu...

— Je ne crois pas qu'Il soit en état de vous aider, Nicky.

Rebus regarda les vêtements. Ils pouvaient appartenir à Ama Petrie. Le frère et la sœur avaient sensiblement la même carrure, même si Nicky était un peu plus grand et les épaules plus larges. La robe noire semblait le serrer un peu.

— Alors, c'est ça qui vous plaît, Nicky ? Vous travestir ?

— Il n'y a pas de mal à ça, intervint Clarke promptement. Nous sommes tous différents.

Nicky la regarda en clignant des yeux pour mieux fixer son attention.

— Un peu de maquillage ne vous ferait pas de mal, chérie, dit-il.

— Oh ! fit-elle en souriant, vous avez sans doute raison.

— Qui vous maquille, Nicky ? demanda Rebus. Ama ?

— Eh, rétorqua-t-il en se redressant. Je sais le faire tout seul.

— Et après vous venez de ce côté de la ville ? Et

vous faites le trottoir pour vous vautrer dans l'admiration générale ?

— Je n'attends pas de vous que...

— Personne ne vous demande ce que vous attendez, monsieur Petrie, grogna Rebus en se tournant vers Clarke. Allez chercher la bagnole. (Il lui tendit les clés.) Nous aurons besoin de conduire M. Petrie au poste.

Les yeux de celui-ci s'écarquillèrent comme des soucoupes.

— Mais pourquoi ? demanda-t-il, terrifié.

— Pour répondre à quelques questions concernant Damon Mee. Et pour nous expliquer pourquoi vous nous avez menti depuis le début.

Petrie voulut dire quelque chose, puis il se mordit la lèvre.

— Comme il vous plaira, conclut Rebus qui se tourna vers Clarke. Allez chercher la caisse.

Rebus questionna Nicky Petrie pendant une demi-heure. Il s'assura que tous ceux qui avaient envie de regarder puissent entrer dans la salle d'audition. Petrie était assis, la tête dans les mains, paupières baissées, tandis qu'un défilé d'inspecteurs et d'agents faisait des remarques sur ses chaussures, ses collants et sa robe.

— Je peux vous procurer un pantalon et une chemise, proposa Rebus.

— Je sais ce que vous cherchez à faire, dit Petrie quand ils furent seuls. Humiliez-moi tant que vous voudrez, cette dame ne parlera pas.

Il parvint à esquisser un petit sourire de défi.

— Je suis sûr que papa va venir en quatrième vitesse à la rescousse de son fils chéri, lança Rebus qui vit avec plaisir blêmir les lèvres du jeune homme.

— Je n'ai pas besoin de mon père.

— Possible, mais nous allons devoir le contacter. Il vaut mieux que ce soit nous plutôt que les journaux.

— Les journaux ?

— Vous croyez qu'ils vont laisser ça leur passer sous le nez ? s'esclaffa-t-il. Non, bien sûr, vous allez faire la une du jour, Nicky. Félicitations. Avec un peu de rouge à lèvres et la perruque, ils seront peut-être même prêts à vous payer pour tirer votre portrait.

— Ils n'ont pas besoin de savoir, rétorqua Petrie tranquillement.

— Allons donc. Les commissariats sont comme des passoires, Nicky. Tous ces gens que vous avez vus ici... Je ne peux pas promettre qu'ils vont tenir leur langue.

— Fumier.

— Si vous voulez, Nicky, convint Rebus en se penchant en avant. Tout ce que je veux savoir, c'est où je peux trouver Damon Mee.

— Alors là, mon cher, je ne peux rien pour vous, rétorqua Nicky Petrie avec autant de panache que possible.

Plan numéro deux : Ama Petrie.

Elle arriva au poste telle une bourrasque. Cal Brady avait raison : elle avait un sacré faible pour son petit frangin.

— Où est-il ? Qu'est-ce que vous lui avez fait ?

Rebus la toisa du haut d'une montagne de sérénité.

— Ne serait-ce pas à moi de poser ces questions ? (Elle parut ne pas comprendre.) Damon Mee, précisa Rebus. Nicky l'a rencontré au *Gaitano*, emmené sur le bateau où vous donniez une de vos fiestas. C'est la dernière fois qu'on l'a vu vivant, mademoiselle Petrie.

— Ça n'a rien à voir avec Nicky.

Ils étaient assis dans la même salle d'audition, Nicky Petrie ayant été conduit en cellule. C'était aussi la même où Harold Ince avait été interrogé la première fois. Ince avait été condamné à douze ans, Marshall à huit, le gros des deux sentences à purger à Peterhead. Si Rebus y avait connu quelqu'un, il aurait pu intervenir pour Ince. Malheureusement il ne connaissait pas âme qui vive à Peterhead.

— Qu'est-ce qui n'a rien à voir avec Nicky? demanda-t-il.

— C'est ma faute, pas la sienne.

Rebus comprit. Elle croyait que Nicky avait parlé et s'était accusé. Elle le sous-estimait. La faille dans son armure que Cal Brady avait détectée : elle vouait à son frère un amour excessif. Rebus se recula sur sa chaise. Il connaissait la musique. Il lui demanda si elle voulait boire quelque chose.

— Non merci, répliqua-t-elle brutalement. Je veux faire une déclaration.

— Vous voulez sûrement contacter un avocat, mademoiselle Petrie.

— Rien à foutre... Nicky est là ? Dans ce commissariat ?

— En sécurité sous les verrous.

— En sécurité ? (Les yeux secs mais le visage tendu et la voix tremblante.) Pauvre petit Nicky...

— Damon Mee savait-il que Nicky n'était pas une femme ?

— Comment aurait-il pu l'ignorer ?

— Ben, fit Rebus, votre frère est plutôt convaincant.

Elle se permit un bref sourire.

— Il dit toujours qu'il aurait dû être la fille et moi le garçon.

Rebus savait que Nicky avait fait une fugue à

douze ans. Finalement, il n'était jamais vraiment revenu…

— Alors que s'est-il passé sur le bateau ?

— On avait picolé, dit-elle en lui lançant un coup d'œil. Vous savez ce que c'est, dans ces soirées.

Elle cherchait à le mettre de son côté. C'était trop tard, mais il concéda un hochement de tête.

— Puis Nicky a ramené ce péquenot sous le pont.

— Un péquenot ?

— Et je ne joue pas les snobs, inspecteur.

— Bien sûr. Je crois comprendre que vous étiez tous au courant des préférences… sexuelles de Nicky.

— Dans notre bande, oui. Quelques couples dansaient. Nicky et ce Damon les ont rejoints. (Son regard se perdit dans le vague. Elle visionnait la scène.) Nicky avait la tête sur l'épaule de Damon, et un moment nos regards se sont croisés… il avait l'air tellement heureux.

Elle ferma les yeux en serrant les paupières.

— Et que s'est-il passé ensuite ?

Elle rouvrit les yeux et fixa le bureau.

— Alfie et Cherie, c'était un des autres couples. Alfie était plus beurré que jamais. Pour rigoler, il s'est penché et il a arraché la perruque de Nicky. Nicky lui a couru derrière et Damon est resté figé, comme pétrifié. Il avait l'air… sur le coup, on a trouvé ça vraiment tordant. Il faisait une tête incroyable. Puis il a dévalé les marches. Nicky a vu ce qui se passait et est parti derrière lui.

— Ils se sont battus ?

— C'est ce qu'il vous a dit ? (Elle sourit.) Ce cher Nicky… Vous l'avez vu, inspecteur. Il ne ferait pas de mal à une mouche. Non, quand je suis arrivée sur le pont, ce Damon avait collé Nicky par terre et il était carrément en train de l'étrangler tout en lui cognant la tête sur le pont. Il la soulevait et recommençait à frapper. J'ai attrapé une bouteille de vin vide et je la lui ai balancée sur le côté de la tête. Ça ne l'a pas assommé et la bouteille ne s'est même pas cassée, comme au cinéma. Mais il a lâché Nicky et il s'est relevé en vacillant.

— Et alors ?

— Il a paru perdre l'équilibre. Il est tombé par-dessus bord. C'est drôle… le bateau n'est pas très haut au-dessus de la surface de l'eau… il n'a pratiquement pas fait de bruit en tombant.

— Qu'est-ce que vous avez fait ?

— Je devais m'assurer que Nicky allait bien. Je l'ai emmené sous le pont. Il avait mal à la gorge, mais j'ai demandé qu'on lui apporte du cognac.

— Je voulais dire : qu'avez-vous fait pour Damon ?

— Oh, lui ? (Elle fouilla ses souvenirs.) Eh bien, le temps que je remonte sur le pont, il n'y avait plus trace de lui. J'ai pensé qu'il avait nagé jusqu'au rivage.

Rebus la regarda fixement.

— Vous êtes bien sûre que c'est ce que vous avez pensé ?

— Franchement… Je me demande si j'y ai seulement réfléchi. Il était parti, donc il ne pourrait plus faire de mal à Nicky, c'était tout ce qui comptait. C'est tout ce qui compte pour moi. Alors vous voyez, quoi que Nicky vous ait dit, c'était seulement pour me protéger. C'est moi qu'il faut mettre en prison, et Nicky doit rentrer à la maison.

— Merci pour le conseil.

— Vous allez le laisser partir, n'est-ce pas ?

Il se leva et se pencha vers elle par-dessus la table.

— Je connais la famille de Damon. J'ai vu la souffrance de ses parents. Votre cher petit frérot n'en connaît pas encore le tiers du quart.

Elle lui lança un regard noir.

— Et pourquoi le devrait-il ?

Il pensa à un millier de réponses en sachant qu'elle les récuserait toutes. Il préféra lui dire qu'il lui fallait une déposition écrite et qu'il allait lui envoyer quelqu'un pour la prendre. Il se dirigea vers la porte.

— Après, vous laisserez partir Nicky, n'est-ce pas, inspecteur ?

Petite victoire personnelle, il sortit sans un mot.

Épilogue

Le soir même, il se retrouva à Cowgate, plus à l'est cette fois, après la morgue provisoirement fermée, et il marcha jusqu'au terrain en construction à Holyrood. Derrière, il pouvait distinguer deux ou trois des tours de Greenfield et, plus loin, Salisbury Crags. Le soleil s'était couché mais il ne faisait pas tout à fait nuit. Le crépuscule pouvait durer une éternité en cette période de l'année. Le travail de démolition avait cessé pour la journée. Il ne savait pas trop où on transporterait les gravats, mais il savait qu'il y aurait là l'immeuble d'un journal, un parc à thème et le Parlement. On entrerait dignement dans le XXIe siècle, du moins selon les prédictions, et l'Écosse renaîtrait enfin de ses cendres. Rebus tenta d'éprouver un petit frisson d'espoir, mais celui-ci fut vite étouffé par son cynisme congénital.

Fini le crépuscule, l'obscurité était tombée. Les ombres semblaient s'élever autour de lui tandis qu'une cloche tintait dans le lointain. Le sang qui s'était infiltré dans la pierre, les os qui gisaient pour l'éternité, les horreurs appartenant au passé et au présent de la ville... ils finiraient par ressortir entre les mâchoires d'acier de la pelleteuse, bouillonnant à la surface tandis que la ville entreprendrait sa lente ascension pour retrouver sa place de capitale de la nation.

Laisse tomber, John, se dit-il. *C'est Old Town, rien de plus.*

Cary Oakes était assis au parloir de Saughton Prison. Il n'avait pas de menottes et il n'y avait qu'un seul gardien. C'était presque humiliant pour lui. Puis la porte s'ouvrit et son conseiller entra. Conseiller juridique, c'est le nom qu'on leur donne en Angleterre. Cary sourit, inclina la tête pour le saluer. Un homme jeune, de bonne volonté mais nerveux. Il faisait ses débuts, sans doute, mais ça ne le gênait pas. Les jeunes, ils se défoncent pour se montrer à la hauteur, ils n'hésitent pas à vous consacrer tout leur temps, ils y mettent le paquet. Cary n'avait rien contre le sang neuf.

Il attendit que le gars soit assis et prêt, carnet ouvert, le stylo dans la main droite. Puis il commença son baratin.

— Je suis innocent, mon vieux, alors aidez-moi. Vous devez le faire, vous devez m'aider. Entre nous, nous pouvons prouver que je n'ai rien fait. (Il se pencha en avant, les coudes sur la table.) Ça va lancer votre carrière, vous verrez. Vous êtes celui qu'il me faut, je le sens.

Là-dessus, un grand, un large sourire bien franc.

DU MÊME AUTEUR

Aux Éditions du Rocher

LES ENQUÊTES DE L'INSPECTEUR REBUS.
LA MORT DANS L'ÂME, 2004 (Folio Policier n° 392).
LE JARDIN DES PENDUS, 2003 (Folio Policier n° 346).
L'OMBRE DU TUEUR, 2002 (Folio Policier n° 293).
AINSI SAIGNE-T-IL, 2000 (Folio Policier n° 276).
CAUSES MORTELLES, 1999 (Folio Policier n° 260).
LE CARNET NOIR, 1998 (Folio Policier n° 155).

Aux Éditions du Masque

UNE DERNIÈRE CHANCE POUR REBUS, 2006.
LA COLLINE DE CHAGRINS, 2005.
DU FOND DES TÉNÈBRES, 2004 (Le Livre de Poche).
DOUBLE DÉTENTE, 2003 (Le Livre de Poche).
NOM DE CODE : WITCH, 2002 (Le Livre de Poche).

Aux Éditions du Livre de Poche

PIÈGE POUR UN ÉLU, 2005.
REBUS ET LOUP-GAROU DE LONDRES, 2005.
LE FOND DE L'ENFER, 2004.
L'ÉTRANGLEUR D'ÉDIMBOURG, 2004.

Composition Interligne
Impression Novoprint
à Barcelone, le 5 janvier 2009
Dépôt légal: janvier 2009
1er *dépôt légal dans la collection: septembre 2005*

ISBN 978-2-07-030089-1./Imprimé en Espagne.

166990